REIS VOORBIJ HET EINDE

DE VERHEVEN STEEN
DEEL III

Van Margaret Weis zijn verschenen:

DRAKENVALD
Drakenvrouwe*
Drakenzoon*
Drakenmeester*

Van Margaret Weis en Tracy Hickman zijn verschenen:

DE POORT DES DOODS
Boek 1 Drakevleugel*
Boek 2 ElfenSter*
Boek 3 VuurZee*
Boek 4 ToverSlang*
Boek 5 ChaosSchepper*
Boek 6 DwaalWegen*
Boek 7 MeesterPoort*

DE DOODSZWAARD SERIE
Boek 1 De Schepping van het DoodsZwaard*
Boek 2 De Doem van het DoodsZwaard*
Boek 3 De Triomf van het DoodsZwaard*
Boek 4 De Erfenis van het DoodsZwaard*

DE ROOS VAN DE PROFEET
Boek 1 Het bevel van de Zwerver*
Boek 2 Paladijn van de Nacht*
Boek 3 Profeet van Akhran*

DE VERHEVEN STEEN
Boek 1 Bron van Duisternis*
Boek 2 Wachters van de Leegte*
Boek 3 Reis voorbij het Einde*

DE OORLOG DER ZIELEN
Boek 1 Draken van een Gevallen Zon
Boek 2 Draken van een Verloren Ster
Boek 3 Draken van een Verdwenen Maan

*In POEMA - POCKET verschenen

Weis & Hickman

REIS VOORBIJ HET EINDE

DE VERHEVEN STEEN
DEEL III

Derde druk

Oorspronkelijke titel: *Journey into the Void*
Vertaling: Pauline Moody
Omslagontwerp: Wouter van der Struys
Omslagillustratie: Edward Miller

ISBN 978 90 245 5872 8

www.boekenwereld.com & www.poemapocket.com

Opgedragen aan mijn dochter,
Elizabeth Baldwin,
met de liefde en trots van een moeder

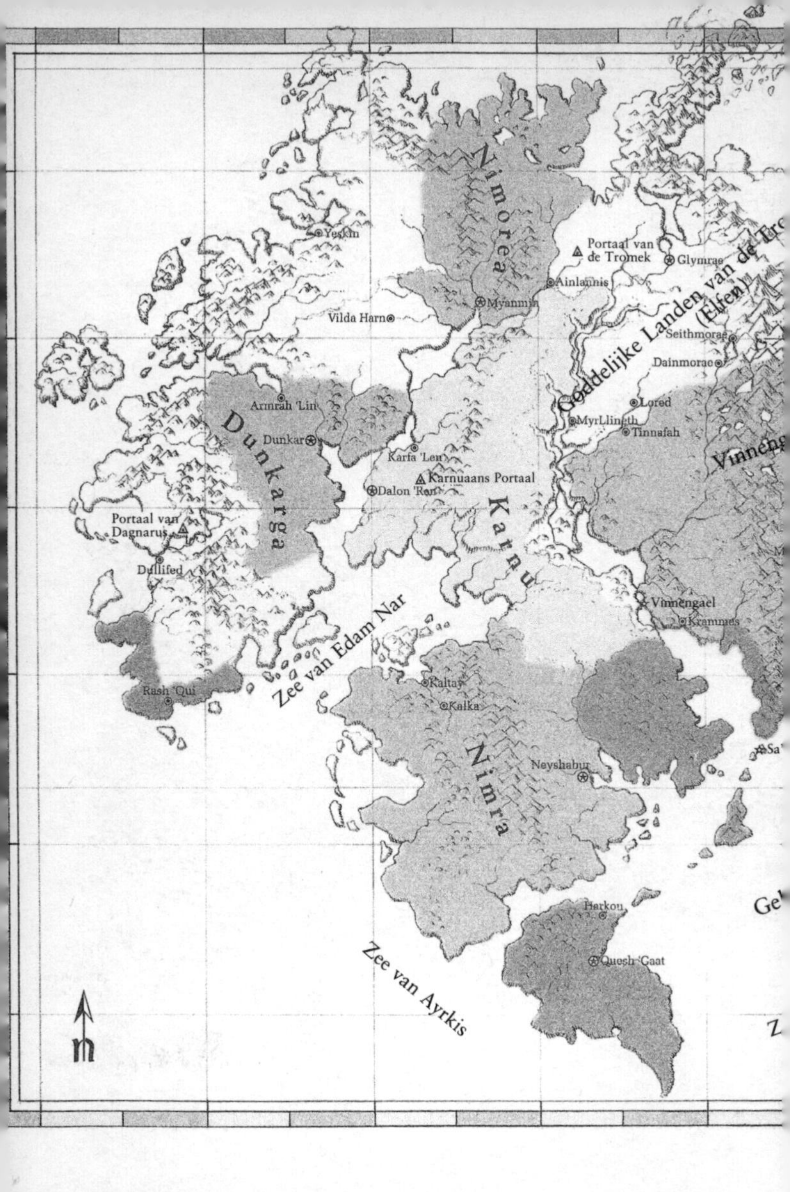
Yeskin
Portaal van
de Tromek
Glymrae
Nimorea
Ainlannis
Myanmin
Vilda Harn
Goddelijke Landen van de Tro
(Elfen)
Seithmorae
Dainmorae
Armrah 'Lin
Lored
MyrLlineth
Tinnafah
Dunkar
Karfa 'Len
Vinneng
Karnuaans Portaal
Dalon 'Ren
Dunkarga
Karnu
Portaal van
Dagnarus
Dullifed
Vinnengael
Krammes
Zee van Edam Nar
Kaltay
Rash 'Qui
Kalka
Nimra
Neyshabur
Harkon
Quesh 'Gaat
Zee van Ayrkis

Saurgan
Saudamos
Gebied van de dwergen
Karkara
Forden
Karnuaans Portaal
Saumel (de Stad van de Paardlozen)
Enesh 'Sar
Goresh 'Sar
Zee van Stiaga
Zee van Sagquanno
Rehn
Orken
legenda
stad
hoofdstad
Portaal
180
360
720
schaal
mijl

DEEL
1

Het schaduwen van de twee pecwaes was vrij gemakkelijk voor Jedash, de Vrykyl. De bejaarde grootmoeder en haar kleinzoon liepen langzaam en bleven vaak stilstaan om zich te vergapen aan de prachtige bezienswaardigheden van de stad Nieuw Vinnengael.

Een straat vol reusachtig hoge gebouwen van wel drie op elkaar gestapelde verdiepingen was iets verbluffends voor de kleine pecwaes, die in de bossen woonden. Het tweetal had wel een kwartier nodig om alleen dit wonder in zich op te nemen. De bont beschilderde uithangborden van de gildewinkels en bierhuizen waren bedoeld om de aandacht te trekken, en ze kwamen de pecwaes verlokkelijk voor, met hun felle kleuren en wonderlijke uitbeeldingen van dieren, voorwerpen en mensen. Het Steigerende Mestvarken, de Hanige Hoedenzaak (met de afbeelding van een haan met een hoed op), het Bierhuis met de Mijter – het werd hoofdschuddend bekeken door de pecwaes die wel beter wisten (er bestond geen varken dat kon steigeren), of ze moesten erom lachen.

De twee pecwaes hadden er geen flauw vermoeden van dat ze gevolgd werden. Ze waren aan het gevaar ontkomen, dat dachten ze tenminste. Zodra de koninklijke garde in zicht was gekomen, die hen en hun gezellen naderde, had het instinct tot zelfbehoud dat dit kleine volk in staat had gesteld te overleven in een door allerhande rovers bevolkte wereld, hen ertoe aangezet op de vlucht te slaan. Hun gezellen, onder wie baron Shadamehr en hun beschermer, de Trevinici Jessan, waren gearresteerd. Maar omdat de koninklijke garde geen orders had gekregen met betrekking tot pecwaes, had die hen ongemoeid gelaten.

Jedash had ook geen orders met betrekking tot pecwaes, maar hij had ze zien aankomen in het gezelschap van een Trevinici. Omdat hij zich herinnerde dat Shakur, ook een Vrykyl, op zoek was geweest naar een Trevinici die in het gezelschap van pecwaes reisde, had Jedash dit interessant gevonden. Hij had het aan Shakur gemeld en zichzelf de taak gesteld hen te volgen. Zijn vooruitziende blik was beloond. Shakur stuurde hem via het bloedmes de dringende boodschap dat Jedash de twee pecwaes gevangen moest nemen en hen naar het paleis moest brengen, waar Shakur nu zetelde, nadat hij de jonge koning had vermoord en diens lichaam had betrokken.

Het probleem voor Jedash was, hoe hij het tweetal gevangen moest nemen zonder ongewenste aandacht te trekken. En op dit punt had hij concurrentie.

Het tafereel van pecwaes die zomaar door de straten van Nieuw Vinnengael kuierden trok veel aandacht, niet altijd goedbedoeld. De mannelijke pecwae, ongeveer een meter twintig lang, slank van bouw, met grote ogen en een opgewekte glimlach, had zich vermomd om voor een mensenkind door te gaan, en droeg een muts om zijn fijngepunte oren te bedekken. Maar de bejaarde vrouwelijke pecwae had niet de moeite genomen zich te vermommen. Klein en grijs, met een bruin gezicht dat gerimpeld was als een walnoot, tuurde ze iedereen die ze tegenkwamen loerend in het gezicht; haar lange, kleurige rok, versierd met kralen en belletjes, klepperde en rinkelde om haar enkels. De stok waarmee ze liep was een curiosum op zichzelf. De stok, uit hout gesneden, zat vol kwastgaten en in elk kwastgat was een gepolijste agaat gemonteerd, zodanig dat elk ervan op een starend oog leek.

De meeste burgers die stilstonden om de pecwaes te bekijken en na te wijzen, waren gewoon nieuwsgierig; ze namen even tijd om de grappig uitziende kleine mensen aan te gapen. Maar voor anderen gold dat niet. Sommigen hadden een meer materialistische belangstelling.

In het verleden was het bij de rijken van Nieuw Vinnengael in de mode geweest pecwaes te houden als een soort huisdier. Pecwaekinderen, die uit hun huis waren geroofd, werden op de markt gekocht en verkocht. De rijken pronkten ermee als curiositeit of hielden ze als gezelschap, kleedden ze aan als een pop en lieten ze uit als een hond. De pecwaes waren niet gewend aan het leven in de stad, zodat veel van hen in gevangenschap wegkwijnden en stierven, tot de Kerk ten slotte een einde maakte aan dit gebruik. De handel in pecwaes was nu verboden, een misdaad die met de dood bestraft kon worden.
Maar de mensen vonden manieren om deze wet te omzeilen. Adoptie was niet alleen toegestaan, maar werd zelfs aangemoedigd, en rijke families konden nu altijd pecwaekinderen 'adopteren'. De Kerk zag hier geen kwaad in, want het wilde volk kon er alleen maar beter van worden als pecwaes kennismaakten met de beschaving en de heilzame werking van een opvoeding in de Kerk. De handel in pecwaes was streng aan banden gelegd, maar iemand die geld had, kon er toch nog een krijgen.
Zelfs op de zwarte markt waren er maar weinig pecwaes beschikbaar, en de paar die er waren, brachten veel geld op. Om hun kinderen te beschermen, hadden de pecwaestammen Nieuw Vinnengael verlaten en waren ze naar het westen getrokken, naar het gebied van de Trevinici, van oudsher hun beschermers. Gewetenloze kooplieden die niet bang waren voor de Kerk hadden een heilig ontzag voor de Trevinici. Het was de aloude wet van vraag en aanbod.
Bij de aanblik van twee pecwaes, die alleen en zonder bescherming kalmpjes door de straten van Nieuw Vinnengael wandelden, begonnen de ogen van meer dan één zwarthandelaar begerig te glanzen.
Jedash begreep beter dan de twee pecwaes zelf het gevaar waarin ze verkeerden. Wat een vervloekte pech! De kans was levensgroot dat zijn prooi voor zijn neus zou worden weggekaapt. Hij herkende tussen het kijkerspubliek twee bekende smokkelaars, van wie werd beweerd dat ze in allerhande smokkelwaar handelden, zoals verboden boeken over Leegtemagie, nachtschaduw en zwarte gifbessen, orkentanden (die door sommigen

als liefdesmiddel werden beschouwd) en pecwaes.
Jedash, die gewapend was met de toverkracht van de Leegte, was niet bang om voor zijn prooi te vechten. De enige wapens die hij vreesde – de enige wapens die de magie van de Leegte waarmee zijn rottende lichaam bijeen werd gehouden, konden aantasten – waren wapens die door de goden gezegend waren. Jedash was er redelijk zeker van dat geen van die twee zo'n wapen in zijn bezit zou hebben.
Dat mocht dan wel zo zijn, maar Jedash besefte heel goed dat de smokkelaars zo'n buitenkansje niet zomaar op zouden geven. Als hij zijn prooi zou naderen, zouden de smokkelaars hem als concurrent zien en proberen hem tegen te houden. Er zou gevochten worden, opschudding ontstaan, geschreeuw, bloed. Tot overmaat van ramp was het onrustig in de stad; het was ongewoon druk op straat, want er gingen geruchten dat Nieuw Vinnengael op het punt stond een oorlog te beginnen. Winkeliers hadden hun winkel gesloten. De rijken die over een buitenhuis beschikten, hadden hun waardevolle spullen gepakt en waren op weg de stad te verlaten. Er liepen soldaten rond met grimmige gezichten en een gewichtige houding, en het leek wel of iedereen die kon lopen of strompelen buiten was om het nieuwste gerucht te vernemen. Zodra er iets werd gezien dat niet in de haak was, zou een zenuwachtige bemoeial zich naar de overheden reppen.
Jedash kon overheidsdienaren heel goed aan, hoeveel het er ook waren, maar hij had opdracht zijn ware aard verborgen te houden. Hij mocht niemand laten merken dat hij een Vrykyl was. Dagnarus was bang dat iemand hém in verband zou brengen met de Vrykyls, de levende doden, en dat zou zijn plannen om de stad te veroveren in de war kunnen sturen.
Terwijl hij achter de pecwaes aan slenterde, piekerde Jedash over zijn dilemma, en hij probeerde te bedenken hoe hij de situatie moest aanpakken. Zijn gedachten werden onderbroken door Shakur, die met Jedash kon spreken via de magie van de bloedmessen die ze allebei droegen.
'Ik ben klaar met het fouilleren van de Trevinicikrijger. We hebben de Verheven Steen niet bij hem gevonden,' meldde Shakur.

'Maar hij had wel het bloedmes van Svetlana bij zich. De steen moet in het bezit van die twee pecwaes zijn. Je zei dat je hen op het spoor was. Heb je ze al gepakt?'

'Nee, Shakur,' antwoordde Jedash. 'Er zijn... complicaties.'

'Weer een draak soms?' vroeg Shakur honend.

'Nee, niet weer een draak,' mompelde Jedash, en hij voegde er nors aan toe: 'Als die twee pecwaes zo verdomd belangrijk zijn, waarom kom je ze dan zelf niet halen?'

'Ik kan het paleis niet uit,' antwoordde Shakur. 'Mijn vermomming maakt dat onmogelijk. Het is jouw verantwoordelijkheid, Jedash. Zorg dat je deze opdracht niet weer verknalt zoals de vorige. Heer Dagnarus was niet verheugd.'

Shakur verbrak de geestelijke verbinding zodat Jedash weer alleen was.

De Vrykyl knarsetandde van woede, maar hij durfde geen brutaal woord uit te spreken of zelfs maar te denken. De laatste opdracht die Jedash van Shakur had gekregen, was misgegaan omdat de dwerg die hij had moeten ontvoeren, bewaakt werd door een draak die vermomd was als een mensenvrouw. Vrykyls beheersen de magie van de Leegte, en sommigen kunnen daarmee wellicht een draak bevechten en verslaan – bijvoorbeeld zo iemand als Shakur. Maar Jedash hoorde daar niet bij. Hij was op de loop gegaan, want hij kreeg liever te maken met de woede van Shakur dan met de razernij van een draak.

Het gevolg hiervan was dat Jedash zich moest zien te bewijzen; hij moest een wit voetje halen bij zijn heer en weer in de gratie komen. Deze pecwaes vangen zou zijn kans zijn.

Jedash was niet superslim. Hij was zelfs niet erg intelligent, maar hij beschikte wel over de lage en wanhopige listigheid van een rat in de val. Het feit dat Shakur iets had gezegd over de Trevinicibeschermer bracht Jedash op een idee, op meer dan één idee.

'Als ik de pecwaes bij Shakur breng, gaat hij ermee naar heer Dagnarus en zal hij beweren dat híj ze heeft gevonden. Waarom zou Shakur beloond moeten worden met de gunst van mijn heer?' vroeg Jedash zich knorrig af. 'Waarom zou ik er zelf de beloning niet voor ontvangen? Ik ben tenslotte degene die achter hen aan zit.'

Jedash bleef het spoor volgen. De menigte die hij eerst had vervloekt, werkte nu in zijn voordeel. Vrykyls houden hun onheilige leven vol door zich te voeden met de zielen van mensen die ze vermoorden. Wanneer ze een ziel hebben genomen, hebben ze het vermogen zich te transformeren tot hun slachtoffer. Jedash kon het uiterlijk van de dode aannemen, zijn eigenschappen, stem en manier van doen. Hij kon deze transformatie snel volvoeren, onder het lopen.

Het kon gevaarlijk zijn. Iemand die op zo'n moment naar hem keek, zou zich een ongeluk schrikken als hij iemand plotseling in een ander zag veranderen. En dan was er het vervelende moment tussen de beide gedaantes wanneer het walgelijke, rottende lijk dat de werkelijke vorm van een Vrykyl was, duidelijk zichtbaar was. Gelukkig voor Jedash waren de mensen op straat zozeer bezig met hun eigen angsten dat ze niet letten op een man die van huid verwisselde zoals een ander zich zou verkleden.

Jedash voerde de transformatie uit.

Toen hij gewend was aan zijn nieuwe lichaam ging hij op zijn prooi af.

Bashae merkte wel hoe sommige mensen naar hem en de Grootmoeder keken. Hij zag dat sommige ogen glinsterden en dat vingers bewogen alsof ze geld telden, en het zat hem niet lekker. Hij herinnerde zich – wat aan de late kant – hoe Arim, de Nimoreaanse vliegermaker, hem had gewaarschuwd dat er gewetenloze lieden waren die hen zouden willen ontvoeren en als slaven verkopen.

Bashae probeerde aan de Grootmoeder uit te leggen dat hij ongerust was, maar ze weigerde te luisteren. Ze was aangekomen in haar 'slaapstad', de andere wereld waar pecwaes in hun dromen naar toe reizen. Ze vond het fascinerend de dingen te zien die ze ook in haar dromen had gezien, en ze liep door de straten en wees bekende punten aan zonder acht te slaan op de starende blikken, zonder acht te slaan op het gevaar.

Bashae had er spijt van dat hij had toegegeven aan zijn instinctieve neiging en op de vlucht was geslagen toen hij de stadswacht in het oog had gekregen. Hij had het gevoel dat hij zich veel prettiger zou hebben gevoeld in het gezelschap van zijn vrienden, ook al zaten ze met z'n allen in de gevangenis, dan zo rondzwervend door de drukke straten, tussen de hoge gebouwen die het zonlicht wegnamen, en deze mensen die hen aangaapten, hen uitlachten en hen met half toegeknepen ogen opnamen.

'Ik wou dat we bij Jessan waren gebleven,' zei Bashae, nadat hij met zijn blote voeten in een of andere stinkende, bruine smurrie was getrapt.

'Huh!' smaalde de Grootmoeder. 'Als we bij hen waren, zou het gevaar waarin ze verkeren nog groter zijn, en niet kleiner.' Ze wierp een veelbetekenende blik op de knapzak die Bashae droeg. 'Wij zijn veiliger zonder hen, en zij zijn veiliger zonder ons. Het is dus veel beter zo.'

Bashae zuchtte en hield de knapzak stevig tegen zich aan gedrukt. Hij had niet geweten wat erin zat toen hij de knapzak van de stervende ridder, heer Gustav, had aangenomen. Bashae had gedacht dat de knapzak alleen een erfstuk van de familie bevatte, dat aan een goede vriend moest worden afgeleverd. Maar nu wist hij de waarheid; hij wist dat hij het mensendeel van de Verheven Steen bij zich droeg, een krachtig, magisch juweel. Bashae wist niet precies welke werking deze edelsteen had, maar twee dingen wist hij wel: ten eerste dat iedereen in de bekende wereld ernaar op zoek was, en ten tweede dat de meeste mensen die ernaar op zoek waren, er een moord voor zouden doen om hem in handen te krijgen.

'Jessan is vast ongerust over ons,' zei Bashae. De gedachte aan zijn vriend en beschermer, de jonge Trevinicikrijger, liet hem niet los.

'Natuurlijk,' antwoordde de Grootmoeder zelfgenoegzaam. 'Het is de bedoeling dat hij zich ongerust maakt over ons. Daarom hebben we hem meegenomen. Hij loopt waarschijnlijk op ditzelfde moment naar ons te zoeken. Als hij niet ergens in een kerker zit.'

'Denkt u dat hij in een kerker zit?' vroeg Bashae geschrokken.

'Alles is mogelijk,' zei de Grootmoeder. 'Vooral in mijn slaapstad.' Het leek wel of ze daar trots op was.

Bashae wierp een wanhopige blik op de krioelende mensenmenigte in de straat. Hij had zijn hele leven nog niet zoveel mensen bij elkaar gezien. Het leken wel teken op een beer, zoveel waren het er. Hij dacht niet dat Jessan hen ooit zou kunnen vinden.

'Het zou misschien een goed idee zijn als we ergens bleven staan om op hem te wachten,' stelde Bashae voor. 'U bent vast moe, Grootmoeder.'

'Ik ben nooit moe,' zei ze onmiddellijk. Een ogenblik tevoren hadden haar voeten pijn gedaan, ze hinkte meer dan ze liep en haar schouders hingen. Nu rechtte ze haar rug en keek hem uitdagend aan. 'Maar als jíj moe bent, wachten we hier en rusten we even uit.'

Er was een stoepje voor een deur dat zich er uitstekend voor leende om op te gaan zitten. De Grootmoeder trok haar rok om haar enkels heen zodat niemand over haar belletjes zou struikelen, en legde haar stok met zijn starende ogen dwars over haar schoot. Bashae werd enigszins gehinderd door de stok, die in zijn ribben prikte, maar het lukte hem toch een prettige houding te vinden, en zo ging hij zitten wachten tot iemand hen zou vinden. Als het Jessan niet was, dan baron Shadamehr of een van diens mannen. Misschien Ulaf, die Bashae een aardige kerel was gaan vinden.

Ze waren die morgen op weg gegaan, en intussen was de zon door de hemel gereisd en begonnen de gebouwen lange schaduwen te werpen. De paar wolken die Bashae tussen de bovenkanten van de hoge gebouwen kon zien, hadden een oranje tint gekregen. Binnenkort zou de avond vallen, in deze stad eerder dan in hun thuisland.

In het donker zullen we tenminste niet worden aangegaapt, dacht Bashae. Toen werden zijn gedachten versplinterd door het klingelen en dreunen van honderden klokken, leek het.

Elke klok in de stad liet zich horen, dreunend in lage tonen of zingend in hogere registers. De Grootmoeder, die met haar hoofd op de stok in slaap was gevallen, werd wakker van het kabaal. Bashae staarde verbijsterd om zich heen. Hij had nog nooit iets gehoord wat op dit woeste, lieflijke gebeier leek.

Bijna meteen na het klokgelui was een man te horen die drie straten verderop met een bassende stem, lager dan welke klok ook, iets omriep. 'Op bevel van Zijne Majesteit de Koning is in de stad Nieuw Vinnengael de avondklok ingesteld. Alle mensen dienen bij de avondstond de straat verlaten te hebben en zich binnenshuis te bevinden. Iedereen die na dat tijdstip op straat betrapt wordt, zal gearresteerd worden en in de gevangenis belanden.'
De man brulde dit op de hoek van een straat; vervolgens stapte hij de straat door om het op de volgende hoek weer te brullen. De straten begonnen leeg te lopen; de meeste mensen gingen op weg naar huis. Degenen die nog geen zin hadden om te gaan, werden een handje geholpen door patrouilles van gewapende wachten.
'Wat moeten we nou doen?' vroeg Bashae zich verschrikt af. 'Wij hebben geen huis. Waar moeten we naar toe?'
We kunnen nergens heen, en dat betekent dat we gearresteerd zullen worden, dacht hij. Wat weer betekent dat we met onze vrienden herenigd zullen worden. Plotseling viel de duisternis in, leek het, en de pecwaes konden niet weg uit deze vreemde, stenen wildernis. Hij stond op het punt de soldaten aan te roepen, toen de Grootmoeder plotseling riep: 'Het kwaad!' en ergens naar mepte met haar stok.
Bashae draaide zich om en zag een man die met uitgestoken handen op hen af kwam sluipen. De stok met de agaten ogen trof de man op zijn knokkels. Hij schreeuwde en trok snel zijn hand terug, maar de kerel die bij hem was, deed een uitval naar Bashae en kreeg zijn haar te pakken.
'Hou op met kronkelen, klein stuk vreten,' snauwde de man met een ruwe, lage stem, 'anders trek ik je haar er bij de wortels uit.'
De tranen prikten in Bashaes ogen terwijl hij met zijn armen maaide en worstelde om aan de greep van de man te ontkomen. De Grootmoeder krijste de man in het Twithil verwensingen toe en mepte met haar stok naar hem.
Dit haalde weinig uit, en de man wilde Bashae al meesleuren toen zijn adem plotseling stokte. De hand die Bashae vasthield, liet los, en Bashae viel op het plaveisel, waar hij doodstil in elkaar gedoken bleef liggen.

Ergens, niet ver bij hem vandaan, werd gevochten.
Bashae zag niets in het donker. Hij hoorde geluiden van een handgemeen, daarna een splinterend gekraak, alsof iemand door een houten hek was gevallen, en een bons. Een man zakte op het wegdek in elkaar en lag daar naar Bashae te staren. De man kreunde luid, zijn ogen draaiden weg en zijn lichaam verslapte.
Er vlamde licht op. Bashae tuurde omhoog; hij knipperde met zijn ogen tegen de plotselinge schittering, en zag toen een Trevinicikrijger die een toorts vasthield.
De krijger was geheel in leer gehuld. Zijn rossig-bruine haar was op traditionele wijze naar achteren gebonden. Hij droeg de afgrijselijke trofeeën van degenen die hij in de strijd had gedood om zijn nek, en in zijn gordel was een lang mes gestoken.
'Daar zijn jullie dan eindelijk,' zei de krijger op strenge toon, zonder een spoor van een glimlach. 'Ik heb overal naar jullie gezocht.'
'Echt waar?' zei Bashae niet-begrijpend. Hij kende deze krijger niet, herkende hem niet. 'Hoe weet u wie wij zijn?'
'Jullie vriend heeft me gestuurd,' zei de krijger.
'Jessan?' vroeg Bashae gretig, en hij krabbelde overeind.
De Grootmoeder stond vlakbij, en hapte naar adem. Ze had de stok met de agaten ogen stevig in haar vuist geklemd. Ze staarde de Trevinici aan; haar zwarte ogen blonken oranjeachtig in het licht van het vuur.
'Heeft Jessan u gestuurd?' vroeg ze argwanend.
'Ja, Jessan,' zei de Trevinici. Hij porde met zijn voet in de lichamen van hun aanvallers, die op de straat lagen. 'Het is maar goed dat ik hier net aankwam.'
'Ja, dat is het zeker,' zei Bashae ernstig. 'Bedankt dat u ons hebt gered. Grootmoeder,' zei hij zacht terwijl hij in haar arm kneep, 'wat hebt u? Deze krijger heeft ons gered. U zou hem moeten bedanken.'
'Het kwaad,' antwoordde de Grootmoeder met gedempte stem. 'Het kwaad is in de buurt. De stok zegt het me.'
'Dat klopt, Grootmoeder. Het kwaad ligt hier op de grond,' zei Bashae geïrriteerd.
De Grootmoeder bromde en schudde haar hoofd.

Bashae glimlachte verontschuldigend naar de Trevinici. 'De Grootmoeder is u ook dankbaar, heer. Waar is Jessan?'
'Hij is hier een heel eind vandaan,' zei de Trevinici. 'Buiten de stadsmuren. Ik zal jullie naar hem toe brengen.'
'Is hij de stad uit gegaan?' Dit vond Bashae verontrustend. 'Zonder ons te zoeken?'
'Hij had niet veel keus,' zei de Trevinici droogjes. 'Hij was gearresteerd. Ze waren met hem op weg naar hun gevangenis, die midden in de rivier staat, toen hij wist te ontsnappen. Zo zijn we elkaar tegengekomen. Hij kon niet zelf komen, omdat ze naar hem zochten. Maar dit is een erg lang verhaal. De avondklok is ingesteld, en dat betekent dat er niemand meer buiten mag zijn. Jullie moeten nu met mij meegaan.'
'Natuurlijk,' zei Bashae, en hij trok aan de arm van de Grootmoeder.
Ze besteedde geen aandacht aan hem. Ze staarde naar de stok en schudde er geërgerd mee.
'Bashae! Grootmoeder!' riep een bekende stem, terwijl een bekende figuur door de straat kwam aanhollen. 'Dank aan de goden dat ik jullie heb gevonden!'
'Ulaf!' riep Bashae en hij zwaaide hem toe. 'Dat is een vriend van ons,' zei hij in het Tirniv.
'Mooie vriend,' gromde de Trevinici ontstemd. 'Jullie beiden alleen door de straten te laten zwerven.' Hij nam Bashaes arm in een stevige greep. 'De man is een Vinnengaelees, en die zijn geen van allen te vertrouwen. We zullen nu gaan.'
'Wilt u mij alstublieft loslaten,' zei Bashae, beleefd maar beslist. Die Trevinici kenden soms hun eigen kracht niet. 'Ik weet dat u het niet zo bedoelt, maar u doet me pijn. Ik zal met u meegaan, maar nu nog niet. Ik wil het eerst aan Ulaf uitleggen. Het is niet zijn schuld dat we verdwaald zijn. Dat is onze eigen schuld. We zijn weggerend toen we de wacht zagen aankomen.'
De Trevinici liet de pecwae los, maar het scheen hem niet te bevallen. Dat verbaasde Bashae niet. De eerste Trevinici die iets ophad met stadsvolk moest nog geboren worden.
Ulafs gezicht, doorgaans bleek van tint, was rood aangelopen van het hardlopen, zijn haar zat in de war. Hij was een goed-

moedig mens, altijd vriendelijk en hartelijk in zijn optreden, en nu leek hij maar lichtelijk verstoord omdat de pecwaes waren weggelopen.

'Ik heb overal naar jullie beiden gezocht,' zei Ulaf met een grijns. Als hij ervan opkeek dat ze in het gezelschap van een Trevinici waren, liet hij daar niets van merken. 'Baron Shadamehr maakte zich echt ongerust over jullie. Zo te zien is hier trammelant geweest.' Hij wierp een blik op de twee bewusteloze mannen die op het plaveisel lagen, en richtte toen een nieuwsgierig oog op de Trevinici.

'Wie is deze vriend van jullie? Heeft hij dit gedaan?'

'Ik ben Vuurstorm,' zei de Trevinici meesmuilend. 'Ik heb gedaan wat ik moest doen om de kleinen te beschermen, aangezien anderen hen aan hun lot hebben overgelaten. Deze boeven wilden hen tot slaaf maken; jullie wisten vast wel dat er zoiets zou gebeuren als ze alleen door de stad gingen zwerven. Ik zal de pecwaes verder onder mijn hoede nemen. Zeg tegen je meester dat ze in veiligheid zijn. Kom mee, jullie. Jessan wacht op jullie.'

'Het spijt me, Ulaf, maar we moeten met Vuurstorm mee,' zei Bashae. Hij hing de knapzak comfortabeler over zijn schouder en pakte de Grootmoeder, die met de stok op een muur stond te timmeren, stevig beet. 'Jessan heeft zijn vriend gestuurd om ons te halen...'

'Jessan,' onderbrak Ulaf hem verbaasd. Hij bekeek de Trevinici met meer aandacht. 'Jessan is bij baron Shadamehr.'

'Nee,' legde Bashae uit. 'Jessan is gearresteerd en meegenomen op de rivier. Vuurstorm heeft hem geholpen te ontsnappen, of zoiets. In elk geval heeft Jessan Vuurstorm gestuurd om ons te zoeken en daarom moeten we nu weg.'

'Jessan gearresteerd? En hij is ontsnapt, zeg je? Wat spannend allemaal!' Ulaf legde zijn hand op de arm van de Trevinici. 'Dat verhaal wil ik beslist horen! Er is hier vlakbij een herberg, de Tonronde Kater. Ik betaal het bier, Vuurstorm, als jij je verhaal vertelt.'

De Trevinici sloeg Ulafs hand weg. Met een dreigende uitdrukking wendde hij zich tot de pecwaes.

'We hebben geen tijd voor dat soort dwaasheden. Gaan jullie nu nog mee?' vroeg hij op barse toon.
'Je zult de stad niet uit kunnen komen,' merkte Ulaf opgewekt op. 'Heb je de klokken niet horen luiden? Ze hebben de stadspoorten gesloten. Niemand mag erin of eruit tot morgenochtend, en dan mag het misschien nog niet. Je kunt beter meegaan naar de taveerne. Daar is het warm en we kunnen er een hapje eten.'
'Wat moeten we doen, Grootmoeder?' vroeg Bashae zacht in het Twithil.
'Hoezo doen?' wilde de Grootmoeder weten. Ze had de hele tijd naar de stok gekeken.
'Moeten we met Ulaf meegaan naar de taveerne, of met Vuurstorm meegaan om Jessan te zoeken? Ulaf zegt dat ze de stadspoorten hebben gesloten. Ik wil naar Jessan toe,' zei Bashae, 'maar het is een heel eind lopen, helemaal terug naar de rivier. En ik heb razende honger. We hebben niets gegeten sinds vanochtend.'
De Grootmoeder keek met een misprijzende blik naar de stok. 'De ogen zien iets verschrikkelijks dat vlakbij is, maar ze willen niet zeggen wat het is of waar het is.'
'Grootmoeder,' zei Bashae, die van de goot waarin smerig afvalwater stroomde naar de twee boeven keek die kreunend bij begonnen te komen, 'we zijn in een stad. Het kwaad is overal om ons heen!'
'Dit is mijn slaapstad,' snauwde ze.
'Neem me niet kwalijk, Grootmoeder. Ik was het even vergeten.' Bashae zuchtte.
De Grootmoeder sloeg weer met de stok tegen de muur, alsof ze hem wilde dwingen zich beter te gedragen, en fluisterde toen in Bashaes oor.
'Als je het beslist weten wilt, ik geloof dat ik me vergist heb. In mijn slaapstad stinkt het niet zo vreselijk, en er zijn ook niet zoveel mensen. Ik geloof eigenlijk toch niet dat ik hier zal sterven,' besloot ze op besliste toon.
'Daar ben ik blij om, Grootmoeder,' zei Bashae. Hij zag wel dat de Trevinicikrijger ongeduldig begon te worden. 'Maar wat doen

we nou? Met Ulaf meegaan naar de taveerne of met Vuurstorm meegaan?'
'Dat laat ons weinig keus, als je het mij vraagt,' zei de Grootmoeder met een donkere blik naar de twee groten. 'Wat die Vuurstorm aangaat, die vertelt niet alles wat hij weet. Waarom is Jessan niet zelf gekomen om ons te halen? Jessan is er niet de man naar om zijn verantwoordelijkheid af te schudden. Hij zou nooit een ander naar ons toe hebben gestuurd, tenzij er iets aan de hand is. En die Ulaf, die likt ons als een speels jong hondje, maar intussen houdt hij ons in de gaten als een kat. Maar goed,' – ze haalde haar schouders op – 'zoals je zegt, het is laat en ik heb ook honger.'
'Dan gaan we dus met Ulaf mee?' vroeg Bashae.
'Kun jij ons iets te eten bezorgen?' wilde de Grootmoeder van Ulaf weten, terwijl ze van Twithil overging op de Taal der Oudsten.
'Ik koop alles voor jullie wat jullie maar willen,' beloofde Ulaf. 'Maar we moeten wel opschieten. De avondklok gaat bijna in, en dan komen er patrouilles door de straten om mensen te arresteren. Jij moet ook met ons meegaan, Vuurstorm. Ik denk dat je er weinig voor voelt allerlei vragen te beantwoorden over wat er met deze twee ongelukkigen is gebeurd.'
'Dan moeten we maar naar die taveerne gaan,' zei de Trevinici met tegenzin. Hij stak zijn hand uit en pakte Bashaes knapzak. 'Die ziet er zwaar uit. Ik zal hem voor je dragen.'
Bashae klemde de knapzak tegen zich aan. Met de woorden van de Grootmoeder in gedachten koesterde hij plotseling argwaan tegen deze vreemde Trevinici. Bashae was zijn hele leven gewend geweest iedereen te vertrouwen. Nu leek het erop dat hij niemand kon vertrouwen. Het kwam door deze stad. Hij haatte deze stad, haatte haar zo dat zijn haat zijn maag van streek maakte, zodat hij uiteindelijk niet meer zoveel honger had.
'Dank je, Vuurstorm, maar ik kan het zelf wel af.'
'Zoals je wilt,' zei Vuurstorm schouder ophalend.
'Hè, hou nou eens op met dat gejammer,' zei de Grootmoeder tegen de stok met de agaten ogen.

‘Licht! We moeten licht hebben!’ beval Alise, terwijl ze haar best deed de trilling van angst uit haar stem weg te houden, de paniek op afstand te houden.
Ze legde haar hand op Shadamehrs hals, probeerde zijn hartslag te voelen, en vond die. Hij leefde dus nog. Maar zijn huid voelde koud aan en zijn ademhaling was oppervlakkig en onregelmatig. Hij was gewond geraakt – ze had het bloed op zijn hemd gezien toen hij het paleis uitrende. Hij had haar met zijn kenmerkende zwierigheid en zijn glimlach vol zelfspot verzekerd dat het ‘maar een krasje’ was. Voor meer had hij geen tijd gehad.
De baron had nogal wat opschudding veroorzaakt toen hij uit het paleis was ontsnapt door voor het oog van het publiek en een groot aantal wachten uit het raam te springen. Er werd alarm geslagen en de wachten zetten de achtervolging in. Op de hielen gevolgd door Alise en Jessan had Shadamehr de achtervolgers afgeschud door telkens een steeg in te slaan, tot ze bij deze taveerne waren gekomen. Hij had deze achterkamer nog gehaald, en was toen vrijwel onmiddellijk in elkaar gezakt. Het was een magazijnruimte zonder ramen. Ze moesten de deur afgesloten houden, voor het geval dat de wachten de taveerne zouden doorzoeken, en niemand had eraan gedacht om iets mee te nemen om de ruimte te verlichten.
‘Ga terug naar de gelagkamer, Jessan. Pak een kaars, een lantaarn, wat je maar kunt vinden. Neem ook water mee en brandewijn. En zeg niets, tegen niemand!’

Een onnodige waarschuwing, besefte ze. De zwijgzame Trevinicikrijger had misschien twintig woorden tegen haar gesproken in de weken dat ze hem nu kende, en die woorden waren steeds het antwoord geweest op een vraag die ze hem had gesteld. Jessan was niet somber of teruggetrokken. Zoals alle Trevinici vond hij het niet nodig zich bezig te houden met loos gebabbel. Hij zei wat belangrijk was om te zeggen, en meer niet.
Nu verspilde hij bijvoorbeeld geen adem aan vragen. Hij ging gewoon weg om licht te halen. Alise kon horen hoe hij kisten en vaten uit de weg schopte terwijl hij in het donker zijn weg zocht. Ze hoorde hem aan de ijzeren grendel morrelen en hoorde de deur schrapend opengaan.
Een golf licht, tabaksrook en lawaai drongen de ruimte binnen. Alise boog zich over Shadamehr om naar zijn gezicht te kijken, en de angst kronkelde zich om haar hart, perste het zo samen dat ze bijna niet meer kon ademen. Hij was wasbleek. Zijn huid had geen spoortje kleur meer. Zijn lippen waren blauwig van kleur, zijn wangen waren ingevallen holten. Zijn voorhoofd was koud en voelde klam aan, zijn lange, krullende haren waren vochtig van het zweet. Toen ze haar hand op zijn voorhoofd legde, huiverde hij en vertrok zijn gezicht van pijn.
Toen de deur weer dichtging, verdween het licht. Alise bleef alleen in het donker. Alleen met Shadamehr – die hinderlijke, irritante, lastige, roekeloze Shadamehr, met zijn edelmoedige inborst, zijn edele instelling, die stomme idioot. Geliefd, verafschuwd, een stuk ongeluk, en nu ging hij dood. Ze wist dat hij doodging, zo goed als ze wist dat hij haar heer was en zij zijn vrouwe, of ze dat nu aan elkaar toegaven of niet. Hij ging dood, en ze kon niets doen om hem te redden omdat ze niet wist waaraan hij doodging.
Een krasje, had hij gezegd.
De deur ging open, er was weer licht. Alise hoorde een vrouwenstem die vroeg of ze iets kon doen. Jessan zei nee, en de deur ging dicht. Het licht bleef. Jessan kwam naar haar toe met in zijn ene hand een lantaarn, in de andere een emmer water, en om zijn nek hing een leren riem waaraan een tinnen flacon bevestigd was. Hij zette de lantaarn op de bovenkant van een vat

en plaatste hem zo dat het licht op Shadamehr viel. Hij zette de emmer op de vloer en gaf de flacon aan Alise.

Jessan hurkte naast Shadamehr neer, keek naar hem en schudde zijn hoofd.

Nu ze licht had, kon Alise Shadamehr onderzoeken. Ze scheurde de bebloede stof van zijn hemd open en zag wat hij had gezegd dat ze zou zien: een dunne, rafelige kras over zijn ribbenkast. De steek was in haast toegebracht. De bedoeling was geweest tot het hart door te dringen, maar de kling was op een rib afgegleden. Alise scheurde een reep van de zoom van haar linnen hemd, doopte de stof in het water en waste het bloed weg. De kras leek gemaakt te zijn door een kling die zo dun was als een naald. De huid was beschadigd, maar de wond was niet diep; anders zou er meer bloed zijn geweest. Niets ernstigs, op het eerste gezicht; niets dat zo'n reactie kon veroorzaken. Toen ze zich er dichter naar toe boog, zag Alise dat de randen van de huid langs de kras krijtwit waren, bijna alsof er sneeuw op de wond was aangebracht.

Alise had vele jaren met Shadamehr en zijn makkers geleefd. Ze was aanwezig geweest bij tal van gevaarlijke en gewaagde ondernemingen, en ze was eraan gewend haar genezende magie toe te passen op allerhande verwondingen, zoals messteken, beetwonden en krabwonden van monsterklauwen. Maar ze had nog nooit iets gezien wat hierop leek.

Of wel? Plotseling herinnerde ze zich Ulien, de vriend van Shadamehr, die op geheimzinnige wijze was omgebracht. Ze herinnerde zich hoe het lichaam van die man eruit had gezien toen het in het lijkenhuis lag. Hij was gestorven aan één steek in het hart – een wond die klein was, bijna niet had gebloed, en aan de randen griezelig wit uitgeslagen was.

'O goden,' fluisterde Alise. Haar handen begonnen te beven. Niet doen, droeg ze zichzelf op. Hij heeft je nodig. Laat het nu niet afweten.

'Jessan,' zei Alise, 'wat is er in het paleis precies gebeurd? Vertel me alles. Hoe is Shadamehr gewond geraakt? Heb je' – ze keek de jongeman recht aan – 'heb je een Vrykyl gezien? Je weet toch wel wat een Vrykyl is?'

'Dat weet ik,' zei Jessan, en er kwam een donkere, gekwelde uitdrukking in zijn ogen. 'Ik heb geen Vrykyl gezien. En wat er gebeurd is...'
'Hou het kort,' onderbrak Alise hem. 'Ik denk niet...' Ze slikte. 'Ik ben bang dat de baron in groot gevaar verkeert.'
Jessan dacht even na en ordende zijn gedachten om zijn verhaal zo kort en beknopt mogelijk te maken.
'We werden gearresteerd en voorgeleid voor de jonge koning en de vrouw die in feite heerst over Nieuw Vinnengael, tenminste dat zei Shadamehr tegen ons.'
'De regentes,' zei Alise.
'Ja. Shadamehr zei dat hij de regentes ervan verdacht dat zij een Vrykyl was, want Vrykyls kunnen de gedaante aannemen van iemand die ze hebben gedood. Shadamehr dacht dat de jonge koning de gevangene van de Vrykyl was, dat ze hem in haar macht had. Hij vatte het plan op de jonge koning te bevrijden, hem in veiligheid te brengen. De twee elfen die tegelijk met ons waren gearresteerd – Damra en haar man – beloofden te zullen helpen. De wachten brachten ons vieren in een kamer. De regentes betoverde mij en de elfendomeinheer. De regentes zei dat ze op zoek was naar de Verheven Steen. Ze vond de Verheven Steen bij Damra, maar niet bij mij. Daarover leek ze verbaasd en boos te zijn. Er was nog een magiër, die een harnas en een zwaard droeg...'
'Een oorlogsmagiër,' zei Alise. 'Schiet op, Jessan, schiet alsjeblieft op met je verhaal. Wat gebéúrde er?'
'Het was een enorme chaos,' zei Jessan somber. 'Damra begon vreemde woorden te roepen. Plotseling was de kamer vol elfen die sprekend op haar leken.'
'Een begoochelingsformule,' mompelde Alise.
Jessan haalde zijn schouders op. De Trevinici moeten niets hebben van magie en wantrouwen iedereen die er gebruik van maakt. 'Haar man spuwde naar de oorlogsmagiër, en die gaf een gil en viel op de grond. Een van de wachten viel Shadamehr aan. Ik stak de wacht met mijn mes. Shadamehr greep de jonge koning en opeens...'
Jessan wachtte even om het zich beter te herinneren. 'Opeens

maakte de baron een vreemd geluid, een soort verstikte snik, en hij liet de jongen op de vloer vallen. Toen riep hij dat we moesten zien weg te komen. Hij pakte mij vast en voor ik het wist, rende hij naar het raam en sleepte mij mee. We stortten ons door het raam. De grond was ver onder ons. Ik dacht dat we dood zouden vallen, dat onze hersens op het plaveisel uiteen zouden spatten. Maar we dwarrelden omlaag als distelpluis...'

'Griffith had jullie met luchtmagie bewerkt,' zei Alise. 'Is dat alles?'

'Ja, toen kwamen we bij u, en daarna zijn we hierheen gegaan.'

Alise keek langdurig naar Shadamehr. Ze opende de flacon en depte zijn lippen met brandewijn.

'Mijn heer!' riep ze zacht. 'Shadamehr!'

Hij kreunde en bewoog even, maar kwam niet bij bewustzijn. Ze zuchtte diep.

'Heeft de regentes hem gestoken?' vroeg ze aan Jessan.

'Ik geloof het niet. Ik heb geen mes in haar hand gezien.'

'Je zegt dat Shadamehr de jonge koning pakte en dat hij toen een raar geluid maakte en hem liet vallen. Daarna zei hij dat jullie moesten vluchten. Er werd niet meer gesproken over het ontvoeren van de jongen.' Ze herinnerde zich de woorden die Shadamehr tot de elfen had gesproken toen hij hen wegstuurde. *Niemand kan Vinnengael helpen. Zelfs de goden niet.*

Een rilling van afgrijzen deed de haartjes op Alises nek en armen overeind staan.

'Grote goden! De jonge koning is zelf de Vrykyl!' zei Alise zacht. 'De Vrykyl heeft eerst de koning en daarna zijn zoontje vermoord, en toen de plaats van de jongen ingenomen. Geen wonder dat Shadamehr zei dat niemand Vinnengael kan helpen. Ik begrijp nu wat er gebeurd is. Shadamehr dacht de jonge koning te pakken, maar in plaats daarvan pakte hij de Vrykyl.'

Alise kon zich niet bedwingen. Ze begon te lachen. 'Wat zal dat schepsel geschrokken zijn! Geen wonder dat hij je heeft gestoken! O Shadamehr, echt weer iets voor jou. Eén Vrykyl in de kamer, en jij pakt hem op en probeert hem mee te nemen!'

Het lachen veranderde in huilen. Ze verborg even haar gezicht in haar handen, tot ze zich weer kon beheersen. Resoluut haal-

de ze diep adem, veegde haar ogen af en begon na te denken over wat haar te doen stond.
'Bedoelt u dat de Vrykyl hem heeft gestoken?' vroeg Jessan.
'Ja, zo is het gebeurd,' zei Alise.
'Ridder Gustav was ook gewond door het mes van een Vrykyl,' constateerde Jessan. 'De Grootmoeder kon niets doen om hem te redden. Hij heeft nog een paar dagen tegen de Leegte gevochten, maar uiteindelijk is hij gestorven. De geesten van onze helden hebben gestreden tegen de Leegte en hebben zijn ziel gered, dat zei de Grootmoeder.'
Alise trok een pijnlijk gezicht. Als een echte Trevinici accepteerde Jessan de dood. Hij uitte geen leugenachtige gemeenplaatsen, probeerde het scherpe mes van de waarheid niet te verzachten. Hij had geen idee dat zijn woorden haar in het hart troffen.
'Zet die emmer wat dichterbij,' zei ze, terwijl ze de doek in het water dompelde.
'Ik zal de geesten van de helden oproepen om voor Shadamehr te strijden,' bood Jessan aan. 'Wanneer zijn tijd gekomen is.'
'Zijn tijd is niet gekomen,' antwoordde Alise scherp. 'Nog niet.'
Jessan keek haar even aan. Toen hij weer iets zei, klonk zijn stem zachter. 'Misschien kan de Grootmoeder hem redden. De ridder was oud. Shadamehr is jong. Ik zal de Grootmoeder gaan zoeken en haar hierheen halen.'
Het lukte Alise haar verstijfde, koude lippen tot een glimlach te plooien. 'Ik denk niet dat ze iets zal kunnen doen. Maar je hebt gelijk, Jessan. Je moet je vrienden maar gaan zoeken. De pecwaes zijn verdwaald en lopen door de stad. Onze mensen zijn hen aan het zoeken, maar de pecwaes kennen en vertrouwen jou en zouden waarschijnlijk naar jou toe komen, terwijl ze anderen zouden mijden. Je hoort bij hen te zijn. Je hebt een plicht te vervullen jegens hen. Ik zal hier blijven bij mijn heer.'
'Ik zal de Grootmoeder hierheen brengen,' zei Jessan en hij stond op.
Alise zag dat het geen zin zou hebben met hem in discussie te gaan. De tijd begon te dringen, en ze wilde hem weg hebben.
'Onze mensen zouden volgens afspraak bijeenkomen in een ta-

veerne, de Tonronde Kater. Die is hier niet ver vandaan. Ga terug naar de hoofdweg. Volg die tot je bij een kaarsenmakerij komt. Die is te herkennen aan een uithangbord met een kaars erop. Sla daar links af. De Tonronde Kater staat aan het eind van die steeg. Het is waarschijnlijk het enige gebouw waar op dit uur van de nacht nog licht brandt. Als Ulaf daar is, moet je hem naar me toe sturen. Zeg dat hij snel komt. Maar verder niemand. Zeg tegen niemand iets over Shadamehr, alleen tegen Ulaf.'

Jessan knikte kort. Hij herhaalde de aanwijzingen die ze gegeven had en vertrok zonder er tijd aan te verspillen haar succes te wensen of uitvoerig afscheid van haar te nemen.

Toen hij weg was, knipperde Alise met haar ogen om de tranen tegen te houden.

'Ik moet sterk zijn,' hield ze zichzelf voor. 'Ik ben alles wat hij nog heeft!'

Ze stond op en keek rond in de ruimte terwijl ze bedacht wat ze ging doen. Ze pakte de lantaarn, ging ermee naar de deur, liet de grendel vallen en controleerde of de deur goed afgesloten was. Nu ze zeker wist dat ze niet gestoord zou worden, ging ze terug naar Shadamehr en knielde naast hem neer.

Alise was opgeleid in aardemagie, de magie van het genezen. Maar ze was ook opgeleid in een andere, dodelijke magie. Alise was een van de weinige tovenaars die door de Kerk in staat werden geacht de krachtige en vernietigende magie van de Leegte te hanteren. De inquisiteurs hadden haar Leegtemagie geleerd met de bedoeling dat ze tot hun orde zou toetreden. Deze orde zoekt actief naar beoefenaars van de magie van de Leegte om hen voor het gerecht te brengen. Maar dat soort werk ging Alise algauw tegenstaan, want het hield in dat ze vrienden, familie en zelfs medebroeders moest bespioneren.

Een vroegere leermeester van haar, een magiër die Rigiswald heette, had haar in aanraking gebracht met baron Shadamehr. Shadamehr, een rijke edelman, een onafhankelijk denker en een avonturier, was voor zover bekend de enige mens in de geschiedenis die de proeven had afgelegd om een van de machtige, magische Domeinheren te worden, maar vervolgens gewei-

gerd had om de heilige Transfiguratie te ondergaan, waardoor hij de toorn van de Kerk, van zijn koning en waarschijnlijk ook van de goden over zich had afgeroepen.
Shadamehr wilde nooit zeggen hoe oud hij was, maar Alise vermoedde dat hij rond de vijfendertig was. Hij had een haviksneus, zijn kin was als een bijlblad, zijn ogen waren zo blauw als de hemel boven Nieuw Vinnengael, en hij had een lange, zwarte snor waar hij waanzinnig trots op was.
Alise streek met haar hand over Shadamehrs haar en ze zag een paar zilveren draden tussen de zwarte krullen, en grijze haren in de snor.
Daar moet ik hem een keer mee plagen, dacht ze, terwijl ze naast hem ging zitten.
Baron Shadamehr was moedig, een echte durfal, en hij hield er vreemde ideeën op na. Hij vond dat de diverse volken op de wereld moesten ophouden elkaar af te slachten en leren met elkaar op te schieten. Hij vond ook dat de mensen moesten ophouden tegen de goden te jammeren om een beter leven af te smeken, en zelf aan het werk moesten gaan om het beter te krijgen.
Het was echt iets voor hem om een stoutmoedig plan te bedenken, de jonge koning voor de neus van een Vrykyl weg te kapen! En het was ook typerend dat hij een verstandige en wijze elfen-Domeinheer had weten over te halen met hem mee te gaan.
'Misschien heb je dit keer je les geleerd,' zei ze tegen hem, hoewel ze dat niet echt geloofde. En bij nader inzien wilde ze ook niet dat het zo was.
Ze keek even om naar de deur. Kwam Ulaf nou maar!
Alise kon haar genezende magie niet gebruiken voor Shadamehr. Ze had de magie van de Leegte gebruikt voor een betovering om hem en de anderen uit handen van de paleiswachters te redden, en nu was ze aangetast door de vuile essentie van de magie die alleen kan vernietigen, die nooit gebruikt kan worden om te redden of iets te scheppen. Als ze zou proberen hem te genezen door aardemagie te gebruiken, zou de betovering onder haar vingers verkruimelen als een verbrand koekje.
Ulaf zou misschien wel in staat zijn Shadamehr te helpen, want hij was ook een kundig aardemagiër. Toch kon ze niet op hem

rekenen. Hij was op zoek gegaan naar de pecwaes, en zelfs als Jessan hem op tijd vond en naar haar toe stuurde, betwijfelde ze of hij deze wond kon helen.
De magie van de goden kon Shadamehr niet redden, maar misschien kon de magie van de Leegte, die hem gewond had, dat wel. Alise haalde zich de weerzinwekkende toverformule voor de geest.
De magie van de Leegte is gevaarlijk en destructief, niet alleen voor de slachtoffers die ze treft, maar ook voor de magiërs die haar gebruiken, want de magie van de Leegte vergt een offer – een deel van de levenskracht van de magiër zelf om de betovering kracht te geven, en daardoor is het voor de gebruiker pijnlijk en verzwakkend om deze betovering af te roepen. Zelfs bij de meest eenvoudige betovering ontstaan er wonde plekken en puisten op de huid, terwijl krachtiger betoveringen zoveel pijn kunnen veroorzaken dat de tovenaar het bewustzijn verliest of sterft.
Aangezien het door de verschrikkelijke aard van hun magie voor tovenaars van de Leegte verboden is de helende kunsten te gebruiken, hadden ze toverformules ontwikkeld waarmee iets van de levenskracht van de tovenaar zelf kon worden overgebracht in het lichaam van een ander om die te redden. Beweerd werd dat deze toverformule vervolmaakt was in het oude Dunkarga, een land waar de magie van de Leegte algemeen geaccepteerd is. Deze toverformule werd niet vaak toegepast, en dan nog alleen onder de meest ongunstige omstandigheden, want als de betovering niet goed werd afgeroepen of als de tovenaar een fout maakte, kon dit fatale gevolgen hebben voor zowel de tovenaar als de patiënt.
De handboeken waarschuwden dat het vooral van belang was 'dat de toverformule nooit werd uitgesproken door een tovenaar die alleen is, zonder dat er een ander bij is om hem te helpen. Want teneinde de betovering te voltrekken, moet de tovenaar lijfelijk contact maken met degene die geholpen moet worden. Wanneer de formule wordt uitgesproken, neemt de magie van de Leegte levenskracht weg uit de tovenaar en laat die in het lichaam van de patiënt vloeien.

Degene die de betovering voltrekt, moet weten wanneer hij de betovering beëindigt en het contact verbreekt, en hiervoor is een helper noodzakelijk. Want naarmate de levenskracht uit hem wegvloeit, wordt degene die de betovering voltrekt steeds zwakker. Als hij het bewustzijn verliest terwijl hij nog contact maakt met het slachtoffer, zal de betovering kracht aan de tovenaar blijven onttrekken tot ze zijn leven wegneemt. Daarom deze waarschuwing: gebruik deze toverformule nooit alleen! Er dienen ten minste twee tovenaars aanwezig te zijn – een om de betovering te voltrekken en een tweede om het contact te verbreken wanneer degene die de betovering uitvoert, het bewustzijn zou verliezen.'

Alise had deze toverformule nooit gebruikt. Ze had hem natuurlijk bestudeerd, maar ze had de formule die zulke verschrikkelijke gevolgen kon hebben nooit uit het hoofd geleerd. Ze had er een hekel aan om gebruik te maken van de magie van de Leegte. Het was nog niet eens omdat het pijn deed als je hem gebruikte, hoewel die best erg was, of vanwege de lelijke puisten en wonden. Maar dat afschuwelijke gevoel in haar lijf, alsof maden haar ziel wegvraten, dat was echt vreselijk.

Maar ze had nu geen keus. Shadamehrs huid had een grauwe tint. Zijn ademhaling was niet meer snel en oppervlakkig, maar moeizaam en hijgend. Hij rilde van de kou, zijn lichaam kronkelde van pijn. Zijn nagels waren blauw en hij voelde koud aan, alsof de dood hem al had opgeëist.

Alise keek achterom naar de deur.

Gebruik deze formule nooit alleen!

Ze zag de woorden voor zich, ze stonden met grote letters in de boeken afgedrukt. Ze hoorde haar leermeester die haar telkens weer waarschuwde. O, kwam Ulaf nou maar!

Maar hij zou niet komen, dat moest ze zichzelf toegeven. Ulaf was ergens op zoek naar de pecwaes, en was misschien zelf in gevaar. Wachten kon niet meer. Shadamehr was erg ver heen.

Alise stelde het licht van de lantaarn bij en stak haar hand in de verborgen zak die ze in haar jurk had genaaid. Ze haalde er een klein, dun boekje uit, gebonden in onopvallend grijs leer. Van buitenaf zag het boek er heel onschuldig uit. Zelfs wanneer het

werd opengeslagen, zou iemand een magiestudent moeten zijn om te zien dat dit boekje voor haar levensgevaarlijk kon zijn. Als de Kerk haar betrapte met dit boek vol verboden toverformules, zou ze veroordeeld kunnen worden tot de strop.
Al terwijl ze de bladzijden omsloeg, kon Alise voelen dat de boosaardige magie onder haar huid begon te kruipen.
Ze las de formule door, voelde haar maag in opstand komen en moest haar hand tegen haar mond drukken om niet te kokhalzen. Ze werd al misselijk nu ze de woorden in gedachten doornam, zo zwak en duizelig dat ze zich bijna niet kon concentreren. Hoe gruwelijk de pijn zou zijn die zou volgen wanneer ze ze uit zou spreken, daarvan kon ze zich geen voorstelling maken.
Alise bukte zich en kuste Shadamehr zacht en vol tederheid op de mond. Ze greep zijn hand en drukte die tegen haar borst. Toen begon ze de verschrikkelijke, van maden doortrokken woorden hardop uit te spreken.

De oorspronkelijke Tonronde Kater was een beroemde taverne in de stad Oud Vinnengael geweest. Twee eeuwen later vertelde men nog altijd verhalen over de taveerne, de dikke eigenaar ervan en de nog dikkere, rode kater, naar wie de taveerne genoemd was. De verhalen waren zo langzamerhand volkslegenden geworden, en bijna elke minstreel begon zijn verhaal over helden uit het verre verleden altijd met een toevallige ontmoeting in de Tonronde Kater.
Toen er plannen gemaakt werden voor de inrichting van de stad Nieuw Vinnengael, raakten verscheidene mensen die graag een taveerne wilden beginnen, slaags omdat ze hun zaak naar de legendarische taveerne wilden vernoemen. Toen beweerde er een dat hij kon bewijzen dat hij familie was van voornoemde dikke kroegbaas, en hij kwam zelfs aanzetten met een dikke kat die volgens hem een afstammeling was van diezelfde beroemde kater. Zijn bewijs werd geaccepteerd. Op de dag dat de koning zijn intrek nam in het paleis van de nieuw gebouwde stad Nieuw Vinnengael, opende deze man de Tonronde Kater Twee. De taveerne was in de familie gebleven en werd nu gedreven door de kinderen van de eigenaar. Een afstammeling van dezelfde rode kater dutte overdag in het zonnetje en lag 's avonds op de tapkast.
De leden van de familie Shadamehr kwamen van oudsher graag in deze taveerne; een van hen had jaren geleden in alle stilte de eigenaar uit zijn financiële problemen geholpen. De taveerne had een achterdeur die uitkwam op een erg donkere steeg, met een

muur erlangs die gemakkelijk te beklimmen was, en nog een deur die op het dak uitkwam, waarvandaan andere daken met een sprong te bereiken waren. Aangezien de baronnen Shadamehr – een excentriek en onafhankelijk slag – onvermoeibaar opkwamen voor de zwakken en vertrapten, gebeurde het nogal eens dat ze het doelwit werden van de sterken en machtigen, die het allerminst op prijs stelden dat de Shadamehrs zich met hun zaken bemoeiden en maatregelen namen om dat te verhinderen, met het gevolg dat de mogelijkheid snel de aftocht te blazen in de loop der jaren voor de diverse baronnen hoogst welkom was gebleken.

Ulaf kende de taveerne goed, want hij vond het een ideale plek om mensen te treffen die hem inlichtten over wat er in de wereld buiten de muren van Nieuw Vinnengael gebeurde. De taveerne was ook de plaats waar Shadamehrs mannen bijeenkwamen als er iets aan de hand was.

Nadat Ulaf de pecwaes had gevonden, leidde hij hen naar de taveerne. Hij liep zo snel mogelijk door, terwijl hij goed uitkeek naar eventuele patrouilles. De klokken luidden de avondklok op het moment dat ze het blok waarin de taveerne stond bereikten. De straten waren bijna verlaten. De patrouilles waren al uitgemarcheerd, op zoek naar overtreders. De patrouilles waren ook op zoek naar baron Shadamehr, maar dat kon Ulaf niet weten. Hij vermoedde dat er iets mis was gegaan, want hij had op de fluitjes horen blazen die de mannen van Shadamehr gebruikten om elkaar in tijden van crisis te waarschuwen. Ulaf had op het punt gestaan te gaan kijken wat er aan de hand was, toen hij de pecwaes ontwaarde die om een hoek verdwenen, en toen had hij ervoor gekozen achter hen aan te gaan.

Hij zou er ongetwijfeld achter komen wat er gebeurd was wanneer hij op de ontmoetingsplaats arriveerde. Intussen had hij de twee pecwaes, en Bashae had de Verheven Steen in zijn knapzak. Ulaf was van plan zich deze drie zaken niet meer af te laten nemen.

Ulaf zou zich wel graag willen ontdoen van de Trevinicikrijger, die plotseling op het toneel was verschenen.

'Wat een vreemd toeval,' mompelde Ulaf, 'je ziet in deze stad

nooit een Trevinici of een pecwae, en plotseling lopen ze tegen elkaar op.'
Toen herinnerde hij zich dat Shadamehr een keer had gezegd dat 'toeval niet bestaat, er zijn alleen de goden die grappen met ons uithalen'.
Maar als dit een grap was, wie zou er dan het laatst lachen? Bashae en de Grootmoeder kwamen uit een land ver van Nieuw Vinnengael, een land waar het zien van een Trevinici – van oudsher de beschermers van de pecwae – even gewoon was als het zien van een mus. Zij konden niet weten dat als je in Nieuw Vinnengael een Trevinici zag, dat net zoiets was als dat je in een van de fonteinen van de stad een walvis zag drijven. Ulaf schatte dat Jessan de eerste Trevinici was die de laatste twintig jaar voet in Nieuw Vinnengael had gezet, als het niet langer geleden was. Dat er nu twee Trevinici in Nieuw Vinnengael waren was wel uiterst ongeloofwaardig.
En dat die Trevinici dan 'toevallig' op de beide pecwaes was gestuit...
Ulaf was gewaarschuwd dat er Vrykyls achter de pecwaes aan zaten – of liever, dat de Vrykyls uit waren op de Verheven Steen die de ene pecwae, Bashae, bij zich had. Ulaf kende de Vrykyls maar al te goed, helaas. Hij had al eerder ontmoetingen met hen gehad, niet tot zijn genoegen. Ze konden de gedaante aannemen van iedereen die ze hadden gedood, en hij vermoedde dat de vreemde Trevinici, die naast hem door de straat liep, in werkelijkheid een van de krachtige en angstwekkende Vrykyls was. Ulaf kon hier geen zekerheid over verkrijgen, behalve als hij de Vrykyl dwong zijn ware aard te tonen, en dat was hij niet van plan. Als deze Trevinici een Vrykyl was, verkeerden ze in groot gevaar. Aan de andere kant, redeneerde Ulaf bij zichzelf, als deze Trevinici een Vrykyl is, waarom heeft hij dan geen gebruik gemaakt van de magie van de Leegte om mij te veranderen in een hoopje vettige as, zodat hij er met de pecwaes vandoor kon gaan? Waarom gaat hij zo gedwee met me mee?
Het voor de hand liggende antwoord, vervolgde Ulaf zijn redenering, is dat deze Vrykyl opdracht heeft zichzelf en zijn magie verborgen te houden.

Deze veronderstelling bood weinig troost, want hij opende een volgende doos vol verschrikkelijke veronderstellingen waarvan de voornaamste was dat er meer Vrykyls waren, die voor hun meester Dagnarus, de Heer van de Leegte, werkten. En Dagnarus' legers waren op ditzelfde moment vanuit het noorden op weg naar Nieuw Vinnengael.

Ulaf besloot dat de verstandigste strategie was iedereen – pecwaes, Trevinici, Vrykyl en wie ook maar – mee te nemen naar de taveerne, waar hij hoopte baron Shadamehr en de rest van de mannen van de baron aan te treffen. Samen konden ze een manier bedenken om deze dodelijke situatie aan te pakken.

De Tonronde Kater stond op een hoek aan het eind van de Kaarsenmakersstraat. Toen ze de straat inliepen, was het bulderende gelach al van ver te horen. Een uithangbord met een geschilderde afbeelding van de beroemde sluimerende rode kater zwaaide krakend heen en weer in de avondbries.

De warmte en het lawaai in de taveerne troffen Ulaf met de kracht van een door dwergen afgeroepen vuurban toen hij de zware houten deur opentrok. Op de begane grond bevonden zich de eigenlijke taveerne en twee grote kamers waar reizigers een brits konden krijgen om te overnachten. Een reusachtige open haard aan de ene kant van de taveerne verschafte licht en warmte. Ulaf slaakte een zucht van opluchting toen hij tussen de mensen een aantal van zijn vrienden en kameraden zag. Ulaf greep de beide pecwaes, die als verschrikte konijnen stokstijf op de stoep bleven staan, en duwde hen naar binnen. De Trevinici bleef aarzelend in de deuropening staan, en Ulaf hoopte dat hij zich door de menigte zou laten afschrikken en zou besluiten weg te gaan. Het gezicht van de krijger betrok toen hij zoveel mensen zag, maar toch volgde hij de twee pecwaes naar binnen en bleef in hun buurt als een sombere schaduw.

Ulaf keek snel of hij Shadamehr ergens tussen de mensen zag. Hij zag hem niet, en dat beduidde niet veel goeds. Of de baron was nog onder arrest, of er was iets nog ergers gebeurd. Niemand van Shadamehrs mannen gaf er blijk van dat ze Ulaf kenden, en hij liet evenmin merken dat hij hen kende. De kroegbaas, die Ulaf goed kende, keek langs hem heen, en de diensters die druk aan het werk waren, wierpen hem gejaagde blikken toe, alsof hij gewoon de zoveelste klant was. Ze wisten allemaal dat Ulaf hier misschien iets belangrijks te doen had, dat hij daarbij wellicht gebruik maakte van een van zijn valse identiteiten, en dat hij wel een teken zou geven als hij wilde dat hij herkend werd.

Het was erg vol in de taveerne. Bezoekers van Nieuw Vinnengael waren overvallen door de avondklok. Ze zouden met z'n vieren in een bed moeten slapen. Verder waren er nog een aantal stedelingen, die in de buurt woonden en dachten dat ze wel ongemerkt thuis konden komen voor de patrouilles hen betrapten. Zij kwamen over de oorlogsgeruchten praten. Alle tafels waren vol, maar dat stoorde Ulaf niet. En inderdaad kwam er kort na zijn binnenkomst een tafel vrij bij de deur. Hij stuurde de pecwaes die kant op. De twee mannen die daar hadden gezeten, passeerden hem zonder hem aan te kijken, maar een van hen wreef op een eigenaardige manier langs zijn neus.

Ulaf kende de man en wist dat dit signaal betekende dat er iets onaangenaams was gebeurd en dat hij hem wilde spreken. De man liep naar de tapkast. Ulaf durfde de pecwaes niet achter te laten, met die vreemde Trevinici in de buurt, maar hij moest toch weten wat er gaande was.

Hij vroeg de Grootmoeder te gaan zitten op de stoel, maar terwijl ze dat deed, bedacht hij dat de gewoonlijk zo flinke, bejaarde pecwae ongewoon stil was. Telkens hief de Grootmoeder de stok met de agaten ogen op en draaide hem verschillende kanten op. Dan schudde ze met een sombere uitdrukking haar hoofd en schudde ook met de stok.

Sommige stamgasten gaapten de pecwaes en de Trevinici verbaasd aan. De mannen van Shadamehr vermeden juist naar hen te kijken en deden al het mogelijke om de aandacht van de anderen af te leiden. De man bij de tapkast wreef weer langs zijn neus, en nu nieste hij bovendien luidruchtig.

De Trevinici ging niet zitten, maar ging tegen de muur geleund staan met zijn armen over elkaar. Zijn donkere blik bleef onafgebroken op de pecwaes gericht.

'Bashae,' zei Ulaf, 'kom even mee...'

'Kijk, daar heb je Jessan!' riep Bashae. Hij zwaaide met zijn hand. 'Hierzo, Jessan!'
Jessan kwam de gelagkamer binnen. Hij was buitengewoon blij en opgelucht zijn vrienden te zien; zo blij dat zijn doorgaans strenge gelaatsuitdrukking zich ontspande in een glimlach. Hij bleef even stilstaan om verbaasd naar de vreemde Trevinici te staren. Hij wilde deze collega-krijger al begroeten, toen hij zich herinnerde met welke dringende boodschap hij hier was.
Jessan wendde zich opzij en zei zacht maar dringend tegen Ulaf: 'Ik moet met je praten. Alleen.'
Ulaf knikte en het tweetal ging terug naar de deur.
'Ik kom net bij Alise en Shadamehr vandaan,' zei Jessan. 'De baron is gewond. Alise wil dat je onmiddellijk komt.'
'Gewond?' herhaalde Ulaf geschrokken. 'Is het ernstig?' Dat moest wel, dacht hij, als Alise hem liet halen.
'Hij is stervende,' zei Jessan onomwonden. 'Hij ligt in de achterkamer van een taveerne, ergens naar die kant.' Hij wees met zijn duim. 'Alise is bij hem, maar ik geloof niet dat ze veel voor hem kan doen. Hij is er heel slecht aan toe.'
'O, goden,' zei Ulaf. Het was alsof zijn eigen leven uit hem wegvloeide.
Zijn eerste aanvechting was om onmiddellijk weg te rennen, maar hij dwong zichzelf de situatie rationeel te overdenken. Hij had de pecwaes onder zijn hoede, de pecwaes en de Verheven Steen. Hij was verantwoordelijk voor hen, dus hij kon hen niet in de steek laten. Hij keek even naar de man aan de tapkast, die zijn blik beantwoordde door hem dringend aan te kijken en nog luider te niezen. Intussen stond Jessan weer naar de Trevinici te kijken.
'Jessan,' zei Ulaf, 'ken je die man?'
'Nee,' zei Jessan. 'Ik heb hem nog nooit gezien. Aan zijn kentekens te zien behoort hij tot een stam die ver van mijn stam woont, ergens bij Vilda Harn in de buurt.'
'Dat is vreemd,' zei Ulaf, 'want hij beweert dat hij je kent. Hij heeft tegen de pecwaes gezegd dat jij hem hebt uitgestuurd om hen te zoeken. Hij gebruikte jouw naam om te proberen hen weg te lokken uit de stad.'

Jessan fronste zijn voorhoofd. 'Waarom zou hij dat zeggen? Ik heb hem nooit eerder gezien. Ik ben steeds bij baron Shadamehr gebleven.'
'Jessan,' zei Ulaf snel, 'ik ga je iets vertellen wat je niet graag zult horen, en je moet kalm blijven. Je mag geen reactie tonen. Ik denk dat die Trevinici in werkelijkheid een Vrykyl is.'
Jessan bleef hem even aanstaren. Zijn ogen werden donker, de rimpels in zijn voorhoofd werden dieper, maar hij zei niets.
'Ga hem niet aan de kaak stellen,' waarschuwde Ulaf. 'Niet hierbinnen. Ik denk dat hij op de Verheven Steen uit is, en hij zal niet aarzelen iedereen hier te doden om die te pakken te krijgen.'
'Wat moeten we doen?' vroeg Jessan.
'Ga jij naar de Trevinici toe en praat met hem. Zie je niet dat hij erg nerveus lijkt? Hij weet dat er iets niet in de haak is. Je moet zijn argwaan sussen.'
'En dan?'
'Zo dadelijk zal er een enorme chaos uitbreken. Dan pak jij de Grootmoeder en Bashae en neemt ze vlug mee naar buiten. Neem ze mee naar Alise en Shadamehr.'
'Maar die Vrykyl dan? Die zal proberen me tegen te houden.'
'Maak je niet ongerust over de Vrykyl. Ik zal me met hem bezighouden. Jouw enige zorg zijn de pecwaes. Begrepen?'
Jessan knikte kort en liep naar de vreemde Trevinici toe om met hem te praten. Ulaf wachtte even af; hij was op het ergste voorbereid. Maar Jessan wist wat hem te doen stond, en even later stond het tweetal met elkaar te praten. Bashae kauwde tevreden op brood en kaas en luisterde naar de twee krijgers. De Grootmoeder zat in de ruimte te staren; haar mond hing een beetje open en de blik in haar ogen was glazig en leeg.
Haar aanblik beviel Ulaf niet. Hij dacht dat ze misschien een beroerte had gekregen, wat soms met oude mensen gebeurt; maar als dat zo was, kon hij er helemaal niets aan doen. Hij drong zich door de menigte om bij de tap te komen. Onder het lopen pakte hij achteloos het fluitje dat aan een zilveren ketting om zijn nek hing, en hield het zo dat het duidelijk zichtbaar was. Hij speelde ermee, maar zette het niet aan zijn lippen.

Toen hij bij de tap was, nam Ulaf plaats naast de man die langs zijn neus had gewreven.
'Wat heb je te berichten, Guerimo?'
'Er is een rel geweest in het paleis. Shadamehr en de Domeinheer moesten door een raam naar buiten springen. Nu zitten er oorlogsmagiërs achter hem aan!'
'Oorlogsmagiërs!' kreunde Ulaf.
'Ze zijn nu waarschijnlijk op weg hierheen. Ze weten dat hij hier mensen ontvangt wanneer hij in de stad is. Weet jij waar de baron is? We moeten hem waarschuwen.'
Onder het luisteren hield Ulaf de pecwaes, Jessan en de valse Trevinici in de gaten.
'Het lijkt misschien vreemd,' zei Ulaf, 'maar we hebben ernstiger problemen. Ik moet iets doen om de aandacht af te leiden.'
'Het gebruikelijke recept?' Guerimo grijnsde.
'Het gebruikelijke recept,' zei Ulaf.

Jessan had het besluit genomen om uit Nieuw Vinnengael weg te gaan, nog voor hij bij de Tonronde Kater was aangekomen. Hij had het allemaal uitgedacht op weg naar de taveerne, die hij meer door toeval dan door opzet had weten te vinden. Hij zou de twee pecwaes ophalen en teruggaan naar hun vaderland, ergens heen waar hij de zon kon zien en de lucht kon inademen. Wanneer hij daar eenmaal was, zou hij alles kunnen overdenken en de antwoorden terug kunnen vinden die hij onderweg scheen te zijn kwijtgeraakt.
In Jessans vorige leven – het leven dat hij had gehad voor hij begonnen was aan deze reis met de Verheven Steen – was hij een kind geweest. In dit leven had hij zijn kindertijd achter zich gelaten. Hij had gevochten en een machtige vijand verslagen. Hij had zijn krijgersnaam aangenomen: Verdediger. Hij had zijn belofte aan de stervende ridder Gustav gehouden. Hij had vreemde landen bezocht, met vreemde mensen. Voor sommigen daarvan had hij bewondering gekregen, anderen was hij gaan verafschuwen en vrezen. Hij had veel geleerd, dat zeiden ze tenminste steeds tegen hem. Nu hij erover nadacht, besefte Jessan dat ze zich vergisten. In zijn vorige leven had hij overal ant-

woorden op gehad. Nu had hij slechts vragen.
Hij moest zich losmaken van deze stad, waar hij in de goede richting op weg ging, maar altijd een verkeerde hoek omsloeg, zodat hij in een doodlopende steeg terechtkwam. Hij kon de hemel niet zien door de hoge muren, hij kon de zon niet voelen door de schaduw van die muren en hij kon de lucht niet inademen door de stank die er hing.
Zijn aankomst in de taveerne, die baaierd van hitte, lawaai en fel licht, sterkte hem in zijn besluit. Hij was ook niet echt verbaasd te horen dat de vreemde Trevinici een Vrykyl was. In Jessans andere leven zou hij die gedachte belachelijk hebben gevonden. In dit leven koesterde hij argwaan jegens alles en iedereen. Hij wist dat het kwaad zich vriendelijk kon voordoen en hij vond het afschuwelijk dit te weten.
Hij was blij Bashae en de Grootmoeder te zien, blij te zien dat ze veilig waren en blij te zien dat ze er even verloren, eenzaam en radeloos uitzagen als hij zich voelde. Er restte nog één hindernis en dat was de Verheven Steen. Ze hadden hun belofte aan de stervende ridder Gustav gestand gedaan. Meer dan gestand gedaan, volgens Jessan. Bashae had geprobeerd de Steen aan Damra te geven, en daarna had hij geprobeerd hem aan baron Shadamehr te geven. Geen van beiden wilde hem aannemen, zodat Bashae met deze enorme verantwoordelijkheid bleef opgescheept. Toen hij naar de kleine, tengere pecwae keek, tussen die grote mensenmannen met vuisten als hammen, en bovendien nog met die Vrykyl achter hem aan, werd Jessan witheet van woede.
'Die Steen is hun zorg. Laten ze hem nemen,' zei Jessan bij zichzelf. 'Wij hebben ons deel gedaan. We hebben genoeg gedaan.'
Bashae schoof opzij op zijn stoel en bood Jessan de helft van de zitting aan en meer dan de helft van het brood en de kaas.
'Ik ben blij je te zien, Jessan,' zei Bashae. 'Ik was ongerust over je. Vuurstorm zei dat je gearresteerd was.'
Jessan keek aandachtig naar Vuurstorm, die hem argwanend bekeek. Was deze man echt een Vrykyl? Jessan kon er niet achter komen. Vuurstorm zag er precies zo uit als een Trevinici-krijger eruit hoorde te zien, tot en met de franje aan zijn leren broek.

'Ik ben blij dat je mijn vrienden te hulp bent gekomen, Vuurstorm,' zei Jessan. 'Zij zijn de gevaren van een stad niet gewend. Maar ik vraag me wel af waarom je hebt beweerd dat je mij kende, terwijl we elkaar nu voor het eerst zien.'
Dit was naar Jessans mening een vanzelfsprekende vraag, een vraag die zowel een Vrykyl als een Trevinici van hem zou verwachten.
Het gezicht van Vuurstorm, dat een gespannen uitdrukking had, ontspande zich een beetje. 'Ik moet toegeven dat ik de waarheid wat heb overdreven, al is het niet zo erg overdreven als je misschien denkt. De roem van Jessan en zijn queeste is wijd en zijd bekend onder ons volk.'
'Het is ook mijn queeste, hoor,' merkte Bashae gepikeerd op. 'We doen dit samen, Jessan en ik. En de Grootmoeder.'
'Natuurlijk,' zei Vuurstorm beleefd. 'Mijn fout.'
Het kon best dat hij de waarheid sprak, dacht Jessan. Mijn mannen zouden het verhaal over de stervende ridder en degenen die waren vertrokken om zijn 'liefdessymbool' naar elf landen uit te dragen, aan elke andere Trevinici die ze tegenkwamen hebben verteld. Maar dat verklaart niet wat Vuurstorm hier in Nieuw Vinnengael doet – zo ver van ons eigen land.
Aan de andere kant zal een echte Trevinicikrijger zich nooit verlagen tot vleierij. Hij zal je eerder beledigen dan je stroop om de mond smeren.
'Bashae,' zei Jessan minzaam. 'Ik moet nodig naar achteren. Ga even mee, zodat je niet weer zoek raakt.'
'Ik ben niet degene die zo handig was zich te laten arresteren,' zei Bashae verontwaardigd. Hij ging verder in het Twithil om precies te beschrijven wat Jessan met zichzelf mocht gaan doen, daar op het privaat.
Het Twithil is een bloemrijke taal, en Jessan moest ondanks zichzelf even grijnzen. Hij wierp Bashae een blik toe en knikte nauwelijks merkbaar naar Vuurstorm.
Bashae keek van opzij naar Vuurstorm. Het rechterooglid van de pecwae trilde.
'Goed, Jessan. Ik ga met je mee,' zei hij.
'Ik ga ook mee. Die stadslui hebben wel vreemde gewoonten,'

voegde Vuurstorm er schouderophalend aan toe. 'Huizen bouwen waar de mensen in moeten schijten.'
Jessan wilde juist zeggen dat hij zich had bedacht, dat hij toch niet zo nodig moest, toen de Grootmoeder een krijsende gil gaf waar zijn haren bijna van overeind gingen staan. Met een woedende blik gaf de Grootmoeder Vuurstorm met de stok met de agaten ogen een por tegen zijn borst.

Ulaf hoorde de Grootmoeder krijsen, een ijl oergeluid als het schrille piepen van een muis die in de klauwen van een havik is gevangen, of van een konijn dat door een pijl is doorboord. Het akelige geluid sneed door het kabaal in de taveerne, een dienster liet van schrik een bierpul vallen en iedereen in de ruimte hield op met praten. Woedend krijsend in haar eigen taal stootte de Grootmoeder de stok met de agaten ogen tegen de borst van de Trevinici Vuurstorm.
De stok brak in stukken in haar hand. Agaten ogen rolden stuiterend over de vloer, maar niemand lette erop. De Trevinici begon op een gruwelijke manier te veranderen. De leren broek en tuniek die hij aanhad, verdwenen. Het rossige haar en het strenge, ernstige gezicht van de Trevinicikrijger vielen af, het vlees rotte weg en onthulde een afgrijselijk grijnzende schedel. Een harnas, zwart en meedogenloos als de Leegte, sloot vloeiend om zijn lichaam. Over de benige schedel gleed een zwarte helm. Zwarte handschoenen bedekten de handen van een geraamte.
Ik had gelijk, dacht Ulaf. Mogen de goden ons bijstaan!
De mensen in de taveerne bleven een ogenblik met stomheid geslagen zitten, toen barstte er een pandemonium los. Weinigen wisten wat dit boosaardige schepsel was, maar allen wisten dat het uit de Leegte geboren was en dat het dood en vernietiging zou zaaien. Sommigen probeerden te vluchten, anderen probeerden zich te verstoppen. Iedereen schreeuwde of gilde, sprong op of dook in elkaar, viel over stoelen of probeerde onder een tafel te duiken. Shadamehrs mensen keken naar de Vrykyl, naar elkaar en ten slotte naar Ulaf.
Die had een fractie van een seconde om een beslissing te nemen. Hij beheerste de magie, maar het was ondenkbaar dat hij het

kon opnemen tegen de dodelijke Leegtemagie van een Vrykyl.
'Gooi dingen naar zijn kop!' brulde hij boven het rumoer uit. 'Houd hem bezig!'
Ulaf haalde zich de woorden van de toverformule die hij wilde gebruiken voor de geest en sprak ze hardop uit. De magie tintelde in zijn bloed. Hij wees naar de vloer onder de voeten van de Vrykyl en de magie stroomde uit hem. De vloerplanken begonnen te golven en om te krullen. De Vrykyl verloor zijn evenwicht en stortte op de vloer.
Shadamehrs mannen pakten bestek, kommen, borden, flessen, kannen en wat ze maar konden vinden en smeten alles naar de Vrykyl. Borden braken tegen het zwarte borstschild, bier klotste over zijn helm. Het spervuur van messen en lepels zou hem geen kwaad doen, maar het kon hem van de wijs brengen zodat hij niet de kans kreeg zijn eigen magie te beoefenen.
Ulaf was niet lang van stuk. Hij kon niet over de hoofden van de mensen heen kijken, want de meesten stonden nog, om te vechten of te vluchten. Hij was Jessan in de chaos uit het oog verloren en kon niet zien wat er met hem of de pecwaes gebeurde.
Ulaf durfde niet de tijd te nemen om hen te zoeken. Hij riep over iedereen de genade van de goden af, rende om de tapkast heen, stootte een deur open en snelde een korte trap op naar de eerste verdieping. Hij stortte zich tegen een andere deur en rende het dak op. Er waren al verscheidene taveernebezoekers op straat; ze riepen om de stadswacht. Gewapende mannen zouden geen partij zijn voor de Vrykyl. Ulaf tuurde in het donker.
En daar waren ze. Zes oorlogsmagiërs in vol ornaat – de meest gevreesde tovenaars van Nieuw Vinnengael, misschien zelfs van het hele continent Loerem. Alleen de beste, sterkste en meest gedisciplineerde tovenaars werden door de Kerk uitverkoren om voor haar te strijden. Ze konden zowel met wapens als met magie overweg, en waren dus niet alleen machtige tovenaars, maar behoorden ook tot de beste zwaardvechters van het leger. Ze vochten als eenheid en verenigden hun magische vermogens om betoveringen te smeden waarmee een heel regiment kon worden gedecimeerd.

Een wit schijnsel straalde van hen af, want ze gebruikten hun magie om hun weg door de donkere straten van de stad te verlichten. Het magische licht glinsterde op hun zwaarden, hun helmen en hun hellebaarden, en verlichtte de tabberds van hun hoge functie die ze over hun wapenrusting droegen. Ze zochten zorgvuldig, namen de tijd om elk gebouw te onderzoeken.
'Vrykyl!' riep Ulaf luid. Hij gaf het woord magische vleugels mee en liet het wegvliegen. 'Vrykyl!' zei hij nogmaals. 'In de Tonronde Kater!'
Hij wachtte even vol spanning, en zag toen tot zijn voldoening dat de hoofden van de oorlogsmagiërs zich omhoogrichtten. Ze zochten naar de bron van de stem die in hun oren leek te exploderen.
'Vlug!' drong Ulaf aan.
De oorlogsmagiërs hoefden niet te worden aangespoord. Ze renden al door de straten.
Ulaf draaide zich om en rende de trappen weer af. Hij was halverwege toen hij een ijselijke gil hoorde – de schrille, hoge gil van een pecwae.

Shadamehr kwam langzaam bij bewustzijn. Hij wist niets, behalve dat hij zich zwak en misselijk voelde. Hij lag plat op zijn rug op een harde, koude ondergrond, en ergens boven hem gloeide een flakkerende, gelige lichtbron. Hij vroeg zich af wat er met hem was gebeurd, en hij probeerde zich iets te herinneren. Angst belette hem ermee door te gaan. Hij durfde niet terug te gaan naar die plek. Er was iets gruwelijks gebeurd. De schaduw van die gruwel lag over zijn hart, en hij durfde niet eens te proberen in dat verleden te kijken.

Zijn lichaam was doortrokken van een vreemde en onaangename warmte, alsof het bloed uit zijn aderen was afgetapt, in een kookpot was verhit en vervolgens weer teruggegoten. Een walgelijke, metaalachtige smaak brandde achter in zijn mond, waardoor hij moest kokhalzen. Zijn maag golfde en krampte. Hij maakte braakbewegingen, maar omdat hij sinds het ontbijt niets had gegeten was er niets in zijn maag waarvan hij zich kon ontdoen. Hij ging weer achterover liggen, rillend en zwak.

De herinnering kwam terug, ongewild, ongevraagd. Hij stak zijn handen uit om de jonge koning op te pakken, om hem te redden van de regentes, wier lichaam door een Vrykyl was overgenomen. Zijn handen hadden het kind vast, tilden het al op. Een vreselijke, verzengende pijn schoot door zijn lichaam. Hij keek in het gezicht van het kind en zag een schedel. Hij keek het kind in de ogen en zag de Leegte.

De jonge koning van Vinnengael was de Vrykyl.

Shadamehr voelde weer de machteloze ontzetting en walging die hij toen gevoeld had, maar hij kon zich verder niet veel herinneren, want het ijskoude vuur van de wond begon zich door zijn lichaam te verspreiden.
En waar hij nu was, zou hij niet hebben kunnen zeggen, al zou zijn leven ervan afhangen.
'Misschien hangt het er ook wel van af,' mompelde hij, terwijl probeerde zich op te duwen om een zittende houding te vinden. 'De Vrykyl is natuurlijk naar me op zoek. Ik ken zijn geheim. Hij kan mij niet laten leven. Ugh! Verdraaid!'
Shadamehr viel weer neer op de vloer en bleef zo hijgend liggen, terwijl het koude zweet van zijn lichaam stroomde. Hij hoorde kreunen; gemompelde, onverstaanbare woorden. Shadamehr zag alles wazig, zijn ogen werden verblind doordat hij in het licht van de lantaarn keek. Hij draaide zich de andere kant op, wist omhoog te komen tot hij op een elleboog steunde, en zocht naar de stem.
Hij ademde huiverend uit. 'Alise!'
Ze lag naast hem; haar hand lag – slap en bewegingloos – op de vloer. Ze leek hem in haar laatste ogenblikken haar hand te hebben toegestoken.
Met trillende vingers veegde hij de zinderende rode krullen weg die over haar gezicht hingen. Zijn adem stokte in zijn keel.
Alise was een schoonheid die geen waarde hechtte aan haar schoonheid. Ze wees het idee dat ze mooi was smalend van de hand en lachte hartelijk om de sonnetten en liederen waarin haar lof werd gezongen, tot grote teleurstelling van menige serieuze jongeling. Ze had een scherpe tong, een temperament dat paste bij haar vurige haardos, en een snelle geest, en al deze dingen gebruikte ze zoals een stekelvarken zijn stekels gebruikt om een trouw en gevoelig hart te verbergen.
Haar schoonheid was weg, vernietigd. De zachte huid van haar wangen lag open in wonden, waaruit bloed vloeide dat langs haar hals droop. Haar voorhoofd en haar ene oog waren bedekt met afzichtelijke puisten, en dat oog zat dicht, zo gezwollen waren haar oogleden. Haar lippen waren gebarsten en zwart verkleurd. De hand die naar hem toegestoken was, balde zich van

pijn, zodat de nagels in haar vlees drongen. Ze kreunde weer, een snik in doodsnood.
'Alise!' hijgde Shadamehr ontzet. 'Wat is er gebeurd? Wie heeft je dit aangedaan?'
Hij wist het antwoord al op het moment dat hij het vroeg.
'O goden!' Hij sloot zijn ogen. 'Ikzelf.'
Hij nam haar hand op, boog de stijve, koude vingers open en drukte haar hand tegen zijn lippen. Tranen brandden achter zijn oogleden.
Shadamehr was geen magiër, maar hij kende wat magie. Rigiswald, een magiër die zijn leermeester was geweest, had ooit geprobeerd Shadamehr enkele eenvoudige betoveringen te leren. Maar Shadamehr bleek niet alleen onhandig in de magie, maar werd er ook op een averechtse manier door beïnvloed. Telkens als hij een betovering probeerde te voltrekken, al was het ook nog zoiets onbenulligs, liep het uit op een ramp. Shadamehr zelf bleef ongedeerd, maar anderen waren niet zo fortuinlijk. Nadat Rigiswald een ellendige week had doorstaan, en onder andere een hersenschudding en een verstuikte enkel had opgelopen, verbrandde hij de toverboeken en verbood zijn leerling om ook maar een magisch woord te denken.
Shadamehr was nog altijd geïnteresseerd in de magie, al paste hij wel op er nooit zelf mee te werken. Met Alise, Ulaf en Rigiswald had hij vaak langdurige gesprekken gevoerd over magie, ook over Leegtemagie.
Leegtemagie kon een stervende niet genezen, maar ze kon je redden door iets van de levenskracht van een Leegtemagiër over te brengen in het lichaam van de stervende. Deze kunst was gevaarlijk, want door het slachtoffer te redden, kon ze degene die de betovering uitvoerde doden.
Shadamehr legde zijn hand op Alises hals. Hij kon nauwelijks een hartslag voelen. Ze had vreselijke pijn, want ze schreeuwde het uit, en haar lichaam kronkelde en schokte. De pijn kon haar niet wekken uit het diepe duister waarin ze voor haar leven vocht. Om hem had ze zich aan de Leegte gegeven, en nu eiste de Leegte haar op.
Alise zou sterven. Als hij niet iets deed, hulp voor haar zocht,

een manier vond om te verhinderen dat de Leegte haar van hem wegtrok, zou ze sterven.
Ze zou sterven zonder ooit te weten dat hij van haar hield.
Shadamehr knarsetandde en wist met grote inspanning zijn armen op te heffen, zijn handen uit te steken en de bovenkant van een vat te grijpen. Hij wachtte even, happend naar adem, en trok zich toen met inspanning van al zijn krachten overeind. Hij bleef over het vat gebogen staan, bevend en onbeheersbaar rillend.
Hij wist zijn wazige blik lang genoeg te richten om de deur te vinden. Die leek mijlenver weg. Hij wist niet waar hij zich bevond, want hij had geen herinnering aan hoe hij hier gekomen was. Er was niets te horen. Er kwamen geen geluiden van achter de deur. Nu hij eraan dacht, meende hij zich te herinneren dat iemand op de deur had gebonsd en geroepen, maar dat was een eeuwigheid geleden geweest.
Hij probeerde om hulp te roepen, maar het roepen kwam eruit als een schor gepiep. Hij liet het vat los, deed een stap, en nog een stap. Zijn hoofd bonkte. De ruimte begon te kantelen en te golven. Zijn maag draaide, zijn knieën knikten. Hij voelde dat hij begon te vallen en deed een wanhopige poging zich te redden door het vat te grijpen. Het viel om en kletterde samen met hem en de lantaarn op de vloer.
Gelukkig vloog de boel in de kelder niet in brand. Het vlammetje van de lantaarn ging uit, gedoofd door lampolie.
Shadamehr vervloekte zichzelf, zijn zwakheid en deze mislukking, waarmee hij de enige mens zou verliezen voor wie hij zijn leven zou hebben gegeven.
'Je had me moeten laten doodgaan, Alise,' zei hij.
Het lukte hem naar haar terug te kruipen. Hij nam haar hand in de zijne en kuste die, kuste haar lieve, geteisterde gezicht. Hij nam haar in zijn armen, wiegde haar hoofd tegen zijn borst en hield haar rillende, koude lichaam dicht tegen het zijne aan.
'Je had mij moeten laten doodgaan. Geen groot verlies,' mompelde hij. 'Niets dan een verwaande, onnadenkende, roekeloze dwaas, die zich met zaken bemoeit die hem niet aangaan, enkel en alleen omdat hij dat leuk vindt.'

Hij legde zijn wang tegen haar zachte haar.
'Ja, ik maak mezelf natuurlijk wijs dat ik goed doe. Ik bewijs de mensheid een dienst, en misschien heb ik dat ook weleens gedaan, af en toe. Maar ik doe het alleen omdat het leuk is. Het is een avontuur. Altijd een avontuur. Net als deze ellende waar we nu middenin zitten. Wat ontzettend stom en roekeloos om dat te proberen – de jonge koning te redden van een Vrykyl. Ik heb het leven van mijn vrienden in gevaar gebracht. Ik heb onze opdracht om de Verheven Steen te behouden in de waagschaal gesteld. Allemaal om mijn eigen egoïstische zucht naar avontuur. Als ik er ook maar even serieus over had nagedacht, had ik het kunnen weten.
De koning die plotseling dood was. Zijn zoontje de enige die erbij was. Niemand zou een kind verdenken, natuurlijk. Ook nu heeft niemand een vermoeden dat de jongen iets anders is dan wat hij lijkt te zijn. En wie zou mij geloven als ik het vertelde? Wie zal een losbandige avonturier geloven, die zijn hele leven nog geen serieus woord heeft gesproken? Een man die het recht had verkregen om Domeinheer te worden en die dat weigerde, niet omdat ik bezwaar had tegen de politieke kanten ervan, niet vanwege filosofische bedenkingen of een morele overtuiging. De waarheid was dat ik het weigerde, domweg omdat ik de verantwoordelijkheid niet op me wilde nemen.
Alise, Alise,' fluisterde hij terwijl hij haar tegen zich aan drukte. 'Als ik een Domeinheer was, zou ik jou kunnen redden. Ik had mezelf kunnen redden. Door mijn eigen vervloekte, zelfzuchtige luiheid heb ik het enige verloren dat me ooit dierbaar is geweest. En jij zult van me weggaan zonder ooit te weten dat ik van je hou. Want ik hou van je, Alise,' zei Shadamehr, en hij kuste haar teder. 'Jij bent mijn vrouwe.'
Ze kreunde niet langer. Haar lichaam werd kouder, haar ademhaling was zwoegend. Hij hield haar dicht tegen zich aan en ademde elke ademtocht met haar mee, alsof hij voor haar kon ademen.
'Als jij doodgaat, Alise, wil ik niet leven. Als jij geen deel bent van het leven, heeft dit lege geschenk dat je mij hebt gegeven geen waarde voor me. Maar ook al hecht ik zelf geen waarde

aan dit leven, ik zal het niet verspillen. Ik zal zorgen dat je trots op me kunt zijn, Alise. Dat zweer ik bij de goden.'

De Vrykyl Jedash vocht om de illusie in stand te houden. Vuurstorm kwam even terug, maar inmiddels werd er gegild en gewezen. Hij besefte dat zijn vermomming was afgegleden en dat de mensen erdoorheen hadden gekeken. Hij liet het waardeloze Trevinici-mom varen en nam zijn toevlucht tot zijn magie. De Leegte beschermde hem, bekleedde hem met haar eigen zwarte harnas, gaf hem dodelijke toverkracht en het vermogen daarvan gebruik te maken.

De macht van de Leegte werkt niet alleen in op de geest, maar ook op het hart. Het wapen van de Leegte is angst. Het schild van de Leegte is afschrikking, haar harnas is wanhoop. Zelfs de beste en dapperste mannen vinden het moeilijk om tegen de Leegte te strijden, want ze dwingt iemand om tegelijkertijd twee vijanden te bekampen – de angst van binnen en het afgrijzen van buiten.

De pecwaes stonden er verstard en machteloos bij. De Vrykyl deed een uitval naar het tweetal en had bijna de Grootmoeder te pakken, toen een of andere ellendeling een betovering opriep waardoor de vloerplanken begonnen te golven en wiebelen. Hij verloor zijn evenwicht, struikelde naar achteren en botste tegen de muur.

'Gooi dingen naar hem!' riep een stem, en de klanten van de taveerne begonnen met hun spervuur van serviesgoed.

Borden en kommen sloegen tegen het harnas van de Vrykyl aan scherven, pullen belandden op zijn helm. Deze wapens konden hem geen kwaad doen, maar ze irriteerden hem, en maakten het

hem onmogelijk helder te denken om zelf een betovering af te roepen.
De lucht rondom Jessan werd koud en muf, als de lucht in een grafheuvel. Hij rook de zoetige, misselijkmakende stank van bederf. Het gezicht van Vuurstorm vervloeide. De illusie van huid verdween, zodat de werkelijkheid van een gruwelijk grijnzend doodshoofd met een gehavend gebit zichtbaar werd.
Jessan had maar één wapen, het bloedmes. Hij had al eens eerder met een Vrykyl gevochten en hoewel hij daar bijna het leven bij had gelaten, herinnerde hij zich dat dit kleine, benen mes het ondode schepsel veel schade had toegebracht. Jessan pakte de Grootmoeder vast en duwde haar achter zich, zodat hij tussen haar en de Vrykyl kwam te staan, die moeite had zich de kapotte kommen en stollende hutspot van het lijf te houden. Een slecht gemikte pul trof Jessan tegen zijn rug, tussen zijn schouderbladen. Hij voelde het nauwelijks.
'Waar is Bashae?' riep hij, terwijl hij omkeek.
De Grootmoeder schudde haar hoofd.
Terwijl hij zijn vijand in het oog hield, keek Jessan radeloos om zich heen op zoek naar de pecwae. Hij riep de naam van zijn vriend, maar als Bashae al antwoordde, kon Jessan het niet horen door het gebrul, geschreeuw en gegil dat alles overstemde.
De Grootmoeder trok met kracht aan zijn leren broek. Ze wees met haar vinger. Jessan keek in de richting die ze aanwees en zag Bashae, die bevend onder een tafel gehurkt zat, zodat zijn ogen zich op dezelfde hoogte bevonden als die van de gevallen Vrykyl.
Bashae zat klem, ingesloten door stoelen en tafelpoten. Een afstand van hooguit een meter scheidde hem van de Vrykyl. Jedash had die afstand in een oogwenk overbrugd.
Als een in het nauw gedreven dier probeerde Bashae wanhopig te ontkomen. Het had kunnen lukken, want pecwaes zijn klein en wendbaar en hun botten zijn zo soepel als wilgentakken. Bashae gleed achteruit, terwijl hij de knapzak meetrok, en probeerde zijn lichaam tussen de sporten van een stoelpoot door te persen. De Vrykyl greep de leren banden van de knapzak.
Bashae was nu al maanden de hoeder van de Verheven Steen ge-

weest. Misschien wist hij dat in het begin niet, maar nu wist hij het wel. De knapzak was zijn trots, zijn verantwoordelijkheid. De knapzak had hem meegenomen op een wonderbaarlijke reis; hij had hem op plaatsen gebracht en hem dingen laten zien die weinig pecwaes ooit hadden aanschouwd. Hij had het gevoel gekregen dat hij de knapzak iets verschuldigd was, en dat hij zijn eigendom was. Bashae was doodsbang voor dit gruwelijke wezen van dood en wanhoop. Hij wilde er zo snel mogelijk vanweg komen. Maar de knapzak moest mee, die liet hij niet achter.

Terwijl de Vrykyl aan de knapzak trok, gaf Bashae een boze, instinctieve ruk, en het lukte hem de riem aan de klauwende greep van de Vrykyl te ontworstelen. Bashae kronkelde zich achteruit en was algauw verdwenen tussen een wirwar van tafelpoten, mensenbenen en mensenvoeten. De Vrykyl kon hem niet volgen.

Woedend krabbelde hij overeind. De Vrykyl tilde de tafel op en wierp hem in de menigte. Hij zag Bashae, die onder een andere tafel was gekropen. De Vrykyl deed een uitval naar de knapzak, die aan de pecwae vastzat, en kreeg ze beide te pakken. De Vrykyl trok zo hard aan de knapzak dat hij Bashaes arm bijna afrukte.

De riem brak. Bashae voelde hem losschieten. Hij draaide zich om, greep de knapzak en schopte als een razende naar de Vrykyl.

Jessan deed wanhopige pogingen om bij Bashae te komen, maar de Vrykyl bevond zich tussen hem en zijn vriend. De weg tussen Jessan en de Vrykyl werd versperd door stoelen, tafels en angstige klanten van de taveerne. Jessan smeet stoelen opzij en sloeg iedereen die in zijn weg kwam neer. In het voorbijgaan zag hij starende ogen en opengevallen monden, maar ze hadden geen betekenis, ze waren als winterbladeren die weg werden geblazen in de ijzige wind van de angst om zijn vriend. Jessan riep iets uitdagends naar het schepsel, in de hoop dat dit de pecwae zou vergeten en zich zou omdraaien om deze nieuwe vijand het hoofd te bieden.

De Vrykyl had maar één gedachte, namelijk dat hij de knapzak in handen moest krijgen. Hij besteedde niet meer aandacht aan Jessan dan aan een miauwend poesje. De Vrykyl sloeg zijn scherpe klauwen diep in Bashaes lichaam. Bloed stroomde langs Bashaes ribbenkast omlaag. Hij schreeuwde van pijn en kronkelde in doodsnood. De Vrykyl greep de knapzak en smeet de krijsende pecwae op de vloer.

Ook de Grootmoeder had, net als Jessan, geprobeerd bij Bashae te komen. Omdat ze niet tussen de mensen door kon komen, liet ze zich op de vloer vallen en kroop naar hem toe. Toen de Vrykyl Bashae op de vloer smeet, dekte de Grootmoeder hem beschermend met haar lichaam af en keek uitdagend omhoog naar de Vrykyl.

De Vrykyl trok zijn zwaard en maakte zich gereed om beiden te doden en zijn buit mee te nemen. Hij hief het wapen. De Grootmoeder pakte vlug een van de agaten ogen van de vloer en gooide dat in het gehelmde gezicht van de Vrykyl.

Het agaten oog ontplofte in een zuiver witte flits. Het magische licht was afschuwelijk. Het licht, dat binnen het hoofd van de Vrykyl ontbrandde, verlichtte de Leegte, zodat de Vrykyl naakt voor het oog van de goden stond. Jedash kon voelen dat zijn ondode ziel begon te verschrompelen onder hun heilige blik.

Jessan verscheen achter de verblufte Vrykyl en stak het bloedmes diep in diens rug.

Het smalle, breekbaar ogende mes sneed door het harnas van de Leegte en drong in het verworden, rottende vlees van de Vrykyl. Het mes, uit de Leegte geboren, begon de Leegtemagie die het bestaan van de Vrykyl bijeenhield aan flarden te snijden.

Pijn, brandend als heet, gesmolten metaal, schroeide door Jedash heen terwijl het bloedmes de donkere, uit dood gesponnen draden die de Vrykyl aan dit bestaan bonden, doorsneed.

Krijsend van woede draaide Jedash zich om zodat hij deze nieuwe aanvaller tegemoet kon treden.

Jessan probeerde het bloedmes terug te pakken, maar het heft gleed tussen zijn glibberig bezwete vingers uit. Het benen lemmet bleef in het zwarte harnas van de Vrykyl steken.

De Vrykyl stak zijn hand door het zwarte metaal van zijn borstplaat. Hij tastte rond in zijn eigen kadaver, greep brullend van

pijn het bloedmes dat in zijn rottende vlees stak en rukte het eruit.
De Vrykyl had datgene waarvoor hij gekomen was. Hij had de knapzak, en hij wist zeker dat daar de Verheven Steen in zat. Hij kneep het bloedmes fijn in zijn zwarte klauwhand en smeet Jessan de restanten toe. Met zijn buit in de hand ging de Vrykyl op weg naar de deur.
De scherven van het benen mes troffen Jessan. Waar ze zijn huid raakten, begon het te bloeden, maar daar lette hij niet op. Bashae lag in elkaar gezakt op de vloer. De Grootmoeder knielde bij hem neer; haar gezicht was nat van tranen en van bloed. Ze sprak de oude, helende toverspreuken van de pecwaes uit, maar haar woorden werden onderbroken door snikken.
Withete woede barstte uit in Jessans brein en brandde elk instinct tot zelfbehoud weg. Hij had één doel, en dat was de knapzak terug te krijgen die zijn vriend met zoveel, voor hem ongewone, moed had verdedigd.
Jessan greep de leren riem die van de hand van de Vrykyl afhing. Met uit woede en smart geboren kracht rukte Jessan hem los. Verbaasd probeerde de Vrykyl zijn buit terug te pakken. Jessan sprong achteruit om de woest maaiende hand van de Vrykyl te ontwijken en struikelde over een stoel. Hij viel onzacht op de vloer.
Jessan drukte de knapzak tegen zijn borst om hem met zijn lichaam te beschermen en probeerde op te staan, maar hij begon duizelig te worden. De vloer begon onder hem te kantelen en te draaien. Zijn blote armen en benen brandden van pijn, en hij zag tot zijn ontzetting dat overal waar de resten van het benen mes hem hadden getroffen, de stukjes mes veranderd waren in walgelijke zwarte bloedzuigers die zich in zijn vlees vraten.
'Jessan!' riep Ulaf en zijn stem leek van heel ver te komen.
Jessan wist dat hij in de val zat en hij vermoedde dat hij spoedig zou sterven. Daarom stond hij op en smeet de knapzak zo ver mogelijk van hemzelf en de Vrykyl weg, in de richting van Ulafs stem.
De Vrykyl brulde van woede en probeerde de knapzak nog te vangen, maar die vloog ver buiten zijn bereik. Woedend haalde

de Vrykyl naar Jessan uit. De scherpe klauwnagels van de handschoenen die de Vrykyl droeg, krasten over Jessans rug.
De pijn trof de jonge man tot in zijn ziel. Zijn lichaam schokte, hij schreeuwde het uit in doodsnood en viel op de vloer voor de voeten van de Vrykyl in zwijm.
De leren zak kwam met een doffe plof voor Ulaf neer, die er meteen op af dook om hem te grijpen. Hij duwde de zak met zijn kostbare inhoud onder de plooien van zijn ruimvallende hemd.
Inmiddels hadden de meeste bezoekers de taveerne verlaten door uit een raam te springen of elkaar te verdringen om door de voordeur weg te komen. De achtergeblevenen waren de mensen van Shadamehr en de baas van de taveerne, die dapper probeerden te helpen in het gevecht.
De oorlogsmagiërs waren aangekomen, maar gingen er nog niet meteen toe over de taveerne binnen te vallen. Er was buiten het raam een stem te horen die bevelen riep. De aanvoerder van de oorlogsmagiërs stelde zijn mannen aan de voorkant en aan de achterkant op en posteerde zijn mensen bij alle uitgangen met de opdracht de Vrykyl binnen te taveerne te houden en hem niet te laten ontsnappen. Zware, gelaarsde voetstappen bonkten boven hun hoofden. Magiërs die de luchtmagie beheersten, waren omhooggevlogen naar het dak. Ze bevonden zich op de eerste verdieping en konden elk ogenblik de trap af komen om de Vrykyl in de rug aan te vallen, terwijl anderen hem van voren bestreden.
De Tonronde Kater stond op het punt te veranderen in een werveling van magie. Vrykyls stonden bekend als de krachtigste en schadelijkste van alle wezens van de Leegte. De oorlogsmagiërs mochten hem niet de kans geven te ontsnappen, want dan zou hij onmiddellijk van gedaante veranderen, en zouden ze hem kwijtraken tussen de mensen van de stad. Met het oog op deze grote dreiging zouden de oorlogsmagiërs zich er niet al te druk over maken dat een paar onfortuinlijke taveernebezoekers, twee pecwaes en een gewonde Trevinici het slachtoffer zouden worden.
Met stemverheffing riep Ulaf: 'Iedereen naar buiten! Nu!'

Dat lieten zijn kameraden zich geen twee keer zeggen. Ze hadden al zo'n idee van wat er ging gebeuren, en de meesten haastten zich al naar de dichtstbijzijnde uitgang. De eigenaar van de taveerne dook op van achter de tapkast. Hij staarde naar de Vrykyl met een gezicht zo wit als een vissenbuik. Hij keek Ulaf smekend aan.
'Je familie is veilig!' riep Ulaf, die zelf naar Jessan toe holde. 'Ga nu naar buiten. Weg, weg!'
'Mijn taveerne!' riep de arme man.
Ulaf schudde zijn hoofd. 'Ga weg! Naar buiten!'
De verschrikkelijke stem van de Vrykyl begon luid een toverformule uit te spreken. Ulaf herkende de koude, duistere woorden van de Leegtemagie. Hij had geen idee welke betovering het schepsel wilde afroepen, maar hij wist dat het resultaat gruwelijk zou zijn.
Jessan lag op de vloer; zijn hele lichaam was bedekt met bloed. Hij was bij bewustzijn en hijgde en kronkelde van pijn. Niet ver bij hem vandaan was de Grootmoeder koortsachtig bezig stenen op Bashaes slappe lichaam te leggen.
In de deuropening verschenen twee oorlogsmagiërs, een man en een vrouw. Beiden droegen een pantser en een maliënkolder dat zilverig glinsterde in het licht van het vuur, en een zwaard opzij. Ze stapten onbevreesd de ruimte binnen en riepen beiden magische woorden; hun stemmen versmolten terwijl zc tegelijkertijd dezelfde toverformule uitspraken.
'Smerig schepsel,' riep de vrouw. 'Ga terug naar de Leegte die je heeft gebaard!'
Ze wees naar de grote open haard aan de noordkant van het gebouw en maakte met haar hand een wenkende beweging.
Een vuurboog sprong uit de haard en schoot door de ruimte; het vuur kwam zo dicht langs Ulaf dat de hitte zijn haren en wenkbrauwen schroeide.
Het vuur trof de Vrykyl. Het danste over het oppervlak van zijn harnas alsof dit uit zwarte olie bestond. Vlammen wervelden rondom de Vrykyl in een laaiende kolk, waardoor de houten meubelen vlamvatten. Opeens was de lucht vol rook.
Ulaf liet zijn betovering varen. Zijn zwakke magie was nu niet

meer nodig. De Vrykyl was in goede handen. De knapzak met de Verheven Steen was veilig in Ulafs bezit. Het ging er nu in de eerste plaats om de pecwaes en de Trevinici te redden en hen mee te nemen, ver weg van zowel de Vrykyl als de oorlogsmagiërs.

Ulaf zocht zich door de rook een weg naar Bashae en de Grootmoeder.

'Jessan!' riep hij. 'Jessan! Hierzo!'

Jessan hief zijn hoofd op en tuurde glazig in Ulafs richting. Tandenknarsend kwam Jessan wankelend overeind. Hij keek voorzichtig naar de Vrykyl, maar het schepsel had zijn handen vol aan de strijd om zijn eigen weerzinwekkende bestaan te redden. Ulaf drukte zijn mouw tegen zijn mond om zich te beschermen tegen de steeds dichtere rook. Hij liet zich op de vloer vallen, waar de lucht helderder was, en kroop naar de beide pecwaes toe. De oorlogsmagiërs herhaalden hun toverspreuk. Warrelend vuur omhulde de Vrykyl; het snelde langs zijn armen en vlamde van zijn handen af. Vlammen hulden hem in een vurige mantel; zijn hoofd leek omgeven door een helm van vuur, maar de vlammen verteerden hem niet, omdat er niets te verteren was. Vuur kon hem niet echt deren. De Vrykyl draaide zich zo dat hij zijn vijand voor zich had.

Uit de Leegte gesmede pijlen schoten te voorschijn uit het borstschild van zijn zwarte harnas, suisden door de rokerige ruimte en troffen de vrouwelijke oorlogsmagiër in de borst. De tabberd die ze droeg, loste op in het niets en het kuras smolt. Ze gaf een gesmoorde snik, wankelde achteruit en zakte op de vloer in elkaar.

Haar metgezel was goed gedrild. Hij sloeg niet één woord van zijn toverformule over en bleef de betovering oproepen. Voetstappen stampten de trap af. Een knal achter hem waarschuwde Ulaf dat de oorlogsmagiërs langs de achterkant binnenkwamen.

Ulaf bleef dicht bij de vloer en wist de pecwaes te bereiken. Bashae leefde nog. Zijn ogen waren open en hij ademde, maar Ulaf hoefde slechts even naar hem te kijken om te zien dat hij er heel slecht aan toe was. Er droop een straaltje bloed uit zijn neus en

zijn mond. Zijn huid was asgrauw. De adem stokte telkens in zijn keel door de pijn. Op zijn borst en zijn voorhoofd lagen turquoise en anders gekleurde stenen. De Grootmoeder zat bij hem; ze mompelde spreuken en hoestte vanwege de rook.
Ulaf voelde een hand op zijn schouder. Hij keek om en zag dat Jessan naast hem hurkte.
'Gaat het wel met u?' vroeg Ulaf.
Jessan knikte. Hij zag er bebloed en verfomfaaid uit, met zweren op zijn armen en borst waaruit vocht droop. Het moest vreselijk pijnlijk zijn, maar als dat zo was, hield hij zijn pijn voor zich. Zijn lippen waren stijf opeen geperst en hij had zijn hand tot een vuist gebald, maar er kwam geen klacht over zijn lippen.
'We moeten hen hier weg zien te krijgen!' zei Ulaf met een gebaar naar de pecwaes.
Jessan keek naar Bashae, en zijn gezicht betrok. 'Hij is ernstig gewond. We kunnen hem niet verplaatsen.'
Ulaf keek om zich heen. Er waren nu vijf oorlogsmagiërs in de taveerne. Ze hadden de Vrykyl omsingeld en sloten hem langzaam in; ze dreven hem in een positie waar ze hun vernietigende magie op hem konden concentreren. De Vrykyl deed pogingen Leegtemagie toe te passen, maar het wilde blijkbaar niet erg lukken, want er vielen geen magiërs meer neer. Ulaf constateerde dankbaar dat de oorlogsmagiërs alleen aandacht hadden voor hun doel. Geen van hen had ook maar even hun kant op gekeken.
'Jessan, luister,' zei Ulaf zacht maar dringend. Hij wist dat de Trevinici de enige was naar wie de pecwaes zouden luisteren. 'Deze mensen zullen de toorn van de goden afroepen over die duivel. Als we niet zorgen dat we hier ver vandaan zijn tegen de tijd dat de betovering begint te werken, zijn we er allemaal geweest!'
Jessan keek even naar de magiërs en de Vrykyl en knikte kort. 'Hoe komen we hier weg? Ze hebben alle uitgangen afgezet.'
'Daar zorg ik wel voor. Let jij op Bashae en de Grootmoeder.'
Ulaf stond op, zette beide handen tegen de muur en begon te prevelen. Hij was een ervaren magiër, maar voor elke magiër was er altijd een afschuwelijk ogenblik van twijfel, want bij el-

ke betovering bestond altijd de mogelijkheid dat de toverformule niet werkte. Naast de toverformule richtte hij een schietgebedje aan de goden, en hij slaakte een hartgrondige zucht van opluchting toen hij voelde dat de muur onder zijn vingers begon te kraken.

Hij keek achterom over zijn schouder en zag Jessan met de Grootmoeder overleggen. Zij schudde haar hoofd. Jessan zei nog iets. Ze keek naar Ulaf met sombere vragen in haar ogen. Hij maakte een gebaar van machteloosheid en zei: 'We moeten hier weg!'

De Grootmoeder verzamelde met een snel handgebaar de stenen die op Bashae lagen.

'Bashae,' zei Jessan. 'Ik ga je oppakken. Het doet misschien pijn...'

'Jessan,' fluisterde Bashae. Hij deed zijn uiterste best om te spreken. 'De knapzak!'

'Die is veilig. Ulaf heeft hem.'

'Ik wil hem zien!' hijgde Bashae.

Ulaf trok de knapzak onder zijn hemd vandaan en hield hem omhoog.

Bashae zuchtte opgelucht. 'Gelukkig. Ik moet met Shadamehr praten, Jessan. Snel. Voor ik doodga. Kun jij me naar hem toe brengen?'

'Je gáát niet dood,' zei Jessan boos. 'Je moet niet praten. Spaar je kracht om beter te worden.'

Hij tilde zijn vriend voorzichtig op, en probeerde niet tegen hem aan te stoten. Bashae kreunde. Zijn lichaam sidderde. Hij werd slap en zijn hoofd hing achterover over Jessans arm.

'Hij is niet dood,' zei de Grootmoeder met trillende stem. 'Hij is flauwgevallen. Dat is goed. Nu zal hij er niets van voelen.'

Jessan kwam overeind. Hij was bleek door zijn eigen verwondingen en wankelde toen hij stond.

'Gaat het wel?' vroeg Ulaf.

Jessans strakke lippen werden nog stijver op elkaar geperst. Hij gromde bevestigend.

Ulaf wijdde zich weer aan zijn taak. Het geprevel van spreuken achter hem werd luider en intensiever. Het zou niet lang meer duren.

'Ga een eindje achteruit,' waarschuwde Ulaf.
Hij slingerde de knapzak over zijn schouder, maakte hem stevig vast en deed toen zelf een paar passen achteruit om een goede aanloop te kunnen nemen naar de muur. Hij bereidde zich voor op de klap, die erg hard zou aankomen als zijn magie niet had gewerkt. Daar mocht hij niet aan denken. Hij draaide zijn schouder naar voren en rende zo hard mogelijk op de muur af. Met een vertrokken gezicht vanwege de verwachte klap schoot Ulaf met gemak door de muur heen, zodat er een gapend gat in het hout en de leem ontstond. Door de vaart die hij had, belandde hij buiten op straat, waar hij bijna tegen een verschrikte oorlogsmagiër opbotste.
De oorlogsmagiër, die een geestverschijning door de muur zag breken (Ulaf was van top tot teen met leemstof bedekt), zwaaide zijn zwaard, terwijl de woorden van een toverformule op zijn lippen knetterden.
'Vriend!' riep Ulaf, zijn bestofte handen in de lucht stekend. 'Doe ons geen kwaad! Wij zaten daarbinnen opgesloten met deze kinderen! We willen hier alleen wegkomen!'
Hij bleef zijn handen omhooghouden en knikte naar Jessan, die Bashae droeg. De Grootmoeder strompelde mee naast Jessan en hield Bashaes hand vast.
Door het donker, de rook en de vlammen kon de oorlogsmagiër hen waarschijnlijk toch niet zien. In elk geval gunde hij hun nauwelijks een blik.
Ulaf pakte de Grootmoeder en hees haar op zijn rug, zonder te letten op haar verontwaardigde protest.
'We moeten het op een lopen zetten, Grootmoeder, en u zult ons niet kunnen bijhouden. Sla uw armen om mijn nek!'
De Grootmoeder gehoorzaamde en klemde haar armen om zijn nek, zo stijf dat ze hem bijna wurgde. Ulaf begon te rennen en ging op weg naar de taveerne waar Jessan had gezegd dat ze Shadamehr zouden kunnen vinden. Gelukkig hadden de oorlogsmagiërs de naaste omgeving verlicht om een helder zichtsveld te hebben voor het geval dat de Vrykyl zou weten te ontsnappen. Hun betoveringen hadden de halve stad verlicht; de straten en stegen rondom de Tonronde Kater waren vervuld van

een koude, witte gloed. Op elke straathoek waren oorlogsmagiërs te horen die de toverformule uitspraken.
De straten waren leeg. Stadswachten waren in de buurt geplaatst om de orde te bewaren. De straten rondom de taveerne waren afgezet, maar daardoor liet de burgerij zich niet weerhouden van pogingen erachter te komen wat er aan de hand was. Mensen stonden in deuropeningen en rekten hun nek of tuurden uit de ramen van de bovenverdieping van hun huis om te proberen iets te zien van wat er gaande was.
Niemand hield Ulaf of de Trevinici tegen terwijl ze de 'kinderen' in veiligheid brachten. Eén wachter vroeg zelfs of ze hulp nodig hadden. Ulaf schudde van nee en rende door.
Bashae kreunde van pijn; zijn hoofd slingerde heen en weer.
'Is het nog ver?' vroeg Jessan bezorgd.
'Nog twee straten,' zei Ulaf. 'Hoe gaat het met hem?'
'Hij komt er weer helemaal bovenop,' zei Jessan. 'Hij komt er weer bovenop.'
Ulaf keek naar de kleine, doodsbleke figuur die Jessan met zoveel gemak in zijn sterke armen hield, en keek toen over zijn schouder naar de Grootmoeder, die zich stevig aan hem vastklampte. Ze gaf geen geluid, maar Ulaf voelde dat de stof van zijn hemd nat was van haar tranen.

Vijf oorlogsmagiërs hadden de Vrykyl omsingeld. Ze drongen voorzichtig op om hem in een hoek te drijven, terwijl ze voortdurend de woorden van een krachtige toverformule herhaalden. Hij hield hen nog op afstand, maar hij werd al zwakker. De door het bloedmes toegebrachte wond had zijn schadelijke uitwerking gehad. Hij voelde dat het hem uitputte, dat het zijn energie liet wegstromen.
De magiërs vielen hem van alle kanten aan; ze verblindden hem half met hun smerige, schelle licht. Jedash trok zich terug. Hij zou zich hebben overgegeven als dat had gekund. Hij wilde helemaal niet vechten. Hij was ook geen vechter geweest toen hij nog leefde. Het harnas van de Leegte kon zijn rottende kadaver bij elkaar houden, maar het had geen uitwerking op de persoon die hij was. De Leegte kon hem geen moed schenken. Van bui-

tenaf mocht Jedash dan een woesteling lijken, maar binnen in de zwarte helm gingen zijn ogen schichtig heen en weer door de ruimte, op zoek naar een uitweg. Tijdens zijn leven was Jedash een lafaard geweest en dat was hij nog steeds.

Terwijl hij stoelen en tafels onder zijn voeten vertrapte, tastte Jedash naar zijn eigen bloedmes, dat hij opzij droeg. Hij sloot zijn hand eromheen.

'Shakur!' jammerde hij. 'Ik ben omsingeld door vijf oorlogsmagiërs! Ik kan ze me nog wel even van het lijf houden...' – hij struikelde tegen een tafel aan, kwam bijna ten val, maar schopte hem weg en wist zich staande te houden – 'maar ik ben gewond en kan het niet lang volhouden. Shakur! Ben je daar? Geef antwoord!'

'Ik ben hier,' luidde Shakurs norse antwoord. 'Je had opdracht je ware aard geheim te houden. Wat heb je gedaan om dit te veroorzaken?'

Jedash kreeg een ingeving. Hij wist heel goed dat Shakur hem niet zou komen helpen, maar Shakur kwam vast wel als het om de Verheven Steen ging.

'Ik heb hem!' piepte Jedash. 'Ik heb de Steen! Daarom word ik aangevallen! Ze proberen hem me af te nemen. Je moet komen, Shakur! Kom nu!'

Jedash hoorde een andere stem, niet die van Shakur. De stem die antwoordde, was de stem van Dagnarus.

'Je liegt,' zei Dagnarus, en zijn stem was leeg en donker als de Leegte. 'Je had de Verheven Steen in je bezit, maar je bent ongehoorzaam geweest aan je orders. Je had opdracht hem bij Shakur te brengen. In plaats daarvan was je hebzuchtig, en je bent hem kwijtgeraakt.'

'Ik weet wie hem heeft!' jammerde Jedash. 'Ik kan hem terughalen! Alstublieft, heer, red me alstublieft!'

'Ik kan mijn tijd wel beter besteden,' zei Dagnarus.

'Heer!' riep Jedash, en hij greep het bloedmes dat van zijn eigen bot was gemaakt stevig vast. 'Shakur! Help me!'

Stilte was zijn antwoord. De stilte van de Leegte.

De magiërs dreven hem achterwaarts de reusachtige haard in. In zijn doodsangst probeerde Jedash gebruik te maken van zijn magie, probeerde nogmaals de dodelijke betovering af te roepen die de eerste oorlogsmagiër had geveld. Hij probeerde zich de woorden van de toverformule te herinneren, maar hij raakte in de war door het prevelen en bidden van de oorlogsmagiërs, zodat hij niet goed kon nadenken.

De betovering mislukte. Hij probeerde het nog eens, maar ook dat mislukte.

Het spreekkoor van de magiërs zwol aan in volume. De gezegende magie van de goden schitterde en straalde in de lucht, fel en brandend als de zon. De magiërs hielden de magie in stand. Jedash, die voelde dat de vernietigende kracht rondom hem steeds sterker werd, draaide hun zijn rug toe en probeerde een weg uit te hollen door massieve baksteen.

De oorlogsmagiërs lieten de magie op hem los.

De toorn van de goden trof Jedash. De explosieve kracht van de betovering scheurde het uit de Leegte gesmede harnas uit elkaar, verpulverde het, liet het verbrokkelen tot fragmenten die verdampten in de hitte van de magie. De hittestoot schoot door de haard, blies de muur weg en liet de schoorsteen instorten. Bakstenen, mortel en houten balken stortten neer op de Vrykyl. Het gebouw trilde op zijn grondvesten, en even leek het alsof het helemaal zou instorten, zodat zowel de Vrykyl als de magiërs onder het puin begraven zouden worden. De magiërs waren daarop voorbereid, want ze leren de mogelijkheid onder ogen te zien dat hun gevraagd wordt zichzelf op te offeren tijdens de vernietiging van hun vijand. Maar de taveerne was goed gebouwd, en na een laatste huivering, alsof de Tonronde Kater zelf geschrokken was van het gebeuren, bleef het gebouw toch stevig staan.

Er kwamen andere magiërs om hun bijdrage te leveren. Degenen die kundig waren in bouwkundige magie kwamen het verzwakte bouwsel stutten, terwijl de inquisiteurs, de magiërs die de magie van de Leegte bestuderen, in het puin kwamen zoeken naar restanten van de Vrykyl. De oorlogsmagiërs die de betovering hadden afgeroepen, ruimden het veld. Hun energie was opgebruikt, en twee van hen waren zo uitgeput dat ze niet konden lopen en door hun makkers gedragen moesten worden.

De vuurstoot die de schoorsteen had laten instorten, werd de eigenaar van de taveerne ook bijna noodlottig. Hij had Ulafs raad opgevolgd en het pand verlaten. Op veilige afstand van het strijdtoneel zat het gezin bij elkaar. Toen hoorde hij de explosie en vreesde het ergste. Hij was een instorting nabij toen zijn nuchtere vrouw hem eraan herinnerde dat de Kerk hen zeker schadeloos zou stellen voor hun verlies, en hun geld zou verschaffen om de zaak te herbouwen. En wanneer dat eenmaal gebeurd was, zou de Tonronde Kater wijd en zijd beroemd zijn als de plaats waar de Kerk tegen een Vrykyl had gestreden, en uit het hele continent klanten trekken.
'We zullen een plaquette aanbrengen,' zei ze.
Getroost en gerustgesteld bracht de taveernehouder zijn gezin naar het huis van zijn zwager, die hij vervolgens vergastte op verhalen over zijn eigen moed in het aangezicht van een vreselijk gevaar.
De inquisiteurs werkten de hele nacht door; eigenhandig verwijderden en sorteerden ze het puin, en lieten verder niemand toe in het gebouw. Toen ze eindelijk, kort voor zonsopgang, vertrokken, werd waargenomen dat ze een kleine zak met zich mee droegen, die ze met grote zorg behandelden. Wat er in de zak zat, en of hij delen van de Vrykyl of van zijn harnas bevatte, werd nooit onthuld. De inquisiteurs lichtten de regentes in, die vervolgens de jonge koning – voor het geval dat hij bang was geweest – op de hoogte bracht van het feit dat de Vrykyl vernietigd was.
Men zei dat de jonge koning buitengewoon verheugd was dit bericht te vernemen.

Het licht van de ontploffing die de Vrykyl had vernietigd, verlichtte de nachtelijke hemel, en de met keitjes geplaveide straten schudden ervan in de wijde omtrek van de Tonronde Kater. De klap versplinterde ramen, een naburig dak vatte vlam en er was alom ontsteltenis. De brand werd snel geblust. De stadswacht en de stadsomroepers liepen snel heen en weer door de straten en stelden de bevolking gerust: de eerwaarde magiërs hadden de situatie in de hand. Alles was onder controle. De mensen moesten weer naar bed gaan.

Bij het geluid van de ontploffing bleef Jessan staan en keek achterom.

'Daar hadden wij in kunnen zitten,' zei Ulaf terwijl de grond onder hun voeten schudde.

Jessan knikte. Toen keek hij weifelend om zich heen. 'Ik geloof dat de taveerne waar ik Shadamehr heb achtergelaten hier ergens is.'

'Het is verderop in deze steeg,' zei Ulaf en hij sloeg de steeg in. Het magische licht dat de oorlogsmagiërs hadden opgewekt, drong niet door tot in de steeg. Alles was donker en stil. Te donker naar Ulafs smaak. Achter de ramen van de taveerne brandde geen licht.

'Hoe gaat het met Bashae?'

'Hij ademt nog,' zei Jessan. 'Bashae wilde met Shadamehr praten. De baron was er slecht aan toe toen ik bij hem wegging. Ik heb niet tegen Bashae gezegd dat hij misschien dood zou zijn.'

'De goden hebben geen haast om Shadamehr bij hun hemelse

zaken te betrekken, dus ik zou nu nog niet van het ergste uitgaan,' zei Ulaf. Hij deed zijn best om zelf deze troostrijke raadgeving op te volgen.
De Geringde Kraai, de taveerne waar Shadamehr heen gevlucht was voor de koninklijke cavalerie, was Ulaf welbekend. Door zijn ligging in een zijsteeg van de Boekbindersstraat, dicht bij de Tempel en het paleis, had de Geringde Kraai zowel kooplieden uit het drukkers- en bindersvak als lagere overheidsdienaren tot klant. De Geringde Kraai was klein en knus en ontbeerde de mogelijkheden van de Tonronde Kater, omdat er geen achteruitgang was, maar de taveerne beschikte wel over een voorraadkamer vol lege biervaten die ongeveer de goede maat hadden om een volwassen persoon te verbergen – dit kon Ulaf uit eigen ervaring bevestigen – en daarnaast over een eigenares die weliswaar veel praatte, maar ook wist wanneer ze haar mond moest houden.
Het kostte Ulaf moeite zijn ogen in te stellen op de duisternis in de steeg, na de onheilspellende witte gloed van het toverlicht. Jessans gezichtsvermogen was kennelijk beter, want hij zei: 'Er staat iemand in de deuropening.'
Ulaf tuurde uit alle macht, maar pas toen ze de deur al zowat binnengingen, zag hij de eigenares, een gezette vrouw van middelbare leeftijd die de Geringde Kraai van haar overleden echtgenoot had geërfd.
'Wie is daar?' vroeg ze met trillende stem.
Er vlamde licht op. Ze had de afdekplaat van een verduisterde lantaarn af getrokken en scheen met de lamp in Ulafs ogen.
Hij gaf een schreeuw en bracht zijn handen beschermend naar zijn gezicht.
'Ik ben het, Maudie,' zei hij knorrig. 'Dek die lantaarn af! Je hebt me zowat blind gemaakt!'
'Je bent het echt, Ulaf,' zei ze, terwijl ze hem aandachtig aanstaarde. 'De goden zij dank!'
Ze schoof gehoorzaam het paneeltje voor de verduisterde lantaarn zodat het licht verdween. 'Zitten de wachten je achterna? Waar kom je opeens vandaan? Wat heb je daar? Kinderen? Die arme kleintjes. Kom gauw binnen, vlug. Heb je die knal ge-

hoord? Ze zeggen dat er monsters van de Leegte in de stad zijn, die als bezetenen tekeergaan en onschuldige, godenvrezende mensen doden. Ik dacht dat jij er misschien eentje was toen ik je door de steeg hoorde aankomen. Ik was erop voorbereid. Ik heb hier bij de deur een breekijzer staan, dat kan ik zo pakken. Heb je ze toevallig gezien? Die monsters, bedoel ik? Ze hadden het toch hopelijk niet op die kinderen voorzien?'

Aan één stuk door kletsend, zodat Ulaf niet de kans kreeg om te antwoorden, nam Maudie hen mee naar binnen in de taveerne, deed de deur achter hen dicht en schoof de grendel erop. Ze trok de afschermplaat weer van de verduisterde lantaarn en lette er ditmaal op dat ze er niet mee in hun ogen scheen. In de haard brandde een klein vuurtje, dat een warme gloed uitstraalde.

De Grootmoeder gleed van Ulafs rug af en liep meteen naar Bashae toe.

'Leg hem neer bij het vuur,' droeg ze Jessan op.

'Ik heb boven een bed,' bood Maudie aan. Ze bleef in hun buurt rondhangen en in de weg lopen. 'Daar kan het arme kind misschien beter uitrusten. Wat is er met hem aan de hand? O!' Ze slaakte een kreetje. 'Het... het is geen mensenkind! Wat is het? Geen monster toch hopelijk?'

'Het is een pecwae, Maudie,' zei Ulaf sussend.

Hij trok haar opzij zodat Jessan erlangs kon. De Grootmoeder spreidde op de vloer een deken uit. Jessan liet Bashae voorzichtig op de deken zakken, terwijl de Grootmoeder haar stenen te voorschijn haalde en ze, binnensmonds prevelend, op Bashaes hoofd, hals en schouders begon te schikken. Jessan hurkte neer, machteloos en bezorgd.

'Wat is er met hem gebeurd?' vroeg Maudie.

'Dat is een lang verhaal. Waar is baron Shadamehr? Hoe gaat het met hem?'

'Ik ben blij dat je hier bent,' vervolgde ze, zonder op haar eigen vraag of de zijne in te gaan. 'Er zijn vreemde dingen gebeurd in die ruimte. Jullie weten zeker wel dat baron Shadamehr daarbinnen is. O!' zei ze er achteraan, terwijl ze met haar ogen knipperend naar Jessan keek. 'Nu herken ik die barbaar. Hij was bij hem.'

'Waar is de baron, Maudie?' vroeg Ulaf, die steeds ongeruster werd. Hij keek om zich heen in de taveerne, maar zag hem nergens. 'Jessan zei dat hij gewond was.'
'Ja, die arme baron zag er niet best uit,' zei Maudie terwijl ze somber haar hoofd schudde. 'Zijn hemd was helemaal doorweekt met bloed. Hij is daar naar binnen gegaan' – ze knikte in de richting van de voorraadkamer – 'en een mooie dame en die barbarenvent gingen ook naar binnen. Toen kwam de barbaar er weer uit en rende weg en...'
'Hoe is het met de baron?' wilde Ulaf weten. 'Waar is hij? De wachters hebben hem toch niet gevonden, hoop ik?'
'Je hoeft niet tegen me te schreeuwen. Voor zover ik weet is hij nog daarbinnen,' zei Maudie gepikeerd. 'En wat zijn toestand aangaat...'
'Ben je niet eens gaan kijken hoe het met hem ging? Grote goedheid, Maudie...'
Boos drong Ulaf zich langs haar.
'De deur is afgesloten,' zei Maudie tegen zijn rug. 'Ik heb erop gebonkt en me schor geschreeuwd, maar er kwam geen antwoord. Dat probeerde ik je nou juist te vertellen,' voegde ze eraan toe terwijl ze hem volgde naar de deur. 'Ik hoorde een vrouwenstem en zo te horen sprak die toverwoorden uit en dat was geen genezende magie. Ik kan het weten. Ik heb hier dag en nacht genezers over de vloer gehad toen mijn Sam stervende was, en die prevelden wat af, al heeft hij er niets aan gehad. Omdat zijn aura zich tegen de magie verzette, zeiden ze. Het gezwel vrat hem op. En toen werd het daarbinnen helemaal stil. Griezelig stil, als je begrijpt wat ik bedoel. Ik bonsde op de deur, maar er kwam geen antwoord. En toen, juist toen ik dacht dat die vrouw een heks was en dat ze hen allebei had weggetoverd in de nacht, hoorde ik een vreselijke klap en een schreeuw alsof er duivels binnen zaten, en daarna was het weer stil.'
Ulaf legde zijn handen tegen de deur en prevelde zijn toverformule. De betovering zou werken tegen de tijd dat ze even ophield om adem te scheppen.
'Het spijt me van je deur,' zei hij tegen haar.

Ulaf sloeg het hout opzij en sprong door de restanten naar binnen.
'Ulaf! De goden zij dank!'
'Bent u dat, heer?' vroeg Ulaf onzeker. De stem was zo zwak en leek zo veranderd dat hij hem amper herkende. Hij kon niets zien in de aardedonkere ruimte. 'Voelt u zich goed? Wacht... ik haal een lamp.'
Hij draaide zich om en wilde een lantaarn gaan halen, maar er werd er al een in zijn handen geduwd. De Grootmoeder stond vlak achter hem.
'Moet u niet bij Bashae blijven?' vroeg Ulaf aan haar.
'Bashae wil hem spreken,' zei de Grootmoeder beslist.
'Ik weet niet of...' begon Ulaf.
'Bashae is stervende,' zei de Grootmoeder, met gebarsten stem. 'Hij wil met baron Shadamehr praten.'
Ulaf wist niet wat hij moest zeggen, dus zei hij maar niets. Hij nam de lantaarn van haar aan en ging de voorraadkamer binnen. Hij liet het licht rond schijnen en keek zoekend tussen de kratten en vaten, kruiken en flessen.
'Mijn heer?'
'Hier,' zei Shadamehr.
Ulaf ging op het geluid van zijn stem af. Hij vond Shadamehr, die tegen een houten balk geleund zat en Alise in zijn armen wiegde.
Ulaf slaakte een geschrokken zucht toen hij dit zag.
De ogen van de baron waren donker en diepliggend, zijn wangen waren hol, zijn huid asgrauw van kleur. Hij keek even op naar Ulaf en keek toen weer neer op Alise, die slap en bewegingloos in zijn armen lag. Haar hoofd rustte tegen zijn borst, haar vurige rode haar bedekte haar gezicht. Plotseling bewoog ze, haar lichaam schokte en ze riep onsamenhangende woorden. Shadamehr streek zacht de woeste krullen glad en prevelde zacht sussende woorden.
Haastig zette Ulaf de lantaarn neer en knielde op de grond naast de baron. 'Heer! Wat is er gebeurd? Is alles goed met u? Wat is er met Alise aan de hand?'
Als antwoord op zijn laatste vraag trok Shadamehr zwijgend

haar rode haar opzij, dat vochtig was van het zweet. Het licht van de lantaarn scheen op haar gezicht.
De Grootmoeder haalde sissend adem.
'Genadige goden,' fluisterde Ulaf.
'Wat mankeert haar?' vroeg de Grootmoeder.
'Leegtemagie,' zei Ulaf zacht. 'De Leegte eist een prijs van degene die haar magie gebruikt, hoewel ik nog nooit iets heb gezien dat zo erg was. Ze moet een krachtige betovering hebben toegepast.'
'Dat heeft ze zeker,' zei Shadamehr verbitterd. 'Ze heeft haar leven gegeven in ruil voor het mijne.'
'Ik ken die betovering,' zei Ulaf. 'Dat wil zeggen, ik weet dat hij bestaat.'
'Jij kunt haar helpen,' zei Shadamehr. 'Jij kunt haar genezen.'
'Het spijt me...'
'Je moet!' riep Shadamehr fel. Hij greep Ulafs arm en kneep er hardhandig in. 'Je moet, hoor je? Je mag haar niet laten doodgaan!'
'Heer, er is niets... ik kan niet...' Ulaf haperde. 'Er is niets dat ik kan doen. Niemand kan iets doen, heer. De gave van het genezen komt van de goden, en die gave gunnen ze niet aan mensen die de magie van pijn en vernietiging beoefenen.'
'Zelfs niet als die ten goede wordt aangewend?' vroeg Shadamehr boos.
'Zelfs dan niet, heer.'
Alise gaf een kreet, haar lichaam draaide en kronkelde. Haar vuisten balden zich krampachtig.
Shadamehr hield haar stevig vast en boog zijn hoofd over haar heen.
'Baron Shadamehr?' Vanuit de deuropening klonk Jessans dringende stem. 'Bashae moet met u praten.'
'Niet nu!' zei Shadamehr ongeduldig.
'U kunt beter even naar hem toe gaan. De pecwae is stervende,' zei Ulaf.
Shadamehr keek eerst Ulaf en toen Jessan vragend aan; de laatste knikte om het sombere bericht te bevestigen.
'Een Vrykyl,' zei Ulaf. 'Er was een gevecht...'

'O goden!' zei Shadamehr en hij sloot zijn ogen. 'Wat heb ik gedaan?'
'Hij heeft de Verheven Steen gered,' zei Jessan. Zijn stem klonk bars. 'Hij wil beslist met u praten, heer. Komt u?'
Shadamehr keek hulpeloos neer op Alise.
'Ik zal bij haar blijven,' bood de Grootmoeder aan. 'Ik heb al afscheid genomen van mijn kleinzoon,' voegde ze er onomwonden aan toe.
'Ja,' zei Shadamehr, terwijl verdriet en medelijden zijn hart verscheurden. 'Ik kom.'
Hij legde Alise voorzichtig neer op de vloer en wikkelde haar in haar warme mantel. Moeizaam wankelend kwam hij overeind. Ulaf zag de bebloede voorkant van Shadamehrs hemd.
'Heer, wat...'
'Niet nu!' hijgde Shadamehr. Zijn gezicht vertrok van pijn. Hier, jongeman, laat me op je schouder leunen.'
Jessan legde zijn krachtige arm om de baron heen en hielp hem zijn voeten te verzetten. Ulaf nam snel plaats aan zijn andere zijde, en samen hielpen ze Shadamehr uit de voorraadkamer. Toen hij even omkeek, zag Ulaf dat de Grootmoeder haar stenen te voorschijn had gehaald en dat ze die op verschillende plaatsen op Alises huiverende lichaam legde.
'Zal ik gauw de genezers gaan halen?' vroeg Maudie zenuwachtig.
'Nee!' zei Ulaf scherp. 'Dat is wel het allerlaatste waar we behoefte aan hebben, dat hier tempelmagiërs komen rondneuzen.'
Alise werd door de Kerk al beschouwd als een bandiet, want ze was een inquisiteur geweest die de heilige orde had verlaten zonder tegen iemand te zeggen dat ze wilde uittreden. Als ze ontdekten dat ze gebruik had gemaakt van Leegtemagie, zouden ze haar onmiddellijk in hechtenis nemen. Ze zouden haar genezen, maar alleen om ervoor te zorgen dat ze gezond genoeg was om de beul tegemoet te treden.
'Zeker weten?' hield Maudie aan terwijl ze Shadamehr met grote ogen aanstaarde. 'Hij ziet er niet zo best uit.'
'Weet je wat we nodig hebben, Maudie?' zei Ulaf. 'Heet water.

Dat kun jij doen. Ga kokend water halen. We hebben er veel van nodig. Emmers vol.'
'Maar...' zei Maudie aarzelend.
'Schiet op, vrouw!' beval Ulaf met een strenge stem. 'Er valt geen tijd te verliezen!'
'Dan zet ik maar een ketel op het vuur.' Ze ging op weg naar de keuken en ze konden het gerammel en gekletter van ijzeren potten horen.
Bashae lag voor het vuur op de vloer. Hij leek ontspannen te liggen, alsof hij niet meer leed. Zijn gezicht was glad, vrij van pijn. Zijn huid was doorschijnend bleek, zijn ogen stonden helder. Er lag nog één steen op zijn borst, een stralende, schitterende robijn.
Jessan hielp Shadamehr zich te laten zakken, zodat hij naast de pecwae kon knielen.
'Ulaf,' zei Shadamehr, 'is al het mogelijke voor hem gedaan?'
'De Grootmoeder heeft haar magie op hem toegepast, heer,' zei Ulaf.
'Maar is dat genoeg? Die huismiddeltjes van haar...'
'Heer, ik ben een kind in de magie vergeleken met de Grootmoeder,' zei Ulaf. 'Zijn verwondingen zijn ernstig. Eigenlijk had hij op slag dood moeten zijn. Het feit dat hij nog leeft om met u te kunnen spreken, getuigt van haar kundigheid en haar geloof.'
'Heb jij de Verheven Steen?' vroeg Bashae aan Ulaf. 'Is hij veilig in jouw bezit?'
Hij kon slechts fluisteren, maar zijn woorden waren duidelijk hoorbaar en klonken kalm.
'Ja, Bashae,' zei Ulaf. Hij pakte de knapzak en hield hem zo dat de pecwae hem kon zien.
Bashaes blik ging naar Shadamehr.
'Ik heb u al een keer gevraagd of u de Verheven Steen wilde overnemen, heer. Toen zei u dat de ridder hem aan mij had gegeven en dat ik hem moest houden.' Bashae trok even zijn schouders op. 'Dat zou ik best willen doen, maar ik denk niet dat ik hem mee kan nemen naar mijn slaapwereld. Mijn slaapwereld is een heel vreedzaam oord. Ze zullen hem daar niet willen hebben.'

'Ik zal de Verheven Steen overnemen, Bashae,' zei Shadamehr. Hij stak zijn hand uit naar de knapzak en hield hem stevig vast. 'Ik zal de queeste van de ridder volbrengen. Dat had ik meteen al moeten doen. Als ik...' Hij schudde zijn hoofd; hij kon niet verder spreken.
'Kom dichterbij,' zei Bashae, 'dan zal ik u het geheim van de knapzak vertellen. Hij is betoverd, moet u weten.' Bashae wenkte Shadamehr naderbij en fluisterde hem het geheim in dat de ridder hem had verteld. 'De Steen is door magie verborgen. Als u de naam van de echtgenote van de ridder uitspreekt, zult u hem zien. Die naam is "Adela".'
'Begrepen,' zei Shadamehr. 'En het spijt me dat ik deze last niet eerder op me heb genomen,' voegde hij er berouwvol aan toe. 'Dan had ik jou dit wellicht bespaard.'
'Het was beter dat ik hem had,' zei Bashae. 'Als u hem bij u had gedragen, zou de Vrykyl in het paleis hem gevonden hebben.'
'Dat is waar,' zei Shadamehr. 'Daar had ik niet aan gedacht.' Hij wist een vreugdeloos lachje te produceren. 'Jij hebt gedaan wat je moest doen, Bashae. Ga naar je slaapwereld in de wetenschap dat je een echte held bent.'
'Dat zei Jessan ook,' zei Bashae, en zijn verflauwende blik ging naar zijn vriend. 'Zeg het nog eens tegen me, Jessan.'
'Je zult begraven worden in de grafheuvel bij de Trevinicikrijgers,' zei Jessan, die naast zijn vriend neerknielde en diens broze hand in zijn sterke hand nam. 'Die eer is nog geen enkele pecwae te beurt gevallen.'
Bashae staarde hem aan zonder zijn ogen af te wenden.
'Je lichaam zal in het dorp door de dapperste krijgers in een grootse stoet gedragen worden,' vervolgde Jessan. 'Je zult te rusten worden gelegd op een ereplaats naast de ridder, heer Gustav.'
'Dat klinkt goed. Eer... geen enkele pecwae te beurt gevallen. Vaarwel, Jessan,' fluisterde Bashae. 'Ik ben blij dat je je naam hebt gevonden. Verdediger. Het spijt me dat ik je ermee heb geplaagd. Het is geen opwindende naam – zoals bijvoorbeeld Bierzuiper – maar hij past bij je.'
Jessan hield de hand van zijn vriend stevig vast. Hij ademde diep

in en zei: 'Voortaan zal, wanneer een Trevinicikrijger in nood is, je geest opstaan om te komen strijden, samen met de geesten van de andere helden.'
Bashae glimlachte. 'Ik hoop... dat ik dan niemand in de weg loop.'
Hij slaakte een lichte zucht. Zijn lichaam verstijfde even en ontspande zich toen. De hand die Jessan vasthield, werd slap. Het heldere leven trok weg uit de ogen van de pecwae.
Ulaf boog zich over de pecwae, luisterde naar diens hartslag en streek toen zacht met zijn hand over de starende ogen.
'Bashae is niet meer,' zei hij zacht.

Shadamehr liet zich in een van de stoelen vallen en legde zijn hoofd op zijn armen. Hem wachtte nóg een afscheid, een afscheid dat zijn hart uit zijn lichaam zou scheuren, en alleen naargeestige leegte, schuldgevoel en bittere spijt zou achterlaten. Hij dreef reddeloos in dat donkere water en voelde dat hij werd meegesleurd door een dodelijke getijdestroom die hem ondertrok. De energie om ertegen te vechten, ontbrak hem. Het leek gemakkelijker om maar op te geven, zodat het donkere water zich boven zijn hoofd kon sluiten.

Hij staarde met afgunst naar het lichaam van Bashae, naar het gelaat waarin alles was gladgestreken: pijn en zorg. Shadamehr verlangde ernaar diezelfde gezegende rust te vinden, maar hij kon zich die weelde niet veroorloven. Hij had Alise een belofte gedaan, Bashae een belofte gedaan. Hij had de Verheven Steen. De verantwoordelijkheid was aan hem overgedragen, en hij moest beslissen wat hij ermee ging doen.

De Raad van Domeinheren was op bevel van de nieuwe regentes opgeheven.

Die verzameling bevende oude dwazen zou trouwens toch niets kunnen doen, dacht Shadamehr, maar toen verweet hij zich die gedachte. Hij kon hun moeilijk de schuld ervan geven dat ze er geen vers, jong bloed bij hadden gehaald. Ze hadden hem de kans geboden, en die had hij achteloos van de hand gewezen.

De Heer van de Leegte en zijn legers van boosaardige tanen waren bezig hun kamp op te slaan voor de stad Nieuw Vinnengael. De koning was een Vrykyl in een kinderlichaam, een Vrykyl die zowel de koning – een dierbare vriend van hem – als diens onschuldige zoontje had vermoord teneinde de troon te kunnen bezetten. Shadamehr kende de waarheid, maar hoe moest hij anderen hiervan overtuigen? Hij werd gezocht, omdat hij het had gewaagd de hand te slaan aan de jonge koning. Er hing hem hoogstwaarschijnlijk een doodvonnis boven het hoofd, want de Vrykyl zou het bevel hebben gegeven dat hij gedood moest worden zodra hij gezien werd.

En over enkele ogenblikken zou hij afscheid moeten nemen van Alise – de vrouw van wie hij al jaren had gehouden, de enige vrouw van wie hij ooit zou kunnen houden.

'Ik heb er de kracht niet voor,' zei hij moedeloos. 'Ik kan het niet, Bashae... Alise, jullie hebben je vertrouwen in de verkeerde persoon gesteld. Jullie hebben er met je leven voor betaald. Ik weet niet waar ik heen moet...'

'Shadamehr!'

Hij hief zijn hoofd op en deed zijn ogen open. Ulaf stond naast hem aan zijn arm te trekken.

'Neem me niet kwalijk dat ik u wakker heb gemaakt,' begon hij.

'Ik sliep niet,' zei Shadamehr.

'Heer,' zei Ulaf, 'het gaat over Alise.'

Shadamehr verbleekte. Hij moest sterk zijn. Dat was hij haar op zijn minst verschuldigd. 'Is het zover?' vroeg hij.

'Volgens mij kunt u beter naar haar toe gaan,' antwoordde Ulaf zacht.

Shadamehr duwde zich omhoog van de tafel. Hij weigerde Ulafs hulp te aanvaarden en liep zelfstandig. Hij begon alweer sterker te worden. De gruwelen van de Leegte bleven; ze dreven boven op het donkere water, samen met de wrakstukken van zijn leven, maar zijn lichaamskracht kwam terug. Hij ging de voorraadkamer binnen en merkte terwijl hij verder liep dat Ulaf achterbleef.

Terwijl hij zich tussen de vaten en kratten door een weg zocht naar de plek waar hij Alise had achtergelaten, zag hij iets heel vreemds.

Alise leek te zijn opgeslokt door een circustent.

Over haar schouders en haar lichaam was een massa vrolijk gekleurde stof uitgespreid, versierd met stenen en belletjes. Shadamehr herinnerde zich vaag die eerder te hebben gezien, en toen hij naar de Grootmoeder keek wist hij het weer. De Grootmoeder had haar rok, met rinkelende belletjes en kletterende stenen uitgetrokken en die over Alises lichaam gelegd.
Shadamehr vroeg zich af of dit deel uitmaakte van een of ander pecwae-dodenritueel. Misschien was de Grootmoeder wel krankzinnig geworden door de dood van haar kleinzoon. Shadamehr, die zijn uiterste best deed om niet gek te worden, dacht dat dit echt te veel voor hem was.
Hij kon Alises gezicht niet zien, want haar eigen glanzende haar dekte het toe. Ze had geen pijn meer. Haar lichaam was ontspannen, haar armen en benen lagen er stil en rustig bij. Het leek of ze sluimerde, en hij was dankbaar dat hij zo aan haar zou kunnen blijven denken.
Hij knielde naast haar neer. Hij pakte haar hand en bracht hem naar zijn lippen. 'Vaarwel, liefste...'
De Grootmoeder stak haar hand uit en trok het verwarde haar uit Alises gezicht.
Shadamehr gaf een zachte kreet.
Het gezicht van Alise was glad, gaaf. Bij de aanraking van de Grootmoeder sloeg Alise haar ogen op. Toen ze Shadamehr zag, glimlachte ze slaperig. Toen sloot ze haar ogen en zonk weer weg in diepe slaap.
'Dit is uw werk!' riep hij uit, en hij keek de Grootmoeder met grote ogen aan. Plotseling was haar oude gezicht, gerimpeld als een walnoot, het mooiste gelaat in heel Loerem.
De Grootmoeder schudde haar hoofd en haalde haar schouders op. 'Misschien heb ik erbij geholpen. Maar de goden hebben het werk gedaan.' Ze zuchtte, en keek toen op om zacht te vragen: 'Bashae?'
'Hij is heengegaan, Grootmoeder. Ik vind het erg naar.' Shadamehr liet de knapzak zien. 'Hij heeft mij de Verheven Steen gegeven. Ik zal ervoor zorgen dat zijn queeste wordt volbracht. Dat heb ik hem beloofd.'
Ze knikte en friemelde aan de rok, trok de plooien glad, en ver-

schikte [illegible] stenen. Zelf had ze alleen een onderhemd aan dat gerafeld en versleten [illegible]. De belletjes aan de rok rinkelden zacht.

'Ze zal een hele tijd slapen,' zei de Grootmoeder. 'Wanneer ze wakker wordt, zal ze weer helemaal de oude zijn.' Ze keek [illegible] naar Shadamehr en haar pientere ogen glinsterden in het licht van de lantaarn. 'Ze houdt heel veel van u.'

'En ik hou van haar,' zei Shadamehr. Hij bleef Alises hand vasthouden alsof hij hem nooit meer los wilde laten.

De Grootmoeder stak twee gebalde vuisten omhoog. 'Twee leidstenen,' zei ze. 'Ze hebben beide een sterke aantrekkingskracht, maar als je ze bij elkaar brengt, wat gebeurt er dan?' De twee vuisten vlogen uit elkaar. 'De goden willen dat ze altijd gescheiden blijven.'

'Ik heb nooit erg veel met de goden opgehad,' zei Shadamehr. Hij haalde zijn hand door Alises bezwete krullen.

'Dat zou je wel moeten hebben.' De Grootmoeder knorde. Met een snelle beweging plukte ze de rok van Alise af en trok hem weer aan door hem over haar hoofd te laten vallen. Ze maakte een wiebelende beweging; de rok kwam op haar benige heupen te hangen en viel in plooien rond haar benen terwijl de belletjes woest rinkelden. 'De goden hebben haar teruggehaald.'

'Maar de goden hebben Bashae niet teruggehaald,' zei Shadamehr. 'U hebt de goden gevraagd hem te genezen en ze hebben geweigerd.'

De Grootmoeder zei niets. Haar handen gingen snel naar haar gezicht en veegden langs haar ogen.

'Waarom bent u daar niet boos om?' wilde Shadamehr weten. 'De goden hebben deze vrouw, voor u een vreemde, gered, en ze hebben Bashae, uw kleinzoon, weggenomen. Waarom gaat u niet tekeer, waarom schreeuwt u niet tegen hen tot uw stem de hemel op z'n kop zet?'

'Ik mis hem,' zei ze slechts. Op haar gezicht waren verdriet en smart te lezen, maar haar stem was kalm, bijna sereen. 'Ik heb al mijn kinderen en veel van mijn kleinkinderen begraven. Bashae was me het liefste van allemaal. Hij was nog zo jong, zijn leven was amper begonnen. Daarom vroeg ik de goden hem terug te brengen. Ik vroeg zelfs of ze mij in zijn plaats wilden nemen. Ik had gedacht dat ik degene was die bij deze reis zou sterven. Hier, in mijn slaapstad. Maar' – ze haalde haar schouders op en de belletjes rinkelden zacht – 'de goden hebben anders beschikt.

Een pasgeboren baby schreeuwt en huilt wanneer hij in deze wereld komt. Hij jammert wanneer hij het licht ziet. Als je de baby de keus gaf, zou hij teruggaan in het warme, veilige donker. Toch zeggen wij dat het leven een geschenk is.' De Grootmoeder schudde haar hoofd. 'Misschien is de dood een groter geschenk. Wij zijn net als die baby bang om het bekende achter ons te laten.'

Shadamehr zei niets, want hij wilde niet met haar in discussie gaan. Naar zijn mening waren de goden – als er goden bestonden – grillig en gevoelloos, en deden ze maar wat hun toevallig inviel.

De Grootmoeder gaf hem met de vlakke hand een klap tegen zijn voorhoofd.

'Waar was dat voor?' vroeg Shadamehr onthutst.

'U bent een verwend kind, baron Shadamehr,' zei de Grootmoeder streng. 'U hebt altijd alles gekregen wat u wilde, en toch rolt u krijsend en jammerend over de grond en trappelt u van woede omdat u nog meer wilt. Ik begrijp niet waarom de goden hun geduld met u niet verliezen.'

Ze drong langs hem heen, terwijl haar stenen kletterden en haar belletjes rinkelden. Ze bleef staan bij de deur van de voorraadkamer en keek naar hem om. 'Ze moeten wel heel veel van u houden.'

Daar had Shadamehr zijn twijfels over, maar op dit moment maakte het hem niet veel uit. De goden hielden van Alise, net als hij, en meer hoefde hij niet te weten. Hij nam haar in zijn armen op, hield haar dicht tegen zich aan, genietend van de hernieuwde warmte die door haar lichaam stroomde.

'Heer,' zei Ulaf die naast hem neerhurkte. 'We moeten...'

'Ze blijft leven!' zei Shadamehr, en hij drukte Alise stevig tegen zich aan.

Ze mompelde in haar slaap en vlijde zich tegen hem aan – iets

wat ze nooit gedaan zou hebben als ze bij bewustzijn was.
'De goden zij dank!' zei Ulaf van harte. 'Maar, heer, nu moeten we bedenken wat ons thans te doen staat. Als Dagnarus' tanenleger hier nog niet is, zal het spoedig komen. We moeten niet vast komen te zitten in een belegerde stad.' De onvoorspelbaarheid van zijn heer kennende, leek het Ulaf het beste om erbij te zeggen: 'Of wel?'
'Nee, beter van niet,' zei Shadamehr met nadruk. Zijn geest werkte eindelijk weer. Hij voelde zich sterk genoeg om te zwemmen, zelfs tegen de donkere vloedgolf in die gedreigd had hem onder te trekken. 'In de haven ligt een orkenschip dat op ons wacht. Ik heb de Domeinheer van de elfen en haar man daar al heen gestuurd. De orken hebben opdracht tot zonsopgang te wachten voordat ze zee kiezen. Ik zal Alise, de Trevinici en de Grootmoeder meenemen aan boord van dat schip. Intussen zullen jij en de anderen over land reizen om berichten over te brengen aan de Domeinheren. Jullie moeten hun vertellen wat er gebeurd is en zeggen dat we hen zullen treffen in de stad Krammes. Daar is de Koninklijke Cavalerieschool gevestigd. Wij hebben het mensendeel van de Verheven Steen. Dat moet toch gewicht in de schaal leggen. We kunnen een leger op de been brengen en vervolgens terugkomen om Nieuw Vinnengael te heroveren op de Heer van de Leegte.'
'Denkt u dan dat de stad zal vallen?'
'Ja,' zei Shadamehr kortaf.
'Hoe zal ik de Domeinheren vinden? Ik ken er één, heer Randall, maar...'
'Rigiswald kent ze allemaal. Hij is in de Tempel om alles te lezen wat hij over de Verheven Steen kan vinden. Hij is daar waarschijnlijk nog steeds. Je weet hoe hij is wanneer hij met zijn neus in een boek zit. Neem hem met je mee.'
'Toe, zeg, Shadamehr. Ik geloof dat ik nog liever een Vrykyl mee op reis zou nemen!' protesteerde Ulaf ernstig. 'Die oude man is de chagrijnigste oude kerel die er ooit heeft bestaan. Met zijn scherpe tong zou je een klein boompje kunnen vellen.'
'Dan heb je in elk geval geen gebrek aan brandhout,' zei Shadamehr sussend. 'Het spijt me, beste jongen, maar Rigiswald is

de enige die je hierbij kan helpen. Hij kent de Domeinheren en weet waar ze vermoedelijk te vinden zijn.'
'Heel goed,' zei Ulaf somber. 'Ik zal de anderen bij elkaar roepen. U weet toch nog wel dat er een avondklok geldt?'
'Daarvoor hebben de goden rioolstelsels uitgevonden,' zei Shadamehr. 'Dat is de route die ik ga nemen. En jij?'
'Het zal me nooit lukken om Rigiswald een riool in te krijgen, dat weet u ook wel. Maar er is een poortwachter die me een dienst verschuldigd is,' zei Ulaf met een knipoog. 'Zorgt u voor Alise en uzelf, heer, dan zorg ik voor de anderen, Rigiswald inbegrepen.'
'Uitstekend. Ga nu aan die brave vrouw vragen of ze een paar dekens kan missen. Ik wil Alise warm inpakken.' Toen Shadamehr in de gelagkamer van de taveerne keek, kwam er een zachtere uitdrukking op zijn gezicht. 'En je zult ook een lijkkleed voor het lichaam nodig hebben. Ik zal hen thuisbrengen.'
'Bashae is mijn verantwoordelijkheid,' zei Jessan met een strakke stem. 'Bashae en de Grootmoeder.'
Shadamehr en Ulaf wisselden een geschrokken blik. Geen van beiden had de krijger achter hen horen aankomen.
'Ze zouden met mij en de anderen mee kunnen reizen, heer,' bood Ulaf aan. 'Mijn kameraden en ik reizen naar het oosten,' zei hij tegen Jessan. 'Zoals mijn heer zegt: het kan gevaarlijk zijn onderweg. We zouden een extra zwaardvechter goed kunnen gebruiken. Ga je met ons mee?'
Jessans gezicht werd donker van wantrouwen.
'Ik heb genoeg bewijzen gezien van je moed, Jessan,' zei Ulaf nog. 'Het is mogelijk dat we regelrecht in de armen van de tanen lopen. In dat geval zou ik niemand weten die ik liever naast me had.'
Nu knikte Jessan voldaan. 'Dan ga ik met je mee, als de Grootmoeder ermee instemt.'

Maudie was zo van streek dat ze niet naar Bashaes lichaam kon kijken zonder in tranen uit te barsten; toch wist Ulaf haar te overreden zich te vermannen en hem warme dekens te brengen waar Alise in gewikkeld kon worden.

'Ik weet niet wat we met Maudie moeten doen. Ik maak me zorgen over haar,' zei Shadamehr terwijl hij Ulaf naar de deur begeleidde. 'Over een paar dagen zal deze stad belegerd worden, of erger nog.'
'Ze is hier veiliger dan ze ergens anders zou zijn,' zei Ulaf nuchter. 'Zeg tegen haar dat ze haar ruigste klanten moet uitnodigen om haar te helpen haar eigendom te verdedigen.'
'Je zult wel gelijk hebben,' zei Shadamehr. 'Ik zou eigenlijk iets moeten doen, wat dan ook, om te helpen. In plaats daarvan ga ik ervandoor.'
'U hebt de Verheven Steen,' hielp Ulaf hem herinneren. 'Daar moet u steeds aan denken. Ik heb tegen Jessan en de Grootmoeder gezegd dat ze zich gereed moeten maken om morgenochtend te vertrekken. Vaarwel, heer. Ik wens u een goede reis.'
'Ik jou ook,' zei Shadamehr terwijl hij zijn vriend de hand schudde. 'Als het een beetje meezit, zullen de stadswachten hun handen nog vol hebben aan de vechtpartij bij de Tonronde Kater. Dan kunnen jullie bij de tempel komen zonder te worden tegengehouden. Doe Rigiswald de hartelijke groeten.'
Toen hij weer binnenkwam, zag Shadamehr dat de Grootmoeder Alise warm had omwikkeld met een deken, die ze om haar heen had gevouwen en bij de uiteinden had ingestopt, zoals een moeder een pasgeboren kind inbakert. Alise sliep door de hele bewerking heen. Nu brak een moeilijk moment aan, het moment van het afscheid.
Jessan knielde bij Bashae neer en hield zwijgend een wake bij het lichaam van zijn vriend. De Grootmoeder zat in de vlammen van het vuur te staren, dat danste en stoeide zonder zich ergens wat van aan te trekken.
Shadamehr legde zijn hand op Jessans schouder. De jongeman stond op en samen liepen ze naar het achterste gedeelte van de kamer.
'Ulaf heeft me verteld hoe het gevecht is gegaan. Hij vertelde dat jij de Vrykyl met gevaar voor je eigen leven hebt aangevallen. Niemand betwijfelt dat je al het mogelijke hebt gedaan om je vriend te redden. Je hoeft nergens spijt van te hebben.'
'Ik hoef nergens spijt van te hebben,' zei Jessan eenvoudig. 'Ba-

shae is gestorven zoals een krijger behoort te sterven. Hij zal geëerd worden door mijn volk. Als ik mezelf de schuld gaf van zijn dood, zou ik zijn overwinning wegnemen. Ik zal hem missen,' voegde hij er zachter aan toe, 'want hij was mijn vriend, maar dat is mijn verlies en daar moet ik mee leven.'

'Was het maar zo eenvoudig,' mompelde Shadamehr. Hij wilde de jonge krijger al een behouden reis toewensen, maar herinnerde zich bijtijds dat je zoiets niet toewenste aan een Trevinici.

'Dat je nog vele malen de strijd moge aangaan,' zei Shadamehr. 'En de overwinning behalen op je vijanden.'

'Ik wens u hetzelfde, heer,' zei Jessan.

Shadamehrs gezicht vertrok even. 'Het gedeelte van de strijd aangaan staat me niet erg aan,' gaf hij toe. 'Maar met het gedeelte van die wens over de overwinning behalen op vijanden ga ik graag mee.'

Hij liep terug om afscheid te nemen van de Grootmoeder. Hij was in de korte tijd die ze samen hadden doorgebracht erg op haar gesteld geraakt, en hij zou haar missen. Hij legde zacht zijn hand op haar schouder.

'Grootmoeder, ik ben gekomen om afscheid van u te nemen en te zeggen dat ik oprecht meeleef met uw verlies. Ik zal Bashae altijd in ere houden als een van de moedigste mensen die ik ooit heb gekend. Als we hier allemaal levend uit komen, zal ik het verhaal van zijn moed en trouw aan de wereld bekendmaken.'

De Grootmoeder keek op; de vlammen leken nog te flikkeren in haar ogen, de rook van het vuur leek ze wazig te maken. 'Als u zijn verhaal maar hier houdt,' zei ze, terwijl ze haar hand op haar hart legde, 'meer vraag ik niet. De rest van de wereld is er waarschijnlijk niet in geïnteresseerd, behalve misschien als curiositeit.'

Ze frommelde in haar rokken en haar zakken om iets te zoeken en haalde ten slotte een turkoois te voorschijn. Ze bekeek hem met een deskundig oog om zich ervan te vergewissen dat hij geen gebreken vertoonde en drukte de steen vervolgens in Shadamehrs hand. Het was een kostbaar geschenk, want de pecwaes geloven dat de turkoois bijzondere, beschermende krachten

heeft. Hij wist dat ze de stenen zelf als bescherming gebruikte, en wilde haar die niet ontnemen.
'Grootmoeder, ik dank u, maar ik mag dit niet aannemen...'
'Ja, dat mag u wel,' zei ze. Ze knikte nadrukkelijk naar het vuur. 'Ik heb gezien waar u heen wilt gaan. U zult hem nodig hebben.'
Shadamehr keek naar de turkoois in zijn hand, hemelsblauw met zilveren strepen. Misschien kon hij toch van pas komen. Hij borg de steen veilig op in de knapzak die de Verheven Steen bevatte, bukte zich en kuste de Grootmoeder op haar rimpelige wang.
'Dank u, Grootmoeder. Ik wens u een behouden reis.'
'Ik zou u wel hetzelfde willen toewensen,' zei ze hoofdschuddend, 'maar dat zou verspilde moeite zijn.'
Dat kon weleens kloppen, dacht Shadamehr.
Hij tilde Alise, warm in de plooien van de deken gewikkeld, op, zwaaide de knapzak over zijn ene schouder en Alise over de andere. Hij hield haar benen stevig vast en was erg blij dat ze bewusteloos was, want als ze wakker was geweest, zou ze luidkeels en verontwaardigd hebben geprotesteerd omdat er met haar werd gezeuld alsof ze een zak meel was.
Shadamehr nam van Maudie de verduisterde lantaarn aan die ze hem aanbood. Hij hield het paneel van de lantaarn gesloten, zodat het licht werd tegengehouden, en opende de deur van de taveerne. Hij keek naar buiten in de nacht. Hij schatte dat hij nog drie uur had voor zonsopgang. De straat was verlaten. Een vurige gloed verlichtte de hemel, niet ver weg. De Tonronde Kater stond nog steeds in lichterlaaie. De meeste patrouilles zouden in die buurt bezig zijn te proberen de brand te blussen.
Terwijl hij nog een laatste keer zacht 'vaarwel' riep, nam Shadamehr Alise en de knapzak met de Verheven Steen in een stevige greep en verdween in het donker.

Van de plaats waar hij stond, voor de Geringde Kraai, kon Ulaf de vurige, oranje gloed zien die de hemel verlichtte als een voortijdige dageraad; het verschil was dat deze gloed een zonsondergang betekende voor de Tonronde Kater. De stadswachten en magiërs zouden de hele nacht bezig zijn de op magische wijze ontstoken brand te bestrijden, hetgeen betekende dat er geen patrouilles in de straten zouden zijn. Toch bleef Ulaf voorzichtig. Hij bleef in de schaduw en vermeed lichte plekken, want de Tempel der Magiërs stond niet ver van het koninklijk paleis, en de koninklijke cavalerie was waarschijnlijk voltallig uitgerukt. Ulaf rende door achterstraatjes en door stegen, zodat hij de tempel van de achterkant naderde. Hij had een verhaal klaar voor als hij werd tegengehouden, en zou er waarschijnlijk geen last mee krijgen, maar hij wilde geen tijd verspillen aan een discussie met domme cavalerieofficieren.

Ulaf voorzag geen problemen bij het betreden van de Tempel zelf, ook al was het midden in een erg roerige nacht. Hij was lid van de Negende Orde, een orde die zich wijdde aan de studie van de magische Portalen die het mogelijk maakten snel van de ene plek in Loerem naar een andere te reizen. Van alle orden die de Kerk telde, stond de Negende het minst in aanzien.

Twee eeuwen geleden waren wijze en machtige magiërs bijeengekomen om de vier Portalen te creëren. De Portalen, die in Oud Vinnengael gesitueerd waren, gaven toegang tot de landen van de Tromek-elfen, de orken en de dwergen, en er konden kooplieden met hun waren, goederen en informatie door heen en weer gaan. Het vierde Portaal zou rechtstreeks met de goden in verbinding staan. Toen Dagnarus de aanval opende op Oud Vinnengael, maakten hij en zijn tovenaar, Gareth, gebruik van krachtige Leegtemagie om de verdediging van de stad te breken. Het gebruik van deze krachtige toverkunsten, waar nog de toverkunsten bij kwamen die de verdedigers van de stad toepasten, leidde tot zo'n ernstige verstoring van de magie van de elementen dat deze uit elkaar spatte, waarbij een groot deel van de stad werd platgelegd en de Portalen werden verbrijzeld.

Aanvankelijk dacht men dat de Portalen helemaal vernietigd waren, want er waren er geen meer te vinden rond Oud Vinnengael. De Kerk stelde de Negende Orde in met het oogmerk te proberen de magie van de Portalen opnieuw te creëren. Deze pogingen bleken ijdel. De geheimen van het scheppen van de Portalen waren bij de grote klap verloren gegaan. De magiërs werkten er jaren aan, maar het lukte hun niet ook maar een begin te maken met het herscheppen van de toverformules. Het leek erop dat de goden geen Portalen meer wensten die toegang gaven tot de hemel.

Tot groot ongenoegen van de Kerk begonnen er meldingen te komen dat er Portalen werden ontdekt op verschillende plekken verspreid over het continent, waaronder een groot Portaal in de elfenlanden en een tweede in het land van de aartsvijanden van de Vinnengaelezen, de Karnuanen. De Kerk besefte dat de Portalen niet vernietigd waren. De kapotte Portalen waren losgeraakt, van hun ankers losgeslagen, en weggedreven naar andere lokaties.

De Kerk had op het punt gestaan de nutteloze Negende Orde op te heffen, maar besloot in plaats daarvan dat ze toch nog van waarde zou kunnen zijn. De leden van de Orde werden er door het hele continent op uitgestuurd om de op drift geraakte Portalen te vinden en in kaart te brengen.

Eeuwen later waren de leden van de Negende Orde nog altijd bezig met deze opdracht. Ze werden slecht betaald en waren het mikpunt van spot, maar reisden onvermoeibaar rond door heel Loerem om van elk Portaal waarvan melding was gemaakt het

bestaan te bevestigen, te verifiëren en in kaart te brengen.
Daarom leek het Ulaf heel handig om lid te worden van deze Orde. Als lid van de Negende Orde kon hij vrijelijk reizen en naar believen komen en gaan. Het kon geen mens iets schelen waar hij geweest was, laat staan dat iemand geïnteresseerd was in verslagen van zijn reizen. Zolang hij maar af en toe een kaart met een nieuw Portaal inleverde, waren ze tevreden.
Het was misschien anders geweest als hij de Kerk om geld had gevraagd. Maar aangezien Shadamehr altijd Ulafs reizen financierde, was het niet nodig daar om te vragen. Hij deed zich voor als iemand met eigen vermogen, die zijn eigen tijd en geld aan deze onderneming spendeerde. De kerkelijke autoriteiten beschouwden Ulaf als iemand met een obsessie, die wellicht gestoord was, maar onschadelijk.
De Tempel der Magiërs was niet één gebouw, zoals de naam suggereerde. De Tempel was het hoofdgebouw, een schitterend bouwwerk van marmer met gebrandschilderde rozetramen en sierlijke torenspitsen die tot doel hadden de gedachten van de mensen hemelwaarts te leiden. In dit gebouw was de Zaal voor de Eredienst ondergebracht, waar de altaren voor de goden stonden. De zaal was dag en nacht geopend voor het publiek, en er waren altijd priesters aanwezig. Ook de werkruimtes van hoge kerkdienaars waren in dit gebouw gevestigd.
De andere belangrijke gebouwen in het complex waren onder meer de universiteit, met zijn dormitoria, collegezalen en een bibliotheek die in het hele continent beroemd was, en de Huizen der Genezing, onder leiding van de Orde der Ziekenverzorgers. De Huizen der Genezing lagen temidden van tuinen en het waren lange, lage, luchtige gebouwen, met reusachtige ramen om het zonlicht binnen te laten, waarvan men dacht dat het bevorderlijk was voor de gezondheid.
Ulaf liep onmiddellijk naar het universiteitsgebouw, een cilindrisch bouwwerk, versterkt met steunberen die uit vier vrijstaande torens oprezen. Vanbinnen was het een waar doolhof van kronkelende gangen. Het was er donker, zonder ramen, met het doel de geest van de studenten gericht te houden op hun studie, en hen niet naar de wereld daarbuiten te laten kijken. Van-

wege de krachtige en wellicht gevaarlijke teksten die binnen haar muren waren ondergebracht, was de universiteit niet voor publiek toegankelijk, en was ze omringd door een muur waarin één poort was waardoor men naar binnen en naar buiten kon gaan. Deze poort werd bij zonsondergang gesloten. Iedereen die na die tijd naar binnen wilde, moest een klein deurtje naast de hoofdpoort passeren – of proberen te passeren.
De portier bij het kleine deurtje keek argwanend en geschrokken op van een broeder die om deze goddeloze tijd toegang vroeg, en zeker van een broeder die de avondklok trotseerde en zomaar op straat was. Ulaf behoefde slechts zijn geloofsbrieven te laten zien en uit te leggen met welk doel hij onderweg was; toen schudde de portier berustend zijn hoofd en verwijderde de betovering die de deur gesloten hield.
Ulaf kreeg de keus zijn eigen magie te gebruiken om licht te maken, of een lantaarn mee te nemen. Hij accepteerde dankbaar de lantaarn. Hij had hier vier jaar gestudeerd en had slapend de weg door het doolhof van gangen kunnen vinden. Hij ging eerst naar de keuken. Hier waste hij zijn gezicht en zijn handen, en plensde koud water tegen zijn gezicht om wakker te worden. Hij kon zich niet herinneren wanneer hij voor het laatst had gegeten en was blij het brood en de kaas te vinden die er altijd klaarstonden voor degenen die nog laat aan het studeren waren. Ulaf verslond ter plekke een heel brood, sneed een grote punt kaas voor zichzelf af en vulde zijn zakken met appels. Kauwend op de kaas zocht hij zijn weg naar het dormitorium, waar de studenten woonden en de eerwaarde broeders die in de Tempel en de omgeving ervan werkten.
Het viel Ulaf op dat er op dit late uur in de Tempel meer activiteit was dan normaal. Eerwaarde broeders beenden doelbewust door de gangen, met een sombere en geconcentreerde uitdrukking op hun gezicht. Ulaf bleef in een gang treuzelen en wachtte tot hij een broeder uit zijn kamer zag komen. Ulaf ging vlug de kamer binnen (in de Tempel werden deuren zelden afgesloten), trok een schone pij aan, stopte zijn appels in een leren ransel en ging vervolgens op weg om Rigiswald te zoeken. Ulaf maakte een bundeltje van zijn vuile kleren en legde dit in

de mand die bestemd was voor novicen die onder meer tot taak hadden de was te doen.
De bibliotheek besloeg een hele vleugel van het gebouw en bevatte de meest uitgebreide verzameling boeken op het continent. Hier waren duizenden boeken over magie, zoals boeken over de theorie van de magie, de religie van de magie en de praktische toepassingen van magie zoals die werden aangetroffen bij alle volken onder de zon. De bibliotheek bevatte ook boeken over tal van andere onderwerpen; er waren boeken over het optuigen van een zeilschip en handboeken betreffende de juiste behandeling van een paard met koliek, of de schone kunst van het tapijtweven, of de bereiding van ingelegde zwanentongen.
De bibliotheek was nooit gesloten. Steenlampjes van dwergen – stenen die magisch bewerkt waren om een warm, zacht licht uit te stralen – maakten het de geleerden mogelijk hun onderzoekingen tot diep in de nacht voort te zetten. De toegang tot de bibliotheek was aan strenge regels gebonden. Een gerespecteerde eerwaarde broeder kon toegang krijgen door eenvoudig zijn geloofsbrieven te tonen. Novicen mochten naar binnen als ze begeleid werden door een leraar, of als ze een brief van hun leraar hadden, maar dan mochten ze niet overal komen. Magiërs van andere volken waren ook welkom, mits ze getuigschriften van de Kerk konden overleggen, waarin verklaard werd dat ze op verantwoordelijke wijze van magie gebruik maakten en dat ze oprecht streefden naar het verwerven van kennis. Ook de koning en de Domeinheren hadden toegang tot de bibliotheek; zij waren de enige leken wie die eer te beurt viel.
Op dit late uur zou de bibliotheek gewoonlijk een stille, slaperige indruk maken. Ulaf keek er daarom van op dat het deze nacht een drukte van belang was in de bibliotheek.
'Wat is er aan de hand?' vroeg hij aan een broeder die in zijn haast bijna tegen hem was opgebotst.
De broeder wierp hem een achterdochtige blik toe, maar hij zag dat Ulaf gekleed was in de pij van een eerwaarde broeder, en omdat hij dacht dat hij zich misschien moest verontschuldigen voor het feit dat hij hem bijna omver had gelopen, verwaardigde de broeder zich hem antwoord te geven.

'We hebben opdracht gekregen de kostbaarste boeken van de collectie naar een veilige plaats over te brengen,' zei de magiër met gedempte stem.
'Die oorlogsgeruchten zijn dus waar,' zei Ulaf.
'Dat heb je mij niet horen zeggen, broeder,' zei de magiër bars, en hij liep weg om zich van zijn dringende taak te kwijten.
Dat verklaarde waarom er oorlogsmagiërs op wacht stonden in de gangen, en toekeken terwijl leden van de Schrijversorde zware houten kisten vol kostbare boeken en boekrollen wegdroegen naar een beschermde plaats. Deze kostbare teksten waren grotendeels zeldzame en antieke boeken die dateerden uit de tijd, eeuwen geleden, dat Vinnengael was gesticht. Maar er waren waarschijnlijk ook boeken bij die gevaarlijk werden geacht, boeken over verboden toverkunsten die niet in verkeerde handen mochten vallen.
Een oorlogsmagiër nam Ulaf met een donkere blik op toen hij de bibliotheek binnenging, en hij was blij dat hij eraan had gedacht zich te verkleden en alle sporen van het gevecht in de Tonronde Kater weg te wassen. Met deemoedig neergeslagen ogen ging hij de bibliotheek binnen en liep meteen naar de hoofdbibliothecaris. Ulaf legde hem zijn geloofsbrieven voor, schreef met krijt zijn naam op het bord en ging op zoek naar Rigiswald. Hij trof de opvliegende oude man in een toestand van grote verontwaardiging aan; hij stond (fluisterend) ruzie te maken met een van de Schrijvers, die zo te zien probeerde hem een boek uit handen te trekken. Ulaf hield zich achteraf, want hij wilde hier niet bij betrokken raken. Hij ging zo staan dat Rigiswald hem kon zien en maakte een gebaar met zijn hand in de hoop zo de aandacht van de bejaarde magiër te trekken. Rigiswald zag hem en keek hem kwaad aan, maar besteedde verder geen aandacht aan hem. Ulaf zuchtte diep en liet zich in een stoel vallen. Hij moest onmiddellijk in slaap zijn gevallen, want het eerste waarvan hij zich bewust was, was dat iemand aan hem stond te schudden. Hij keek op en zag Rigiswald, die op hem neerkeek.
'Waarom ben jij hier?' vroeg Rigiswald zacht en geïrriteerd fluisterend.
Ulaf hief met een ruk zijn hoofd op en knipperde met zijn ogen.

Heel even had hij geen idee waar hij was. Toen kwam het allemaal terug.
'Ik kom u halen, heer,' zei Ulaf terwijl hij opstond. 'Shadamehr heeft ons opgedragen de stad te verlaten. En er is nog iets.'
Snel vertelde Ulaf fluisterend wat er die nacht gebeurd was. Hij was dankbaar dat er in de bibliotheek een gedwongen stilte heerste, want Rigiswald en hij konden zacht overleggen zonder argwaan te wekken.
Rigiswald luisterde aandachtig. Hij was Shadamehrs leermeester geweest sinds de baron klein was. Rigiswald – een slanke, keurige heer, die er graag goed uitzag en veel van aardse genoegens hield – was meer geïnteresseerd in de studie van de magie dan in de uitoefening ervan. Hij beweerde dat het opwekken van betoveringen zijn kleren bedierf. Hij was een vaardig tovenaar wanneer hij dat wilde zijn, maar hij paste wel op dat hij niet vaak zover hoefde te gaan.
Zijn gezicht bleef uitdrukkingsloos. Zijn enige reactie op het vreselijke nieuws dat de jonge koning van Vinnengael een Vrykyl was die samenwerkte met de Heer van de Leegte wiens legers op dit moment opmarcheerden naar de stad, was zijn ene wenkbrauw op te trekken en te zeggen: 'Zo zo.'
Rigiswald streek over zijn zwarte baard, die altijd keurig gekamd was en kort langs zijn scherpe kaaklijn getrimd was. 'Daarom hebben ze dus mijn boek meegenomen! Waarom zei die domkop dat dan niet meteen!' Hij keek geërgerd naar de rug van de Schrijver, die triomfantelijk wegliep met het boek in zijn hand. Hij wendde zich weer naar Ulaf. 'En waarom ben jij hier?'
'Shadamehr heeft me gevraagd hierheen te komen, heer,' zei Ulaf, die probeerde zijn geduld te bewaren. 'Ik ben bezig onze mensen te verzamelen. Het is ons plan morgenochtend de stad te verlaten, voor de belegering begint.'
'Waar gaan jullie heen?'
'Naar Krammes, heer. Shadamehr gaat er per schip heen. Hij zei dat wij over land moesten reizen...'
'Uitgesloten,' verklaarde Rigiswald. 'De reis hierheen in gezelschap van de orken was al erg genoeg. Nu kom jij me vertellen dat ik vijftienhonderd kilometer moet gaan lopen naar Krammes.'

'Zo ver is het niet. We hebben paarden. Het is de bedoeling dat ik met de Domeinheren spreek en Shadamehr zegt dat u...'
Rigiswald maakte een snuivend geluidje. De bejaarde man draaide Ulaf zijn rug toe en koos een ganzenveer uit een van de potten die her en der in de bibliotheek waren geplaatst ten behoeve van degenen die aantekeningen wilden maken. Hij pakte een kleine, ivoren buis die tussen zijn gordel stak, haalde er de opgerolde boekrol uit die daarin zat, keek er even naar, keerde hem toen om en begon te schrijven. Toen hij klaar was, stopte hij de rol weer in de buis en gaf die aan Ulaf.
'Hier zijn de plaatsen waar je de Domeinheren kunt vinden die je van nut kunnen zijn,' zei Rigiswald. 'Gebruik dit als introductie.'
'Dit betekent dat u niet met me meegaat,' zei Ulaf teleurgesteld en zo luid dat hij een verbolgen blik van de bibliothecaris oogstte. Hij dempte zijn stem. 'U hebt me toch wel horen zeggen dat de stad binnenkort aangevallen zal worden?'
Rigiswald haalde zijn schouders op; het deed hem niets. Hij begon een stapel boeken te sorteren die hij op een tafel naast zich had gelegd.
'Ik mag hopen dat ze nog iets voor me hebben achtergelaten,' mompelde hij. 'Ah, hier heb ik het.'
Hij haalde behendig een dun boekje, gebonden in versleten rood leer, tussen de stapel uit, ging in een stoel zitten, opende het en begon te lezen. Even later keek hij op naar Ulaf.
'Je kunt gaan doen wat je te doen hebt,' zei hij.
'Maar Shadamehr...'
Rigiswald stak een keurig verzorgde vinger op. 'Zeg maar tegen de baron dat ik hem hier in Nieuw Vinnengael van meer nut zal zijn dan ik zou zijn als ik door de velden sjokte.'
Hij hervatte zijn lectuur.
Ulaf deed zijn mond open en deed hem weer dicht. Hoofdschuddend stak hij de ivoren buis in een van zijn zakken, en beende toen de bibliotheek uit, onder het mompelen van verwensingen.
Rigiswald keek nog even op van zijn boek om Ulaf te zien gaan, en glimlachte voor zich uit. Hij sloeg het boek dicht, leunde ach-

terover in zijn stoel en was even later verdiept in zijn eigen gedachten; aan de uitdrukking op zijn gezicht te oordelen waren het sombere gedachten.

In de Geringde Kraai hield Jessan de wacht bij het lichaam van zijn vriend. Het was een stille nacht – het soort zachte, zware stilte dat op de ziel drukt en gedachten verstikt. Ulaf was al een tijd weg. Maudie had geprobeerd wakker te blijven om deze vreemde bezoekers in de gaten te houden, maar de spanning en schrik van de gebeurtenissen hadden haar uitgeput. Zij zat te slapen in haar stoel.

Jessan was Ulaf dankbaar dat hij hem iets te doen had gegeven, een manier om van dienst te zijn, nut te hebben voor iemand. Anders had hij het aanbod van Ulaf dat hij met hen mee mocht reizen niet kunnen aannemen, want hij wilde zich aan niemand verplicht voelen, zelfs niet aan deze vriend van de baron. Veel Trevinici verhuurden zich als geleide aan reizigers in ruil voor voeding en onderdak onderweg. Jessan had kunnen denken dat deze taak hem uit medelijden werd aangeboden, maar hij had respect gezien in Ulafs ogen en het ook gehoord in zijn stem.

Jessan wist dat hij gewaardeerd werd om zijn moed en zijn kundigheid, en deze gedachte gaf hem nog enige troost en warmte terwijl hij daar alleen stond in de gierende, ijzige duisternis van zijn verdriet en zijn wanhopig verlangen om naar huis te gaan.

Jessan had gepopeld om de wereld in te trekken, gepopeld om zich te bewijzen als krijger. Het eentonige leven in het dorp verveelde hem, zoals het veel jongeren verveelde, en hij begreep daarom niets van de blijdschap van zijn oom en de andere krijgers wanneer ze na een lange afwezigheid naar huis terugkeerden. Hoe konden ze een leven van avontuur, gevaar en spanning opgeven voor een leven van spitten in de velden en op de kinderen passen? Nu vlogen Jessans gedachten naar diezelfde gewone en vaak verachte genoegens met een verlangen dat pijnlijk brandde in zijn hart.

Zelfs aan zijn krankzinnige tante Ranessa dacht Jessan met medeleven terug. Hij wilde dat hij aardiger tegen haar had gedaan, meer begrip had getoond. Ze was familie van hem. Ze hoorde bij de stam, en daardoor was het belangrijk voor hem dat ze zich goed voelde; het was een heilige opdracht die hem was toevertrouwd, zoals ook Bashae een heilige opdracht was geweest. Jessan gaf zichzelf niet de schuld van Bashaes dood. Zijn geweten was schoon. Hij had gedaan wat hij kon om zijn vriend te beschermen en hem te redden van de Vrykyl. Zoals hij had gezegd zou hij Bashae te kort doen als hij zichzelf de schuld gaf. De pecwae had de Verheven Steen kunnen laten vallen en vluchten, maar hij had ervoor gekozen erom te vechten, en was dapper tegen zijn instincten ingegaan om de taak die de goden hem hadden gegeven trouw te blijven.

'Ik heb eerbied voor je moed, Bashae,' zei Jessan zacht. 'Maar ergens zou ik willen dat je wel was weggelopen. En ergens ben ik ook boos omdat je dat niet hebt gedaan. Je hebt me hier alleen en zonder vriend achtergelaten. Het spijt me dat ik zo zwak ben. Ik hoop dat je het begrijpt.'

'Hij begrijpt het,' zei de Grootmoeder. 'Daar waar hij nu is, begrijpt hij alles.'

De tijd verstreek, lang en zwaar. De Grootmoeder staarde in het vuur. Jessans gedachten gingen terug naar de wonderlijke reis die hem in vreemde landen had gebracht, hem had laten kennismaken met een vliegermaker, met de dochter van de Nimoreaanse koningin, met een Domeinheer van de elfen en met een roekeloze baron.

Jessan zat erover te denken hoe zij allemaal een blijvende uitwerking op zijn leven hadden gehad, toen hij de scharnieren hoorde knarsen. Hij draaide zich snel om terwijl zijn hand naar het wapen ging dat niet meer aan zijn zij hing. Toen zag hij het grauwe licht buiten de deur en besefte dat de dageraad nabij was.

'Ik ben het,' zei Ulaf zacht.

Hij sloop over de vloer, want hij wilde de slapende Maudie niet wakker maken.

'Ik heb de meeste van onze mensen gevonden,' zei hij. 'Ik heb boodschappen achtergelaten voor de anderen. Ze zullen ons op de weg inhalen. Ik heb de paarden – het mijne, dat van Alise en dat van Shadamehr. Hij zou het ons nooit vergeven als we zijn

paard hier achterlieten om door de tanen te worden opgegeten. Ben je zover?'
Hij wierp een blik op het lichaam van de pecwae, dat met gevouwen armen en gesloten ogen voor het vuur lag. Als zijn huid niet zo blauwig bleek was geweest, had Bashae gewoon kunnen slapen.
'We moeten het lichaam ergens in wikkelen,' zei Ulaf met een zekere aarzeling. 'Anders...' Hij zweeg, want hij wist niet wat hij moest zeggen.
Jessan keek naar de Grootmoeder, die haar dagdroom afbrak. Ze stond op en streek de plooien van haar rokken glad, zodat de belletjes zacht begonnen te rinkelen. Ze sloot haar ogen en begon te zingen.
Ze zong een oeroud lied, een lied dat de pecwaes was geleerd in een tijd waarin elfen pasgeboren wezens waren die met verwondering in hun ogen over het continent zwierven, een tijd waarin de orken hun broeders die in de wijde oceanen zwemmen, verlieten om op het land te gaan wonen, een tijd waarin de dwergenkinderen over de grond buitelden met de welpen van wolven, een tijd waarin mensen hun magie gebruikten om stenen uit de aarde te wrikken en er wapens van te maken.
Terwijl de Grootmoeder zong, spreidde ze haar handen uit. Er vloeiden zijden draden uit haar vingers. De zijden draden wonden zich om Bashae, weefden een cocon om zijn lichaam. Van tijd tot tijd, op vaste plaatsen in het lied, trok de Grootmoeder een van de stenen van haar rok en wierp die tussen de wevende draden. Toen ze aan het lied begon, vloeiden haar tranen, maar de eeuwenoude mantra die de ziel van de dode aanmoedigde op zijn reis naar de slaapwereld, bood ook troost aan de levenden. Aan het eind van het lied kwam er ook een eind aan de tranen.
'We zijn klaar om te gaan,' zei de Grootmoeder tegen Ulaf. Haar ogen waren droog en haar kin was geheven. 'Zijn ziel is vertrokken, en dit omhulsel zal zijn lichaam veilig bewaren tot we hem in de grafheuvel leggen.'
'Ik heb de krijgerswake gehouden,' voegde Jessan eraan toe. 'Ik heb Bashae voorgesteld aan de gevallen helden van onze stam

en ik heb hun verteld van zijn moed, zodat ze hem in hun midden zullen accepteren en hem zullen eren.'
Ulaf zag even een beeld voor zich van die piepkleine pecwae, die de zalen van de hemel binnenwandelde, om begroet te worden door legendarische Trevinici zoals de Berenwurger, de Schedelmepper en Hij-Die-de-Hersenen-van-Zijn-Vijand-Verorbert. Ulaf voegde er zijn eigen stilzwijgend gebed aan toe; hij hoopte dat Bashae door hen zou worden geëerd, maar hij rekende er ook op dat de pecwae zich daar weldra aan zou kunnen onttrekken om vrij door de velden te rennen en zich te koesteren in de eeuwigdurende zonneschijn in de hemel.
'We moeten wel haast maken,' zei Ulaf. 'Er is nog geen spoor van de tanen te bekennen, maar het is beter als we hier weg zijn.'
Hij nam enkele munten uit zijn buidel en legde die naast de slapende Maudie op de tafel. Jessan wikkelde het kleine, omsponnen lichaam in een deken en droeg het naar de wachtende paarden buiten, waar Ulaf hem hielp het lichaam op Shadamehrs ros te binden. Het paard was ongewoon onrustig en humeurig, maar de Grootmoeder sprak het dier toe en vertelde het wat voor last het te dragen kreeg. Het paard bleef stilstaan met gebogen hoofd.
Toen dit gebeurd was, keek de Grootmoeder achterom naar haar slaapstad en naar de hoge gebouwen die juist uit de schaduwen van de nacht begonnen op te doemen, en ze glimlachte bedroefd.
'Wanneer het mijn tijd is, zal ik terugkomen,' beloofde ze.
Jessan tilde haar op en zette haar achter op zijn paard. 'Wanneer het uw tijd is, zult u zich bij de helden scharen, Grootmoeder.'
Ze hoorde het verdriet en de eenzaamheid in zijn stem en voelde de weerklank daarvan in haar eigen hart. Beiden waren ze voor de ander alles wat er nog over was.
'Bah!' zei ze beslist. 'Die zouden alleen maar willen dat ik voor ze kook.'
Jessan glimlachte, zoals ze had gehoopt. Hij besteeg het paard, controleerde of de Grootmoeder stevig op haar plaats zat, en toen reden ze weg door de grauwe dageraad, Ulaf achterna.

Nadat ze waren weggevlucht van het noodlottige fiasco in het paleis, hadden Damra en haar echtgenoot Griffith zich zonder moeite door de slapende stad bewogen. Als lid van de Wyred, de geheimzinnige sekte van elfentovenaars, bezat Griffith het vermogen zichzelf te veranderen in een luchtwezen dat zo licht als een windvlaag door de straten kon gaan. Damra was geen tovenares, maar zij kon de magische kracht van het harnas van de Domeinheren gebruiken om zich in de zwarte vleugels van de raaf te hullen. Zo konden de beide elfen onstnappen aan de waakzame blikken van de koninklijke cavalerie, die opdracht had hen te arresteren, evenals de bandiet baron Shadamehr.

Damra was eerder in Nieuw Vinnengael geweest, bij de zeldzame gelegenheden dat de Domeinheren bijeen werden geroepen voor een vergadering. Ze herinnerde zich dat alle straten in de stad namen droegen die met hun ligging te maken hadden. Ze hoefden dus slechts de Rivierstraat te vinden, dan zou die hen naar de haven leiden. Het was een hoofdstraat die niet moeilijk te vinden was. Patrouilles kwamen voorbij zonder hun een blik te gunnen, hetgeen een bewijs was van hun magische vermogens. Toen ze de haven hadden bereikt, wilden de elfen juist naar het orkenschip gaan zoeken, dat zoals hun gezegd was op hen zou liggen wachten, toen ze een daverende klap hoorden en een fel oranje schijnsel zagen dat de hemel verlichtte.

'Er staat een gebouw in brand,' zei Griffith. Het leek alsof zijn stem zomaar uit de lucht kwam, want hij was nog steeds on-

zichtbaar door zijn betovering. 'Zou dat soms betekenen dat de tanen de stad zijn binnengevallen?'
Damra wachtte even of er nog meer branden zouden ontstaan, ze wachtte of er geschreeuw en geroep te horen was. Het bleef volkomen stil, afgezien van het geluid van een patrouille in de buurt, die de vlammen had gezien en zich afvroeg of ze erheen moesten om te kijken wat er aan de hand was.
'Ik denk het niet,' antwoordde Damra. 'Waarom heb ik het gevoel dat het iets met baron Shadamehr te maken heeft?'
'Omdat onraad hem altijd op de voet volgt?' opperde Griffith.
Damra glimlachte en keek in de richting waar de stem van haar man vandaan kwam. 'Ik vraag me af hoe we geacht worden dat schip te vinden. Er liggen zeker meerdere orkenschepen in de haven. Ik weet niet hoe we erachter moeten komen welk daarvan het schip is dat wij zoeken. In de opwinding van het moment heb ik vergeten de baron te vragen hoe het schip heette.'
'Zouden het er echt zoveel zijn?' vroeg Griffith twijfelend. 'Ik dacht dat het zowat oorlog was tussen de orken en de mensen.'
'De winst gaat bij de orken altijd voor de politiek,' antwoordde Damra. 'Er liggen altijd diverse orkenschepen afgemeerd langs de kaden van Nieuw Vinnengael, en er zijn altijd heel wat orkenhandelaars te vinden op de markten in de stad.'
'Ik hoop dat we het goede schip gauw te pakken hebben,' zei Griffith somber. 'Ik ben aan het eind van mijn krachten. Ik weet niet hoeveel langer ik deze betovering kan volhouden.'
'En ik hoop dat de orken ons zullen helpen,' zei Damra. Het klonk alsof ze daar twijfels over had. 'Ik vind het niet prettig afhankelijk te moeten zijn van wezens die zo onvoorspelbaar zijn.'
'Het zijn geen "wezens", lieve,' zei haar echtgenoot licht berispend. 'Het zijn mensen, net als wij.'
'Orken zijn níét net als wij,' antwoordde Damra bits.
Griffith zei niets, want hij wilde geen ruzie. Damra zweeg verder, om dezelfde reden.
Toen ze bij de kade aankwamen, zagen de vermoeide elfen tot hun verbazing dat er maar één orkenschip in de haven lag; het lag midden in de rivier voor anker.

'Dat is vreemd,' zei Damra.
'Niet zo heel vreemd,' antwoordde haar man. 'De orken hebben hun broeders gewaarschuwd dat de tanen eraan komen. De andere orken zijn ervandoor gegaan.'
Het orkenschip was duidelijk te herkennen aan zijn beschilderde zeilen met primitieve afbeeldingen van walvissen, dolfijnen, zeeslangen en zeevogels. Het schip droeg de naam *Kli'Sha*, orks voor 'zeemeeuw', en er brandde volop licht aan boord; de nerveuze bemanning hield de wacht.
Verder was het stil in de haven, afgezien van zo nu en dan een patrouille. De orken waren blijkbaar niet de enige zeevarenden die bericht hadden gekregen over de vijand. De Vinnengaelese koopvaarders die zee konden kiezen, hadden dat onmiddellijk gedaan, met medeneming van familie en vrienden.
'Waar is de Vinnengaelese vloot?' vroeg Damra opeens. 'Vinnengael staat bekend om zijn marine. Het verbaast me dat die niet aanwezig is om de stad te verdedigen.'
'De koning heeft de marine ongeveer een maand geleden de zee op gestuurd als reactie op een gerucht dat een Karnuaanse vloot een poging zou doen om Nieuw Vinnengael vanuit het zuiden aan te vallen. Sindsdien is er niets meer van de vloot vernomen,' zei Griffith. 'Volgens de baron is het mogelijk dat ze door de Heer van de Leegte in het ongeluk zijn gestort.'
'Over die ellendige heer gesproken,' zei Damra, 'kijk daar eens, aan de overkant.'
De Arven, op dit punt een smalle en snelstromende rivier, glinsterde donker in het flauwe licht van een afnemende maan. Damra wees over het rimpelende oppervlak naar de rivieroever, waarlangs hier en daar speldenprikjes van feloranje licht te zien waren.
'Vuren,' zei Damra.
'Ja,' zei Griffith bevestigend. 'Dagnarus' troepen verzamelen zich op de rivieroever.'
'Hij zal de aanval beginnen als het dag wordt.'
'Ik ben er niet zeker van dat hij gaat aanvallen,' zei Griffith. 'Dagnarus is een geslepen man, volgens de legende een genie op het gebied van oorlogvoering. Hij heeft de moeite genomen zijn

Vrykyl in het koninklijk paleis te laten binnendringen. Waarom zou hij dat doen als hij van plan was de stad plat te leggen? Ik denk dat hij andere plannen heeft voor Nieuw Vinnengael.'
'Mogen de goden hen bijstaan,' zei Damra. 'En ons ook. Daar komt weer een patrouille aan. Probeer je betovering nog even vol te houden, lieve echtgenoot.'
Ze hadden zich geen zorgen hoeven maken. De soldaten lieten zich weinig aan hun opdracht gelegen liggen. Ze staarden over het water naar de laaiende vuren; de mannen wisten heel goed wat die betekenden.
Zodra ze weg waren, gingen de beide elfen naar de steiger, waar de orkenkapitein heen en weer beende, in het orks in zichzelf mompelend. Af en toe zei hij iets tegen een tweede ork, die op zijn gemak op een rol touw zat.
Griffith beëindigde zijn betovering en liet de magie opgelucht gaan. Damra wierp haar magische ravenmantel af.
De orkenkapitein schrok hevig bij het zien van de twee elfen die bijna onder zijn neus uit de nacht verschenen. Hij greep zijn zwaard. De eerste stuurman sprong op van de rol touw en Griffith voelde de punt van een lang kromzwaard tegen zijn keel, terwijl Damra langs het lemmet van een boosaardig uitziend dolkmes staarde.
'We zijn gestuurd door baron Shadamehr,' zei Griffith snel in de Taal der Oudsten, want hij kende erg weinig Pharn 'Lan, de orkentaal. 'Hij zei dat we mee konden varen op uw schip. Herkent u me niet, kapitein Kal-Gah? Ik ben Griffith. Ik heb de afgelopen maand bij de baron gewoond. Dit is mijn vrouw, Damra, een Domeinheer.'
De orkenkapitein liet zijn zwaard zakken, maar niet verder dan Griffiths borst. Hij hield een lantaarn omhoog zodat het licht in Griffiths gezicht scheen en bekeek hem aandachtig. Daarna richtte hij zijn doordringende blik op Damra.
Griffith was lang, slank en sierlijk in zijn bewegingen. Hij droeg het traditionele zwarte gewaad van de Wyred, waarmee dezen zich onderscheidden van alle gerespecteerde leden van de elfenmaatschappij. Zijn zwarte haar was uit zijn gezicht gekamd en in een lange vlecht op zijn rug gebonden. Damra had het magi-

sche harnas van een Domeinheer afgelegd om er niet zo angstwekkend uit te zien. Zij droeg een blauwzijden tuniek die met een karmijnrode sjerp om haar slanke middel was gebonden, en daarover de tabberd van de Domeinheren. Omdat ook zij geacht werd buiten de eigenlijke elfenmaatschappij te staan, vermeed ze de beperkende kleding van de elfenvrouwen en droeg ze liever een lange, soepele zijden broek. Ze droeg haar haar kort en naar achteren gebonden in een staartje.
De orkenkapitein nam dit alles in ogenschouw. Daar had hij een hele tijd voor nodig.
'Jullie weten mijn naam,' gromde hij. Hij fronste zijn voorhoofd, het kwam hem blijkbaar verdacht voor.
'Ja, kapitein Kal-Gah,' zei Griffith beleefd.
De orkenkapitein, die twee meter tien lang was en qua bouw wel wat weghad van Shadamehrs slottoren, was iemand die moeilijk te vergeten was. Hij was gekleed in een leren broek en stond met ontbloot bovenlijf zonder zich te storen aan de bijtend koude wind die van de rivier kwam. Zijn enorme, laaghangende kaak stak naar voren, twee vooruitstekende slagtanden blonken in het licht van de lantaarn. Zijn stem loeide door de stilte van de nacht, alsof hij probeerde een brullende storm te overstemmen. Zijn ogen waren klein, maar zijn blik was rechtdoorzee en fel. Zijn hoofd was kaalgeschoren, waardoor er een paar opmerkelijke tatoeages zichtbaar waren. Van zijn haar resteerde alleen een scalplok die in een geteerde vlecht langs zijn rug hing. Om zijn nek hing een grote schelp aan een reep gedraaid leer.
'We zijn door baron Shadamehr op zijn kasteel aan elkaar voorgesteld,' vervolgde Griffith. 'Uw sjamaan, Quai-ghai, kent mij ook. Met haar heb ik een uitermate boeiend gesprek gevoerd over bepaalde kunsten in de luchtmagie die ze graag van me zou willen leren.' Griffith keek rond. 'Als zij hier is...'
'Ze is aan boord van het schip,' zei de kapitein. 'Ze slaapt. We varen morgenochtend af bij gunstig tij. Waar is de baron?'
'Dat weten we niet,' antwoordde Damra. 'We dachten dat hij misschien hier zou zijn...'
'Dat is hij niet,' zei kapitein Kal-Gah.

Damra en haar man wisselden een blik. 'Er is iets vervelends gebeurd in het paleis...'
Kal-Gah gromde weer. 'Dat verbaast me niets. De voortekenen waren ongunstig. Erg ongunstig. Zo ongunstig dat ik het anker gelicht zou hebben en gisteravond met hoog tij zou zijn vertrokken, maar ik heb de baron mijn woord gegeven. Dan zou ik nog niet zijn gebleven, maar het is afnemende maan, en dan brengt het ongeluk als je je woord breekt. Maar misschien was ik toch wel gebleven. Ik mag de baron wel. Hij denkt als een ork.'
Hij nam de elfen nog eens goed op. 'Dus jullie willen bij mij aan boord komen.'
'Ja, kapitein, als...' zei Griffith.
'Ik zal de voortekenen moeten raadplegen,' zei kapitein Kal-Gah beslist. 'De sjamaan slaapt nu. Ze zal morgenochtend wakker worden. Blijven jullie tot die tijd daar zitten.' Hij wees een stapel opgerold touw aan.
Damra en Griffith wisselden weer een blik.
'Kapitein,' zei Griffith, 'we worden gezocht door soldaten. Zoals ik al zei, is er iets gebeurd. Wij zijn elfen in een stad vol mensen...'
'Verdwijn dan,' zei Kal-Gah met een handgebaar. 'Verander jezelf in rook, of wat het ook is dat jullie doen.'
'Dat zou ik graag doen, kapitein,' zei Griffith, 'maar ik ben erg moe, en ik weet niet zeker of ik genoeg kracht heb. Alstublieft...'
'Je verlaagt jezelf, manlief,' snauwde Damra, nu in het Tomagi, de taal van de elfen. 'We gaan niet smeken. Dat was al een vergissing om mee te beginnen. Er valt voor ons niets te doen in het mensenland. We moeten teruggaan naar Tromek. Ik zal de Verheven Steen naar de Goddelijke brengen. Dat had ik meteen al moeten doen. We zullen naar het noorden gaan, de bergen in, en naar Dainmorae reizen. Ik heb wat geld, genoeg om twee paarden te kopen.'
'Misschien heb je gelijk,' zei Griffith.
Toen ze de uitputting in zijn stem hoorde, keek ze hem bezorgd aan en bracht haar hand omhoog om aan zijn wang te voelen, die bleek en mat was. 'Kun je het nog even volhouden?'

'Het lukt wel,' zei hij met een glimlach. Hij pakte haar hand en kuste haar vingers. Hij bleef haar hand vasthouden en wendde zich tot de ork. 'Ik dank u, kapitein Kal-Gah, maar we hebben besloten om...'
'Wacht!' De kapitein had naar zijn schip staan kijken. Hij hief zijn hand om Griffith tot zwijgen te brengen. 'Kijk daar.'
'Ik zie n...'
'Daar!' De ork wees met een priemende vinger. 'Die vogels!'
Twee zeemeeuwen, aangetrokken door het lantaarnlicht, vlogen tussen het want, waarschijnlijk op zoek naar voedsel. De ene vogel streek neer op de kluiverboom. De kapitein keek van de meeuw naar Griffith.
'Ah,' zei Kal-Gah.
De andere meeuw streek naast de eerste neer. De kapitein keek van de meeuw naar Damra. 'Ah,' zei hij weer.
De meeuwen zaten daar en poetsten hun verenpak. Er kwam een ork naar ze toe met een lantaarn in zijn hand, en hij bood hun wat eetbaars aan dat minzaam werd aanvaard. De ene vogel stak zijn kop omhoog, boog hem naar achteren en liet een rauwe kreet horen.
Kapitein Kal-Gah liet het zwaard zakken. Met een behendig gebaar alsof het een tafelmes was, stak hij de enorme kling tussen zijn brede, leren gordel. 'De voortekenen zijn gunstig. Jullie mogen allebei aan boord gaan. Ik zal tegen de bemanning zeggen dat jullie eraan komen.'
Hij pakte de holle schelp die hij om zijn nek droeg, zette hem aan zijn lippen en liet een brullend getoeter horen. Een van de bemanningsleden zwaaide met zijn lantaarn heen en weer ten antwoord.
Kapitein Kal-Gah maakte met zijn duim een gebaar naar een sloep die aan de steiger was afgemeerd. De zes roeiers sliepen, voorover liggend over hun riemen. Een paar mannen bewogen en bromden wat bij het getoeter van de schelp, maar ze bleven slapen. De kapitein moest schreeuwen en de eerste stuurman moest vloeken en schoppen om hen wakker te krijgen. Uitvoerig geeuwend gingen ze rechtop zitten en keken met lodderige ogen om zich heen.

'Mijn jongens kunnen overal doorheen slapen,' meldde de kapitein trots. 'Help deze landrotten aan boord,' zei hij in het Pharn 'Lan tegen zijn mannen.
De orken gehoorzaamden razendsnel. Twee sterke orken grepen Griffith en voor hij wist wat er gebeurde, tilden ze hem op en gooiden hem in de boot. Twee andere orken vingen hem op toen hij neerkwam en verplaatsten hem naar de achterkant van de boot, waar ze hem zonder plichtplegingen op een houten bankje neerpootten en hem toe gromden dat hij daar moest blijven.
Damra richtte zich stijf in haar volle lengte op. 'Dank u, kapitein,' zei ze, 'maar ik kan het zelf wel af.'
De kapitein grijnsde, haalde zijn schouders op en beduidde zijn mannen op een afstand te blijven. Damra liep over de steiger en keek naar de boot die onder haar in het water dreef, en plotseling was ze minder zeker van haar zaak. De boot ging op de golven op en neer, en tegelijkertijd schommelde hij heen en weer en stootte daarbij tegen de zijkant van de steiger. Ze zou erin moeten springen, maar ze moest het moment van haar sprong precies goed berekenen, anders viel ze in het water. Damra was niet bang dat ze zou verdrinken. Ze kon goed zwemmen. Maar ze zou een malle indruk maken, en elfen zijn erg gevoelig voor wat betreft hun waardigheid.
Ze stond aarzelend op de pier te kijken naar de op en neer dansende boot, ze zag ook de grijnzende koppen van de orkmatrozen die vol verwachting naar haar opkeken. Toen hoorde ze de stem van haar man, die de woorden van een toverformule uitsprak. De wind streelde haar, suste haar en nam haar op in zijn sterke armen. Damra zweefde op de magie van haar echtgenoot en daalde zo licht als een veertje dat van een zeevogel afvalt neer tot ze zacht landde tussen de verbaasde orken, die over elkaar struikelden in hun haast om bij haar weg te komen.
De eerste stuurman brulde van ontzetting, maar kapitein Kal-Gah lachte slechts.
'Die elf heeft de vleugels van een meeuw, en een bijpassende snavel en krijsstem,' zei hij grinnikend.
Omdat hij doelde op Damra's tamelijk geprononceerde neus was het maar goed dat ze de taal niet verstond. Alle bemanningsle-

den lachten braaf – de kapitein had immers een grap gemaakt – maar hun gegrinnik klonk niet echt van harte.
De kapitein maakte eigenhandig het touw los waarmee de boot aan de steiger was vastgelegd, en ging toen weer staan wachten of hij baron Shadamehr ook zag.
De orken bogen zich over de riemen voor Damra de gelegenheid had zich door de massa lichamen heen te wurmen. De boot schoot zo snel van de steiger af dat ze haar evenwicht verloor. Ze vloog naar voren en viel struikelend in de armen van haar man. Hij zette haar veilig naast zich neer op het bankje.
'Dank je, lieve,' zei ze terwijl ze zich dankbaar in zijn armen nestelde en er berouwvol aan toevoegde: 'Het spijt me dat ik daarnet boos tegen je deed.'
'We zijn allebei moe,' zei hij terwijl hij haar tegen zich aan drukte. 'We zijn moe en we hebben honger. En ik kon de gedachte niet verdragen dat ik jou als een verdronken kat uit de rivier gehaald zou zien worden.'
'Over honger gesproken, ik denk liever niet aan wat we aan boord te eten zullen vinden,' zei Damra huiverend. 'Hoogstwaarschijnlijk walvisspek.'
'Orken eten geen walvissen, lieve. Ze beschouwen de walvis als een heilig dier. Volgens mij is brood een hoofdbestanddeel van de voeding van orken.'
Maar tegen de tijd dat ze het schip bereikten, dacht geen van beiden meer aan eten. Als volk dat in het binnenland woont, hebben de elfen nooit behoefte gehad aan boten of schepen. Ze kunnen redelijk zwemmen, maar varen kunnen ze niet. Zelfs de lichte beweging van de golven op de rivier bezorgde Damra een akelig gevoel in haar maag, en Griffith was er nog erger aan toe dan zijn vrouw omdat hij moe was. Hij kokhalsde heftig voor de boot bij het schip was.
De orken sloegen geamuseerd hun ogen ten hemel over die landrotten die al zeeziek werden van golven waarmee een kind nog niet in slaap gewiegd kon worden. Maar ze zeiden niets, uit angst dat die vreemde elf de een of andere toverwind zou oproepen die hen zou opnemen en wegdragen.
Tegen de tijd dat ze bij het schip aankwamen, was Damra even

misselijk als Griffith. Ze was zich er maar vaag van bewust dat ze aan boord werd gehesen en wankelend naar een kleine hut werd gebracht waar het naar pek en vis rook. Haar maag keerde zich om en ze viel neer op een hard bed naast haar kreunende echtgenoot. Een lid van de orkenbemanning was zo attent om twee emmers bij hen neer te zetten. Daarna trok hij de deur van de hut dicht en ging weg.

Damra was haar hele leven nog niet zo misselijk geweest. Ze wist niet dat het mogelijk was zo misselijk te zijn. Ze lag op de houten brits, die op en neer en heen en weer hotste en schommelde, en vroeg zich af wanneer de dood haar zou komen halen.

'Ik hoop maar gauw,' mompelde ze terwijl ze de emmer naar zich toe trok.

De deur vloog met een klap open.

'Elfen, begrijp ik?' brulde een stem vanuit het donker.

Damra's gezicht vertrok pijnlijk, haar zenuwen konden niets verdragen.

Een lantaarn scheen recht in haar ogen, zodat ze niets meer zag. Een orkengezicht keek op haar neer. Bij het geluid van die stem, lichtte Griffith zijn hoofd op.

'Quai-ghai!' hijgde hij. Toen zakte hij kreunend terug op het bed. Orkvrouwen dragen dezelfde kleding als de mannen. Ze hebben dezelfde massieve bouw, met forse borsten en een hoofd dat alleen op een iets andere manier is geschoren.

Te oordelen naar de strenge uitdrukking op haar gezicht zou deze ork gekomen kunnen zijn om hen te doden. Damra liet zich terugzakken op het bed. Ze was zo moe en beroerd dat het haar niets meer kon schelen.

De ork keek strak naar Griffith. Ze tuitte haar lippen en hield haar hoofd schuin. 'Ik geloof dat ik jou ken. Alleen had je de laatste keer dat ik je zag niet zo'n groene kleur.'

'Ik ben... zeeziek!' wist Griffith uit te brengen.

Quai-ghai liet een blafgeluid horen dat kennelijk als lach bedoeld was. 'Een goede grap!' zei ze grinnikend.

Griffith kreunde en het lachen van de ork verstomde. Ze nam hem argwanend op.

'Wat mankeer je, elf? Als je de pest aan boord hebt gebracht...'
Griffith boog zich over de rand van het bed en maakte gebruik van de emmer. Hij rolde terug, slap en rillend, en zei: 'Ik zweer het je, Quai-ghai, mijn vrouw en ik zijn zeeziek. Voor het eerst... op een boot...'
Quai-ghai boog zich over Damra en snoof. Daarna deed ze hetzelfde bij Griffith.
'Zoiets heb ik nog nooit gehoord,' zei de ork. 'Zeeziek bij windstilte in de haven. Maar ja, jullie zijn natuurlijk elfen. Wacht hier.'
Ze draaide zich om en ging de kamer uit, weer met een klap van de deur. Damra's gezicht vertrok pijnlijk en ze knarsetandde.
De ork had de lantaarn aan een haak in het plafond opgehangen. De lantaarn zwaaide heen en weer met de beweging van het schip. Damra voelde haar maag in opstand komen en sloot haar ogen.
De ork kwam terug, weer met een klap van de deur. In haar ene hand had ze een aardewerken kom en in de andere een mok. Ze hield de kom voor Damra's gezicht.
'Eet op.'
Damra schudde haar hoofd en draaide zich gekweld om.
Griffith kwam een eindje overeind en steunde op zijn elleboog. Hij nam de kom van de ork aan en keek er voorzichtig in. Er zat een dikke, bruine massa in.
'Wat is dat?' vroeg hij.
'Een middel, gemaakt van de zaden van de doornappel,' zei Quai-ghai.
'Maar dan is het giftig!' riep Griffith ontzet.
Quai-ghai schudde haar hoofd. Gouden oorringen blonken in het licht, evenals een gouden hoektand. 'Niet als die zaden gezuiverd worden en met de juiste ingrediënten worden vermengd. Dit geneesmiddel is heel oud, een geschenk van de zeegoden. Soms – niet vaak, maar soms – wordt er een ork geboren wiens eigen vochten niet afgestemd zijn op de beweging van de zee. Net als bij jullie komen hun vochten omhoog wanneer de golven naar beneden gaan, en gaan ze naar beneden wanneer de golven omhoogkomen. Wanneer dat gebeurt, wordt zo'n ork misselijk, en dan geven we hem dit.'

Ze maakte een gebaar naar de kleffe massa. 'Dit brengt de vochten tot rust. Eerst zul je slapen. Wanneer je wakker wordt, zul je je beter voelen.'
Griffith bleef vertwijfeld naar de massa kijken. 'Ik weet niet of...'
'O, alle goden nog aan toe!' hijgde Damra in het Tomagi, en ze griste hem de kom uit handen. 'Vergiftigd worden kan nooit erger zijn dat dit!'
Ze stak een vinger in de brij en bracht hem naar haar lippen. De geur was niet onplezierig en leek een verzachtende uitwerking te hebben. Ze nam een klein hapje van de pasta. Haar maag trok samen, maar het lukte haar het spul kokhalzend in te slikken.
Griffith at nu ook van de pasta. 'Als we doodgaan, dan zijn we tenminste samen,' zei hij tegen haar. Quai-ghai gaf hun de mok met koel, helder water. Ze stond erop dat ze hem helemaal leegdronken, want, zo zei ze, de misselijkheid onttrok vochten aan hun lichaam. Ze bleef naar hen staan kijken. De gouden tand stak omhoog over haar bovenlip.
'Ze wacht tot we dood zijn, of tot we beter zijn,' zei Damra. 'Een van tweeën.'
Griffith gaf geen antwoord. Hij was in slaap gevallen. Damra voelde de slaap aan komen sluipen; slaap zo zacht en zwaar dat het was alsof ze wegzonk in een dik, donzen matras.
'Damra van Gwyenoc,' zei een zachte stem.
'Wat is er?' antwoordde ze slaperig. 'Wie is dat?'
'Ik moet je spreken. Kun je me horen, begrijp je wat ik zeg?'
'Ik heb slaap,' mompelde ze. 'Laat me slapen.'
'Dit is belangrijk. De tijd stroomt snel voorbij. Ik moet je nu spreken of helemaal niet.'
De stem klonk bekend. Damra voelde opwinding bij de klank ervan en door die opwinding werd ze wakker. Ze deed haar ogen open.
Het was donker in de hut, want de elfen bevonden zich ver benedendeks, en er waren geen ramen. Ze kon de spreker niet zien, maar ze kende zijn stem.
'Silwyth?' Damra was niet zozeer verbaasd als wel verward. De misselijkheid maakte haar geest dof, of misschien kwam het door

het medicijn. Alles leek mogelijk, zelfs de verschijning van de oude elf op een orkenschip midden op de Arven.
Een hand, sterk en soepel, sloot zich om haar pols.
'Ja, ik ben Silwyth,' zei hij.
Hij lichtte haar hand op en bracht haar vingers naar zijn gezicht. Ze kon de leerachtige huid voelen, de plooien en groeven van de talloze rimpels die getuigden van zijn leeftijd en van het harde leven dat hij had geleid. Het viel haar op dat zijn gezicht nat was, evenals zijn hand.
Ze herinnerde zich de laatste keer dat ze Silwyth had gezien, in het huis van het Schild van de Goddelijke. Toen had hij haar leven gered, verhinderd dat ze van het vergiftigde voedsel at dat de Vrykyl, vrouwe Valura, haar had gegeven. Hij had het elfendeel van de Verheven Steen gered door te verhinderen dat de Vrykyls het in bezit namen en had de Verheven Steen onder haar hoede geplaatst. En Griffith had haar verteld dat hij ook het leven van haar man had gered.
Dit alles deed hij, naar hij beweerde, om iets goed te maken voor de zonden die hij had begaan in de tijd dat hij in dienst was van prins Dagnarus.
Met het gevoel dat dit in een droom plaatsvond, zonder zeker te weten dat dit niet zo was, zei Damra verward: 'Wat doet u hier? Hoe hebt u mij gevonden?'
'Zoals ik je heb verteld in het huis van het Schild, is mijn leven gewijd aan het volgen van vrouwe Valura. Ze heeft aan de overkant van de rivier een ontmoeting met haar meester, heer Dagnarus. Ze bespreken hun plannen voor Tromek.'
'Hun plannen? Wat hebben ze voor plannen?'
'Vrouwe Valura heeft het Schild verleid, hem in de Leegte getrokken. Hij is nu een Leegtevereerder, een feit dat hij voor de levenden verborgen houdt. Maar voor de doden kan hij een dergelijk weerzinwekkend geheim niet weghouden. Zijn eigen voorouders hebben hem verstoten en willen hem niet meer te hulp komen. En ook voor de Wyred kan hij zoiets niet geheimhouden. Zij werken tegen hem. Maar hij heeft hen niet nodig,' zei Silwyth. 'Het Schild heeft de Leegte. Leden van Leegtesekten in Dunkarga, Karnu en Vinnengael voeren hun schadelijke magie

voor hem uit. Natuurlijk niet openlijk. Tot nu toe niet. Maar dat zal misschien gauw veranderen.'
Damra huiverde, met een misselijk gevoel, maar niet verbaasd. 'Hij is altijd een slecht mens geweest, plannen beramend en berekenend,' zei ze. 'De Leegte was al in hem.'
'De Leegte is in ons allemaal,' zei Silwyth. 'Zo waarschuwden de goden koning Tamaros toen ze hem de Verheven Steen gaven. Splijt de Steen niet open, zeiden de goden, 'want in het midden zul je een bittere kern vinden'. Maar in zijn ongeduld en zijn gretigheid om dit geschenk van de goden in de wereld te brengen, weigerde hij acht te slaan op hun waarschuwing. Vroeger vond ik hem aanmatigend, en daaraan weet ik de ramp die hij over dit rijk en over zijn eigen familie heeft gebracht. Nu ik ouder ben, geloof ik dat hij oprecht dacht dat hij deed wat het beste was. Als hoogmoed een rol speelde, was het de hoogmoed te denken dat hij wist wat het beste was.'
Damra besteedde weinig aandacht aan Silwyths woorden. Ouderen hebben nu eenmaal de gewoonte onsamenhangende verhalen op te hangen. Ze onderbrak hem.
'Wat kan die oude geschiedenis nou schelen. Hoe zit het met de Tromek? En met mijn volk?' wilde ze weten. 'Wat gebeurt er met hen?'
'Het Schild en de Goddelijke voeren oorlog met elkaar. Hun troepen hebben elkaar in twee afzonderlijke veldslagen getroffen. De overwinning ligt nog niet vast, voor een van beide partijen, maar bij elk treffen verliest de Goddelijke wat terrein. Het is slechts een kwestie van tijd.'
'Wat is dat nou weer voor gruwelijks?' Damra was ontsteld. 'Zegt u dat de Goddelijke deze oorlog zal verliezen?'
'De Leegte is een opkomende kracht in de wereld,' zei Silwyth. 'De macht van de Leegte neemt toe, naarmate de macht van de elementen afneemt. De kern is bitter, waarschuwden de goden Tamaros. Zolang de Verheven Steen nog intact was, was de Leegte bedwongen. Toen de Steen gespleten werd, kwam de Leegte vrij. Het mes van de Vrykyls kwam te voorschijn nadat het lang verborgen was geweest, en nu overheerst de Leegte. Wanneer het Schild wint – en hij zal winnen, want de Godde-

lijke is niet sterk genoeg om hem tegen te houden – zal hij Tromek overdragen aan Dagnarus, en het Schild zal hem in het openbaar vereren als Heer van de Leegte.'
'Dat is monsterachtig!' riep Damra.
'Wat?' mompelde Griffith slaperig. 'Wat is er aan de hand?'
'Slaap, lieve,' zei ze sussend. Het speet haar dat ze hem had wakker gemaakt. 'Er is niets. Ga maar weer slapen.'
Hij zuchtte diep en draaide zich op zijn andere zij.
Ze wachtte tot ze hoorde dat zijn ademhaling regelmatig was geworden en zei toen zacht: 'Ik moet terug naar Tromek. Ik moet de Goddelijke de kracht van de Verheven Steen brengen...'
'Nee!' riep Silwyth. Zijn hand sloot zich met kneuzende kracht om haar pols. 'Tromek is wel de allerlaatste plaats waar jij heen moet gaan, Damra van Gwyenoc! Valura verwacht juist dat je dat zult doen, en ze is van plan je op te wachten. Je hebt haar vijandschap verdiend, Damra. Valura geeft jou er de schuld van dat ze zowel het elfen- als het mensendeel van de Verheven Steen niet aan haar heer heeft kunnen brengen. Ze heeft gezworen dat ze je zal doden en je ziel zal meeslepen naar de Leegte. Dagnarus en zij weten dat je hier bent, in Nieuw Vinnengael. Ze weten dat je in het paleis bent geweest. De jonge koning is een Vrykyl, Shakur geheten, een van de oudste en machtigste Vrykyls. Jij hebt tegen hem gevochten bij het westelijke Portaal. Hij heeft je herkend. De Vrykyls zoeken ook nu al naar je. Valura zoekt...'
'Hoe weet u dit allemaal?' wilde Damra weten; haar argwaan jegens Silwyth kwam terug. 'Hoe weet u wat die Valura denkt en wat zij en haar boosaardige heer beramen? Hoe hebt u mij gevonden? Hoe komt u op dit schip? Misschien is het antwoord op deze vragen dat u zelf een Vrykyl bent.'
'Als ik een Vrykyl was, Damra van Gwyenoc, zou je nu al dood zijn. Ik heb je mijn redenen genoemd in het huis van het Schild. Wat Valura betreft, ik volg haar, zoals ik al zei. Ik heb haar en Dagnarus beluisterd toen ze samen plannen smeedden. Ze zorgen ervoor hun stem gedempt te houden, maar ik hoor zelfs het fluisteren van hun ziel. Hoe zou ik het niet kunnen horen? Ooit waren onze zielen met elkaar verweven, verstrengeld in een knoop die ze nu niet kunnen ontwarren. De Leegte is in aan-

tocht. Maar hij heeft nog niet gewonnen. De goden en de andere krachten blijven ertegen strijden.'
'Maar hoe kan ik vechten als ik niet terug mag naar mijn eigen land?' vroeg Damra geprikkeld. 'Wat heeft het elfendeel van de Verheven Steen voor nut als het verborgen blijft? Waar moet ik dan heen, en wat moet ik dan doen, volgens u?'
'Ik heb hier lang over nagedacht, Damra. Honderden jaren lang zelfs. De enige manier om de macht van de Leegte te verkleinen, is de Verheven Steen terug te brengen naar degenen die hem gemaakt hebben.'
Damra knipperde met haar ogen. Misselijk en moe als ze was, vond ze het moeilijk om zijn redenering te volgen. 'De goden hebben de Verheven Steen gemaakt. Wilt u dat ik de Verheven Steen terugbreng naar de goden? Juist nu de mensen hun deel van de Steen hebben gevonden? Zij zouden sterk worden, en wij elfen zouden nietig worden. Was dat wat u wilde?'
'Ik zeg niet dat alleen het elfendeel moet worden teruggebracht. De vier delen van de Steen moeten alle samenkomen op de plek waar de Steen aan Tamaros werd gegeven – in het Portaal van de Goden.'
Silwyth is een oude man, zei Damra bij zichzelf, en oude mannen hebben vreemde fantasieën, die teruggaan op de tijd van hun jeugd. Het is natuurlijk onbeleefd om tegen hem in te gaan, en ik wil geen discussie beginnen. Daar ben ik te moe voor.
Het medicijn dat de ork haar had gegeven werkte wel. Ze was niet meer misselijk. Ze kon het zachte wiegen van het schip verdragen zonder haar maag mee te voelen wiegen. Ze voelde zich wel zwak en wankel, en voorlopig was ze niet van plan ergens heen te gaan, en Griffith evenmin. Ze zouden pas morgen of overmorgen in staat zijn om te reizen. Tegen die tijd zou Shadamehr ook aan boord zijn en dan kon ze alles aan hem uitleggen en misschien zelfs zijn hulp kunnen verkrijgen om terug te keren naar haar land. Want daar wilde ze toch naar toe gaan, terug naar Tromek. En ze zou de Verheven Steen meenemen.
'De beslissing is aan jou, Damra,' zei Silwyth, die haar gedachten las. 'Maar ik vraag je het volgende te bedenken. De macht

van de Leegte groeide omdat de Verheven Steen in stukken gespleten werd.'
'Waarmee u bedoelt dat als de vier delen weer bij elkaar worden gebracht, de Leegte opnieuw in bedwang kan worden gehouden?' Damra schudde haar hoofd. 'Je kunt jonge spinnetjes niet terugstoppen in de eierzak.'
'Toch zou je dat misschien moeten proberen,' zei Silwyth en hij liet haar pols los, 'voor de spinnetjes groot genoeg worden om de wereld te verslinden.'
Weer zo'n oude-mannenfantasie.
'Ik zal erover nadenken,' zei ze.
Er kwam geen antwoord.
'Silwyth?'
Damra staarde in het donker en luisterde of ze iets hoorde – ademen, voetstappen of krakend hout.
Niets. Vleesgeworden nacht had niet stiller kunnen zijn.
Vleesgeworden nacht.
Met die gedachte viel Damra in slaap.

Het rioolstelsel van Nieuw Vinnengael was niet erg uitgebreid. Een netwerk van tunnels kwam van onder de Tempel en het paleis – de twee grote gebouwencomplexen in de stad, en loosde op de Arven. De riolen waren gebouwd door aardemagiërs die kundig waren op technisch gebied en hun magie gebruikten om door de steen te graven. Er was wel over gesproken dat men het rioolstelsel wilde uitbreiden zodat de hele stad erdoor bediend werd. De kosten van een dusdanig groot bouwproject werden te hoog geacht en na veel heen- en weergepraat werd van het project afgezien. De rest van Nieuw Vinnengael volgde de eeuwenoude praktijk hun vuil in goten te storten die door het midden van de straten liepen en die in het natte seizoen op natuurlijke wijze werden schoongespoeld door regenwater, of als er geen regen viel met uit de rivier opgepompt water.

Er was al bijna een week geen regen gevallen, hetgeen betekende dat het tijd was dat de pompen aan het werk werden gezet. Maar de plotselinge verschijning van een vijandelijk legerkamp op de westoever van de rivier verdreef elke gedachte aan het reinigen van de straten uit de hoofden van de stadsbestuurders. Er werd wel rivierwater opgepompt, maar dit vloeide in vaten en emmers die gebruikt zouden worden om de vuren van de oorlog te blussen.

'Daar hebben we geluk mee,' zei Shadamehr tegen de slapende Alise. 'Anders zouden we tot onze heupen in de drek zitten. Nu krijg ik er alleen natte tenen van.'

Shadamehr kende het riool goed. Als kind waren hij en de overleden koning Hirav vele malen het paleis uit geslopen om in de riolen op ratten te jagen. Ze namen hun katapult mee en deden alsof ze op wilde zwijnen joegen, of op trollen of andere monsters. De jacht eindigde altijd met een zwempartij in de rivier – waar ze met kleren en al in sprongen – om zich te ontdoen van belastend bewijs, tenminste dat dachten ze graag. Daarna gingen ze in de zon liggen om op te drogen voor ze naar het paleis teruggingen, vrolijk en moe en verschrikkelijk stinkend.

'We hebben waarschijnlijk niemand gefopt, behalve die lieve oude kindermeid Hanna,' bekende Shadamehr aan Alise, want de herinneringen aan die zorgeloze tijd drongen zich aan hem op terwijl hij weer door die slingerende, bochtige tunnels liep. Hij voedde zich met die herinneringen, gebruikte ze om niet te denken aan het feit dat hij met elke stap zwakker werd. En ze waren nog ver van hun bestemming.

'Hanna, de kindermeid,' zei hij terwijl hij even stilstond om uit te rusten. 'Een lieve vrouw, maar niet erg slim.'

Hij keek naar Alise in de hoop antwoord te krijgen, maar ze bleef slapen. Niets kon haar wakker maken, de stank niet, zijn stem niet, het felle licht van de lantaarn niet, en ze werd zelfs niet wakker toen hij per ongeluk met haar hoofd ergens tegenaan was gestoten toen hij probeerde een ladder af te klimmen terwijl hij haar over zijn schouder droeg. Hij vroeg zich opeens met schrik af of ze ooit wel wakker zou worden. Hij had meegemaakt dat mensen zo diep in slaap vielen dat ze niet gewekt konden worden om te eten, zodat ze langzaam doodhongerden. Dus ondanks het feit dat de Grootmoeder had gezegd dat Alise een dag of langer zou kunnen slapen, praatte Shadamehr toch tegen haar, in de hoop een of ander teken te zien dat ze hem hoorde.

'Hirav zei altijd tegen haar dat hij op het privaat was uitgegleden en gevallen,' herinnerde Shadamehr zich. 'En dat geloofde ze altijd.'

Shadamehr legde Alise wat gemakkelijker over zijn schouder, dat probeerde hij tenminste. De spieren in zijn nek en schouder, in zijn armen, rug en benen brandden pijnlijk. Zweet droop langs zijn gezicht en nek. Hij had liever langer gerust, maar hij was

bang dat als hij te lang niet bewoog, hij niet meer de kracht zou hebben om verder te gaan.
'Ik denk nu vaak,' zei hij, terwijl hij de verduisterde lantaarn op een plek richtte waar twee tunnels van het hoofdriool afsplitsten, 'aan het gevaar waar we ons in begaven. Eén keer werden we bijna meegesleurd door een plotselinge golf spoelwater. Het is me een raadsel waarom we niet allebei zijn verdronken. Gelukkig bevonden we ons dicht bij een onderhoudsladder en konden we wegkomen. We vonden het een machtige grap. We hadden niet genoeg hersens om bang te zijn.
Welke kant zouden we nu op moeten?' vroeg hij zich af, terwijl hij nadenkend naar de twee tunnels staarde. 'Ik geloof dat ik me herinner dat de ene teruggaat naar de Tempel. De andere is de tunnel waardoor we net gekomen zijn. Die leidt naar het paleis, en de derde gaat naar beneden naar de rivier. Die daar' – hij scheen erin met de lantaarn – 'lijkt omhoog te gaan, dus die moet naar de Tempel leiden. Wij nemen de rechtertunnel. Ik schijn me te herinneren dat rechts goed is.'
Hij deed een stap en voelde dat zijn benen begonnen te trillen. Zwaar ademend zakte hij opzij tegen een wand.
'Ik moet alleen even mijn spieren rekken,' hield hij zichzelf voor. 'De knopen wegwerken. Dan zal het wel weer gaan.'
Hij zette de verduisterde lantaarn op de bodem van de tunnel en schermde het licht af. Later zou hij zich blijven afvragen waarom hij dat deed – het licht uitdoen. Instinct? De lessen uit zijn jeugd? Houd je aan het donker waar het donker is, dat had zijn vader altijd gezegd. Of was het omdat hij het te vies vond? Shadamehrs maag was nog een beetje van streek, en hij wilde niet zien waar hij precies doorheen liep. Of was het de bescherming van de turkoois van de Grootmoeder? Hij zou het nooit weten. Het enige dat hij wist, was dat hij op dat moment het licht doofde.
Hij liet Alise zacht op de vloer zakken, zodanig dat ze tegen de bochtige, glibberige wand steunde, en stopte de deken om haar in.
'Het spijt me dat het zo smerig is hier. Ik zal een nieuwe jurk voor je kopen.'

Terwijl hij zoveel mogelijk rechtop ging staan – hij herinnerde zich niet dat die tunnel zo laag was – masseerde hij zijn pijnlijke been- en schouderspieren.
'We zijn er bijna,' moedigde hij zichzelf aan. 'We zijn er bijna.'
'Skedn?' siste een stem, en dat was niet Alise.
Shadamehr verstijfde in het donker. De stem was uit de richting van de rechtertunnel gekomen. Die schelle keelklank had hij niet eerder gehoord. Hij wachtte, ademloos, bewegingloos. Hoewel hij de woorden niet kon verstaan, kon hij de betekenis wel raden: hoorde je dat?
De eigenaar van de stem wachtte ook, bewoog niet. Toen zei een andere stem iets, in antwoord op de eerste.
'No skedn.'
Deze taal klonk als puntige stenen die langs een berghelling rolden. De wezens leken niet dom, ze spraken niet mompelend zoals trollen. De eerste stem had een soort gezag en de tweede klonk meer onderdanig, dit wees op structuur, discipline, organisatie.
Tanen! raadde Shadamehr, inwendig kreunend.
Hij herinnerde zich wat zijn verkenners hem over de tanen hadden verteld – het waren woeste monsters, die rechtop liepen als mensen en even goed met wapens overweg konden als mensen, beter zelfs. De tanen waren onbevreesd in de strijd en vochten intelligent en bekwaam.
Zijn eerste wilde idee was dat hij misschien op het hele tanenleger was gestuit, dat van plan was de stad in te nemen door vanuit de riolen een aanval in te zetten. Maar toen hij er even over nadacht, zag hij in dat het onmogelijk was dat duizenden krijgers door de riolen marcheerden. Dit waren verkenners die erop uit waren gestuurd om zwakke punten in de verdediging van de stad te zoeken.
En, bij de goden, ze hebben er een gevonden, zei Shadamehr bij zichzelf. En wij zitten als ratten in de val.
Hij durfde niet terug te gaan. De tanen hadden iets gehoord, misschien dat hij in zichzelf praatte, en ze waren nu op alles gespitst. Zijn enige wapen was een mes dat hij in zijn laars had verstopt. De paleiswachters hadden hem zijn zwaard en zijn an-

dere wapens afgenomen, maar het mes was hun ontgaan. Hij had in de herberg om Ulafs zwaard kunnen vragen, maar toen had hij te veel andere dingen aan zijn hoofd om eraan te denken. Dankzij zijn vader, of de liefde van de goden, of zijn eigen gezonde verstand had hij het licht gedoofd dat hun aanwezigheid verraden zou hebben.

Hij hurkte neer, met langzame en geluidloze bewegingen, en drukte zich tegen de wand, maakte zich zo klein mogelijk en probeerde kalm te ademen. Hij vervloekte het luide bonzen van zijn hart, dat door de tunnel leek te weergalmen. Na wat geluidloos wroeten in de modder ontdekte hij een steen van redelijk formaat. Hij trok zijn mes uit zijn laars. Zijn andere hand sloot zich om de steen.

De tanen bleven waar ze waren, ze luisterden nog steeds. Shadamehr was stil. Zij waren stil. Ze waren allemaal zo stil dat hij het tikken van rioolrattennagels op de stenen vloer kon horen. Een van de tanen maakte een plotseling geluid, dat het midden hield tussen grommen en krassen, en waardoor Shadamehrs hart bijna tot zwijgen werd gebracht omdat het stil bleef staan. Hij bereidde zich al voor op een uitval, maar toen hoorde hij een schril, angstig gepiep, een krabbelend geluid, het bonzen van voeten, en het gepiep hield op.

'Rtt,' zei de eerste stem, en lachte.

Grinnikend hervatten de tanen hun mars.

Shadamehr kon weer ademen, en onder zijn hemd voelde hij koud zweet langs zijn vel druipen.

Toortslicht vlamde op. De tanen waren bij het knooppunt van de drie tunnels gekomen en hielden stil om te overleggen. Voor het eerst kon Shadamehr de wezens goed bekijken.

Hij was onder de indruk en ontzet. Als hij nog de hoop had gekoesterd dat Nieuw Vinnengael zich zou kunnen handhaven tegenover duizenden van deze krijgers, dan werd deze nu weggespoeld als rioolvuil.

Er waren vijf tanen. Hun gezichten waren woest, dierlijk, met een vooruitstekende snuit en een grote mond vol messcherpe tanden. Hun haar was lang en verward. Kleine oogjes loerden onder een overhangend voorhoofd uit. In die oogjes blonk dezelfde intelligentie die hij in de stemmen had gehoord. Hun lichamen leken op menselijke lichamen, maar waren veel gespierder en krachtiger van bouw. Ze hadden zich behangen met allerlei soorten wapens – wapens van menselijke makelij, elfenwapens, misschien ook wapens die ze zelf hadden bedacht. Hun pantser was net zo'n wonderlijk samenraapsel, dat ze waarschijnlijk van de lijken van hun slachtoffers hadden geroofd.

Van tijd tot tijd hieven ze hun hoofd en snoven de lucht op, waaruit Shadamehr opmaakte dat de tanen voor veel van hun informatie over de wereld om hen heen gebruik maakten van hun reukzin, en hij dankte de goden voor de stank in het riool.

De tanen schenen niet te weten welke weg ze moesten nemen. Ze waren een tijd bezig de kwestie te bespreken. Aangezien de tanen zowel hun handen als hun stem gebruikten om te praten, kon Shadamehr de discussie volgen.

Eén taan wilde blijkbaar de groep opsplitsen, want hij wees in Shadamehrs tunnel en vervolgens op zichzelf. Daarna gaf hij een andere tunnel aan en wees op de aanvoerder. De aanvoerder dacht hierover na, maar twijfelde. Hij schudde zijn hoofd en wees nadrukkelijk met zijn vinger naar de tunnel die naar de Tempel ging.

Shadamehr koos uiteraard partij voor de aanvoerder en drong er geestelijk bij hem op aan voet bij stuk te houden. De discussie werd voortgezet. Het was misschien uit verveling, of van angst, dat de taan die de toorts vasthield het in zijn lelijke hoofd haalde om met het licht rond te schijnen. Het licht viel op Shadamehr, zodat zijn witte hemd en Alises witte deken oplichtten als de ogen van een meisje bij haar eerste bal.

De tanen haalden sissend adem en begonnen te krassen als uilen. De aanvoerder draaide zich om. De taan wees naar Shadamehr.

'Nu zijn we de pineut,' zei hij bij zichzelf.

Hij kwam overeind en ging beschermend boven Alise staan met het mes in zijn ene hand en de steen in de andere.

'Het laatste gevecht van Shadamehr,' merkte hij op. "Hij stierf in een riool en werd door ratten verslonden." Geen mooi lied.

Het ritme gaat nog wel, maar hoe moet het verder? Er rijmt niets op riool.'
'Derrhuth,' zei de taanleider smalend.
De beestmens trok zijn zwaard – een uitheems ogende kling met een gekartelde rand – en kwam naar voren. De andere tanen bleven waar ze waren, grijnzend in afwachting van het schouwspel.
'Wat je zegt ben je zelf!' zei Shadamehr luid.
De taankrijger kwam naderbij, met ontbloot gebit, grauwend. Hij snoof de lucht op en toen bleef de taan plotseling staan. Hij staarde Shadamehr aan, met zijn kleine oogjes opengesperd. De taan slikte. Hij liet zijn zwaard in de viezigheid vallen.
De taan die het oneens was geweest met de aanvoerder blafte vragend.
De taanleider draaide zich half om. 'Kyl-sarnz!' siste hij over zijn schouder.
De vier tanen staarden naar Shadamehr. De toortsdrager deed een stap achteruit. 'Kyl-sarnz!' herhaalde hij ontsteld.
'Kyle Zarnzzt,' zei Shadamehr, die geen idee had waar het over ging, maar vastbesloten was zijn voordeel te doen met de situatie. 'Dat ben ik. Kyle Zarnzzt. Onthoud die naam.' Hij wees met zijn mes naar de tunnel die naar de Tempel leidde. 'Die kant op. Zo luidt het bevel van Kyle Zarnzzt.'
Het licht viel op het lemmet, dat fel opflitste. De taan kromp ineen en boog diep.
'Nisst, Kyl-sarnz,' zei hij eerbiedig. 'Nisst, Kyl-sarnz.'
De taan ging terug naar zijn groep en gaf met zijn hoofd en zijn duim de tunnel aan die Shadamehr had aangewezen. De tanen bogen nu alle vijf diep, en herhaalden telkens de woorden 'Kyl-sarnz'. Toen draaiden ze zich om en draafden met trappelende voeten het riool in.
'Ik mag een boon wezen,' zei Shadamehr.
Hij had geen idee wat er aan de hand was en was niet van plan hier te blijven om erachter te komen. Hij nam Alise in zijn armen op en haastte zich naar beneden door de tunnel in de richting van de rivier. Alle pijn was weg. Hij had zich nog nooit zo sterk gevoeld.

'Doodsangst is een prima versterkend middel,' zei hij tegen Alise. 'Ze zouden het in flessen moeten doen.'

De fantastische herstellende vermogens van de angst brachten Shadamehr zonder moeite bij het einde van het riool. Een reusachtig ijzeren hek sloot de uitgang af waar het riool op de rivier uitkwam. Dat hek was daar aangebracht om te voorkomen dat een vijand zou doen wat de tanen nu juist hadden gedaan – het riool gebruiken om de stad binnen te komen.

Het zware, ijzeren rooster, dat alleen door drie sterke mannen kon worden opgetild, was met brute kracht losgerukt en opzij gegooid. Shadamehr dacht terug aan de tanen, aan hun gespierde armen. Hij dacht terug aan zichzelf, hoe hij tegenover hen had gestaan met een mes en een steen.

'Shadamehr,' zei hij, 'je bent een geluksvogel.'

De rivier stroomde donker en traag voorbij, ongeveer een meter onder de uitgang van het riool. Vanuit de tunnel ging een ladder voor het onderhoud omhoog. Afval dat te groot was om door het rooster te kunnen, lag onderaan opgehoopt. Shadamehr keek maar niet al te goed naar die hoop. Hij liet de verduisterde lantaarn over de bodem schijnen en zag natte voetafdrukken die van een primitieve boot af kwamen. De boot was op de smalle, stenen punt getrokken die de rand van de opening van het riool vormde. Hij herinnerde zich dat Rigiswald ooit iets had gezegd met de strekking dat alle tanen bang zijn voor water.

'Ha!' zei Shadamehr. 'Daarmee is die theorie van de baan. Dat zal ik hem mooi vertellen! Het gebeurt niet vaak dat ik kan bewijzen dat die oude het mis heeft. En nu, lieve, nog even deze ladder beklimmen.'

Hij wachtte onderaan, en vroeg zich af of hij het zou halen. Hij kon hier tenminste weer frisse lucht inademen. Hij ademde een paar keer diep in en nam toen Alise in een stevige greep. Hij plaatste zijn handen en voeten op de sporten van de ladder.

'De koene ridder gordde zijn lendenen om en klom in heur haar, zo bereikte hij de schone maagd,' zong Shadamehr zacht een oud minstreellied. Hij probeerde niet te letten op de pijn die

door zijn benen schoot. 'Hoe gord je eigenlijk je lendenen om, heb ik mij dikwijls afgevraagd...'
Hij wachtte even, beet op zijn lip en ademde nog eens hijgend in. Het zweet stroomde hem over het gezicht. Zijn armen trilden en zijn benen brandden. Hij zag de bovenkant al, maar dat was nog minstens zo ver weg als de maan. Of verder.
'Of mijn lendenen nu aangegord zijn of niet, ze doen verrekte pijn,' mompelde hij. 'Ik vraag me af of het die koene ridder ook zoveel moeite kostte in heur haar te klimmen. Nou ja, hij was alleen maar op weg naar de schone maagd. Hij hoefde haar geen ladder op te hijsen, dus dat maakte het natuurlijk anders.'
Shadamehr bereikte de opening, maar ontdekte dat deze afgedekt was met een ijzeren plaat, die tot doel had voetgangers te beletten erin te vallen en hun nek te breken. De kleine jongens die lang geleden in het riool hadden gespeeld, hadden die ijzeren plaat zonder veel moeite op kunnen tillen en eronderuit kunnen kruipen. Shadamehr hoopte hartgrondig dat er geen energieke stadsbestuurder was geweest die besloten had de plaat te vergrendelen.
Tot zijn grote opluchting verschoof de plaat toen hij ertegen duwde. Hij schoof zelfs zo gemakkelijk opzij dat hij zich afvroeg of de huidige lichting jongetjes de jacht op de rioolrat had overgenomen. Daardoor moest hij denken aan de verhalen die hij had gehoord – dat de tanen hun gevangenen eerst martelden en vervolgens opaten. Hij dacht aan alle kinderen die in Nieuw Vinnengael woonden en speelden, en vervloekte de volwassenen die op zo'n verschrikkelijke manier een eind maakten aan een jeugd.
'Ik vraag me af of Dagnarus ooit een jongetje is geweest,' zei Shadamehr tegen Alise terwijl hij haar door de opening duwde. Toen ze ten slotte veilig op de grond lag, hees hij zichzelf eruit en viel neer op de straat. Hij lag naar adem te happen en met knipperende ogen naar de sterren te kijken; hij voelde speldenprikjes van pijn in de spieren van zijn kuiten en dijen. Hij had geen idee hoe laat het was.
'Dagnarus moet een jongetje geweest zijn,' peinsde Shadamehr dromerig. 'Hij is niet geboren als Heer van de Leegte. Hij heeft vast ook op rioolratten gejaagd, gespijbeld van zijn leermeester,

suikerbollen... naar de bedienden gegooid, net als... die arme kleine koning... vermoord... 'de Leegte mag hem halen'... is al gebeurd... hou hem dan maar...'
Shadamehr porde zichzelf wakker. 'Grote grutten! Die is goed! Ontkomen aan de tanen, maar door de koninklijke cavalerie gesnapt terwijl hij een dutje deed. Moet wakker worden. Waanzin.'
Hij probeerde op te staan, maar zijn benen wiebelden en de pijn schoot door zijn rug, zodat hij op zijn lippen beet om niet te schreeuwen. Tranen prikten in zijn ogen.
'Je moet doorgaan,' hield hij zichzelf boos voor.
'Ik kan het niet,' antwoordde hij zichzelf. 'Ik moet rusten. Heel even maar.' Hij klopte de slapende Alise op haar schouder. 'Ik rust heel eventjes uit. We zijn hier veilig.'
Shadamehr leunde tegen een stenen muur. 'Nee, we zijn niet veilig. De tanen zullen terugkomen. De wachten zullen langskomen. Het zal gauw dag worden. Tenzij het nog maar net nacht is geworden. Misschien zijn we een hele dag beneden geweest. Misschien zijn we wel zes hele dagen beneden geweest. Het spijt me, Alise. Goden, het spijt me. Ik heb overal spijt van...'
'Grum'olt,' zei een lage stem.
Shadamehr opende zijn ogen en tuurde omhoog. Hij kon niet veel zien in het donker, alleen twee grote, massieve vormen die zich aftekenden tegen de sterren. Shadamehr verstrakte, zijn hand dwaalde naar zijn mes. Toen snoof hij.
De lucht rook sterk naar traan.
Shadamehr glimlachte en ontspande zich.
'De goden mogen jullie liefhebben,' mompelde hij, en hij ging van zijn stokje.
Een van de orken pakte de baron op in zijn sterke armen en slingerde hem moeiteloos over zijn schouder.
'Pff! Stinkers!' zei de ork tegen zijn maat, die Alise opraapte.
'Mensvolk,' gromde de tweede ork en hij haalde walgend zijn neus op.

Bezorgd over het bericht dat er in de stad patrouilles bezig waren naar baron Shadamehr te zoeken, had kapitein Kal-Gah in

de hele haven zijn mensen uitgezet, met de opdracht naar de baron uit te kijken. De kapitein grinnikte toen hij hoorde dat zijn mannen de baron hadden gevonden toen hij net uit een riool kroop. Zijn mannen gooiden de baron en Alise in de sloep. De kapitein klom erin en gaf de matrozen opdracht snel naar het schip te roeien.
Aan boord gekomen raadpleegde de kapitein de eerste stuurman over het tij en zijn sjamaan over de voortekenen. De eerste stuurman meldde dat het bijna hoog water was en dat ze het anker konden lichten en weg konden varen wanneer het de kapitein zinde. De sjamaan meldde dat de voortekenen gunstig waren voor vertrek en ongunstig voor blijven. De kapitein verspilde verder geen tijd.
Terwijl de dageraad de hemel vulde met een roze vuur dat het meer in lichterlaaie zette, voeren de orken de Arven af. Iedereen aan boord kon zien dat de tanenlegers zich verzamelden op de oever tegenover de stad Nieuw Vinnengael. De tanen zagen hen ook en vuurden een regen van pijlen af, die echter geen doel troffen. Eén pijl kwam nog wel op het dek terecht. Kapitein Kal-Gah trapte het met zwarte veren uitgeruste projectiel met zijn hak aan splinters, raapte op wat ervan overbleef en gooide het overboord.
De orken brachten Shadamehr en Alise benedendeks en legden hen in bed in dezelfde kleine hut waar ze de elfen naar toe hadden gebracht. Alise sliep zo vast dat de sjamaan in haar kneep om zeker te weten dat ze niet dood was – een lijk aan boord van een schip was ongeveer het ergste ongeluk dat je kon overkomen. Toen ze zag dat haar vel rood werd en dat de patiënt een pijnlijk gezicht trok, was de sjamaan tevreden.
Nu wendde ze zich naar Shadamehr. Hij sliep erg onrustig; op een bepaald moment schreeuwde hij iets onverstaanbaars en sloeg met zijn armen in het rond. De sjamaan keek naar hem, maar liet hem met rust. Dromen zijn dragers van krachtige voortekenen en orken passen wel op een dromer niet wakker te maken, zelfs niet als hij kennelijk een nachtmerrie heeft.
Toen de baron kalmer werd, vond de sjamaan het veilig om naderbij te komen. Ze hield de lantaarn boven hem en zag het op-

gedroogde bloed op het hemd van de baron. Dat zag Quai-ghai met genoegen. Ze hield ervan de geneeskunst te beoefenen, maar ze kreeg er zelden de kans toe.

Orken zijn niet bedreven in de genezende magie en zijn dus aangewezen op zelfbedachte geneesmiddelen. Quai-ghai had een prachtige zalf ontwikkeld die ze voor alles gebruikte, want volgens haar kon deze zalf alle wonden helen, van pijlgaten tot gecompliceerde botbreuken. Hoewel de zalf goed werkte tegen ontstekingen, brandde hij als vuur wanneer hij op de wond werd aangebracht, zodat de patiënt het gevoel kreeg levend geroosterd te worden. Wanneer deze bijwerking voorbij was, zorgde de zalf ervoor dat de patiënt een hevig jeukende huiduitslag kreeg waardoor hij dagenlang volledig werd uitgeschakeld. Liever dan zichzelf de huid open te krabben, kozen de meeste orken aan boord van het schip voor de natuur als heelmeester, en renden ze hard weg wanneer ze de sjamaan zagen aankomen.

Nu had Quai-ghai tot haar genoegen een patiënt voor zich die niet vastgebonden hoefde te worden zoals dat stelletje lafaards. Ze stuurde haar hulpje naar de ziekenboeg van het schip om een pot met haar speciale zalf te halen en stond ongeduldig op zijn terugkeer te wachten toen ze iets vreemds aan haar patiënt opmerkte. Ze keek met gefronst voorhoofd op Shadamehr neer en gromde binnensmonds. Ze liep naar het andere bed en schudde de mannelijke elf aan zijn schouder.

Griffith schrok wakker en keek verbijsterd om zich heen. Hij kon zich niet herinneren waar hij was. Maar bij het zien van de orkensjamaan die bij hem stond, kwam de herinnering terug. Hij ging voorzichtig rechtop zitten in de verwachting dat zijn maag zou meedeinen met het stampen van het schip, dat veel heftiger bewoog nu ze voeren. Maar zijn hoofd was helder en zijn maag in rust.

Griffith glimlachte dankbaar naar de sjamaan. 'Je geneesmiddel heeft gewerkt, Quai-ghai.'

'Natuurlijk heeft het gewerkt,' viel ze beledigd uit. 'Wat had je dan gedacht?'

Griffith bloosde beschaamd. 'Ik bedoelde echt niet...'

De ork wuifde zijn verontschuldiging weg.

'Toen we elkaar ontmoetten in het kasteel van de baron heb je me verteld dat je de Leegtemagie hebt bestudeerd,' zei Quai-ghai. 'Was dat de waarheid of een leugen?'
'Ik lieg nooit, Quai-ghai,' zei Griffith beminnelijk.
'Daar vertel je me meteen al een leugen,' zei ze verachtelijk. 'Alle elfen zijn leugenaars. Dat weet iedereen. Het geeft ook niet. Orken liegen ook wanneer het nodig is. Was het de waarheid of een leugen?'
'Ik heb de Leegtemagie bestudeerd,' zei Griffith. Het leek hem het beste er niet verder op door te gaan. 'Waarom vraag je dat?'
Griffith zag aan de ernstige uitdrukking op haar gezicht dat ze het niet zomaar uit nieuwsgierigheid vroeg, en hij schrok. 'Heb je het vermoeden dat hier ergens Leegtemagie aanwezig is?'
Quai-ghai gromde. 'Kom hier.'
Ze leidde hem van zijn bed naar een ander bed, aan de andere kant van de smalle hut. Doordat het zo donker was binnen in het schip, kon hij degene die in het bed lag niet zien tot Quai-ghai de lantaarn boven zijn gezicht hield.
'Baron Shadamehr!' riep Griffith uit. 'Is alles goed met hem?'
'Dat mag jij zeggen,' zei Quai-ghai. 'Hij ruikt niet goed.'
'Dat is zeker waar,' vond Griffith. Hij drukte zijn hand tegen zijn neus en mond, en voelde zijn maag in opstand komen.
'Nee, niet op die manier,' zei Quai-ghai ongeduldig. 'Erger. Jij zegt dat je Leegtemagie kent. Zoek het uit.'
'Ik geloof dat ik begrijp wat je bedoelt.' Griffith keek aandachtig naar de slapende patiënt, en keek toen Quai-ghai aan. 'Ik zal een Leegtebetovering moeten opwekken om erachter te komen.'
Ze ging een flink eind achteruit. Ze draaide haar hoofd weg en hield haar handen op haar oren.
Griffith mompelde de woorden, die leken op spinnen die om zijn mond kropen. Hij spuwde ze zo snel mogelijk uit en riep de betovering op.
Shadamehrs gezicht vertrok en hij riep iets in zijn slaap.
'Heel vreemd,' mompelde Griffith.
Hij mompelde sussende woorden en de baron ontspande zich, viel terug op het harde bed en zuchtte diep.
Griffith raakte Quai-ghais schouder even aan. Ze schrok heftig

en haalde toen haar handen van haar oren.
'Je had gelijk,' zei hij. 'Kijk maar.'
Het lichaam van de baron straalde een zwakke gloed uit, zoals die soms te zien is bij lijken die te lang boven de grond blijven liggen.
'Hij stinkt naar de Leegte,' zei Griffith.

Shadamehrs lichaam sliep misschien, maar zijn geest was actief. Hij liep en liep, op weg door een landschap dat bruin, grijs en kaal was, vlak en bezaaid met stenen. Hij had geen duidelijke bestemming, maar toch hield hij een bepaalde richting aan en was boos en teleurgesteld wanneer de weg hem door een obstakel werd versperd. Hij sjokte uren achtereen over een weg zonder ooit ergens te komen, om dan over bergtoppen te springen alsof hij de legendarische laarzen van de reus Krithnatus bezat, die hem het vermogen gaven in een paar seconden de wereld om te wippen.

Hij was in een stad waar hij de weg kende. Hij liep snel, met slechts een vluchtige indruk van zijn omgeving. Hij was zich bewust van vernielde gebouwen en van straten die opgebroken waren, vernietigd. De hele stad was leeg en verlaten. Hij was alleen, en het maakte hem bedroefd dit te weten, maar het verbaasde hem niet.

Hij kwam bij een reusachtige hoop puin die ooit een schitterend gebouw was geweest, dat meende hij zich tenminste te herinneren. Het volgende ogenblik bevond hij zich onder het gebouw, zonder te weten hoe hij daar was gekomen, maar ook dit verbaasde hem niet. Hoewel hij door het donker niets kon zien, wist hij dat hij in een grote, ronde ruimte was en dat hij onder een koepelvormig plafond stond.

Hij was heel dicht bij de goden. Als hij zijn hand uitstak, kon hij hen aanraken.

Shadamehr hield heel beslist zijn hand langs zijn zij.

Er was nog iemand in de ruimte. Iemand die op hem gewacht leek te hebben. Hoe Shadamehr hem zag, kon hij niet zeggen, want het was pikdonker in de ruimte. De man was jong, en had als knap kunnen worden beschouwd, ware het niet dat zijn gezicht ontsierd werd door een moedervlek.
'U bent baron Shadamehr, de drager van het mensendeel van de Verheven Steen,' zei de jongeman.
Shadamehr zei hier geen ja of nee op. Hij voelde zich niet op zijn gemak en wilde weg. Omdat hij geloofde dat dit een droom was, probeerde hij zichzelf wakker te laten worden, maar dat lukte niet.
'Dagnarus is op zoek naar de vier delen van de Verheven Steen,' vervolgde de jongeman. 'Wanneer hij die eenmaal in zijn bezit heeft, zal hij ze aan elkaar voegen, en dan zal hij zo machtig worden dat geen mens, geen land, geen natie tegen hem op zal kunnen staan. Hij heeft de Dolk van de Vrykyls die hem talloze levens geeft. Hij zal eeuwenlang over Loerem heersen. Dat is zijn plan. Hij heeft slechts de vier delen van de Verheven Steen nodig om alle volken aan zich te binden.'
'Dat "slechts" is niet weinig,' zei Shadamehr. 'U bent in het voordeel ten opzichte van mij, heer. U kent mijn naam, en ik weet de uwe niet.'
'Ik ben Gareth,' zei de jongeman.
'Gareth,' herhaalde Shadamehr. 'Waarom komt die naam me zo bekend voor?'
'Denk terug aan de legenden en de verhalen die u over Dagnarus hebt gehoord, dan zult u mij daarin terugvinden. Ik was de ranseljongen. Later was ik zijn tovenaar.'
'Een tovenaar van de Leegte, als ik me de legenden goed herinner. U hebt meegeholpen aan de ondergang van Oud Vinnengael. Neem me niet kwalijk als ik me openhartig uitdruk, jongeheer Gareth, maar u bent dood. En ik droom.'
'Ik ben inderdaad dood. Maar u droomt niet. U bent de drager van een deel van de Verheven Steen, en daarom heb ik uw ziel hierheen laten komen. Toen de goden de Verheven Steen aan Tamaros gaven, was de steen intact. Hij werd gewaarschuwd hem niet te splijten, want dan zou hij merken dat de kern "bit-

ter" was. Hij trok zich niets aan van de waarschuwing van de goden. Hij spleet de steen in stukken en gaf elk volk, de mensen, de dwergen, de elfen en de orken een deel. Wat hij niet wist, was dat er nog een vijfde deel was – een deel dat geen van hen kon zien, want ze zochten er niet naar.
Toch was er iemand die dat deel zag. Hij was nog maar een kind, maar hij zocht ernaar, en het deel zocht hem. Het vijfde deel van de Verheven Steen was de Leegte. Dagnarus aanvaardde het toen het hem werd aangeboden, en hij heeft de Leegte sindsdien altijd gediend. Hij heeft haar goed gediend, en nu neemt de macht van de Leegte toe, terwijl de macht van de goden afneemt.
Om die macht te versterken, is Dagnarus uit op de vier delen van de Verheven Steen. Hij zal ze vinden. Gedurende tweehonderd jaar bleef het mensendeel van de Steen onvindbaar. Toen vond heer Gustav het en binnen enkele ogenblikken na deze ontdekking was Dagnarus hiervan op de hoogte. Zijn Vrykyl, Svetlana, kreeg het bijna te pakken. De goden beschermden de Steen, en tot nu toe is hij uit zijn handen gebleven. Maar de macht van de Leegte wordt met de minuut sterker, en de Steen kan niet lang meer verborgen blijven. Dagnarus slaapt nooit. Hij zoekt ernaar, dag en nacht. Hij kan zelfs in de diepste duisternis zien. U rent rond, nu eens hierheen, dan weer daarheen, maar waar zult u zich zo goed kunnen verstoppen, baron, dat hij u niet kan vinden?'
Shadamehr haalde glimlachend zijn schouders op. Hij paste wel op niet naar de knapzak te kijken die hij over zijn schouder droeg.
'Het is een aardig verhaal voor in de kroeg,' zei hij, 'maar ik heb geen idee waar je het over hebt.'
Gareth glimlachte en wees naar het hart van de baron.
Shadamehr keek omlaag en zag dat hij de Verheven Steen om zijn nek droeg en dat het licht ervan in het donker straalde als een bakenvuur.
'Verduiveld,' zei hij, en hij sloot zijn hand om de Steen om het licht te doven.
Het licht drong tussen zijn vingers door, zodat de stralen door

de stoffige ruimte schoten waarin hij stond, en tot de hemel reikten.
'Als ik zou toegeven dat er iets van aan is, jongeheer Gareth,' zei Shadamehr beteuterd. 'Ik zeg áls, denk erom. Wat zou ik dan volgens jou met het verrekte ding moeten doen? Ik neem aan dat je daar iets over wilt zeggen. Waarom zou je me anders hierheen halen?'
'U moet ongedaan maken wat koning Tamaros gedaan heeft. U moet de Verheven Steen teruggeven aan de goden. Om dat mogelijk te maken moeten de delen hier samenkomen, in het Portaal van de Goden.'
'Alle vier de delen?' vroeg Shadamehr ongelovig.
'Alle delen,' herhaalde Gareth.
'Waarom doe je er niet meteen de zon, de maan, een paar sterren en de hoektand van een draak bij,' mompelde Shadamehr.
Gareth antwoordde niet. Hij begon te vervloeien, als een portret in olieverf waar iemand met een natte lap overheen is gegaan.
'Ik heb alles gezegd wat ik te zeggen heb.'
'Nee, dat heb je niet,' zei Shadamehr luid. 'Ik heb een vraag. Als jullie goden niet wilden dat Tamaros die ellendige Steen zou splijten, waarom hebben jullie hem het ding dan gegeven? Als ik een breekbare vaas aan een kind geef, en hij laat hem vallen zodat hij breekt, zou ik dan dat kind straffen? Ik' – Shadamehr sloeg zichzelf op de borst – 'ík ben degene die schuld heeft, want ik ben ouder en wijzer dan dat kind, en ik had moeten weten wat er zou gebeuren.'
Hij schreeuwde naar de hemel in een poging iemand te bereiken die hem zou horen. 'Jullie, goden, hebben die vaas aan Tamaros gegeven, en hij heeft hem laten vallen – dat hadden jullie nou nooit kunnen denken – en nu mogen wij de stukken oprapen en proberen het stomme ding weer in elkaar te lijmen! Vinden jullie dat redelijk? Waar is het goed voor?
Of, nu bedenk ik iets, was het misschien een proef? Koning Tamaros werd op de proef gesteld. En hij faalde! Ja hoor, hij is ook maar een mens. Wat verwachtten jullie dan? Jullie moeten geweten hebben dat hij zou falen. Jullie goden weten immers al-

les? Als dat niet zo is, zijn jullie niet beter dan wij, en waarom zou ik jullie dan vereren? Als jullie het wisten, betekent dat dat jullie gewoon een spelletje met hem speelden. Het betekent dat jullie gewoon een spelletje met ons spelen. En dan zijn jullie nog erger dan wij!

En jullie begrijpen niet waarom ik jullie Transfiguratie niet heb ondergaan om Domeinheer te worden! Luister naar me, verdomme. Loop niet weg! Ik ben niet degene die deze Steen in zijn bezit hoort te hebben!'

Shadamehr stapte weg in het grijze niets en werd wakker, om tot de ontdekking te komen dat de orkensjamaan hem in haar sterke armen optilde met de kennelijke bedoeling hem in zee te gooien.

Griffith moest lang en ernstig op Quai-ghai inpraten om haar ervan te overtuigen dat ze de aangeslagen, verwarde baron niet meteen over de reling moest kieperen. Griffith pleitte uit alle macht zowel bij haar als bij de kapitein, om te proberen hen ervan te overtuigen dat Shadamehr zich níét had beziggehouden met Leegtemagie zoals Quai-ghai geloofde. Shadamehr was 'met Leegte besmet', een toestand die inderdaad voorkwam bij degenen die Leegtemagie toepasten, maar die in zeldzame gevallen ook kon voorkomen bij mensen die het ongeluk hadden het voorwerp te zijn geweest van een zeer krachtige Leegtebetovering.

Orken vrezen en verfoeien Leegtemagie, en het was Griffith misschien niet gelukt hen te overtuigen, als de scheepskat – een reusachtige blauwgrijze kater met goudkleurige ogen – niet begonnen was Shadamehrs been kopjes te geven, naar hem op te kijken en te miauwen.

Kal-Gah keek vragend naar Quai-ghai. Orken houden van katten, en er zijn altijd een paar katten aan boord van een orkenschip.

'Nikk vindt hem aardig,' zei Kal-Gah terwijl hij de kat streelde.

'Ja,' zei Quai-ghai. 'Een gunstig voorteken. Hij mag blijven.'

Griffith was geïntrigeerd door de vraag hoe Shadamehr in aanraking was gekomen met krachtige Leegtemagie. Hij had hem graag vragen gesteld, maar de baron was duidelijk niet in een toestand om ergens over te praten. Griffith hielp de wankelende, kreunende Shadamehr terug naar zijn rustplaats. De baron viel voorover in het bed. Hij stak zijn hand uit om de knapzak even aan te raken, ter geruststelling, en bewoog daarna niet meer.

Griffith bracht een betovering over Alise terwijl ze sliep, en ontdekte dat ook zij met Leegte besmet was. Hij wist, omdat er in het kasteel van de baron over gekletst werd, dat Alise ooit tot de Orde der Inquisiteurs had behoord, de enige leden van de Kerk die toestemming hadden om de Leegte te bestuderen. Hij herinnerde zich ook dat Alise een Leegtebetovering had opgeroepen om hen te redden van de paleiswacht. Zelfs van een eenvoudige betovering zoals het veranderen van ijzeren tralies in ijzervijlsel had ze een besmetting met Leegte kunnen overhouden, en zou ze ook aangetast zijn door de nare bijwerkingen die het gebruiken van Leegtemagie meebrengt.

En dat was nu juist het vreemde. Alise was zo sterk met Leegte besmet dat hij eigenlijk niet begreep hoe ze het had kunnen overleven. Haar huid had bedekt moeten zijn met striemen en puisten, de prijs die betaald moet worden door degenen die gebruik maken van de magie die wordt aangedreven door de levensenergie van de gebruiker zelf. Maar Alises huid was glad en ongeschonden als verse melk.

Griffith kon maar één mogelijke verklaring voor dit verschijnsel vinden. Tussen het lijfje van haar hemd was een grote, gepolijste turkoois gestopt, hemelsblauw en doorschoten met glinsterende, zilveren strepen.

Griffith had dit alles graag met Damra willen bespreken, maar zij had een onrustige nacht gehad, en in haar slaap gepraat en gemompeld, en hij dacht er niet over haar wakker te maken. Zelf voelde hij zich uitgerust en gezond. Het orkenmedicijn had zijn maag tot rust gebracht, maar hij had nog geen zeebenen, zoals de orken het noemden. Zij liepen met gemak over het schommelende dek, terwijl hij rondstommelde als een dronkaard. Maar tot zijn eigen verbazing vroeg hij zich af of er misschien iets te eten was.

Hij werd naar de kombuis verwezen, waar hij bijna halsoverkop een ladder af duikelde. Hij werd nog net op tijd beetgepakt door een ork, zodat hij niet zijn nek brak. Griffith kreeg wat bruin brood, dat hij meenam aan dek waar hij in de stralende zon kon staan en kon kijken naar de verre kust die langsgleed.
'We schieten goed op,' zei kapitein Kal-Gah, en hij keek goedkeurend naar Griffith. 'De wind komt uit het noorden. Een "elfenwind". Nu ben ik blij dat ik je aan boord heb gehaald.'
Griffith had de kapitein kunnen vertellen dat de wind zo laat in het jaar meestal uit het noorden woei en dat de elfen daar niets mee van doen hadden, maar hij hield zijn mond hierover. Hij kende de orken omdat hij bij Shadamehr in hun gezelschap had geleefd, en wist bijna zeker dat hij in de loop van de dag ergens de schuld van zou krijgen. Hij vond het daarom niet erg de eer op te strijken voor de wind.
'Hoe ver zijn we nu van Nieuw Vinnengael?' vroeg hij.
'Ver genoeg,' gromde de kapitein, 'om veilig te zijn voor die smerige snar-ta.' Hij trok er een grimas bij en zijn mond vertrok van afkeer.
Snar-ta. Orks voor 'vleeseters'. Kal-Gah doelde op de geruchten die bij de mensen van de baron de ronde hadden gedaan dat de tanen erom bekendstonden dat ze het vlees van hun vijanden opaten. Het heette dat ze vooral verzot waren op orkenvlees.
'Zouden ze Nieuw Vinnengael al hebben aangevallen, denkt u?' vroeg Griffith. Hij probeerde naar het noorden te kijken, tegen de wind in, maar vond dat moeilijk.
Kapitein Kal-Gah haalde zijn schouders op. 'We hebben geen rook gezien die op brand zou wijzen. Maar dat betekent niet veel, want de stad is uit steen opgebouwd.'
Hierna hield hij zich weer bezig met het varen. Hij was kennelijk niet geïnteresseerd in het lot van een stad en van een volk dat hij als vijand beschouwde.
De wind was koud en bijtend en woei dwars door Griffiths wollen mantel en de gewaden die hij eronder droeg heen. Hij wankelde naar een deel van het dek dat in de luwte lag en dat verwarmd werd door de zon. Hij kauwde op zijn brood en zorgde ervoor dat de meeuwen ook wat kregen, als dank voor hun hulp

bij het voorteken. Hij keek omhoog naar de witte massa van zeilen die zich boven zijn hoofd spreidden, het ingewikkelde netwerk van touwen en de lange, rechte masten die langs de hemel leken te strijken. Hij dacht met bewondering aan de kundigheid en de handigheid van de orkmatrozen en constateerde dat dit echt een prachtige belevenis was.

Hij was gelukkig en ontspannen, en hij wist waarom hij dat was. Voor het eerst in vele jaren was hij voor niets of niemand verantwoordelijk, zelfs niet voor zichzelf. Ja, er was een boze macht naar hen op zoek, maar voorlopig waren de ogen van de Leegte gericht op Nieuw Vinnengael. De orken waren de baas op het schip en zouden het niet waarderen als hij zich ermee bemoeide. Zijn vrienden waren veilig en leken het goed te maken; de besmetting met de Leegte zou op den duur wel wegslijten. Zijn lieve vrouw had een moeilijke nacht gehad, maar sliep nu rustig. Hij had niets te doen en hoefde nergens heen, behalve waar de wind hem bracht. De laatste keer dat hij zich zo rustig had gevoeld was in zijn jeugd, nadat de Wyred gekomen waren om hem op te eisen.

Griffith was toen vier jaar. Een vroegrijp kind, een van de zeven zonen van een lage edelman. Vanaf het moment dat hij kon nadenken, had hij geweten dat hij anders was dan zijn broers. Hij was stil en beschouwend ingesteld en deed niet mee aan de wedstrijden en gevechten waarmee zijn broers zich amuseerden. Hij bleef op afstand en keek vanaf de zijlijn toe.

Griffiths broers zaten hem voortdurend te pressen om mee te doen aan hun gespeelde veldslagen en werden boos wanneer hij weigerde. Griffith had een gruwelijke hekel aan lawaai en ruzie. Hij bewoog zich rustig en sprak zacht, zo zacht dat zijn moeder klaagde dat ze vaak vergat dat hij in de buurt was, zodat ze over hem struikelde. Zijn vader, een geboren krijger, koos partij voor zijn broers en beschuldigde zijn moeder ervan dat ze de jongen verwende, terwijl zijn moeder de anderen ervan beschuldigde dat ze hem pestten.

Griffith was eenzaam en ongelukkig, en hij herinnerde zich heel goed de nacht waarin de Wyred kwamen om hem uit zijn ouderlijk huis weg te halen, om hem mee te nemen naar de vrijheid.

De meeste kinderen zijn doodsbang voor de in het zwart geklede gestalten die 's nachts hun kamer binnensluipen om hen uit hun bed te roven. Zulke kinderen moesten met een betovering gekalmeerd worden, in een magische slaap worden gewiegd. Griffith niet. Toen hij wakker werd en merkte dat de gestalten in het zwart zich over hem heen bogen, wist hij dadelijk wie ze waren en waarom ze gekomen waren. Hij zei niets, maar stak zijn armen uit naar de man, die gesmoord grinnikte.
'Ik zie dat we het bij jou bij het rechte eind hadden,' zei hij. Zijn woorden kwamen zacht door het zwart-zijden masker dat hij voor zijn gezicht droeg.
Sterke armen namen Griffith in een vaste greep, tilden hem uit het bed waarin hij samen met zijn broers lag en brachten hem naar Ergil Amdissyn, het zogeheten drijvende kasteel dat het bolwerk van de Wyred is. Griffith zou zijn familie ruim achttien jaar lang niet zien. Toen het hem eindelijk werd toegestaan terug te gaan, vertelde zijn oudere broer hem onomwonden dat zijn vader opgelucht was geweest toen hij ontdekte dat de Wyred zijn verwijfde zoontje hadden geroofd. Dezelfde oudere broer, die nu aan het hoofd van de familie stond, regelde een huwelijk voor zijn jongere broer, maar maakte het duidelijk dat Griffith niet welkom was in het huis van de familie.
Griffith miste zijn familie niet. Ze hadden hem twee kostbare geschenken gegeven: het leven en Damra, en hij had hen daarvoor beloond door te verhinderen dat zijn oudere broer werd vermoord. Zijn familie wist natuurlijk niet hoe dat was gegaan, want de Wyred voeren hun magie in het geheim uit. Griffith was blij dat ze het niet wisten. Het was echt veel leuker om naar zijn broer te luisteren wanneer die over zijn heldendaden vertelde en heimelijk te glimlachen omdat hij wist wat er in werkelijkheid was gebeurd.
Griffith herinnerde zich nog goed dat hij Ergil Amdissyn voor het eerst zag. Hij wist niet hoe lang hij op het paard had gezeten, vastgehouden door de sterke armen van de Wyredmagiër, die tot taak had kinderen met een gave voor de magie te roven. Hij herinnerde zich dat hij geslapen had, wakker was geweest en weer geslapen had, maar of dat nu één keer of honderd keer was geweest,

kon hij zich niet herinneren. De Wyred en zijn gezellen spraken niet tegen het kind, na die eerste opmerking, want een van de eerste lessen voor een jonge magiër is dat hij moet leren naar de stilte te luisteren. Toen, op een morgen, wekte de Wyred Griffith uit zijn slaap en wees met zijn zwartgehandschoende hand.
De plaats waar Ergil Amdissyn ligt, is een goed bewaakt geheim van de Wyred. Ze zweren dat ze dit nooit zullen onthullen op straffe van eerverlies, dood en gevangenschap; eerverlies voor het Huis, de dood voor de tovenaar en eeuwige gevangenschap voor zijn ziel in de verschrikkelijke gevangenis van de doden. Maar niet uit vrees hebben de Wyred eeuwenlang gezwegen. Dat deden ze uit trots. Trots op zichzelf, trots op hun werk.
Ergil Amdissyn is een fort dat in de top van een berg van wit graniet is gebouwd. Volgens hun geschiedenis werd het fort voor de Wyred gebouwd door de legendarische draak Radamisstonsun die, als tegenprestatie voor een dienst die de Wyred haar hadden bewezen, haar krachtige Aardemagie gebruikte om het binnenste van de berg uit te hakken tot een fort, onzichtbaar en ondoordringbaar.
Ergil Amdissyn drijft niet echt, het lijkt alleen maar alsof het drijft, zoals die morgen dat Griffith het voor het eerst zag, in een schitterende dageraad. De berg rees op uit de met wolken bedekte wateren van een meer dat gevoed werd door hete bronnen, zodat er altijd dampende nevels boven het meer zweefden. Griffith kreeg de indruk dat het fort op een vurige, rood-met-goud getinte wolk zweefde. Hij keek er vol ontzag naar met het gevoel dat hij eindelijk thuis was gekomen.
Griffith deed het goed in de strenge, geleerde atmosfeer van de Wyredscholen, in tegenstelling tot sommige andere kinderen, die niet over hun heimwee heen kwamen. Zulke kinderen kwijnden meestal weg en stierven, waarna ze in de gewelven onder de berg begraven werden. Andere kinderen stierven tijdens de lessen, want de trainingen waren zwaar en gevaarlijk, met de bedoeling de zwakkeren, van geest en van lichaam, uit te wieden. De jongens en meisjes die het overleefden, zetten hun opleiding voort om later tot de machtigste en kundigste magiërs van Loerem te behoren.

Anders dan bij de Venerabele Broederschap van de Tempel der Magiërs, is het gebruiken van Leegtemagie bij de Wyred niet verboden. Hoewel de elfen de Leegte verafschuwen, begrijpen ze dat deze een plaats heeft tussen de vier elementen, en ze moedigen hun leden aan haar te bestuderen, teneinde haar beter te kunnen bestrijden. Sommige Wyred, zoals Griffith, hebben permissie om de Leegte en alles wat daarbij hoort als studieobject te kiezen. Griffith was vooral deskundig op het gebied van Vrykyls, en nu gingen zijn gedachten als vanzelf van de nostalgische herinneringen aan de tijd die hij op Ergil Amdissyn had doorgebracht naar zijn studie van de Vrykyls en naar het gruwelijke bericht van Shadamehr dat de jonge koning van Nieuw Vinnengael vermoord was en dat zijn lichaam in bezit was genomen door een van deze weerzinwekkende schepsels van de Leegte.
Griffith stond hierover na te denken, en toen hij zich herinnerde dat Shadamehr in het paleis gewond was geraakt, dacht de elf dat hij nu wel een verklaring kon geven voor de Leegtebesmetting die zowel Alise als Shadamehr had aangetast. Hij voelde een zachte hand op zijn arm en draaide zich om. Het was zijn vrouw.
'Stoor ik je?' vroeg Damra.
'Mijn gedachten waren donker,' zei hij. 'Het is prettig dat ze verdreven worden. Hoe gaat het vanmorgen met je? Je hebt een onrustige nacht gehad. Had je last van verontrustende dromen?'
'Je zou kunnen zeggen dat ik last heb gehad van een verontrustend ontwaken,' zei Damra wrang. Ze kwam niet bij de reling staan, waar haar man stond, maar bleef op een veilige afstand, terwijl ze ongerust naar het bruisende water keek dat in een brede v-vorm van de boeg af stroomde.
'Ik wou dat je daar wegging, liefste,' vervolgde ze zenuwachtig. 'Het is volgens mij niet veilig.'
Griffith glimlachte bij zichzelf, maar deed wat zijn vrouw vroeg. Hij liep met haar mee terug naar het midden van het schip en ging met haar op een houten kist zitten.
'Silwyth is vannacht bij me gekomen,' zei Damra.
'Dan is het zéker een verontrustende droom geweest,' zei Griffith.

'Het was geen droom,' zei Damra. 'Hij was hier, aan boord van het schip.'
'Lieve...' begon Griffith.
'Ik weet dat het krankzinnig klinkt. Ik dacht eerst dat ik droomde, maar hij sprak tegen me en legde zijn hand op mijn pols. Hij was net zo dicht bij me en net zo reëel als jij nu bent.'
Griffith twijfelde, het leek hem erg vreemd. 'Ik twijfel niet aan jou, lieve, maar hoe...'
Damra schudde haar hoofd. 'Hij was helemaal nat, zijn kleren, zijn haar, en daaruit maak ik op dat hij vanaf de kust naar het schip is gezwommen, maar hoe het hem is gelukt aan de aandacht van de orken te ontsnappen, of de weg naar mij te vinden, is een raadsel. Hij was ooit de trouwste dienaar van Dagnarus. Als het niet zo was dat hij jou uit de gevangenis van het Schild heeft bevrijd en dat hij mij het elfendeel van de Verheven Steen in bewaring heeft gegeven, zou ik niet... zou ik hem niet... maar toch...'
Ze kwam niet verder, wist niet hoe het te zeggen, en ze haalde hulpeloos haar schouders op. 'Ik weet dat het vreemd klinkt wat ik zeg, maar alles wat met Silwyth te maken heeft, is nu eenmaal vreemd. En toch lijkt het de bedoeling te zijn dat ik hem vertrouw.'
Damra keek haar man van opzij aan.
Griffith glimlachte wrang en haalde zijn schouders op. 'Wat kan ik zeggen, lieve? Dat hij misschien deel uitmaakt van een ingewikkelde samenzwering? Dat hij dit allemaal heeft gedaan om ons vertrouwen te winnen, maar heimelijk van plan is ons te vernietigen?'
'Dat laatste lijkt wel erg waarschijnlijk,' zei ze somber.
'Hoezo, wat heeft hij dan tegen je gezegd?'
'Dat de macht van de Leegte toeneemt,' hoorden ze Shadamehr onverwachts zeggen. 'Dat niemand Dagnarus kan verhinderen de Verheven Steen in zijn bezit te krijgen, en dat wanneer hem dat lukt, hij als een soort halfgod over de wereld zal heersen. Dat de enige manier om dat allemaal te voorkomen, is de vier delen van de Verheven Steen naar het Portaal van de Goden te brengen en ze daar aan elkaar te voegen. Klopt het wat ik zeg?'

Damra en Griffith keken stomverbaasd naar hem op.
'Hoe wist u dat?' bracht Damra uit.
'Omdat een andere dienaar van Dagnarus mij precies hetzelfde heeft verteld,' zei Shadamehr ernstig.

‘Wie heeft er dan met u gesproken?’ vroeg Damra met groeiende verbazing.
‘Dagnarus’ Leegtetovenaar, Gareth.’
‘Vannacht?’
‘Ja, terwijl ik sliep. Ik dacht de hele tijd dat het een droom was, maar mijn dromen slaan meestal nergens op. Ik verschijn naakt aan het hof, val van bruggen af in ravijnen of word achternagezeten door hordes mooie vrouwen, dat soort dingen.’
‘Bent u nou nooit eens serieus, baron?’ vroeg Damra koeltjes.
‘Ik ben nu serieus,’ zei Shadamehr. ‘Ik probeer het in elk geval te zijn. Deze droom – als het een droom was – was heel realistisch. We voerden een gesprek, Gareth en ik. Op een bepaald moment zei ik tegen hem dat hij dood was, en op een ander moment deelde hij mij mee dat ik de drager van de Verheven Steen was. Dat gaven we allebei toe. Ik bevond me in de ruïnes van een stad, en ik wist meteen dat het Oud Vinnengael was, hoewel ik daar nog nooit ben geweest, en ik stond volgens mij in het Portaal van de Goden.’
‘En Gareth droeg u op de vier delen van de Steen bij elkaar te brengen...’
‘In het Portaal van de Goden,’ zei Shadamehr.
‘Vreemd,’ zei Damra, terwijl ze naar het op het water fonkelende zonlicht staarde. ‘Heel vreemd.’
‘U was anders wel zwaar besmet met Leegtemagie, baron,’ merkte Griffith op.
‘Wat?’ Damra keek weer naar de baron met een duistere, arg-

wanende blik. 'Hoe bedoel je, hij was met Leegte besmet?'
Griffith leek er spijt van te hebben dat hij iets had gezegd. Shadamehr keek even naar hem en keek toen weer weg.
'Dat is een lang verhaal,' zei hij kortaf. 'En het heeft niets te maken met waar we over praten.'
'Misschien toch wel,' hield Damra aan. Haar stem klonk streng. 'Een dienaar van de Leegte kwam met u praten terwijl u met Leegte besmet was. Verwacht u dan nog dat wij geloof hechten aan wat hij zei?'
'Een dienaar van de Leegte kwam met jou praten, en hem geloof je wel,' wierp Shadamehr tegen. 'Of telt Silwyth niet omdat hij een elf is?'
Damra sprong overeind. 'U had niet het recht ons gesprek af te luisteren,' zei ze boos.
'Dan moeten jullie geen gesprekken houden in de openlucht, midden op het dek,' kaatste Shadamehr terug. 'Orken zijn niet doof en ze zijn ook niet dom. Ze reizen over de hele wereld, en sommigen spreken zelfs vloeiend Tomagi.'
Griffith zette zijn vingertoppen en de toppen van zijn duimen in een v-vorm tegen elkaar.
'Wat is dat?' vroeg Shadamehr ongeduldig.
'Een wig,' zei Griffith, 'die tussen jullie, twee dragers van de Verheven Steen gedreven wordt.' Hij keek van de een naar de ander. 'Een wig die door de Leegte is gemaakt en bedacht.'
Damra's bleke wangen kleurden rood. Ze sloeg haar lange wimpers neer, maar bleef toch naar de baron kijken.
Shadamehr perste zijn lippen op elkaar. Hij veranderde van houding en staarde naar het voorbijstromende rivierwater. De eerste stuurman beval een stel orkmatrozen die in hun buurt rondhingen, hopend op een knokpartij, op te houden met andere mensen aan te gapen en weer aan hun werk te gaan.
'Het spijt me,' zei Shadamehr ten slotte. Hij wreef met zijn hand over zijn gezicht en krabde aan zijn kin, die donker was door de baardgroei van een etmaal. 'Gisteren was waarschijnlijk de ergste dag van mijn leven, en de afgelopen nacht was nog een graadje erger. Dat is mijn enige excuus voor het feit dat ik onbeleefd ben, en het is niet zo'n erg goed excuus.'

Hij wendde zich naar Damra en maakte een formele buiging. 'Ik had niet mogen meeluisteren naar je gesprek met je man, Damra van Gwyenoc. Ik bied mijn excuses aan.'
'Mij spijt het ook,' zei Griffith en hij boog. 'Ik had niets moeten zeggen over de Leegtebesmetting zonder de zaak eerst met u besproken te hebben. Aanvaard alstublieft mijn excuses. En jou, Damra,' ging Griffith verder, 'moest ik liever uitleggen dat de baron geheel buiten zijn schuld met Leegte besmet is geraakt. Hij was de ontvangende partij van een betovering die zijn leven heeft gered; dat denk ik tenminste.'
Damra was nog niet overtuigd. 'Ik begrijp niet wat je bedoelt, Griffith. Hoe kan een Leegtebetovering een leven redden? Leegtemagie is dodelijk.'
'Elke magie kan gebruikt worden om te doden,' zei Griffith. 'Een magiër kan door middel van de Leegte een deel van zijn eigen levenskracht in het lichaam van een ander overbrengen. Het is wel een gevaarlijke toverkunst, want hij kan het lichaam van de tovenaar volledig leegzuigen, als hij niet oppast. Of zoals ik in dit geval moet zeggen, geloof ik, als zíj niet oppast.'
Shadamehrs gezicht was grauw en somber geworden. Hij knikte nog eens kort met zijn hoofd, wreef over zijn kin en wendde zich af.
'Alise?' vroeg Damra verbaasd. 'Maar ik heb haar benedendeks gezien voor ik naar boven kwam. Ze ligt zo vredig te slapen als een klein kind...'
'De Grootmoeder,' zei Shadamehr. 'Grootmoeder pecwae legde haar vol met stenen en haalde haar terug. Alise was stervende. Ik hield haar in mijn armen en voelde het leven uit haar wegsijpelen. En die arme Bashae is wel echt dood. En het is mijn schuld. Allemaal mijn schuld.'
'We zijn allemaal vermoeid en gewond, zo niet lichamelijk, dan wel geestelijk,' zei Damra berouwvol. Ze legde haar hand zacht op Shadamehrs arm. 'Ik heb spijt van mijn aandeel in onze twist.' Ze aarzelde even en zei toen nog: 'Soms helpt het, in daglicht over de schaduwen van de nacht te spreken om ze te verdrijven.'
'Dat is zeker waar,' antwoordde Shadamehr. 'Maar het is ook waar dat donkere dingen bij het donker horen en daar moeten

blijven. We zullen hierover spreken, maar beneden, in onze hut. Bovendien wil ik Alise niet alleen laten.'
Gedrieën liepen ze over het deinende dek; ze hielden zich aan touwen of aan elk vastzittend voorwerp dat voorhanden was vast om hun evenwicht niet te verliezen. De orken grijnsden en stootten elkaar aan; ze lachten die landrotten uit.

'Door uw moed, baron, zijn beide delen van de Verheven Steen aan Dagnarus ontsnapt,' zei Damra, nadat Shadamehr zijn verhaal had beëindigd.
'Door mijn waaghalzerij,' was zijn berouwvolle weerwoord. 'En door geluk, gewoon dom geluk.'
'Zeg maar liever, het ingrijpen van de goden,' zei Griffith zacht.
'Waarom hebben de goden dan niet ingegrepen bij Bashae?' zei Shadamehr verontwaardigd. 'Laat maar. Dit is mijn eigen privéruzie.'
Hij zat op een gammele stoel naast Alises bed en hield haar hand stevig in de zijne. Griffith stond tegen een scheidingswand geleund. Damra lag met opgetrokken benen op het bed, dat in een nis was gebouwd. Ze pasten er met z'n vieren net in. Om de hut uit te gaan, moesten twee mensen zich tegen een wand drukken terwijl de derde over hen heen klom.
Ze hadden tenminste licht. Nadat ze het vuil hadden verwijderd, hadden ze een kleine patrijspoort ontdekt die geopend kon worden om frisse lucht en af en toe een plens water binnen te laten. Shadamehr had schone kleren gekregen van de orken, en hij had zich gebaad onder een van de pompen. Maar de rioollucht hing helaas nog steeds hardnekkig om hem heen, zodat iedereen blij was met de frisse lucht en het plekje zonlicht.
Damra fronste haar voorhoofd. Het gesprek beviel haar kennelijk niet. Heilige onderwerpen zijn niet om grappen over te maken. Maar voor ze iets kon zeggen, ging Alise opeens rechtop in bed zitten, zodat ze haar hoofd stootte tegen de lage zoldering.
'Au!' Alise bracht haar hand naar haar voorhoofd. 'Wat is er in...' Ze tuurde om zich heen in het schemerige licht. 'Wie is dat? Waar ben ik?'

'Je bent bij mij, Alise...'
'Shadamehr? Is dat... leef je...'
'Ik leef nog, lieve. Ik zou dood moeten zijn, maar ik leef.'
Alise sloeg haar armen om hem heen en drukte hem tegen zich aan. 'De goden zij dank!' zuchtte ze terwijl ze hem stevig vasthield.
'De duivel mag de goden halen,' zei Shadamehr woest. 'Dank zij jóú, Alise. Jij hebt me gered. Ik...'
'Nee!' zei ze, en ze deinsde plotseling terug. 'Nee, zeg dat niet. Zeg helemaal niets. Als jij niet dood bent, waarom leef ik dan? De betovering die ik heb opgewekt...' Ze huiverde, kroop van hem weg en drukte haar lichaam tegen de wand. 'Wat is er met me gebeurd?'
Shadamehr probeerde haar te kalmeren, maar hij voelde dat haar lichaam zich spande, verstrakte onder zijn aanraking, en hij trok zich met tegenzin terug. 'Alise... de Grootmoeder... herinner je je iets?'
'De Grootmoeder...' herhaalde Alise zacht. 'Ja, ik herinner het me. Ik herinner me zonneschijn en de blauwe lucht en dat ik in het zoetgeurende gras lag en de goden kwamen bij me. Ze zeiden... ze zeiden...'
'Wat?' vroeg Shadamehr in spanning.
'Ze zeiden: "Waarom verdoe je je tijd met pogingen om die slechte baron Shadamehr te redden?"' Alise sprak fluisterend, spookachtig monotoon, en voegde er zacht aan toe: "De baron die naar een riool ruikt."'
'Dat zeiden ze niet,' protesteerde Shadamehr gekwetst. 'Zeiden ze dat?'
'Nee,' zei Alise, en ze ontspande zich toen hij haar aanraakte. Maar heel zacht duwde ze zijn handen weg. 'Dat zeiden ze niet.'
'Wat zeiden ze dan wel? Dat jij een heldin bent omdat je die knappe en geweldige baron Shadamehr hebt gered?'
'Nee, dat zeiden ze ook niet. Ons gesprek was niet voor anderen bedoeld.' Ze kneep haar ogen een beetje dicht. 'Damra, ben jij dat? Griffith? Wat doen jullie hier? Waarom schommelt mijn bed? En waarom stink ik als een riool?'
'We zijn aan boord van een orkenschip,' legde Shadamehr uit.

'We zijn op de vlucht uit Nieuw Vinnengael. En wat die riolen betreft...'
'Een hele opluchting, om weg te zijn uit Nieuw Vinnengael. En op de vlucht ook nog, zeker met een kleine voorsprong op de paleiswacht die zoals gewoonlijk vastbesloten is jou op te hangen of te onthoofden of allebei.' Alise veegde een paar verdwaalde rode krullen uit haar gezicht en zwaaide haar voeten over de rand van het bed.
'Herinner je je er niets van?' vroeg Shadamehr.
'Ik merk dat ik honger heb, mijn echtgenoot,' zei Damra vlug. 'Hoorde ik je iets zeggen over brood in de kombuis?'
'Ja, ik zal je laten zien waar het is,' bood Griffith aan. 'Als jullie beiden ons willen excuseren...'
'Ik ga mee,' zei Alise. 'Ik heb razende honger.'
Shadamehr greep haar pols.
'Alise, wij moeten praten.'
Ze hief haar hoofd, schudde haar rode haar naar achteren en keek hem aan. Ze waren samen alleen in de hut. De elfen, die de situatie pijnlijk vonden, waren gevlucht.
'Nee, dat hoeft niet. Er is niets te zeggen.'
'Alise...'
'Shadamehr.' Ze nam zijn beide handen in haar handen en hield ze vast. 'Ik weet wat ik moet weten. Ik herinner me wat ik me moet herinneren. Er is niets veranderd tussen ons.'
'Er is wel iets veranderd,' zei Shadamehr zacht.
'Dat zou niet zo moeten zijn,' zei ze, zonder hem te willen aankijken.
'Alise, je hebt mijn leven gered,' zei Shadamehr terwijl hij haar tegen zich aan trok. 'Door mij ben je bijna doodgegaan...'
'En dus ben je nu verliefd op me,' constateerde ze terwijl ze probeerde zich los te wurmen. 'Nu wil je de rest van je leven met mij doorbrengen. Kleine Shadamehrs op de wereld zetten. Samen oud worden.'
'Ja!' riep hij verrukt.
'Wat?' Ze keek hem met grote ogen aan.
'Ja, dat wil ik allemaal. Maar geen kleine Shadamehrs. Kleine Alises. Zes meisjes met rood haar, net als hun moeder, om mij

te kwellen en te martelen en nooit te doen wat hun gezegd wordt en...' Hij zweeg even. 'We moeten natuurlijk eerst een paar kleinigheden afhandelen, zoals de Verheven Steen die nu in mijn bezit is, en die ik voor iemand die dood is naar Oud Vinnengael moet brengen, en het feit dat de Heer van de Leegte, Dagnarus, Nieuw Vinnengael inneemt, en dat we op de vlucht zijn omdat ons leven gevaar loopt, maar wanneer dat allemaal is opgelost...'
'Ik wist het!' Alise stompte hem tegen zijn borst. Ze begon hem weg te duwen, maar hield daar weer mee op en keek ernstig naar hem op. 'Volgens mij zal het niet werken, Shadamehr.'
'Natuurlijk zal het werken. Die dode man zei...'
Alise glimlachte, stak haar handen omhoog en balde haar beide vuisten. 'Dat bedoel ik niet. Ik bedoel ons. Leidstenen,' zei ze, terwijl ze de vuisten tegen elkaar sloeg en ze uit elkaar liet springen. 'Zie je? Ik herinner het me wel degelijk. En als je me nu wilt excuseren, ga ik de rioolprut uit mijn haar wassen.'
'Alise,' zei hij terwijl hij haar bleef vasthouden. 'Ik neem je niet kwalijk dat je me niet vertrouwt. Voor gisteravond heb ik mijn leven lang geen serieus woord gesproken, maar nu moet je naar me luisteren. Je kunt me niet de mond snoeren. Ik hou van je, Alise. En niet uit dankbaarheid omdat je mijn leven hebt gered,' voegde hij er streng aan toe, om de woorden die op haar lippen lagen tegen te houden. 'Volgens mijn berekening zorgt deze ene keer dat je mijn leven hebt gered ervoor dat we quitte staan voor al die andere keren dat je mijn leven in gevaar hebt gebracht.'
'Ik heb je leven nooit in gevaar gebracht!' zei ze verontwaardigd terwijl ze vergeefs probeerde haar pols uit zijn greep los te wringen.
'En of je dat hebt gedaan. Bijvoorbeeld die keer bij de trollen. Ik waarschuwde nog: "Niet over die brug rijden." Maar nee, jij wilde niet luisteren en daar verschijnen drie van de grootste trollen die ik ooit van mijn leven heb gezien, en trollen zijn verrekte moeilijk te doden...'
'Ik zal erover nadenken,' beloofde Alise vlug.
'Of je met me wilt trouwen? Echt waar?'
'Ja,' zei ze. 'Ik ben tot alles bereid om dat trollenverhaal nooit

meer te hoeven horen. Laat je me nu gaan om mijn haar te wassen?'
'Dat wilde ik je al aanraden,' zei Shadamehr. 'Eerlijk gezegd, lieve, is het een bewijs van mijn liefde dat ik je zo dichtbij laat komen, zoals jij stinkt...'
Alise gaf hem een duw waardoor hij achteruit tegen de wand vloog, gaf hem nog een schop tegen zijn schenen, draaide zich toen om en liep de hut uit.

Alise had ervaring op zee, omdat ze de baron meer dan eens op een tocht had vergezeld. Het zou haar vandaag nog lukken de matrozen aan het pompen te zetten zodat ze haar haar kon wassen. Haar hemden zouden aan de ra's hangen en zelf zou ze, gekleed in van de orken geleende kleren, de horlepiep dansen bij de middernachtelijke wacht.
'Het zal klikken tussen ons,' zei Shadamehr, terwijl hij tevreden over zijn blauwe plek wreef.
Hij stond alleen in de hut en glimlachte naar de kleine, ronde plek zonlicht. Maar nog terwijl hij ernaar keek, verdween het zonlicht doordat er een wolk voor schoof.
Altijd een wolk. En dit keer reusachtige wolken, wolkenmassa's. Zoveel dat ze misschien nooit meer de zon zouden zien. Hij pakte de knapzak die, vermoedelijk, het mensendeel van de Verheven Steen bevatte. De knapzak zag er heel gewoon uit; het leer ervan was versleten, de naden waren rafelig. Hij hield de zak in het beetje licht dat er nog was, maakte hem open, keek erin en zag niets dan wat stofpluis. Volgens Bashae had ridder Gustav gezegd dat de knapzak magische eigenschappen had. De Verheven Steen zat verborgen tussen magische plooien en kon alleen door een geheim woord worden onthuld.
'Zou het geen mooie grap zijn,' zei Shadamehr bij zichzelf, 'als we al die tijd ons domme leven hadden gewaagd voor een lege knapzak.'
Het woord dat hij diende uit te spreken, 'Adela', lag op het puntje van zijn tong. Hij moest die Verheven Steen zien. Hij moest zien wat Bashae had willen beschermen, waarvoor hij zijn leven had gegeven. Hij moest met eigen ogen zien waar al die drukte

over ging. Hij was niet van plan dit zomaar aan te nemen...
U bent de drager van de Verheven Steen.
Gareths woorden. Daarom was Gareth bij hem gekomen.
Ik droomde niet. Shadamehr wist dat even zeker als dat hij van Alise hield en dat – hielden de wonderen dan nooit op – zij van hem hield. Dat wist ze zelf misschien nog niet, maar hij zou haar overtuigen. Er was nu alleen nog één probleempje: te zorgen dat ze het er allemaal levend afbrachten.
Het woord 'Adela' bleef onuitgesproken. Hij kon, door het kraken van het schip heen, de stemmen van Damra en Griffith horen die met Alise praatten. Hij kon haar stem, haar lach horen. Hij hing de versleten leren band over zijn schouder. Hij moest er maar aan wennen dat hij die knapzak droeg. Hij mocht hem nergens laten liggen waar de Leegte hem kon vinden. Zolang hij er de verantwoordelijkheid voor droeg, zou hij met zijn leven voor de knapzak instaan. En wat er in de toekomst met de Steen zou gebeuren, die beslissing moesten anderen nemen. Hij was geen Domeinheer, gelukkig; hij vermoedde dat de goden daar ook wel dankbaar voor waren.
'Het is nog vroeg. Laten we eens kijken wat ik nog meer kan verknallen,' zei hij opgewekt tegen zichzelf terwijl hij het dek opliep.

Rigiswald zat met gefronst voorhoofd naar zijn boek te kijken. Het werk was lang niet zo leerzaam als hij had gehoopt. Hij sloeg het met een geërgerde klap dicht.

'Je bent een domkop,' zei hij tegen de lang overleden schrijver.

Rigiswald zat in zijn stoel en vroeg zich af hoe laat het was. Door aan de tijd te denken, ging hij zich ook afvragen welke dag het was. Hij verloor elk besef van tijd in de bibliotheek, waar geen klokken waren, geen ramen en geen stadsomroepers die meldden dat het middaguur had geslagen en dat alles in orde was. Welke dag was het? Was Ulaf hier de afgelopen nacht geweest of de nacht daarvoor? Was er sindsdien werkelijk al een hele dag verstreken?

Ja, dat was het geval, besloot Rigiswald. Nadat Ulaf was vertrokken, was hij naar bed gegaan en had hij bijna de hele dag geslapen. Daarna had hij slecht gegeten in de eetzaal en vervolgens had hij zijn lectuur hervat. Het moest nu kort voor zonsopgang zijn. Hij twijfelde of hij nog de moeite zou nemen om naar bed te gaan of gewoon zou gaan ontbijten. Hij had net besloten het laatste te doen, toen hij een hand op zijn schouder voelde.

Hij keek op en zag dat het hoofd van de Orde der Oorlogsmagiërs op hem neerkeek.

'Ze zeiden dat ik u hier zou vinden, heer,' zei Tasgall op de gedempte toon die altijd gebruikt werd in de bibliotheek. 'Ik zou u graag even willen spreken.'

'Ik verwachtte je al,' zei Rigiswald terwijl hij het boek opzij legde.
Een novice die in hun buurt rondhing, schoot op het boek af en nam het mee naar wat tegenwoordig voor een veilige plek doorging.
'De tanen zullen helemaal geen belangstelling voor de boeken hebben, moet je weten,' zei Rigiswald, terwijl hij samen met Tasgall de bibliotheek uit liep. 'Er zijn maar weinig tanen die kunnen lezen. Ze hebben geen geschreven vorm van hun eigen taal. Ze zouden niet weten wat ze met boeken moesten beginnen. En Dagnarus evenmin,' voegde Rigiswald eraan toe.
Tasgall reageerde nauwelijks, alleen met een flitsende blik.
Nadat ze de bibliotheek uit waren gekomen, liepen ze door een brede gang waar het naar geolied leer, hout en perkament rook. Aan deze gang lagen vergaderruimtes met fraai gebeeldhouwde tafels, omringd door stoelen van donker hout met hoge rugleuningen, en collegezalen. Tasgall en hij waren de enige aanwezigen in de gang. De zalen waren leeg en donker. Als het straks dag was, zou het heel druk zijn in dit gedeelte van de universiteit, maar 's nachts kwam hier geen mens.
'Als kind spijbelde prins Dagnarus vaak,' vervolgde Rigiswald. 'We hebben het verslag daarover van zijn leermeester, die schreef dat Dagnarus liever bij de soldaten rondhing dan zijn lessen te bestuderen. Het lijkt mij dat jullie kostbare boeken van hem niets te duchten hebben.'
'Prins Dagnarus is tweehonderd jaar geleden gestorven,' zei Tasgall. Hij sprak met een zware stem, en zo monotoon alsof hij de woorden uit het hoofd had geleerd en ze nu opzei.
Rigiswald glimlachte en streek met zijn hand over zijn baard.
Ze liepen de hele gang door; toen bleef de oorlogsmagiër staan. Hij keek achterom de gang in naar waar ze vandaan waren gekomen, en toen hij niemand zag, maakte hij vlug een gebaar naar Rigiswald en ging hem voor in een van de vergaderzalen. Het was er donker en het rook er naar krijt.
Tasgall mompelde de woorden van een toverformule en de ruimte vulde zich met een zacht, grijs licht. Tasgall keek rond om zich ervan te vergewissen dat de ruimte leeg was. Hij beduidde

Rigiswald te gaan zitten in een van de stoelen met hoge rugleuning en liep toen terug om in de gang te kijken voor hij de deur dicht deed.
Rigiswald nam plaats in de stoel. Hij legde zijn handen op de armleuningen, sloeg zijn benen over elkaar en wachtte.
Tasgall trok een andere stoel onder de tafel uit, maar de oorlogsmagiër ging niet zitten. Hij bleef staan, met zijn handen om de gebeeldhouwde lat die de rugleuning van de stoel versierde. Tasgall in zijn strijdtenue vormde een indrukwekkend schouwspel van kracht, bestaande uit een dodelijke combinatie van staal en vuur. Deze nacht was hij gekleed in het zachte, wollen habijt dat de Broeders meestal droegen tijdens de uren die voor studie of ontspanning bestemd waren. Zonder wapenrusting was hij gewoon een mens – een man van middelbare leeftijd, achter in de veertig. De scherpe lijnen van zijn vierkante, geschoren gelaat waren verzacht door vermoeidheid, zijn donkere haar werd grijs bij de slapen, zijn voorhoofd was gefronst. Hij was lang en krachtig gebouwd, zodat zijn vroegere leermeester – de slanke, keurige Rigiswald – naast hem nietig leek.
Rigiswald had ook toen al geweten dat de donkerogige, in zichzelf gekeerde, intense Tasgall een ideale oorlogsmagiër zou zijn, en hij had hem aangeraden zijn studie voort te zetten met dat doel voor ogen.
'Waar is baron Shadamehr?' vroeg Tasgall zonder omhaal.
'Zo spreek je niet tegen iemand die aanmerkelijk ouder is dan jij, Tasgall. Zelfs niet al ben je hoofd van de oorlogsmagiërs,' antwoordde Rigiswald.
Tasgalls handen omklemden de rugleuning van de stoel met meer kracht. 'Ik heb twee nachten niet geslapen. Eergisternacht moest ik optreden tegen die baron van u, die probeerde de koning te ontvoeren en die daarna opeens verdween. Daarna kregen we het gevecht met een Vrykyl in een taveerne, een Vrykyl die een van mijn mensen doodde voor we hem terugstuurden naar de Leegte die hem had voortgebracht. Gisteren en vandaag heb ik me beziggehouden met de mogelijkheid van een vijandelijke inval. Je hoeft maar naar de overkant van de rivier te kijken om te zien dat die duivels op de oever hun kamp hebben opgesla-

gen! U wilt me daarom wel vergeven, heer, als het me enigszins aan tact ontbreekt.'
Rigiswald trok een wenkbrauw op. Hij plaatste de toppen van zijn verzorgde vingers tegen elkaar en trommelde er zachtjes mee. Tasgall zuchtte van ergernis en zei toen: 'Weet u waar baron Shadamehr te vinden is?'
'Nee, dat weet ik niet,' antwoordde Rigiswald.
'Ik denk dat u het wel weet,' zei Tasgall.
Rigiswald stond stijfjes op. 'Dan maak je mij uit voor leugenaar. Ik wens je een goede morgen...'
'Wacht! Wacht! Verdomme!' Tasgall kwam naar voren om de bejaarde magiër de weg te versperren. 'We weten dat u tot het huishouden van de baron behoort, dat u zijn leermeester bent geweest en dat u nu zijn vriend en vertrouweling bent.'
'Ik heb inderdaad die eer,' zei Rigiswald, die nog steeds stond.
'De baron is twee dagen geleden de stad binnengereden...'
'Was ik daar ook bij?' onderbrak Rigiswald hem.
'Nee, heer, u was er niet bij, maar...'
'Ik ben hier een paar dagen geleden aangekomen. Ik heb al mijn tijd in de bibliotheek doorgebracht, zoals je ongetwijfeld van je verspieders hebt vernomen. Ik ben één keer weggegaan naar mijn bed, zes keer om te eten, en achttien keer om naar het privaat te gaan – mijn blaas is niet meer wat hij vroeger was – en ik heb één keer een ontmoeting gehad met de Nimraanse ambassadeur, zoals je verspieders natuurlijk ook hebben gemeld. Hebben je verspieders je verteld dat baron Shadamehr me bij een van die gelegenheden is komen bezoeken?'
'Nee, heer,' zei Tasgall nors. 'Hij was in het paleis om te proberen de jonge koning te ontvoeren.'
'Werkelijk? En hoe kwam het dat hij in het paleis was?'
'De regentes wilde hem spreken.'
'Waarover?'
'Ik ben degene die hier de vragen stelt, heer,' zei Tasgall.
'Je hebt me één vraag gesteld, en die heb ik beantwoord. Mijn antwoord beviel je niet, maar dat is niet mijn schuld. Als je nog meer vragen hebt, zal ik die graag beantwoorden, maar de antwoorden zullen je waarschijnlijk ook niet bevallen. Daarom zie

ik er de noodzaak niet van in dit vruchteloze gesprek voort te zetten. Ik ben erg moe, en ik zou graag nog wat slapen voordat de stad belegerd wordt. Ik wens je een goede morgen, heer. Nogmaals.'
Rigiswald liep om Tasgall heen, die niet probeerde hem tegen te houden. De bejaarde magiër was bijna bij de deur toen Tasgall weer iets zei.
'Wat baron Shadamehr verder ook mag zijn, hij is geen lafaard. Ik heb samen met hem op het slagveld gediend, zoals u ook weet, heer. Ik heb met eigen ogen zijn vasthoudendheid, zijn vastberadenheid en zijn moed gezien, en ik ben het niet eens met hen die zeggen dat hij uit lafheid weigerde de Transfiguratie te ondergaan.'
Rigiswald bleef staan en keek achterom. 'Ja, heer, en wat zou dat?'
'Ik heb baron Shadamehr gezien bij zijn waaghalzerij, ik heb hem in dronkenschap gezien, ik heb hem in de strijd gezien, en nooit eerder heb ik hem bang gezien. Alleen op de avond dat hij in het paleis was. Ik zag zijn gezicht, en ik zag angst. Er gebeurde iets met hem in het paleis waardoor hij zo bang werd dat hij door een kristallen raam sprong en vijf verdiepingen lager op de stenen vloer belandde. Ik wil weten wat dat was.'
Rigiswald schudde zijn hoofd en deed nog een stap.
'Vertel me dan dit,' zei Tasgall. 'Heeft baron Shadamehr soms een deel van de Verheven Steen in zijn bezit?'
Rigiswald deed opnieuw een stap, en weer een.
'Heer,' zei Tasgall op strakke, effen toon. 'Ik ben verantwoordelijk voor de levens van enkele duizenden mensen, om maar niet te spreken van het leven van de jonge koning. Als u informatie hebt die nuttig voor mij zou kunnen zijn, die me zou kunnen helpen die levens te redden, en u die informatie achterhoudt, dan zal het bloed van die onschuldigen aan uw handen kleven.'
Rigiswald keek nog een keer om. 'Je hoeft je niet druk te maken over het leven van de jonge koning. De jonge koning is namelijk dood.'
'Onmogelijk!' zei Tasgall ongeduldig. 'Ik kom net bij hem vandaan. Hij ligt vast te slapen.'

‘Heel vast,’ zei Rigiswald. ‘Op de bodem van de rivier. De jonge koning die je in zijn bed hebt zien liggen is een Vrykyl.’
Tasgalls kaakspieren bewogen heftig. Zijn donkere ogen flitsten van woede.
‘Waar is baron Shadamehr?’ vroeg hij op strakke toon.
‘Ah, we zijn weer terug bij het begin,’ zei Rigiswald met een zucht. ‘Ik zal je zeggen dat ik niet weet waar hij is. Dan zul je zeggen dat ik een leugenaar ben. Ik zal beginnen de zaal uit te lopen...’
‘Nee, heer,’ zei Tasgall. ‘Ik zal de zaal uit lopen.’ Hij beende Rigiswald voorbij, de deur uit en de donkere gang daarachter in.
‘Ik zei toch dat mijn antwoord je niet zou bevallen,’ merkte Rigiswald op.
Tasgall keek niet meer om.
‘De goden mogen ons bijstaan,’ mompelde Rigiswald; hij was er nog nooit zo dichtbij geweest een gebed uit te spreken.

Dagnarus, Heer van de Leegte, stond op de oever van de Arven en keek naar de stad Nieuw Vinnengael aan de overkant van de rivier. Deze stad ging hij veroveren. Hij stond er alleen en ongezien, gehuld in de magie van de Leegte. Het was nacht. Een eind verderop zaten zijn tanenmanschappen om de kampvuren verhalen te vertellen over de dappere dingen die ze zouden doen wanneer het sein voor de aanval werd gegeven.
Toch zag Dagnarus niet deze stad. Hij zag een andere stad, gebouwd langs de oevers van een andere rivier. Hij zag een stad van wit marmer, van hoge rotswanden; een stad van watervallen en regenbogen. Zijn stad, Vinnengael, de stad waar hij geboren was, de stad waarover hij had moeten heersen, volgens zijn geboorterecht.
Eerlijk gezegd had Dagnarus toen hij in Vinnengael woonde dat witte marmer en die regenbogen nooit zo opgemerkt. Hij had nooit veel aandacht besteed aan de watervallen, en wanneer hij naar de witte rotswanden keek waarop de stad was gebouwd, zag hij ze als deel van de verdediging van de stad. Pas na de verwoesting van Vinnengael keek hij terug naar die stad en zag hij haar door het gekleurde prisma van zijn verlangen. Toen pas

herinnerde hij zich de regenbogen, en dat alleen omdat Gareth er een keer iets over had gezegd.
Denkend aan de oude stad, en kijkend naar de nieuwe die ter ere van de oude was gebouwd (en ook om haar in pracht te overtreffen), begreep Dagnarus eindelijk wat hem zo ergerde, nu hij hier op de rivieroever stond en nadacht over de strijd van morgen. Als bezeten minnaar kon hij het voorwerp van zijn liefde met geweld nemen, maar op die manier wilde hij haar niet. Hij wilde dat ze naar hem toe kwam. Hij wilde dat zij hém begeerde, dat ze zich voor hem vernederde en zwoer dat ze altijd van hem had gehouden en dat ze nooit van een ander zou houden. Hij zou zijn droom niet verwezenlijken door een leger tanen op haar af te sturen om haar in boeien te slaan, haar herhaaldelijk te verkrachten en haar langs de weg te laten liggen om in haar eigen bloed te sterven.
Hij kon naar zijn aanbedene toe gaan en proberen haar het hof te maken. Maar wat moest hij dan met tienduizend tanen die dorstten naar haar bloed?
Dagnarus legde zijn hand op de Dolk van de Vrykyls.
'Shakur!' Hiermee riep hij zijn onderbevelhebber, een van de Vrykyls, een schepping van de Leegte en van de dolk die Dagnarus had gebruikt om Shakur het leven te benemen, om hem daarvoor in de plaats de levende dood te geven.
Er gingen lange minuten voorbij. Shakur reageerde niet.
Geprikkeld herhaalde Dagnarus de oproep. Dagen of maanden konden voorbijgaan zonder dat hij contact had met zijn Vrykyls, maar wanneer hij iets zei, wenste hij hun onmiddellijke aandacht.
'Mijn heer,' antwoordde Shakur.
'Je hebt me laten wachten,' zei Dagnarus.
'Vergeef me, heer, maar er waren mensen bij me.'
'Stuur ze dan weg,' zei Dagnarus. 'Je bent immers koning.'
'Ik ben misschien koning, maar ik ben ook een kleine jongen, heer,' antwoordde Shakur. 'Die idioten hangen om me heen als kakelende oude hennen. Vooral nu een leger van monsters zijn kamp heeft opgeslagen buiten de stadspoorten.'
'Hoe is de stemming in de stad?' vroeg Dagnarus.

'Angst, paniek,' antwoordde Shakur. 'De staat van beleg is afgekondigd. De stad wordt geregeerd door de oorlogsmagiërs. Er lopen soldaten door de straten. De poorten zijn gesloten. Niemand komt erin of gaat eruit. De haven is leeg.'
'Heeft nog iemand anders ontdekt wie je bent?'
'Niemand behalve de baron, en die is inmiddels waarschijnlijk dood.'
'Waarschíjnlijk dood? Weet je dat niet zeker?'
'De paleiswacht is naar hem blijven zoeken, heer, maar ze hebben hem nog niet gevonden. Ik heb hem gestoken met het bloedmes. Hij was niet meer te redden.'
'Voor je eigen bestwil hoop ik dat dat waar is, Shakur.'
Dagnarus was uitermate ontstemd over deze nalatigheid van de Vrykyl. Als de oudste van zijn Vrykyls was Shakur ooit de beste, de sterkste, de meest meedogenloze geweest. Maar de laatste tijd had hij verscheidene fouten gemaakt, fouten die Dagnarus duur te staan waren gekomen. Het was duidelijk dat de Vrykyl achteruit begon te gaan. Dat was niet zo vreemd. Shakur ging al tweehonderd jaar mee. Alleen de Leegte hield zijn vergane lichaam bij elkaar. Hij moest steeds vaker doden om de zielen te kunnen drinken die hij nodig had om zijn gruwelijke bestaan vol te houden. Dagnarus voelde aan de dolk die Shakur dit vreselijke leven had gegeven. Hij kon het wegnemen wanneer hij maar wilde.
'Wanneer zet u de aanval in, heer?' vroeg Shakur. Het leek hem beter om een ander onderwerp aan te snijden. 'Morgenochtend?'
'Ik ga niet aanvallen,' zei Dagnarus.
'Níét aanvallen, heer?' Shakur was begrijpelijkerwijs verbaasd. Gedurende twee eeuwen hadden zijn meester en hij hiernaar toegewerkt en plannen gemaakt.
'Wanneer de zon opkomt, zal ik Nieuw Vinnengael binnenrijden onder een witte vlag. Ik zal eisen bij jou – de jonge koning – te worden toegelaten. Jij zult ervoor zorgen dat mij audiëntie wordt verleend.'
'Maar heer, dit plan bevalt mij niet. De stad is rijp om te vallen...'
'Het interesseert mij niet wat jou bevalt, Shakur.' Dagnarus'

vuist sloot zich om het gevest van de dolk. 'Ik geloof dat ik een gruwelijke hekel begin te krijgen aan jouw gewoonte voortdurend iets op mijn beslissingen aan te merken. Je zult me gehoorzamen, zowel op dit punt als op alle andere punten.'
'Ja, heer.'
'O, en je hoeft verder niet meer naar de Verheven Steen te blijven zoeken. Ik heb die kwestie aangepakt, zoals ik meteen al had moeten doen.'
'Moeten de andere Vrykyls doorgaan ernaar te speuren, heer?'
'Nee, Shakur. Het is niet nodig energie te verspillen aan de jacht erop. Ik heb het zo geregeld dat de Verheven Steen – alle vier de delen ervan – naar mij toe zullen komen. Twee ervan zijn al onderweg.'
'Heel goed, heer. We kunnen de Vrykyls die aan de jacht hebben meegedaan, goed gebruiken. Ik neem aan dat u weet dat Jedash dood is?'
'Geen groot verlies,' zei Dagnarus.
'Nee, heer. Maar wat de aanval op Nieuw Vinnengael betreft, het lijkt me dat...'
'Is het niet allang kinderbedtijd, Shakur?' onderbrak Dagnarus hem. 'Is het geen tijd dat je kindermeisje je komt instoppen en je een kusje op je krullenbol geeft?'
Shakur was ziedend, maar zweeg en deed zijn best zijn boosheid te bedwingen.
Dagnarus vond het grappig hem zo te zien koken van woede.
'Mijn heer, wat is uw plan voor morgen?' vroeg Shakur ten slotte op nederige toon.
'Koning van Vinnengael te worden,' zei Dagnarus.

Het wachten eiste zijn tol van de mensen van Nieuw Vinnengael. Gistermorgen hadden de soldaten over de muren gekeken naar de gelederen van de monsterlijke vijand, en ze hadden hun bloed voelen koken van haat, walging en van de woede die mannen bevangt voor een veldslag. Naarmate de dag verstreek, koelde het hete bloed af, verkilden woede en haat tot twijfel en vrees. Bij het vallen van de nacht werd de nachtelijke hemel door de laaiende vuren van de vijand in een oranje gloed gezet; hun dierlijk gekrijs was huiveringwekkend. De officieren droegen hun mannen op te proberen te slapen, maar elke keer dat de soldaten indutten, werden ze door een buitengewoon afschuwelijke schreeuw gewekt uit dromen die toch al niet aangenaam waren geweest.

Deze morgen waren de soldaten die op de vijand neerkeken somber, slaperig en wanhopig. De officieren deden wat ze konden om hun manschappen op te peppen, maar het gejuich waarmee ze gisteren waren begroet, was vandaag verworden tot gebrom en lauw gemompel.

Rigiswald werd bij het ochtendgloren wakker; hij werd uit een diepe slaap gewekt door een knagend, tintelend gevoel in zijn buik dat altijd voorafging aan een ongunstige gebeurtenis. Sommigen noemden het een voorgevoel en beweerden dat het van de goden kwam. Rigiswald geloofde dat het voortkwam uit de hersenen, die in de nacht ijverig hadden doorgewerkt terwijl het lichaam sliep. Hij had er dagen aan besteed om alles te lezen wat hij over de Verheven Steen kon vinden, onder meer informatie over koning Tamaros, prins Dagnarus en de gedoemde, tragische koning Helmos. Van al die documenten had hij vooral veel gehad aan het verslag dat geschreven was door Evaristo, die Dagnarus' leermeester was geweest.

Hoewel hij in Oud Vinnengael woonde, was Evaristo niet in de stad geweest toen Dagnarus – toen al Heer van de Leegte – zijn leger ertegen inzette. Evaristo beweerde dat zijn goede gesternte hem en zijn gezin ertoe had gebracht de reis van driehonderd kilometer te maken om een bezoek te brengen aan de oom van zijn vrouw, die in de stad Krammes woonde. Rigiswald vermoedde dat Evaristo voor de komende aanval was gewaarschuwd door zijn vroegere leerling Gareth, die inmiddels een machtige Leegtetovenaar was geworden. Aan Gareth werd het plan toegeschreven de betovering op te wekken die het water uit de rivier de Hamerklauw had doen wegvloeien, waarmee een van de voornaamste weermiddelen van het paleis was uitgeschakeld, zodat Dagnarus' leger de stad bij verrassing kon innemen.

In zijn memoires maakte Evaristo geen geheim van het feit dat hij altijd erg op Gareth gesteld was geweest en dat hij gedaan had wat hij kon om de heilloze greep van Dagnarus op het jonge kind, dat Dagnarus' ranseljongen was geweest, te breken. Daarin was Evaristo niet geslaagd. Gareth hield van Dagnarus en was zijn vriend gebleven, standvastig en trouw. Evaristo twijfelde er niet aan dat deze vriendschap Gareths ondergang zou betekenen, want Dagnarus, die het bekorend vermogen van de adder bezat, had ook het geweten van dat reptiel.

Uit de geschriften van Evaristo was Rigiswald ook veel te weten gekomen over de persoonlijkheid van Dagnarus, en daarom was hij in heel Nieuw Vinnengael de enige die niet verbaasd was dat Dagnarus zijn aanval uitstelde. Hij was evenmin verbaasd toen een van de oorlogsmagiërs hem kwam opzoeken in de eetzaal, waar hij het gemiste avondmaal inhaalde.

'Met de complimenten van de venerabele hoge magiër, heer,' zei de oorlogsmagiër; het was niet de gewoonte dat zij erop uit werden gestuurd om een boodschap over te brengen. 'Hare Hoogwaardigheid vraagt of u zo snel mogelijk naar het paleis wilt ko-

men.'
Rigiswald ging rustig door met het opeten van een kom met gestoofde kip. Dat hij nog zo'n goede eetlust had, was een bron van afgunst voor verscheidene jonge en doodsbange novicen.
'Sta ik onder arrest?' vroeg Rigiswald.
De oorlogsmagiër keek onthutst. 'Nee, heer. U bent een van een aantal gerespecteerde ouderen van de Tempel die naar het paleis zijn geroepen voor een onderhoud met de regentes en Zijne Majesteit.'
Gisternacht was ik een misdadiger. Nu ben ik een gerespecteerde oudere, bedacht Rigiswald met binnenpret. Hij zei dat hij zou komen, at zijn kip op, ging terug naar zijn kamer om zich in zijn mooiste gewaad te verkleden en stak toen het plein over dat de Tempel van het paleis scheidde.
Het was grauw, bewolkt weer, een beetje nevelig. De straten waren verlaten, afgezien van de patrouilles en een paar zwerfhonden. De wolken, het druilerige weer, de lege straten en de wetenschap dat datgene waar hij bang voor was, steeds naderbij kwam, zorgden voor een gedrukte stemming; een gevoel dat voor hem ongewoon was.
Rigiswald was een pragmaticus. Hij zag zijn medemensen zoals ze waren: vaak dom, over het algemeen goedhartig en een enkele keer buitengewoon edel. Omdat Rigiswald niet veel van zijn medemensen verwachtte, stelden ze hem ook niet teleur. Hij was tot de conclusie gekomen dat er ongeveer evenveel echt kwaad in de wereld was als echt goed, en dat bijna iedereen er ergens tussenin zat.
Neem bijvoorbeeld Dagnarus. Wat zou het veel gemakkelijker zijn, dacht Rigiswald, als hij het kwaad in eigen persoon was – een soort monsterachtige afwijking, zoiets als een trol, die erbij gebaat is mensen pijn te doen en te kwellen.
'Maar hij is geen trol,' zei Rigiswald bij zichzelf. 'Ook al is hij Heer van de Leegte en al heeft hij de macht van de Leegte gebruikt om zijn leven langer te rekken dan dat van een normaal mens, Dagnarus is toch nog een mens. Hij is een mens, zoals wij mensen zijn. Daardoor kan hij in onze harten kijken, en daarmee is hij in het voordeel, want wij kunnen niet in het zijne kij-

ken. Als we in zijn hart konden kijken, wat zouden we dan aantreffen? Veel waarvan we zouden schrikken, denk ik zo. En ook veel dat ons bekend zou voorkomen.'
Rigiswald schudde zijn hoofd. 'Misschien is dat de eigenlijke reden waarom we niet kijken. We zijn bang dat we onszelf zullen zien. Toch moet iemand kijken. Iemand moet het doen.'
Bij zijn aankomst bij de zwaar bewaakte hoofdpoort werd Rigiswald doorgelaten door een oorlogsmagiër die gewapend was met een lijst van de mensen die waren uitgenodigd naar het paleis te komen voor een bespreking met de regentes en Zijne Majesteit. Altijd eerst de regentes, dan de koning. De jonge koning hing er maar zo'n beetje bij.
Dat moest wel erg frustrerend zijn voor de Vrykyl, overwoog Rigiswald, terwijl hij een van de paleisbedienden volgde door de met gouden filigreinwerk, fluwelen wandtapijten en marmeren vloeren versierde zalen. De Vrykyl moest de gedaante van het kind aanhouden en hij mocht niets doen waardoor degenen die hem omringden, argwaan zouden kunnen gaan koesteren. Toch moest de Vrykyl tegelijkertijd de gebeurtenissen zo zien te sturen dat ze de zaak van zijn meester vooruit hielpen.
Het zal alleen al interessant zijn, dacht Rigiswald, om te zien hoe de Vrykyl probeert de gang van zaken te beïnvloeden.

Op bevel van de regentes zou de bijeenkomst plaatsvinden in de Zaal van het Glorieus Verleden, die zo genoemd werd vanwege de vier reusachtige muurschilderingen die taferelen uit Oud Vinnengael uitbeeldden. Rigiswald vroeg zich af of de regentes zich had gerealiseerd hoe buitengewoon ironisch het was dat een vergadering over Dagnarus' belegering van de stad Nieuw Vinnengael gehouden werd in een zaal waarin zijn belegering van de oude stad werd verheerlijkt.
Dat betwijfelde Rigiswald. Clovis had ongeveer de intelligentie van een smid. Ze hamerde een fantasie in vorm en dompelde die vervolgens in koud water om hem voorgoed vast te leggen. Ze dacht waarschijnlijk dat deze zaal inspirerend zou werken. Rigiswald dacht precies het tegenovergestelde. De grauwe duisternis buiten was minder deprimerend dan deze zaal die gewijd

was aan verlies, vernietiging en dood.
De grote, ronde tafel die gewoonlijk midden in de zaal stond, was weggehaald. Rondom langs de wanden van de enorme zaal waren stoelen geplaatst. Bijna iedereen bleef op een kluitje in het midden staan. Kaarsen brandden in de kroonluchters, die door middel van een systeem van touwen en katrollen konden worden neergelaten zodat de bedienden ze konden aansteken. Rigiswald stond onder een van de luchters, tot hij zag dat er een druppel gesmolten was op zijn soutane was gevallen. Hij fronste zijn voorhoofd en liep naar een andere plek.
De spanning in de kamer was tastbaar. Mensen kwamen haastig binnen, buiten adem, met een somber gezicht. Ze wachtten even in de deuropening, keken zoekend in de menigte en liepen dan regelrecht naar een of meer vrienden, om daar zacht en dringend een gesprek te beginnen. De zenuwen waren tot het uiterste gespannen, mensen liepen rusteloos van de ene groep naar de andere. Af en toe was een stem boven de andere uit te horen, luid en boos, waarna hij gesust werd door zijn gezelschap. De hoofden van alle Orden der Magiërs waren aanwezig, evenals de ridders die het bevel hadden over eenheden van de koninklijke cavalerie en de stadswacht. Er waren verscheidene baronnen die landgoederen bezaten in of rond Nieuw Vinnengael, en ook de Bewaarder van de Beurs, het hoofd van de koninklijke schatkamer. De meesten kende Rigiswald wel. Er waren ook anderen die hij niet herkende, onder wie een corpulente heer in de rijke, maar pretentieloze kleding van de betere middenklasse. Iemand zei dat hij aan het hoofd stond van de Bond van Koopliedengilden.
Opvallend door hun afwezigheid waren de Domeinheren.
Verscheidene hoofden van de Orden der Magiërs knikten Rigiswald toe, maar niemand kwam naar hem toe om met hem te praten. Hij was niet echt in de gratie. Zo had hij het zelf liever; hij bleef ook liever alleen, zonder zich te mengen in de somber getinte gesprekken. Hij dwaalde door de zaal en luisterde hier en daar mee met een gesprek. Het viel hem terloops op dat er een ander was die dit ook deed – het hoofd van de Orde der Inquisiteurs.

Rigiswald werd zich algauw bewust van onenigheid in de zaal. De baronnen en ridders waren niet verheugd over het feit dat de Kerk de macht had gegrepen na de dood van de koning. De baronnen meenden dat een van hen als regent had moeten worden benoemd, en ze werden gesteund door de ridders, die de Kerk de schuld gaven van de droevige toestand waarin het Vinnengaelese leger in de loop van de jaren was vervallen. Zeker, de Kerk had haar eigen militie in de oorlogsmagiërs, maar deze mensen behoefden alleen aan hun meerderen verantwoording af te leggen, en hoewel ze goed getraind waren en graag wilden samenwerken met het leger, vertrouwde men hen niet. De baronnen en de ridders spraken op hoge toon over een samenzwering van de Kerk om de echte monarchie ten val te brengen. Deze aanval van de vijand was óf een list óf een onderdeel van de beraamde strategie, en zo ging het maar door.

Toen hij de kant op liep waar de magiërs bij elkaar stonden, hoorde Rigiswald soortgelijke gesprekken, alleen werden hier de demonen aan de andere kant geplaatst. De magiërs hadden het erover dat de baronnen zouden samenzweren met rebellen die de Kerk wilden vernietigen. Het vijandelijke leger vormde een onderdeel van hun strategie, of het was een list, en zo ging het maar door.

Rigiswald vond het zinloos om naar de regentes te gaan luisteren. Hij wist dat Clovis niet bijster slim was en dat ze bekrompen was, maar hij wist ook dat zij een godenvrezende vrouw was, die ongeacht de gebreken die ze mocht hebben, trouw was aan haar koning en aan haar land. De baronnen en ridders waren ook godenvrezende, trouwe mannen. Wanneer hun bloed weer wat afgekoeld was, zouden ze diep betreuren wat ze gezegd hadden. Maar nu was de Leegte zeer actief in deze zaal en gebruikte angst en wantrouwen om uiteen te drijven wie zich juist zouden moeten verenigen.

Rigiswald kon zich maar met één uitspraak verenigen, en die kwam van een baron die de muurschilderingen liep te bekijken waarop de hoogtepunten van Oud Vinnengael waren uitgebeeld en mompelde dat de keuze van deze zaal 'ten hemel schreiend' was.

Aangekondigd door ceremonieel hoorngeschal marcheerden leden van de paleiswacht van de koning de zaal in. Zij namen hun plaatsen in aan het hoofd van de zaal, waar ze langzaam en plechtig met de achterkant van hun speren op de vloer stampten om de menigte te doen zwijgen.
'Zijne Majesteit de Koning!'
De gesprekken verstomden, want iedereen in de zaal boog diep. De jonge koning, die er heel klein, fragiel en slaperig uitzag, liep tussen de rijen van zijn wachten. Achter hem kwam de regentes binnen, vergezeld door Tasgall die in vol ornaat was.
Rigiswald kende Clovis al jaren, vanaf de tijd dat ze beiden studeerden. Hij was iets ouder dan zij, maar niet veel. Ze zag er nu hetzelfde uit als ze er vijftig jaar geleden uit had gezien, alleen iets grijzer. Ze was zwaargebouwd en had grijze ogen, even kleurloos als haar geest. Ze had geen verbeelding en geen gevoel voor humor. Ze beschouwde lachen als ergerlijk voor de goden, die wilden dat het mensdom het leven serieus nam.
De jonge koning liep naar een troon die op een verhoogd platform onder een baldakijn met gouden franje was geplaatst. De zetel was veel te groot voor het kind. Hij tilde zijn achterste op de troon en liet zich erin glijden, want hij had geleerd dat koningen nooit achteromkeken. De regentes nam haar plaats in aan de rechterhand van de koning. Tasgall ging links van hem staan. De kamerheer van de koning, een van de venerabele broeders die tevens de functie van zijn leermeester had, ging achter de troon staan. De paleiswacht schaarde zich om de koning, terwijl anderen posities bij de deur innamen.
Wat zouden ze zeggen als ik hun vertelde dat het kwaad dat ze proberen te weren al in de zaal aanwezig is, dacht Rigiswald bij zichzelf. Hij had in de verleiding kunnen komen om te lachen, als het huilen hem niet nader had gestaan.
De regentes kwam naar voren. Ze wilde iets gaan zeggen, maar voordat ze haar mond open kon doen, brak er in de zaal een spervuur van vragen, eisen en boze beschuldigingen los. Het was een oorverdovend tumult. Verbijsterd kroop de koning nog verder achteruit in zijn stoel. Zijn wachten sloten zich om hem heen. Het gezicht van de regentes liep vervaarlijk rood aan. Tasgall

wierp de oorlogsmagiërs een waarschuwende blik toe.
Rigiswald maakte gebruik van de opschudding om ergens te gaan staan waar Tasgall hem kon zien en hij Tasgall kon zien. Tasgall keek Rigiswald even strak aan; toen perste hij zijn lippen op elkaar en wendde zijn blik af.
Rigiswald begon te begrijpen waarom hij opgeroepen was. Aanvankelijk had hij gehoopt dat Tasgall er nog eens over had nagedacht en bereid was hem te geloven. Maar nu besefte Rigiswald dat Tasgall hem hierheen had laten komen om hem in diskrediet te brengen. Rigiswald was teleurgesteld. Hij had gedacht dat Tasgall verstandiger zou zijn.
'Zijne Majesteit begrijpt uw zorg,' zei de regentes toen ze zich boven het lawaai uit verstaanbaar kon maken. 'En wij zullen ernaar luisteren en erop ingaan. Eerst wil ik een belangrijke bezoeker welkom heten, de monnik Nu'Tai, die van de Drakenberg hierheen is gereisd.'
Na deze aankondiging werd het stil.
Een gebogen, verschrompelde, uitgedroogde oude man betrad de nu doodstille zaal, vergezeld door twee reusachtige mensen, die geheel in vachten waren gehuld. De kleine, oude man was de monnik. De twee grote wezens die hem begeleidden, waren leden van de Omarah, een volk dat op de berg leefde en zijn leven wijdde aan het bewaken van de heilige personen van de monniken.
De monniken van de Drakenberg leggen alle belangrijke gebeurtenissen op hun lichaam vast door ze in hun huid te tatoeëren. Wanneer de monniken sterven, worden hun lichamen in speciale gewelven in het klooster bewaard, zodat toekomstige generaties ze kunnen bestuderen. Iedereen in de zaal dacht hetzelfde: was deze monnik hier om de val van Nieuw Vinnengael vast te leggen, zoals zijn lang geleden gestorven voorganger de val van Oud Vinnengael had vastgelegd?
De monnik boog voor de koning, die naar voren schoof op zijn troon en met zijn hoofd knikte. De regentes heette de monnik welkom en stelde hem voor aan een aantal belangrijke personen, die ze naar voren riep om ze aan hem voor te stellen. Rigiswald was daar niet bij. Hij bleef op de koning letten.

De voeten van de kleine Hirav raakten de vloer niet. Hij zat met zijn benen te schommelen en begon toen zenuwachtig tegen de zijkanten van de troon te schoppen. Hier werd een eind aan gemaakt door zijn kamerheer, die hem weer iets toefluisterde.
Tasgall wierp Rigiswald een blik toe, en deze kon de gedachten van de man even duidelijk lezen alsof hij ze had uitgesproken. 'Dit kind is een kwaadaardig schepsel van de Leegte?'
Rigiswald klemde zijn handen in elkaar, leunde naar achteren op zijn hielen en vervolgens naar voren op de bal van zijn voeten om de bloedstroom in zijn benen op gang te houden, en vroeg zich af hoe dit allemaal zou aflopen. Niet goed, dacht hij.
De regentes kondigde aan dat de monnik naar Nieuw Vinnengael was gekomen om hun droevig nieuws te brengen. Gustav, Heer van Kennis, een edele en geëerde Domeinheer, was dood. Hij was in verre streken gestorven en was onder een hoop aarde begraven door de barbaarse Trevinici. De regentes stelde voor een delegatie te vormen die zou afreizen naar het gebied van de Trevinici om het lichaam van deze edele heer op te graven en terug te brengen voor een behoorlijke begrafenis.
Tijdens deze toespraak werd de menigte onrustig. De Vinnengaelezen, omsingeld door tienduizend monsters van de Leegte, dachten met angst aan hun eigen dood, en niet aan een of andere bejaarde ridder die toch al malende was geweest. Met zijn krankzinnige zoektocht naar de Verheven Steen had Gustav de Raad van Domeinheren in verlegenheid gebracht. De enige werkelijk gevoelde emotie bij het vernemen van zijn dood was opluchting.
Rigiswald vroeg zich af of de monnik de regentes had verteld dat Gustav het voor de mensen bestemde deel van de Verheven Steen had gevonden. Als dat zo was, zei Clovis er niets over tegen de aanwezigen. Rigiswald kon het haar niet kwalijk nemen. Ze kon moeilijk tegen deze explosieve menigte zeggen dat de Verheven Steen gevonden was, maar dat niemand wist waar hij nu was. De meesten zouden onmiddellijk concluderen dat de Kerk hem had verstopt, hem had opgeslagen om hem later te kunnen gebruiken voor haar eigen doeleinden.
De monnik trok zich terug op de achtergrond en nam plaats op

een van de stoelen die langs de muur waren opgesteld. De grote Omarah posteerden zich om de verschrompelde oude man. Alle ogen richtten zich op de regentes. Iedereen wachtte in spanning op wat ze te zeggen had, en de meesten wisten al dat het hun niet zou bevallen.
Clovis deed weer haar mond open, maar het was blijkbaar voorbeschikt dat haar toespraken op deze dag niet gehoord zouden worden. Een van de tempelnovicen die de regentes dienden, kwam ademloos de zaal inrennen. De novice ging regelrecht op de regentes af, toen hij door het plotselinge geroezemoes begreep dat iedereen in de zaal – tot de koning aan toe – naar hem keek. Dit maakte hem zo verlegen dat hij opeens bleef staan. De regentes wees hem op scherpe toon terecht. De jongeman herstelde zich en liep snel naar haar toe om iets tegen haar te zeggen. De ogen van de regentes werden groot. Een verbaasde uitdrukking verscheen op haar zware, kwabbige gezicht. Het bericht dat ze had gehoord, bracht Clovis zo in verwarring dat ze het waarschijnlijk veel liever onder vier ogen had vernomen. Maar nu kon ze de zaal niet verlaten. De menigte begon al opmerkingen te maken over de komst van de novice, en enkele baronnen wensten te weten wat er aan de hand was.
'Uwe Majesteit,' zei Clovis, terwijl ze zich tot de koning wendde, 'de vijandelijke bevelhebber heeft toestemming gevraagd om onder een witte vlag Nieuw Vinnengael binnen te komen. Hij heeft niet de wens om ons aan te vallen, zegt hij, en hij stelt voor dat we proberen een vreedzame oplossing te zoeken. We moeten een besluit nemen of hij al dan niet zal worden toegelaten.'
In de verbijsterde stilte die op deze uitspraak volgde, was de hoge, schrille stem van de jonge koning duidelijk te horen.
'Wij zeggen "ja",' zei Hirav III. 'Geef hem toestemming onze stad binnen te komen en met ons te spreken.'
Clovis hapte even naar lucht. Ze had tot de jonge koning gesproken uit politieke overwegingen, om de luidruchtige baronnen het zwijgen op te leggen. De koning hoorde te zeggen dat zij dat maar moest beslissen. Het was beslist niet haar bedoeling dat de koning zelf de beslissing nam, en het was een onaangename schok voor haar dat hij dat toch had gedaan.

'Uwe Majesteit, we kunnen deze zaak beter onder vier ogen...'
De koning liet zich van zijn troon af glijden en ging tegenover haar staan. 'Wij zeggen dat deze bevelhebber toestemming dient te krijgen de stad binnen te komen. Wij wensen hem te zien en te horen. Dat is onze wil, en u zult gehoorzamen.'
Listig, die Vrykyl, dacht Rigiswald. Hij keek naar Tasgall om te zien wat die nu van zijn koninkje vond, maar kon geen oogcontact krijgen met de man. De oorlogsmagiër keek gespannen naar de regentes.
Clovis zat 'in de pekel', zoals het gezegde luidde. Ze klemde haar handen ineen voor haar volumineuze buik en keek met een woeste blik op de koning neer, in een poging hem te intimideren. Dit lukte niet en ze was genoodzaakt te spreken.
'Uwe Majesteit, als uw regentes, aangesteld door de Kerk en goedgekeurd in de ogen van de goden, heb ik de plicht uw beslissingen te begeleiden. Iedereen weet dat het welzijn van uw volk u ter harte gaat, en we weten dat u wilt doen wat het beste is voor hen. Daarom constateer ik dat u in ernst verlangt om met deze boosaardige man te spreken, en zal ik uw wens in overweging nemen. Maar de beslissing over een zo ernstige zaak behoort niet lichthartig te worden genomen. Ik stel voor dat we tijd nemen om erover na te denken.'
Clovis wendde zich tot de kamerheer. 'Zijne Majesteit zal zich terugtrekken.'
Dat beviel Zijne Majesteit zo te zien helemaal niet. Hij fronste zijn voorhoofd en zijn ene hand balde zich tot een kleine vuist. Hij leek op het punt te staan te protesteren, maar zag daar bij nader inzien van af. Hij zou de indruk maken van een pruilend kind en daardoor terrein verliezen. Want nu keken mannen en vrouwen die hem eerst meewarig hadden bekeken, hem met respect aan. Hij kon er alleen maar bij winnen als hij zich keurig gedroeg. De kamerheer en de paleiswacht escorteerden de koning terwijl hij de zaal verliet.
De regentes sprak kort met de novice, die haastig de zaal uitging, en zei toen met luide stem: 'Deze vergadering wordt geschorst. Over een uur komen we weer bijeen. Dan zullen we deze man ons antwoord geven.'

Als ze dacht dat ze weg kon gaan zonder nog iets te zeggen, vergiste ze zich. Clovis mocht dan wel regentes zijn, maar de regentes was niet de koning. Ze werd onmiddellijk ingesloten door luid pratende baronnen en ridders. Zelfs het hoofd van de Bond van Koopmansgilden kwam naar voren en drong zich door de menigte om zijn mening te geven.
Met een grimmige trek op haar gezicht en blozende wangen probeerde de regentes erdoorheen te komen, maar zonder succes. Uiteindelijk wisten Tasgall en zijn oorlogsmagiërs een pad vrij te maken. De regentes wenkte de hoofden van de Orden mee te komen en ze gingen de zaal uit, bewaakt door de oorlogsmagiërs.
De achtergebleven baronnen, ridders en andere hovelingen dromden weer bijeen in hun eigen groepen; hun stemmen waren toornig verheven en doorspekt met dreigementen dat de Kerk hier haar zin niet zou kunnen doordrijven.
Rigiswald wist zelf naar buiten te glippen, net op tijd om te zien dat de hoofden van de Orden naar het eind van een lange gang liepen, waar een rij portretten van voormalige koningen en koninginnen van Vinnengael aan de muren hing. Aan het eind van de gang bleef de regentes staan. De hoofden van de negen Orden dromden om haar heen. Verscheidene oorlogsmagiërs vormden een kordon dwars over de gang om deze spoedvergadering een zekere beslotenheid te geven.
Rigiswald slenterde de gang een eindje in en deed alsof hij verdiept was in de beschouwing van een portret van de overleden moeder van de jonge Hirav. Staande voor het schilderij, met zijn hoofd schuin, schatte hij de afstand tussen hemzelf en de groep magiërs.
Ongeveer zestig meter. Hij nam een flacon met water die hij tussen de strak aansluitende manchet van zijn gewaad had gestoken, trok er met zijn tanden de stop uit en schudde een paar druppels op zijn vingers. Hij fluisterde de woorden van een toverformule en wierp het water met een schuddende beweging in de richting van de groep die om de regentes stond. De betovering werkte. Enkele ogenblikken later kon hij hun gesprek duidelijk horen.

'Het is natuurlijk zo,' hoorde hij de regentes zeggen, 'dat deze man die zich Heer Dagnarus noemt eens goed naar onze verdediging heeft gekeken, en tot het besef is gekomen dat hij geen kans heeft om ons te verslaan. Hij kan ons hoogstens belegeren, en zolang onze havens open blijven, zal dat slechts een klein ongemak opleveren. Ik ben niet van zins om met hem te onderhandelen.'

'Een belegering zou meer dan een klein ongemak betekenen, regentes,' zei Tasgall onomwonden. 'Hun belegeringstorens zijn gewapend met orkengelei. Deze heer Dagnarus zou een vuurstorm kunnen opwekken die de helft van de bevolking van deze stad zou wegvagen, en huizen en winkels in verkoolde ruïnes zou veranderen.

Dat is echter nog beter dan overgave,' voegde hij er op sombere toon aan toe. 'Ik heb gehoord welke gruwelen deze monsters hebben aangericht in Dunkar toen die stad zich overgaf. Ik vind ook dat we moeten vechten, maar we moeten weten wat ons in het ergste geval te wachten staat voor we eraan beginnen, en ons daarop voorbereiden.'

'De eerwaarde broeder Tasgall spreekt verstandige woorden, regentes,' zei het hoofd van de Orde der Inquisiteurs. 'Volgens onze bronnen bestaat het vijandelijke leger uit tanen, een volk dat bedreven is in het gebruiken van Leegtemagie. En het is niet alleen hun sjamaan die zich van deze gemene magie kan bedienen. Ook de gewone soldaat heeft het vermogen Leegtemagie te gebruiken wanneer hij maar wil zonder last te hebben van enige hinderlijke gevolgen.'

De Inquisiteur was een lange man, krachtig gebouwd en zo extreem mager dat hij bijna een geraamte leek. Hij had sluik, grijs haar en de grote, uitpuilende ogen van mensen die lijden aan een kropgezwel. Zijn benige kaaklijn en hoge jukbeenderen gaven zijn gezicht iets skeletachtigs, en onder de novicen deed de grap de ronde dat hij uit het graf was opgestaan. De Inquisiteur miste elke warmte, hij was sarcastisch en slechtgehumeurd, en niemand mocht hem lijden voordat hij benoemd werd tot hoofd van de Orde der Inquisiteurs; nu werd hij door iedereen gehaat.

Dit nieuws was kennelijk een schok voor de regentes. 'Hoe is dat mogelijk?' wilde ze weten. 'En waarom is mij dit niet eerder meegedeeld?'
'Inderdaad,' stemde Tasgall boos met haar in. 'De oorlogsmagiërs hadden dit eerder moeten horen!'
'Eerder zouden jullie er niet in geïnteresseerd zijn geweest,' was het weerwoord van de Inquisiteur.
'Leegtemagie put het lichaam van degene die haar toepast uit, zo werkt ze nu eenmaal,' zei de regentes. 'Volgens mij bent u verkeerd ingelicht, Inquisiteur.'
'Wat wij weten, zijn wij te weten gekomen van leden van onze Orde die zich met gevaar voor eigen leven temidden van deze schepsels hebben gewaagd,' antwoordde de Inquisiteur, met kille woede in zijn stem omdat er aan hem getwijfeld werd. 'De tanen kunnen dit presteren door gebruik te maken van stenen die onder hun huid zijn aangebracht. We weten niet zeker hoe deze stenen werken, maar onze theorie is dat de tanen de energie uit de stenen aftappen om de magie kracht te geven, zodat ze niet genoodzaakt zijn hun eigen levensenergie aan te spreken.'
'Ongeacht hoe ze het doen, regentes,' zei Tasgall, 'als het waar is wat hij zegt – en ik denk dat we hem moeten geloven – betekent dit dat elke afzonderlijke vijand die over onze muren komt een Leegtetovenaar is die in staat is zowel betoveringen van dood en verderf op te roepen als de wapens te hanteren.'
De regentes keek ontsteld, maar toen perste ze haar lippen op elkaar. Ze schudde haar hoofd.
'Ik zeg niet dat we ons moeten overgeven,' voegde Tasgall eraan toe, want hij las haar gedachten. 'Wij zullen overwinnen, daar twijfel ik niet aan. De goden zouden niets anders toestaan. Maar de strijd zal bloedig zijn en veel vernietigen.'
'Is er nog iets wat u over die tanen weet, wat u ons niet hebt verteld, Inquisiteur?' vroeg de regentes.
'Het leger van heer Dagnarus telt verscheidene van de ondode ridders van de Leegte, die bekendstaan als Vrykyls,' zei de Inquisiteur, onaangedaan door haar beschuldiging. 'Vrykyls die veel krachtiger zijn dan de Vrykyl die twee dagen geleden door het heldhaftig optreden van onze oorlogsmagiërs is geveld. De

Vrykyls hebben een ongelooflijke beheersing van de Leegtemagie. Dat blijkt wel uit het feit dat er zoveel van onze oorlogsmagiërs nodig waren om er één, en dan nog een zwakke, te verslaan. Daarmee wil niets nadeligs gezegd zijn over uw dappere optreden, heer.'
De Inquisiteur boog naar Tasgall, die terugboog, maar niets zei.
'Als onze Domeinheren aanwezig waren, zouden zij deze Vrykyls op voet van gelijkheid tegemoet kunnen treden, maar naar ik begrijp, regentes, hebt u de Raad ontbonden en de Domeinheren weggestuurd uit de stad.'
'Ik volgde de wil van de goden,' antwoordde Clovis tandenknarsend. Ze voelde zich in het nauw gedreven, want ze begon de greep op de situatie te verliezen. 'Deze Domeinheren zijn op een onvolmaakte manier geschapen en zijn daarom zelf ook onvolmaakt. Die mallotige heer Gustav was een goed voorbeeld.'
'De "mallotige" heer Gustav was wijs genoeg om ons deel van de Verheven Steen te vinden, dat twee eeuwen zoek was geweest,' zei de Inquisiteur.
Velen van de verzamelde hoofden van de Orden maakten een verbaasd geluid en richtten hun ontstelde ogen op de regentes. Tasgall, het hoofd van de Orde der Oorlogsmagiërs, en Seneschal, het hoofd van de paleiswacht, waren de enigen voor wie dit nieuws niet schokkend was.
'Is dit wonder waar, zeer venerabele hoge magiër?' wilde het hoofd van de Orde der Diplomatie weten.
'Loof de goden,' zei het hoofd van de Orde der Schrijvers.
'Dat zou ik maar niet al te gauw doen,' zei de Inquisiteur droogjes. 'Heer Gustav heeft de Steen gevonden, maar hij stierf voor hij hem kon afleveren. Sindsdien is de Steen weer vermist. Tenzij het u gelukt is hem op te sporen, regentes?'
'Nee, dat is niet gelukt,' antwoordde de regentes zuur. 'En u zou me een groot genoegen doen als u wat minder luid sprak, Inquisiteur.'
'Jammer,' zei de Inquisiteur. 'De Steen zou ons misschien van nut kunnen zijn bij het verdrijven van deze Leegtemonsters.'
'Met het oog op het beleid...' begon de regentes boos.
'De Leegte is hier al aan het werk,' onderbrak Tasgall haar. 'Ik

neem aan dat u zich daarvan allen bewust bent.'
Het geruzie hield op.
'Maar wat staat ons nu te doen?' vroeg Clovis. Ze wendde zich tot Tasgall. 'Raadt u ons echt aan om met deze heer Dagnarus te onderhandelen?'
'Zijne Majesteit heeft het zo bevolen,' zei Tasgall.
'Zijne Majesteit is een kind,' bitste de regentes.
'Een kind dat ons in een onhoudbare situatie heeft gebracht,' was Tasgalls antwoord. 'De baronnen zijn al ontevreden over het feit dat de Kerk de monarchie beheerst, althans zo zien zij het. Als we in deze kwestie tegen de wensen van de koning ingaan, vervreemden we ons nog meer van de baronnen en ridders, van wie we de steun met troepen en geld nodig hebben als we worden aangevallen.'
Hij aarzelde even en vroeg toen: 'Weet u waarom Zijne Majesteit het in zijn hoofd haalde om in deze kwestie in te grijpen, regentes?'
Ha, dacht Rigiswald verheugd. Nu denk je eindelijk na, Tasgall. Je begint je af te vragen of ik gelijk heb. Heel goed, heer. Heel goed.
'Zijne Majesteit is een kleine jongen en is als zodanig zeer geïnteresseerd in het vooruitzicht van een grote slag,' zei de regentes. 'Hij zit de hele tijd op zijn kamer uit het raam te kijken naar het vijandelijke leger aan de overkant van de rivier. Wanneer hij niet uit het raam kijkt, speelt hij met zijn speelgoedsoldaatjes veldslagen na. Het is niet vreemd dat hij de man die deze aanval op de stad heeft ingezet wil ontmoeten.'
'Hij is geïnteresseerd in de strijd, zegt u,' zei Tasgall. 'Hij is er niet bang voor?'
'Hij is niet in het minst bang,' zei de regentes met haast moederlijke trots. 'Zijne Majesteit is geen lafaard.'
Het hoofd van de Orde der Kunsten nam het woord. Hij was een ernstige, zwijgzame man, die bekendstond om zijn buitengewoon weloverwogen wijze van denken.
'Ik denk niet dat we hier veel keus hebben, regentes. Ik denk dat we moeten horen wat deze man te zeggen heeft, al lijdt het geen twijfel dat we ons onder geen voorwaarde mogen overgeven.'

'Daar sluit ik me bij aan,' zei de Inquisiteur. 'Ik ben wel nieuwsgierig naar deze heer Dagnarus. Er doen over hem vreemde geruchten de ronde.'
'Ik neem aan dat we hem dus zullen moeten ontvangen,' zei de regentes zonder veel enthousiasme in haar stem. 'Zijn we het daarover eens?'
De negen hoofden mompelden instemmend.
'Ik zal het regelen.' Clovis wachtte even en zei toen zacht: 'Ik neem aan, Tasgall, dat Zijne Majesteit bij die bijeenkomst aanwezig dient te zijn?'
'Ik ben bang van wel, regentes. Anders zouden de baronnen zich boos maken. Maar ik stel voor dat u eerst met Zijne Majesteit praat. Herinner hem eraan dat het de bedoeling is dat hij zich door u laat leiden en dat hij geen beslissingen mag nemen zonder u eerst te raadplegen. En ik zou hem pas later zijn entree laten maken bij de bijeenkomst, zodat zijn verschijning niet meer is dan een formaliteit.'
'Ja, dat is een goed idee,' zei Clovis. 'En u kunt er verzekerd van zijn dat ik een lang gesprek met Zijne Majesteit zal voeren.'
De regentes stapte weg; haar ambtsgewaad ruiste om haar dikke enkels.
'Werkelijk,' mompelde Rigiswald hoofdschuddend terwijl hij terugging naar de Zaal van het Glorieus Verleden. 'Tasgall heeft gelijk. De Leegte is hier aan het werk.'

Geen fanfare, geen trompetgeschal, geen groots ceremonieel begeleidde Dagnarus bij zijn aankomst in de stad die hij hoopte tot de zijne te maken. Hij werd heimelijk naar binnen gesmokkeld door een deurtje in een zijpoort in de buurt van de scheepswerf, en werd vervolgens geblinddoekt en in een gesloten rijtuig naar het paleis gebracht. De oorlogsmagiërs die hem bewaakten, merkten op dat hij deze gang van zaken allerminst als een belediging beschouwde, maar het goedmoedig en lichtelijk geamuseerd leek te accepteren.

Dagnarus was niet wat ze verwachtten. Als aanvoerder van een leger van monsters was hij zelf ook als een monster beschouwd. In plaats daarvan bleek hij een charmante, knappe man; zelfverzekerd en blakend van zelfvertrouwen. Hij was goed, maar niet overdadig, gekleed in een wollen mantel, een geborduurd wambuis en een sneeuwwit hemd en hij had hoge laarzen aan. Hij droeg zijn kleren met een zekere elegantie. Hij had een fraai zwaard bij zich, dat hij aan de oorlogsmagiërs overhandigde met de opdracht er goed op te passen, want het was vroeger van zijn vader geweest. Hij had zelf ook wel iets weg van een mooi zwaard – fraai versierd, blinkend gepolijst en voorzien van een scherpe rand.

Krijgers zagen onmiddellijk dat hij een van hen was. Tijdens de rit in het rijtuig sprak hij tegen zijn bewakers over bepaalde veldslagen in het nabije verleden die de Vinnengaelezen hadden gevoerd tegen dwergen die de stad hadden aangevallen, en daarbij maakte hij duidelijk dat hij die veldslagen had bestudeerd, want hij sprak met kennis van zaken over de strategieën en tactieken die door beide partijen waren toegepast. De geharde oorlogsmagiërs merkten dat ze tegen hun wil bij het gesprek werden betrokken, en tegen het einde van de rit in het rijtuig moesten ze toegeven dat Dagnarus toch wel respect verdiende. Hij wist van wanten op het gebied van oorlog, zoveel was zeker.

Wie hij was, waar hij vandaan was gekomen, hoe hij aan dit monsterachtige leger kwam en waarom hij Nieuw Vinnengael aanviel – dat waren vragen waarop de magiërs een antwoord hoopten te krijgen. Hij was een mens en leek ongeveer vijfendertig jaar oud te zijn, met kastanjebruin haar en felle, groene ogen. Hij was gladgeschoren, had een innemende glimlach en een familiair optreden. Hij sprak de Taal der Oudsten vloeiend en correct, hetgeen erop leek te wijzen dat hij een Vinnengaelees was, maar zijn taalgebruik had iets ouderwets. Hij noemde een 'hellebaard' een 'helmbaarde', een term die volgens iemand 'al grijs haar en een baard had toen mijn grootvader nog een kind was'. De oorlogsmagiërs slaagden er niet in door Dagnarus' verdediging heen te komen, want óf hij weerde hun verbale aanvallen af, óf hij maakte zich er met een grapje van af.

De oorlogsmagiërs namen Dagnarus de blinddoek nog niet af toen ze hem door de gangen van het paleis naar de Zaal van het Glorieus Verleden voerden. Hij liet zich deze vernedering beminnelijk welgevallen, lachte onder zijn masker en beklaagde zich dat hij geen van de mooie vrouwen kon zien waar de stad naar hij had gehoord beroemd om was. Toen hij langs een van de onthutste hofdames liep en de geur van parfum gewaarwerd, bleef hij even staan om voor de ongeziene vrouw een hoffelijke buiging te maken.

Hij werd de Zaal van het Glorieus Verleden binnengebracht, en daar werd zijn blinddoek afgenomen. Hij knipperde even tegen het licht tot hij weer kon zien en keek toen met een glimlach naar de menigte om hem heen. Er werd gereageerd met vijandige blikken, smalend neergetrokken mondhoeken, gegrom en gemompel. Hun duidelijk vijandige houding scheen hem niet te deren. Hij bleef kalm, ontspannen en zelfbewust.

De regentes stond op het podium met haar handen in elkaar ge-

klemd en het hoofd in de nek, als toonbeeld van een beledigde partij. Als de regentes hoopte dat ze Dagnarus met deze houding kon intimideren, of hem ervan kon doordringen dat hij in het ongelijk was, mislukte dat volkomen. Hij besteedde niet de minste aandacht aan haar, maar staarde aandachtig naar een van de muurschilderingen waarop Oud Vinnengael was afgebeeld. Hij wendde zich tot Tasgall die gewapend en op alles voorbereid naast hem stond.
'Moet dat het koninklijk paleis voorstellen, heer magiër?' vroeg Dagnarus.
Tasgall antwoordde voorzichtig; hij wantrouwde zelfs deze schijnbaar onschuldige vraag. 'Waarom wilt u dat weten, heer?'
'Omdat, als dat zo is, jullie het helemaal verkeerd hebben,' antwoordde Dagnarus lachend.
Voor iemand hem kon tegenhouden, liep hij met grote passen dwars door de zaal, zodat de baronnen, hovelingen en de hoofden van de Orden snel opzij moesten om hem uit de weg te gaan. De oorlogsmagiërs gingen met grote sprongen achter hem aan met hun wapens en toverformules in de aanslag. Hij lette niet op hen, maar liep gewoon door en bleef voor de muurschildering staan, niet ver van de stoel waarin Rigiswald toevallig zat te doen alsof hij een boek las.
De regentes keek Dagnarus woedend na en wierp Tasgall een boze blik toe, maar die haalde zijn schouders op om aan te geven dat hij geen idee had wat er gebeurde, en dat hij, zolang deze man niet bedreigend was, er niets aan kon doen.
Dagnarus bestudeerde de muurschildering. 'De kunstenaar heeft de watervallen goed. Maar hij heeft het paleis mishandeld.' Hij wees met zijn vinger op de schildering. 'Deze vleugel stak naar deze kant uit. De ingang was hier en niet op de plaats waar hij hem heeft aangebracht. Hij heeft er een extra toren bij gemaakt en daardoor ligt dit balkon, waar mijn vader altijd over wandelde, te ver naar het westen. Voordat ik wegga, zal ik het voor jullie tekenen om ervoor te zorgen dat jullie het goed krijgen.'
Omdat hij niets achter zich hoorde – de stilte was zo compleet dat iedereen in de zaal wel plotseling dood had kunnen zijn –

draaide Dagnarus zich om en keek de mensen aan. Er speelde een lachje om zijn mond.
'Ach heden,' merkte hij op. 'Misschien is dit niet het goede moment om dierbare herinneringen op te halen.'
Hij keek nog eens naar de schildering, en Rigiswald zag dat er een schaduw over de knappe gelaatstrekken trok. 'Toch zou ik het prettig vinden als het er goed op stond.'
Die schaduw was alweer gauw verdwenen en vervangen door charmante bonhomie. Rigiswald was een van de weinigen die die blik hadden opgemerkt, of de gemompelde woorden hadden gehoord die hem tot op het bot verkilden.
De regentes verstrakte en wisselde grimmige blikken met Tasgall en de Inquisiteur. Zij dachten beiden hetzelfde als Rigiswald, maar het verschil met hem was dat zij Dagnarus niet geloofden. Ze geloofden niet dat hij degene was die hij beweerde te zijn.
Dat zullen jullie nog wel gaan geloven, zei Rigiswald in stilte. Daar zal hij wel voor zorgen. Mogen de goden ons helpen!
De regentes ademde in om aan haar toespraak te beginnen, zodat haar boezem opbolde als de zeilen van een schip bij sterke wind.
Dagnarus was haar voor.
'Waar is mijn jonge neef, Hirav?' vroeg hij terwijl hij zoekend rondkeek.
De regentes zei koeltjes: 'Ik weet niet over wie u het hebt, heer. Ik was me er niet van bewust dat u beweert familie te zijn van iemand in deze zaal. Of dat iemand hier zou beweren dat hij familie van u is.'
'Zijne Majesteit de Koning,' zei Dagnarus, die de belediging met een glimlach naast zich neerlegde. 'Hirav III. Mijn neefje. Ik zeg "neef", hoewel ik ervan overtuigd ben dat de familiebetrekking waarschijnlijk veel ingewikkelder is – aangetrouwde achterneven in de tweede graad of zoiets onzinnigs. Ik heb ver gereisd om hem te bezoeken, en ik zou me dat genoegen niet graag laten ontzeggen.'
'Genoegen!' De regentes liet een snuivend geluid horen. 'U zet ons het mes op de keel, en u spreekt van genoegen!'

'U doelt op mijn leger. Ik was er niet van overtuigd dat ik welkom zou zijn in deze stad,' antwoordde Dagnarus met een innemende glimlach. 'Het leek me het beste om voorbereid te zijn.'
'Voorbereid waarop, heer? Op oorlog?' Clovis' stem beefde van woede.
'Nee, regentes,' zei Dagnarus. Zijn stem klonk ernstig, serieus. 'Ik ben hier om mijn rechtmatige aanspraak op de troon van het Vinnengaelese Rijk te doen gelden.'
'Stilte!' donderde de regentes om de vergadering tot bedaren te brengen.
De wachten stampten met de achterkant van hun speer op de stenen vloer. Het verwarde geroezemoes hield onmiddellijk op, maar niet ten gevolge van iets wat de regentes deed. Op dat moment kwam de jonge koning binnen, toevallig of met opzet. Vergezeld van zijn wachten en zijn kamerheer schreed hij de zaal binnen. Terwijl hij even wachtte om de buigingen van het gezelschap in ontvangst te nemen, gingen zijn ogen meteen naar Dagnarus. Rigiswald lette goed op om te zien of er tussen hen een of ander teken werd uitgewisseld. De ogen van het kind waren wijd opengesperd van volkomen verklaarbare nieuwgierigheid. Dagnarus keek naar de koning met een soort vaderlijke welwillendheid.
De regentes bewoog zich als een moederkloek om de koning op zijn troon te laten plaatsnemen, wierp hem een blik toe die bedoeld was om hem te herinneren aan zijn manieren, en wendde zich toen af om haar aandacht aan de Inquisiteur te geven, die op het podium was gestapt en kennelijk iets dringends tegen haar te zeggen had. Rigiswald had zijn afluisterbetovering kunnen toepassen, maar hij vond het niet nodig hieraan energie te verspillen. Hij kon gemakkelijk raden waar die twee het over hadden. De Inquisiteur zag het gevaar, en hij waarschuwde Clovis ongetwijfeld dat ze niet verder moest gaan, dat ze uitstel moest vragen, een persoonlijk onderhoud met deze man moest hebben. Misschien vertelde hij haar nog meer 'geruchten' die hij had gehoord.
'U wilt niet horen hoe hij zijn recht op de troon gaat verklaren,' zei de Inquisiteur ongetwijfeld met nadruk tegen haar. 'En voor-

al wilt u niet dat hij dat ten overstaan van het publiek doet.'
Tasgall ging snel naar hen toe om er zijn eigen zwaarwegende argumenten aan toe te voegen.
De regentes weifelde. Rigiswald kon zien dat haar lippen het woord: 'Kletskoek!' vormden. De Inquisiteur bleef aanhouden, en Tasgall schaarde zich blijkbaar aan zijn zijde, want hij knikte telkens wanneer de Inquisiteur zijn mond opendeed. Tegen hen beiden, en tegen hun argumenten kon de regentes niet op, en ze moest wel inbinden. Nu moest ze een manier bedenken om zich hieruit te redden en Dagnarus de kamer uit te krijgen zonder de baronnen voor het hoofd te stoten. Ze had zich die moeite kunnen besparen, want inmiddels was het al te laat.
Ze hadden de koning vergeten.
Hirav III boog zich naar voren en zei luid: 'Ik hoorde u zeggen, heer, dat u rechtmatig aanspraak kunt maken op de troon. Ik zou graag willen horen op grond waarvan u die aanspraak heeft.'
De regentes probeerde hem het zwijgen op te leggen. 'Uwe Majesteit, daarover hoeft u zich geen zorgen te maken...'
'Ik wil horen wat hij te zeggen heeft,' zei de koning met een veelzeggende blik. 'Gaat u alstublieft verder, heer.'
'Zeker, Uwe Majesteit,' zei Dagnarus, die het kind met passende ernst behandelde. 'Ik ben prins Dagnarus, tweede zoon van wijlen Tamaros, koning van Vinnengael. Aangezien mijn oudste broer Helmos dood is, ben ik de enige levende erfgenaam van Tamaros, en dus de ware en rechtmatige koning.'

Tijdens het tumult dat hierop losbrak, riep de regentes de wachten toe dat ze Zijne Majesteit naar een veilige plek moesten brengen – dat was natuurlijk een voorwendsel om van hem af te komen. De koning was niet in gevaar. De luide stemmen en dreigende woorden waren niet op hem gericht, hoewel de regentes de nodige beledigingen moest incasseren. Sommigen riepen om het hoofd van de bedrieger, terwijl anderen het hoofd van de regentes eisten. Sommigen riepen dat men Dagnarus moest toestaan zijn verhaal te vertellen, anderen dat hij in de Arven moest worden gegooid. De koning weigerde met de koppige hardnekkigheid van een kind de zaal te verlaten, en de re-

gentes kon, onder de boze ogen van de baronnen, moeilijk bevel geven dat Zijne Majesteit met geweld moest worden afgevoerd.
De wachten namen hun plaatsen in rondom de troon en trokken hun wapen. De jonge Hirav had een plechtige, onderworpen uitdrukking op zijn gezicht, maar leek beslist niet bang te zijn. Zijn ogen waren op Dagnarus gevestigd, en dat was eigenlijk vanzelfsprekend. Dagnarus keek even naar het kind, alsof hij wilde vaststellen dat Hirav veilig was; toen richtte hij zijn aandacht met kalme nonchalance op het publiek en nam een gemakkelijke houding aan, met een haast onmerkbaar lachje om zijn lippen.
Door de onrust in de zaal had Rigiswald de kans om de Heer van de Leegte goed te bekijken. Rigiswald deed zijn best om uiterlijke tekenen te zien van de Leegte in actie, een fysieke aanwijzing dat het leven van deze man verlengd was door middel van de slechte magie die nooit gratis geeft, maar altijd een prijs vergt.
Dagnarus' huid was blank en smetteloos, zijn handen waren eeltig en droegen littekens, zoals meestal het geval is bij de handen van een krijger, want het eelt was gevormd door het gevest van een zwaard en de littekens waren littekens van de strijd, geen littekens van wonden en puisten. Zijn lichaam was krachtig en gespierd. Hij stond kaarsrecht, in zijn volle lengte opgericht. Hij had een aantrekkelijk voorkomen. Hij zag er beslist niet uit als een man van tweehonderd jaar.
Rigiswald zag Dagnarus van opzij, en hij dacht juist dat hij hem graag eens goed in de ogen wilde kijken, toen Dagnarus zijn hoofd wendde om naar Rigiswald te kijken.
'Zou u mijn portret willen tekenen, oude heer?' vroeg Dagnarus met een plagerige grijns en met stemverheffing om boven het rumoer uit hoorbaar te zijn.
'Dat zou ik graag willen doen,' zei Rigiswald, 'om het daarna aan de schildering toe te voegen.'
Hij duidde met een hoofdknik een ander deel van de muurschildering aan, waar Helmos was afgebeeld na zijn Transfiguratie. Koning Tamaros stond bij Helmos, die het blinkende har-

nas van een Domeinheer droeg. Beiden hadden een gelukzalige, blijde uitdrukking op hun gezicht – een artistieke vrijheid, want volgens de geschiedenis werd Helmos hier Heer van Smarten, de enige keer dat de goden een Domeinheer met zo'n droevige titel hadden bedeeld. Dagnarus, de jongste zoon, was nergens te bekennen.

Dagnarus wierp een blik in de richting van de muurschildering. Hij keek langdurig naar de twee figuren, vader en zoon, die hier voorgoed verbonden waren in een ogenblik van gedeelde trots en gedeeld geluk waarvan de jongste zoon, de wilde zoon, de zoon die niet had voldaan voorgoed was buitengesloten. Dagnarus keek Rigiswald weer aan en daar was zijn kans. Hij keek hem in de ogen.

Hij verwachtte het niets van de Leegte te zien. In plaats daarvan zag hij de donkerte van een verdriet dat door tweehonderd jaar niet was gestild en het vuur van een brandende ambitie die door tweehonderd jaar niet was gedoofd. Rigiswald zag menselijkheid in die ogen, en dat verdroot hem ten diepste. Het zou vreselijk zijn geweest de holle leegte van de dood te zien, maar dat had hij toch veel liever gehad dan wat hij nu zag – emotie, intelligentie, verlangen, de volte en de warmte van het leven.

'U gelooft me dus, oude heer?' vroeg Dagnarus op speelse toon, maar die speelsheid was geveinsd, als je naar de ogen keek.

'Ik geloof u,' zei Rigiswald, en hij voegde er openhartig aan toe: 'Tot mijn leedwezen.'

Dagnarus was niet beledigd. Hij scheen het gesprek interessant te vinden en leek het te willen voortzetten, maar inmiddels was de orde in de zaal hersteld. De regentes had het woord genomen en Dagnarus draaide zich zo dat hij haar al zijn aandacht kon geven.

'Uw aanspraak is belachelijk,' zei de regentes. 'Pogingen om haar te weerleggen zijn eigenlijk nog te veel eer, maar ik zal voor de goede orde een paar argumenten noemen: de echte Dagnarus zou meer dan tweehonderd jaar oud zijn, de echte Dagnarus is zonder enige twijfel omgekomen bij de verwoesting van de stad die hij zelf heeft teweeggebracht, de echte Dagnarus...'

'Vergeeft u mij, meest venerabele hoge magiër,' onderbrak Dag-

narus haar. 'Als ik bewijs kon overleggen van mijn aanspraak – onweerlegbaar bewijs – zou dat dan voldoende zijn?'
Rigiswald keek van Dagnarus naar de jonge Hirav, en plotseling wist hij wat hun opzet was, wist hij het met even veel zekerheid alsof ze het hem hadden onthuld. Hij wist het, en hij kon niets doen om het tegen te houden, want niemand zou hem geloven.
De regentes opende haar mond.
Niet doen, Clovis, waarschuwde Rigiswald haar in gedachten. Speel zijn spel niet mee. Vraag hem naar zijn voorwaarden, wijs die vervolgens van de hand en gooi hem eruit. Het is beter dat we allemaal sterven en dat de stad wordt platgelegd, dan dat u ons uitlevert aan de Leegte.
'Laat ons uw bewijs zien, heer,' zei de regentes met koele waardigheid.
Rigiswald slaakte een diepe zucht en leunde naar achteren in zijn stoel, met zijn armen over elkaar en zijn hoofd gebogen.
'Ik roep als getuige op de monnik van de Drakenberg,' zei Dagnarus.
De regentes keek onthutst, maar na een ogenblik van verwarring richtte ze zich op. 'Ik begrijp niet...'
'Alstublieft, regentes,' zei Dagnarus vriendelijk. 'U vroeg om het bewijs.'
De monnik, aan wie niemand meer had gedacht, stond op en dribbelde naderbij om tussen zijn reusachtige, zwijgende lijfwachten te gaan staan. Hij maakte een wiebelige buiging naar de vergadering en keek toen met de belangstellende houding van een geleerde naar Dagnarus.
'Eerwaarde heer,' zei Dagnarus met een stem die onmetelijke eerbied uitdrukte, 'ik besef – zoals wij allen dat beseffen – dat de monniken van de Drakenberg geen geschiedenis maken; zij observeren de geschiedenis.'
Het haarloze, met tatoeages overdekte hoofd van de monnik ging op en neer om aan te geven dat dit waar was.
'Ik vraag u, eerwaarde monnik, te getuigen van een historisch feit. Ben ik waarachtig degene die ik beweer te zijn? Ben ik Dagnarus, de tweede zoon van koning Tamaros, die hem en zijn

wettige gemalin, koningin Emilia, dochter van Olaf, koning van Dunkarga, geboren is in het jaar 501?'
De monnik sloeg zijn handen in elkaar en maakte weer een wiebelige buiging. 'Die Dagnarus bent u inderdaad.'
Hij sprak zonder emotie; de woorden waren afgemeten en precies. Iedereen was verbijsterd over wat hij had gezegd, geschokt en verbaasd, maar er was niet één aanwezige in die zaal die zijn woorden in twijfel trok.
'Dan is hier het kwaad aan het werk!' riep de regentes met gesmoorde stem. 'Het kwaad van de Leegte!'
Te laat, Clovis, zei Rigiswald bij zichzelf, terwijl hij achterover leunde in zijn stoel en naar de zoldering staarde. Je hebt de deur van de schuur opengezet, en nu draaft het paard vrolijk de berg af.
'Wat dat aangaat, regentes,' zei de monnik met weer een wiebeling van zijn hoofd, 'kan ik niets zeggen, want over dat onderwerp heb ik geen informatie.'
'Iedereen weet dat hij benoemd is tot Heer van de Leegte,' vervolgde de regentes en ze wierp de monnik een woedende blik toe, die de monnik allerminst van zijn stuk bracht. 'Laat deze Dagnarus dat ontkennen, als hij wil. Laat hem ontkennen dat als hij werkelijk Dagnarus, zoon van Tamaros is, zijn leven door boze middelen is verlengd!'
'Dat ontken ik zeker,' zei Dagnarus kalm. 'Ik zal mijn verhaal vertellen, omdat u erom vraagt. Als Zijne Majesteit ernaar wil luisteren.' Hij maakte een kleine buiging naar de jonge koning.
'Wij zullen uw verhaal graag beluisteren, heer,' zei Hirav, en zijn kinderstem klonk helder als een klok in de geschokte stilte.
'Uwe Majesteit, ik moet krachtig protesteren tegen...'
'Vertelt u het ons alstublieft,' ging Hirav verder zonder ook maar naar de regentes te kijken, laat staan acht te slaan op haar gesputter. 'Ik vraag u allen, heren en dames, om prins Dagnarus uw volledige aandacht te geven.'
Dat was niet nodig. Niemand keek ergens anders naar. Het dak had van de zaal af kunnen vliegen, dacht Rigiswald, en niemand zou het gemerkt hebben.
'Het is waar dat ik tot Heer van de Leegte ben benoemd,' zei

Dagnarus meteen. 'Het was mijn eigen schuld. Ik probeerde de goden te bedriegen, en ik werd ervoor gestraft. Jarenlang heeft de Leegte mijn hart verwrongen en mijn denken verduisterd, heeft ze mij ertoe gebracht te twijfelen aan de wijsheid van de goden die mijn oudere broer koning hadden gemaakt. Ik kon het niet verdragen hem de troon van mijn geliefd Vinnengael te zien bestijgen. Ik was haar werkelijke koning – door moed, door kracht, door verstand, door alles behalve het toevallige tijdstip van mijn geboorte. Ik heb ernaar gestreefd mijn broer door overmacht te verdrijven. Ik heb de stad waar ik geboren was, aangevallen, en heb in mijn razernij haar verwoesting veroorzaakt.'
Dagnarus keek met bliksemende ogen de zaal rond. 'Ik heb mijn broer niet gedood, zoals de geschiedenis vermeldt. Helmos is gedood door Gareth, een Leegtetovenaar die mijn loyaliteit wilde winnen door de koning te doden. Ik heb Helmos' dood nooit gewenst. Ik heb om hem gerouwd en de goden beloofd dat als ik gespaard zou blijven, ik mijn schuld zou goedmaken en een echte koning van Vinnengael zou zijn. Ik doodde Gareth, maar het was te laat. De krachten van Leegtemagie die hij had losgemaakt, konden niet beheerst worden. Ze kwamen in botsing met de magie van de goden en scheurden het hart uit Vinnengael.
Ik had in de ruïnes van Oud Vinnengael moeten sterven, ik had moeten sterven naast het lijk van mijn broer. Ik wilde daar naast hem sterven, want ik zag – op dat moment – hoe verschrikkelijk mijn misdaden waren. Maar ik ging niet dood. De goden waren nog niet met mij klaar. Ze staken hun handen uit, plukten me uit die stad en wierpen me in de wildernis. Gebroken naar lichaam en geest ontdekte ik toch dat de goden me niet hadden losgelaten, dat zij geloofden dat ik nog te redden was, want in mijn handen hield ik de Verheven Steen.
De goden hadden mij de macht gegeven de gezegende Steen uit het verwoeste Vinnengael te redden. Ik hield hem in mijn handen – nat van het bloed van mijn vermoorde broer – en ik weende. Ik smeekte de goden om vergeving. Ik beloofde dat ik mezelf zou verbeteren. Ik zwoer op datzelfde moment de Leegte af. Maar de goden verlangden proeven van mijn trouw. Ze namen me de Verheven Steen af en gaven hem in handen van een mon-

ster dat me bijna doodde. Toen ik hersteld was, bleek ik me in een andere wereld te bevinden, een wereld vol verschrikkelijke schepsels van de Leegte. De tanen, een volk van wilden, waren weinig meer dan dieren toen ik hen aantrof. Ze zouden me gedood hebben, maar – geholpen door de goden – wist ik hun argwaan en hun haat te overwinnen. Ik verwierf hun respect en werd op den duur gezien als hun leider.
De tijd verloor elke betekenis voor me terwijl ik in het land van de tanen was. Ik werkte hard om hun beschaving bij te brengen en hen te trainen met één doel voor ogen: terug te keren naar mijn eigen wereld en te doen wat ik kon om iets goed te maken. Om dat te kunnen bereiken, vroeg ik de goden mijn leven te verlengen. De goden willigden mijn wens in, en daarom ziet u mij hier voor u in de leeftijd die ik had toen ik verbannen werd van alles wat me dierbaar was.
Tijdens mijn jaren van ballingschap zag ik dat Vinnengael daalde in de achting van de mensen. Ik zag dat het belachelijk werd gemaakt, dat het veracht en bespot werd. Ik zag de macht van de Kerk toenemen, ik zag de monarchie zwak en machteloos worden, terwijl haar edelen werden vertrapt onder de hielen van de geestelijkheid.'
Bij de baronnen werd zacht maar instemmend gemompeld.
'Ik zag het leger inkrimpen, het aantal manschappen afnemen, het moreel kelderen,' vervolgde Dagnarus. 'Daarom werd, toen Karnu de Vinnengaelezen aanviel bij de stad die nu Delak 'Vir heet, het Vinnengaelese leger verslagen en gedwongen zich oneervol terug te trekken. Erger nog, Vinnengael deed niets om het Portaal dat de Karnuanen ons ontstolen hebben terug te krijgen. De jaren gaan voorbij, en Karnuanen wandelen ongestraft over onze grond. Zij eisen tol van ons om gebruik te maken van wat vroeger ons Portaal was. Ze honen ons en noemen ons lafaards. Zijn de Vinnengaelese soldaten lafaards?' Hij keek een aantal leden van de koninklijke cavalerie recht in de ogen; ze bloosden.
'Neen!' zei Dagnarus; hij sprak de woorden afgemeten uit. 'Vinnengaelese soldaten zijn de dapperste, de beste, de trouwste soldaten die er op de wereld zijn.'

Hij werd onderbroken door boze, instemmende kreten.
Dagnarus verhief zijn stem. 'Ik kan het weten. Ik heb hen zelf vele malen ten strijde gevoerd. Maar zelfs de dapperste soldaten moeten getraind worden, ze hebben geld nodig, ze hebben het beste nodig dat er aan wapens en wapenrusting te krijgen is. En bovenal' – hij liet een stilte vallen – 'hebben ze respect nodig.'
Verscheidene ridders juichten. De soldaten hieven hun hoofd op. Hun ogen blonken, hun handen balden zich tot vuisten. Sommigen knikten heftig, terwijl anderen 'ja!' riepen; vrijwel allen wierpen onvriendelijke blikken op de regentes en de andere kerkdienaren.
Heel slim, dacht Rigiswald bewonderend ondanks zichzelf. Buitengewoon slim.
'Ja, ik ben met een leger naar Loerem teruggekeerd!' riep Dagnarus. 'Een leger dat Dunkar heeft overwonnen en geknecht! Een leger dat Karnu heeft aangevallen en dat trotse land spoedig overwonnen zal hebben.' Hij wees rechtstreeks naar de ridders. 'Ten gevolge van mijn aanval op hun eigen land zijn de Karnuanen gedwongen geweest een groot deel van hun troepen terug te trekken uit Delak 'Vir. Als u ze nu aanvalt, kunnen ze geen stand houden tegen uw overmacht. U zult uw Portaal terugwinnen en daarmee het respect dat u toekomt.'
Elk van zijn uitspraken werd met gejuich begroet.
Dagnarus zweeg weer even en zei toen zacht: 'Ik geef u Dunkarga, haar rijkdommen, haar mensen. Ik geef u Karnu, zijn rijkdommen, zijn mensen. Ik geef ze als geschenk aan Vinnengael. Met deze twee grote naties in zijn macht wordt Vinnengael de machtigste natie in Loerem; machtiger dan het was onder het bewind van mijn vader, koning Tamaros, mogen de goden hem vergeven.'
Dagnarus stak zijn handen naar voren, alsof hij die landen erin vasthield. 'Neem ze. Ze zijn van u. Het enige dat ik vraag is dat u mij geeft wat mij rechtens toekomt. Maak mij koning. Of liever nog keizer. Want Vinnengael zal het grootste rijk worden in de geschiedenis van Loerem.'
Niemand zei iets. Het leek zelfs alsof er niemand ademde. De

regentes keek hem verbijsterd aan, knipperend met haar ogen. Van alle eisen die hij had kunnen stellen, was dit wel de meest onverwachte. Het gezicht van de Inquisiteur was onaangedaan, hij liet niets merken. Tasgall keek herhaaldelijk somber en boos naar Rigiswald en probeerde zijn blik te vangen. Rigiswald weigerde op dit stilzwijgende beroep in te gaan. Tasgall was er te laat mee. Dit was te ver gegaan.
Net als alle goede leugenaars had Dagnarus zijn onwaarheden en halve waarheden listig gebaseerd op een paar vaststaande feiten. Hij was opgegroeid temidden van paleisintriges. Zijn Vrykyls hadden hem vermoedelijk verteld over de groeiende vijandigheid tussen de Kerk, de baronnen en het leger. De zelfgenoegzaamheid van de Kerk had te lang als stralende zonneschijn op een bevroren, dik besneeuwde berg problemen geschenen. Er was maar één luide kreet voor nodig geweest om de sneeuw aan het schuiven te brengen, en nu kon niemand de komende lawine nog stuiten.
'En dat leger van monsters?' vroeg de regentes plotseling. 'Wat gaat u daarmee doen? We hebben gehoord wat er met Dunkar is gebeurd. We hebben gehoord dat de vrouwen er weggevoerd zijn, dat de kinderen zijn afgeslacht. Zal dat ook met onze mensen gebeuren? Zelfs als wij akkoord gaan met uw voorwaarden, wat we op dit moment niet doen, acht ik het niet waarschijnlijk dat die wilden van u het erbij zullen laten en gedwee zullen teruggaan naar hun eigen land.'
Dagnarus had zijn antwoord al klaar. 'Ik zal de helft van mijn manschappen naar Delak 'Vir sturen om tegen de Karnuanen te vechten en ons Portaal terug te winnen. De rest zal ik, als koning van Vinnengael, vernietigen.'
'U gaat mannen vernietigen die u trouw zijn?'
De vraag kwam van de jonge koning, en er klonk afkeuring in zijn stem.
Rigiswald zag een gevaarlijk licht in Dagnarus' ogen blinken. Met een buiging naar de koning om aan te geven dat hij op zijn vraag inging, antwoordde Dagnarus: 'De boer spreekt niet over trouw wanneer hij varkens slacht, Uwe Majesteit. Tanen zijn geen mensen. Het zijn dieren. Ze zijn door mij goed gevoed en

goed behandeld. Als ik hun levens eis, is dat niet meer dan wat ze me in ruil verschuldigd zijn.'
Dagnarus wendde zich tot het vergaderde gezelschap. 'Ik vraag niet dat u mij onmiddellijk antwoord geeft. Ik zal me enige tijd terugtrekken om u de gelegenheid te geven over mijn voorstel na te denken. Wanneer de zon ondergaat, zal ik terugkomen om uw antwoord te vernemen. Kunt u zich daarmee verenigen?'
'Ja,' zeiden enkele baronnen luid.
De regentes wisselde blikken met de Inquisiteur en met Tasgall.
'Wij hebben veel meer tijd nodig,' zei de regentes.
'Ik zie niet in waarom,' zei Dagnarus met een allervriendelijkste glimlach. 'Een van tweeën: u neemt mijn voorstel aan of u wijst het af. Tot zonsondergang.' Hij maakte een buiging en wilde zich al terugtrekken toen Rigiswald, gedreven door de een of andere innerlijke demon, zijn mond opendeed: 'En de Vrykyls, Uwe Hoogheid?'
Dagnarus draaide zich om; zijn mantel viel in sierlijke plooien om hem heen. Op zijn gezicht lag een uitdrukking van stomme verbazing en verwarring.
'Neem me niet kwalijk, oude heer, wat zei u?'
'De Vrykyls,' zei Rigiswald. Hij klemde zijn handen op zijn rug in elkaar en stond op. 'Weerzinwekkende, ondode schepselen van de Leegte, die geschapen worden door iemand die de Dolk van de Vrykyls hanteert. Ik denk dat u er vast weleens van gehoord hebt.'
'Ja, van mijn kindermeisje toen ik klein was,' zei Dagnarus. Zijn lippen trilden van het ingehouden lachen. 'Meer weet ik er niet van, dat verzeker ik u, heer.'
'Er is er eentje gedood in de stad, gisternacht,' zei Tasgall. Hij had nog meer willen zeggen, maar Dagnarus viel hem in de rede.
'Als dat waar is, en er werkelijk zulke boosaardige wezens rondlopen, is dat een reden te meer waarom Vinnengael een sterke koning nodig heeft om het te beschermen. Tot zonsondergang.'
Dagnarus vertrok. Zijn houding was zo majesteitelijk dat de mannen die hem hadden bewaakt naar Tasgall keken om te zien of ze daarmee moesten doorgaan. Hij wierp hun een woedende

blik toe, en ze gingen haastig achter Dagnarus aan naar buiten. Rigiswald wilde wedden dat ze ditmaal niet zouden proberen hem te blinddoeken.

Hirav III liet zich, nadat de regentes hem een strenge blik had toegeworpen, van zijn troon af glijden. Hij nam even tijd om de kroon goed te zetten, die scheefgezakt was over zijn ene oog, en stapte toen met zorgvuldig aangeleerde waardigheid van het podium af. Halverwege de zaal bleef hij staan en richtte zich tot de aanwezigen.

'Ik vind dat hij koning moet worden,' zei Hirav.

De volwassenen keken elkaar aan, in verwarring, in verlegenheid. Sommigen keken meewarig.

'Uwe Majesteit!' De regentes kwam geagiteerd op hem toe lopen. 'U hebt geen idee wat u zegt.'

'Welles,' zei Hirav. Hij wees naar de monnik van de Drakenberg. 'Deze man zei dat Dagnarus de echte koning was. Iedereen weet dat de goden de monniken als heilig beschouwen. Dan kan hij toch niet liegen, mevrouw?'

De regentes verbleekte, uit het veld geslagen. 'Nee, Uwe Majesteit,' zei ze ten slotte.

'Ik zal tot de goden bidden,' zei Hirav III. 'Ik zal hun om raad vragen. Maar ik denk dat ik weet wat ik moet doen, en dat is troonsafstand doen' – deze zware woorden bracht hij met moeite uit – 'ten gunste van mijn neef, prins Dagnarus.'

Hij verliet de zaal, tussen zijn wachten lopend met de kinderlijke waardigheid die hem zo goed stond en die zo zeldzaam en hartverscheurend overtuigend was.

Toen hij weg was, begon het geroezemoes weer. De baronnen vertrokken, en de soldaten en ridders gingen met hen mee. Het hoofd van de Bond van Koopmansgilden vertrok haastig, met bibberende wangkwabben, vermoedelijk om verslag uit te brengen aan zijn collega-kooplieden. Hovelingen en beambten fladderden rond als bontgekleurde vogels, die graag naar de hand vliegen die het voer bevat. De regentes verzamelde de hoofden van de Orden om zich heen alsof het kippen waren. Ze zagen er allemaal versuft uit, alsof ze getroffen waren door vallend puin. Tasgall wilde naar hen toe gaan, maar bedacht zich.

Rigiswald pakte het boek waarin hij had zitten lezen. Hij stopte het onder zijn arm en liep naar de deur.
'Ik moet met u praten. Waar gaat u naar toe?' vroeg Tasgall.
'Naar mijn middagmaal,' zei Rigiswald.
'Maar we zijn nog niet klaar,' protesteerde Tasgall.
'Ja, je bent wel klaar,' zei Rigiswald. 'Je weet het alleen zelf nog niet.'
Rigiswald besteedde geen aandacht aan Tasgall, die hem op schelle toon iets nariep, ging het paleis uit en liep alleen door de natte, grauwe straten van Nieuw Vinnengael.

Rigiswald at in z'n eentje een vreugdeloos maal. Het tijdstip van zonsondergang naderde, hoewel je dat alleen kon merken doordat de grijsheid geleidelijk aan donkerder werd. De zon was onzichtbaar door de zware wolken die gordijnen van regen over de stad sleepten.

Het nieuws raakte natuurlijk bekend. De baronnen en ridders trokken zich terug in een taveerne om de zaak te bespreken, en hoewel ze daarvoor een besloten ruimte namen, waren hun luide stemmen te horen voor eenieder die zich in de taveerne verdrong om aan nieuws te komen. Het hoofd van de Bond van Koopmansgilden riep de leden van de bond bijeen voor een noodvergadering. Zij kwamen bijeen in het Gildehuis, een reusachtig, imposant gebouw van donker hout en witgepleisterde muren, gelegen aan het einde van de Gildehuisstraat. Paardenbezitters en koetsiers dromden samen bij de ingang om te horen wat er binnen voorviel, en gaven het gehoorde door aan de wachten die eigenlijk in de straten moesten patrouilleren.

Rigiswald stond op de trap voor de Tempel en keek naar de mensenmenigte die zich voor het paleis begon te verzamelen. Niemand dacht meer aan de avondklok. De stadswachten, die de opdracht hadden de mensen van de straat te houden, verdrongen zich evenals vele anderen tegen het smeedijzeren hek dat het terrein rondom het paleis omringde en rekten hun nek om een glimp op te vangen van de man die beweerde de sinds lang dode zoon van de sinds lang dode koning Tamaros te zijn. De baronnen en ridders kwamen uit hun vergadering en zagen dat de weg terug naar het paleis geblokkeerd was. Zodra de menigte hun aanwezigheid opmerkte, begon iedereen om nieuws te roepen. Toen de baronnen begrepen dat ze anders niet in het paleis konden komen, kozen ze snel iemand uit als hun woordvoerder. Iemand reed een grote wagen voor die door een van de plaatselijke brouwerijen werd gebruikt om vaten te vervoeren. De woordvoerder klom op de wagen; de menigte werd stil en luisterde.

De baron begon ermee alles te vertellen wat Dagnarus had gezegd. De weergave van de baron was ongeveer correct. Hij koos partij voor Dagnarus, dat was wel duidelijk, en weldra had hij de menigte aan zijn kant. Overal werd heftig geknikt en er ging een krachtig gejuich op toen hij de zin 'Vinnengaelese soldaten zijn de dapperste, de beste, de trouwste soldaten die er op de wereld zijn!' uitsprak, want er waren in de menigte velen die in de stadsmilitie hadden gediend en die ook nu nog vrienden en verwanten hadden die dienst deden op de muren van de stad. Toen hij over de jonge koning sprak, werd zijn stem zachter, en de menigte mompelde meelevend, vooral de vrouwen.

'Maar hoeveel we ook van onze jonge koning houden,' sprak de baron, 'hij is erg jong – een kind nog. Het zal nog vele jaren duren eer hij de leeftijd heeft bereikt om te regeren. Intussen weten we allemaal wie de werkelijke macht achter de troon heeft.' Hij wierp een sombere blik naar de Tempel. De menigte volgde zijn blik en er ging een laag gerommel, als een soort grommen, door de massa.

'Stelletje huichelaars,' zei Rigiswald tegen hen vanaf zijn plek in de Tempel, vanwaar hij alles kon overzien. 'Er is onder jullie niet één mens die niet op een bepaald moment in zijn leven blatend naar de Kerk is gelopen. Jullie willen genezen worden, jullie willen magie om de stenen op te tillen waar jullie huizen van gebouwd zijn, jullie willen beschermd worden. Ja, we hebben fouten gemaakt, mogen de goden ons bijstaan. Maar jullie staan op het punt de grootste fout van jullie leven te maken.'

'Wij steunen prins Dagnarus!' riep de baron.

De menigte liet een gejuich horen dat de grond deed beven en dat de duiven van schrik hemelwaarts deed opvliegen. De ba-

ronnen en ridders klommen in de wagen en werden door de menigte in een grootse stoet naar de poorten begeleid.
Rigiswald vond het walgelijk; hij draaide zich om en ging de Tempel weer binnen. Daar vond hij een aantal novicen en acolieten, die op een kluitje bijeen stonden in de hal, en met grote ogen en geschokte gezichten luisterden.
'Is het waar, eerwaarde broeder?' vroeg een jonge vrouw met een mopsneus, die voor niemand ontzag had, laat staan voor een bejaarde man. 'Kiezen ze echt de kant van de Heer van de Leegte?'
'Ga weer aan je studie,' raadde Rigiswald haar aan. 'Die zul je goed kunnen gebruiken.'
Buiten kon hij de menigte horen roepen: 'Dagnarus! Dagnarus!'
Iemand kwam met een keteltrom aanzetten, en nu begonnen ze de naam te scanderen op de ritmische slag daarvan, waarbij de naam in drie delen werd verdeeld, met de trommelslag ertussenin.
'Dag-na-rus!' Boem. 'Dag-na-rus!' Boem.
Zo, nu zal hij zich echt thuis gaan voelen, dacht Rigiswald terwijl hij terugging naar zijn kamer in het dormitorium. 'Hij zal wel denken dat hij weer tussen zijn wilden zit.'
In zijn kamer aangekomen, sloeg hij de deur dicht om het lawaai tegen te houden, en schoof er de grendel op. De hierdoor verkregen stilte werkte kalmerend en gaf hem de gelegenheid na te denken. Hij vroeg zich af wat hij moest doen. Hij was van plan verslag uit te brengen aan Shadamehr, maar moest hij dat nu doen of wachten tot de kwestie Dagnarus beslist was? Rigiswald besloot dat er geen haast bij was. De baron bevond zich ergens op de oceaan op een schip dat hopelijk zo snel en zo ver mogelijk van Nieuw Vinnengael wegvoer. Wat Dagnarus betrof, diens kroning stond al vast, voor zover Rigiswald wist. Hij was er wel benieuwd naar hoe hun nieuwe koning van plan was zich te ontdoen van tienduizend kwijlende monsters die dorstten naar Vinnengaelees bloed.
En hoe zou Dagnarus met de Kerk omgaan? Hij kon niet verwachten daar steun te vinden. Of toch?
'Ja, dat gaat hem lukken,' besloot Rigiswald terwijl hij op zijn

bed ging liggen, uitgeput door de zware dag. 'Hij zal hen voor zich winnen, en degenen bij wie dat niet lukt zal hij elimineren. Als ik jou was, Clovis, zou ik op mijn hoede zijn.'
Terwijl Rigiswald indommelde, kwam de gedachte bij hem op dat hij zelf ook op zijn hoede moest zijn. Het was dom van hem geweest om over de Vrykyls te beginnen. Dagnarus had dat niet op prijs gesteld, en er was een uitdrukking in zijn ogen geweest waar Rigiswald weer wakker van schrok toen hij zich die herinnerde. Hij zocht in de zakken van zijn mantel, haalde zijn flacon met aarde te voorschijn, strooide er wat van uit onder de deur en mompelde enkele magische woorden.
De afwerende betovering zou de Heer van de Leegte niet tegenhouden, maar het was nauwelijks te verwachten dat Dagnarus zelf zou komen om op te treden tegen een hinderlijke oude man, en ze zou wellicht een van zijn lakeien tegenhouden. Of anders zou ze Rigiswald tijd geven zich te verdedigen.
Met de flacon in zijn hand ging Rigiswald op zijn zij liggen en viel in slaap.

Prins Dagnarus ging niet weg uit het paleis. Hij werd naar een aparte kamer gebracht, waar hem eten en wijn werd geserveerd. Aangezien hij zich voedde met de Leegte, had Dagnarus geen behoefte aan voedsel, en de aanblik ervan gaf hem zelfs een onpasselijk gevoel. Maar hij had in de loop van de tijd geleerd met het oog op toeschouwers te doen alsof hij at. Hij had geleerd om enkele happen door te slikken, het eten op zijn bord met zijn vork heen en weer te schuiven, lekkernijen met zijn gasten te delen. Drinken kon hij wel en dat deed hij dan ook, vaak overmatig veel.
Wijn sloot de starende, beschuldigende ogen van Gareth en Shakur en van alle anderen die hij had vermoord. Wijn maakte de walgelijke Vrykyl Valura – de vrouw van wie hij ooit had gehouden, de vrouw die hij nu bijna net zozeer verfoeide als hij zichzelf verfoeide – weer mooi. Wijn schonk hem het geduld om Shakur te verdragen, weerhield hem ervan een dienaar te doden die hem in rap tempo meer last bezorgde dan hij waard was. Wijn gaf Dagnarus het vermogen om de tanen te verkroppen,

een dodelijk wapen dat hij zelf had gesmeed, een wapen dat hij verachtte en waarvan hij de laatste tijd het vermoeden had gekregen dat het zich tegen hemzelf zou kunnen richten.
Op deze avond dronk Dagnarus niet zoveel. Hij moest zijn verstand kunnen gebruiken. Terugkijkend op zijn optreden die dag was hij er tevreden over. Hij was vooral ingenomen met zijn besluit – in een ogenblik genomen – om de tanen te vernietigen. Wanneer hij eenmaal Keizer van Vinnengael was, zou hij zo'n groot leger niet meer nodig hebben. Hij zou de helft wegsturen om het Portaal bij Delak 'Vir te heroveren, en die tanen vervolgens terugsturen door het Portaal om de strijd in Karnu voort te zetten – een strijd die niet goed verliep, maar die hij nog niet verloren had.
Alles ging volgens plan. Hij had de baronnen, de ridders en het leger aan zijn kant gekregen. Hij had de Kerk niet voor zich gewonnen, en dat zou ook nooit gebeuren, maar dat kon hij wel hebben. Het was zijn bedoeling geweest bepaalde sleutelfiguren te laten vervangen door zijn Vrykyls – de regentes bijvoorbeeld. Maar hij was genoodzaakt geweest dat idee te laten varen, omdat het te gevaarlijk was. De oorlogsmagiërs wisten van het bestaan van Vrykyls af; het was hun zelfs gelukt die onbekwame Jedash te verslaan. Die misser schreef Dagnarus aan Shakur toe. De oorlogsmagiërs zouden op hun hoede zijn voor Vrykyls, en hoezeer Dagnarus de Kerk ook haatte, hij had een gezonde eerbied voor de hersens en de vermogens van haar magiërs.
'Ik zal me van de diensten van de regentes ontdoen,' besloot Dagnarus terwijl hij zich nog een bokaal inschonk van de uitstekende wijn die rechtstreeks uit de koninklijke wijnkelder kwam. 'Ik zal haar een onbeduidende rol geven. Erg jammer dat haar geen ongeluk kan overkomen, maar dat zou verdacht lijken. Het is van cruciaal belang de oorlogsmagiërs voor me te winnen. Zodra ik hen aan mijn kant heb, zullen zij de hoofden van de Orden in toom houden. Die verrekte Inquisiteur is voor mij het gevaarlijkst, want die is altijd aan het speuren naar Leegtemagie.'
Dagnarus liet de bokaal in zijn hand ronddraaien en staarde in de robijnrode diepten ervan. 'Ik zal ervoor zorgen dat zijn Orde ontbonden wordt. Dat moet niet zo moeilijk zijn. Niemand

vertrouwt die lui. Ik wil wedden dat de meeste mensen in de Tempel blij zullen zijn als ze weg zijn. En wat de oorlogsmagiërs betreft, dat zijn krijgers, en krijgers begrijp ik. Wij begrijpen elkaar. Zij zullen me helpen de tanen te vernietigen, en daarna is hun trouw aan mij geen punt meer.'

Toen hij aldus had besloten, stuurde hij de bedienden weg en besteedde zijn tijd verder met door de kamer ijsberen en nadenken. Hij hoorde het gejuich van de menigte buiten, hij hoorde dat ze zijn naam scandeerden en glimlachte. Hij reageerde niet op Shakur, die via het bloedmes met hem wilde spreken. Shakurs brutale vraag over de koning die zijn getrouwen vernietigde, had Dagnarus boos gemaakt, en hij wilde hem zijn boosheid laten voelen. Laat Shakur maar even op hete kolen zitten, laat hem beseffen dat hij aan een flinterdun touw boven de Leegte hing, een touw dat Dagnarus naar believen kon kappen. Dagnarus sloot Shakurs gejammer en smeekbeden buiten en concentreerde zich op aangenamer vooruitzichten – zijn plannen voor de toekomst, zowel op lange als korte termijn.

Zijn langetermijnplannen waren voor zeer lange termijn. Dagnarus' ambitie hield niet op bij Vinnengael. Hij had het Schild van de Goddelijke in zijn macht; de natie van de elfen was nagenoeg in zijn bezit. Hij hoefde er als het ware maar om te vragen. Het enige dat nog restte, was eindelijk Karnu te onderwerpen, en vervolgens tegen de orken en de dwergen op te trekken. Wanneer die eenmaal overwonnen waren – wat zou gebeuren wanneer hij de vier delen van de Steen in zijn bezit had – zou hij over heel Loerem heersen. Aangezien zijn leven elke keer verlengd werd wanneer hij de Dolk van de Vrykyls gebruikte om het leven van een ander te roven, was Dagnarus van plan heel, heel lang over Loerem te heersen.

Al wat hij nodig had, was de Verheven Steen. Die was hem al te lang ontgaan. Hij zag dat de goden daar de hand in hadden, maar dat schrikte hem niet af. Dagnarus wilde de Steen hebben, wilde hem al twee eeuwen hebben, en hij zou hem hebben. Hij had een manier bedacht om de goden de voet dwars te zetten. Op ditzelfde ogenblik waren zijn agenten aan het werk om de Steen binnen zijn bereik te brengen.

Prins Dagnarus ging terug naar de Zaal van het Glorieus Verleden op het tijdstip van zonsondergang. Toen was het, door de bewolkte hemel, al bijna even donker als om middernacht. Hij werd begroet door baronnen en ridders, kooplieden en militairen, die een dubbele rij vormden waar hij tussendoor liep, verwelkomd door hun applaus. De vertegenwoordigers van de Kerk stonden op een kluitje, wat terzijde en omringd door gewapende wachten. De verschrompelde oude monnik van de Drakenberg was aanwezig, nietig in vergelijking met de reusachtige Omarah naast hem. De jonge koning zat met een nors, pruilerig gezicht op zijn troon en schopte met zijn voeten tegen de stoelpoten.

Dagnarus grijnsde inwendig toen hij dat zag. 'Wel, Shakur,' zei hij in zijn geest terwijl zijn hand de Dolk van de Vrykyls greep die hij verborgen onder zijn golvende mantel droeg, 'wat is er zoal gebeurd?'

Shakur klonk gepikeerd. 'Ik heb al eerder geprobeerd met u te spreken, heer...'

'Je spreekt nu met me, en we hebben niet veel tijd.' Dagnarus liep langzaam langs de rij, boog naar links en naar rechts en bleef af en toe staan om iemand de hand te schudden of om iemands zegen te ontvangen.

'Er is een vreselijke ruzie geweest, heer,' meldde Shakur. 'De baronnen, de legeraanvoerders en de kooplieden staan aan uw kant. Zij hebben het altijd vervelend gevonden dat de Kerk zoveel macht uitoefende, en ze zien hierin een manier om de geestelijkheid te onttronen. De regentes stelde, zoals te verwachten was, dat u een leugenaar was, een walgelijke schepping van de Leegte, die hen allen de Leegte in zal trekken. Ze werd overstemd door boegeroep, en na veel geschreeuw gaven de baronnen uiteindelijk bevel dat de kerkdienaren met geweld het paleis moesten worden uitgezet. Het leek even of er gevochten zou worden, maar de oorlogsmagiër Tasgall greep in. Hij zei dat zolang hij nog ademde de dag niet zou komen dat Vinnengaelezen het bloed van Vinnengaelezen vergoten, vooral als er een vijand voor hun poorten lag. Hij vroeg om een apart onderhoud met de andere geestelijken.

Ze hebben ongeveer een uur met elkaar gesproken; het resultaat was dat zij ermee akkoord gingen u als heerser over Vinnengael te accepteren, op voorwaarde dat u uw belofte gestand doet de tanen die de stad bedreigen weg te halen. Ze konden natuurlijk niet veel anders doen, zonder een burgeroorlog te ontketenen. Ik ben ervan overtuigd dat ze tegen u samenzweren, heer.'
'Natuurlijk doen ze dat, Shakur.' Dagnarus was bijna bij het eind van de rij; hij naderde het podium.
'Ze zouden kunnen worden uitgeschakeld...'
'Nee, Shakur, ik ben van plan honing te gebruiken voor deze vliegen.'
Dagnarus was bij het podium. Hij ging voor de kleine Hirav staan, die de glimlach van zijn heer beantwoordde met onschuldige charme en dode, lege ogen.
'Nog één vraag, heer, voor we aan deze komedie beginnen,' zei Shakur. 'Wat zal er van mij worden? Ik kan niet eeuwig als kind in deze gevangenis opgesloten blijven zitten.'
'Je bevalt me eigenlijk wel als kind, Shakur,' zei Dagnarus speels. 'We zouden samen veel pret kunnen hebben, jij en ik – we zouden kleefbal en koning-van-de-berg kunnen spelen.'
'Heer...' Shakur was ziedend.
'Vooruit, Shakur,' zei Dagnarus, 'geef ons een kus van neven onder elkaar.'
Dagnarus boog zijn knie en knielde neer voor Hirav, die van zijn troon af kwam. De koning liep naar voren en gaf Dagnarus een kus op de wang.
Het hierop volgende gejuich weergalmde donderend door de gang en was hoorbaar voor de wachtende mensen buiten, die er vrolijk mee instemden, al hadden ze geen idee waarvoor ze juichten.
'Wel, heer?' vroeg Shakur boos, terwijl Dagnarus zich weer in zijn volle lengte oprichtte.
'Maak je geen zorgen, Shakur,' zei Dagnarus. 'Ik zal ervoor zorgen dat je bevrijd wordt. Ik heb je namelijk ergens anders nodig.'
'Heel goed, heer,' zei Shakur.
Hirav stak zijn hand uit, greep Dagnarus' hand en draaide zich

zo dat ze voor de menigte stonden. De jongen verhief zijn stem.
'Laat het bij dezen bekend worden aan allen die hier bijeen zijn, en laat men aan de burgers van Vinnengael verkondigen dat ik, Hirav III, koning van Vinnengael, vrijwillig afstand doe van de troon die mij is nagelaten door mijn vader, Hirav II, ten gunste van mijn neef, prins Dagnarus, zoon van koning Tamaros, de rechtmatige erfgenaam van de troon van Vinnengael.'

Hirav nam de kroon (die hem veel te groot was en opgevuld moest worden om te verhinderen dat hij over zijn neus zakte) af en overhandigde hem met een buiging aan Dagnarus.

Deze hield de kroon een ogenblik vast en staarde ernaar met een sombere, ernstige uitdrukking op zijn gezicht. De kroon was ongeveer honderdtachtig jaar oud en was modern van makelij en model. De oude, zware kroon van Vinnengael, met de honderd schitterende stervormige saffieren, elk omringd door diamanten, was verloren gegaan bij de verwoesting van de stad. Dagnarus had naar die kroon gezocht, en ook naar de met edelstenen overdekte rijksappel en scepter en de andere kostbare koninklijke juwelen. Hij had daarvoor een gevaarlijke expeditie naar de puinhopen gemaakt, maar had ze niet kunnen vinden. Hij vermoedde dat Helmos ze veilig had weggeborgen toen de stad werd aangevallen. Dagnarus was van plan ze te vinden, maar dat was van later zorg.

Op dit ogenblik hield hij in zijn hand tweehonderd jaar van dromen en verlangens, tranen en bloed. Hij overzag de menigte. Hij zag de dikke baronnen glimlachend blikken en knikjes wisselen. Zij dachten dat ze hem in hun zak hadden. Hij zag de hovelingen, die klaarstonden om voor hem te kruipen, zoals ze voor de regentes hadden gekropen; ze waren bereid hun loyaliteit te verleggen zodra de wind draaide. Hij zag de magiërs – zij waren opstandig, smeulden van woede en waren waarschijnlijk al bezig zijn ondergang te beramen. Allen zouden op de knieën gaan en hem tot koning uitroepen, maar ze zouden het met een knipoog doen, elkaar aanstotend, of met boze blikken, of met smalend gegrinnik.

Nee! bij de goden, of bij de Leegte, wie zijn eed ook maar wilde aanvaarden. Hij wilde dat ze zich voor hem ter aarde wierpen, dat ze zich allemaal verpletterd en vernederd voelden; de trots moest uit hen wegsijpelen, hun verzet moest worden gebroken. Hij wilde dat ze zijn voeten besproeiden met dankbare tranen. Hij wilde hun zegen zonder voorbehoud.

Ze moesten getuchtigd worden.

'Ik dank u, Uwe Hoogheid,' zei Dagnarus. 'Ik aanvaard deze kroon, maar vooralsnog in beheer...'

De mensen begonnen te mompelen. De baronnen keken ongerust, de magiërs argwanend.

'... tot ik mezelf waardig heb betoond uw heerser te zijn. En dat zal pas gebeuren nadat ik de strijd heb aangevoerd om de vijand die u bedreigt te vermorzelen.'

Dagnarus liep naar de bejaarde monnik, die toekeek met ogen die aan de oppervlakte nieuwsgierig en belangstellend glansden, maar daaronder donker en ondoorgrondelijk waren.

'Ik vraag u deze kroon voor mij te bewaren, Tijdbewaarder, tot de dag is aangebroken dat ik mijn vijanden heb overwonnen en hen heb vertrapt tot stof onder mijn voeten.'

De aanwezigen in de zaal dachten dat hij de tanen bedoelde. Wat de monnik dacht of wist, bleef een raadsel.

De monnik knikte en zei iets tegen de Omarah, vermoedelijk in hun eigen taal. De Omarah gromde. Hij stak zijn hand uit en nam de kroon aan. Hij omhulde het kostbare voorwerp met zijn reusachtige en niet al te schone hand, stopte het zonder plichtplegingen onder zijn vest van schapenvacht en nam weer zijn beschermende houding aan. Zijn gezicht bleef even onaangedaan als tevoren. Het had evengoed een geplukte kip kunnen zijn die hij in ontvangst nam, en niet het symbool van het machtigste koninkrijk in Loerem.

Achter Dagnarus gonsde het in de zaal. Weinig mensen wisten wat ze van zijn handeling moesten denken, en iedereen begon daarover te speculeren met zijn of haar buurman.

Dagnarus lette niet op de mensen. Hij keek naar de muurschildering aan de overkant van de zaal, naar de schildering van zijn vader, Tamaros, die trots naast Helmos stond.

Dagnarus keek langdurig naar zijn vader, en naar Helmos, het geliefde kind.

Nu niet meer.
Dagnarus wenkte een hoveling.
'Ontbied de kunstenaar die die muurschildering heeft gemaakt.'
'Ik ga hem onmiddellijk halen,' antwoordde de man met een diepe buiging. 'Als ik hem misschien een aanwijzing kan geven over wat Uwe Majesteit wenst...'
Dagnarus glimlachte. 'Hij moet dat schilderij met witkalk bedekken en mijn portret ervoor in de plaats schilderen.'

De baronnen en hun vazallen wilden natuurlijk graag horen hoe Dagnarus voornemens was het tanenleger te verslaan. Overdag werd het vijandelijke leven opgeslokt door de mist, en sommigen hoopten maar dat het gewoon weg zou marcheren. Wanneer de avond viel, waren hun kampvuren weer zichtbaar als oranje vlekken in het duister. Dagnarus verzekerde de Vinnengaelezen dat hij een plan had. Hij wilde het meteen de volgende dag uitvoeren.

Het eerste bevel dat hij als koning uitvaardigde, was dat er die avond te zijner ere een overvloedig banket zou worden bereid, met veel eten en drinken, en dat alle aanwezigen daarvoor moesten worden uitgenodigd. De monnik incluis. De monnik weigerde beleefd. Dagnarus vroeg of de monnik zijn kamers in het paleis geschikt vond. De monnik antwoordde dat hij er tevreden over was, en hij ging er met zijn Omarah heen. Dagnarus bedacht vergenoegd dat wat hij die dag had gedaan, op de rimpelige huid van de oude monnik zou worden vastgelegd, maar daarna hield hij zich weer bezig met zijn zaken.

De hoofden van de Orden wezen zijn edelmoedige aanbod dat ze met hem mochten aanzitten aan het banket van de hand. De regentes vroeg koeltjes of ze zich weer aan hun taken in de Tempel mochten wijden, en dat stond Dagnarus toe. Dit leidde tot gemopper bij de baronnen; ze zeiden luid dat de geestelijken onder bewaking moesten blijven, misschien zelfs gearresteerd moesten worden. Dagnarus wendde zich tot hen.

'Heren,' zei hij op strenge toon, 'ik neem aanstoot aan dergelij-

ke praat; u beledigt de geestelijkheid. U zult de Kerk hetzelfde respect betonen als u aan mij betoont.'
De baronnen keken geschrokken, en sommigen zelfs boos om deze berisping.
'Komaan, heren,' vervolgde Dagnarus en zijn glimlach kwam terug, 'wij hebben veel om ons over te verheugen. Als u zich naar de banketzaal begeeft, zal ik me daar dadelijk bij u voegen en dan zullen we drinken op mijn kroning en de ondergang van onze vijanden.'
De baronnen vertrokken, terwijl ze de lof zongen van de nieuwe koning. De zaal liep leeg, tot alleen de leden van de Kerk overgebleven waren.
'Ik weet dat u mij niet vertrouwt, eerwaarde Zuster,' zei Dagnarus tot de regentes, 'en dat is te begrijpen. Maar ik hoop dat wij op den duur vrienden kunnen worden. Ik verzeker u dat ik het grootste respect koester voor de goden, die mij zo geweldig hebben gezegend.'
De regentes, wier gezicht grauw was en een ziekelijke aanblik bood, gaf hier geen antwoord op. Ze boog stijfjes en vroeg: 'Heb ik uw verlof om te vertrekken, Uwe Majesteit?'
'U hebt mijn verlof niet van node, regentes,' zei Dagnarus vriendelijk. 'U bent te allen tijde welkom in het paleis, evenals elk ander lid van de Kerk. U kunt vrijelijk komen en gaan.'
'Dank u, Uwe Majesteit,' zei ze, en ze beende de zaal uit. De anderen volgden haar, al buigende.
'Oorlogsmagiër,' riep Dagnarus.
Tasgall keek om, grimmig en op zijn hoede.
'Ik wil graag met u spreken over mijn plan om tegen de tanen op te treden.'
De oorlogsmagiër kwam terug en bleef voor de troon staan. Tasgall keek Dagnarus aan, keek hem recht in de ogen. Hij zei niets, maar wachtte af.
Dagnarus zond de bedienden weg. Toen Tasgall en hij alleen waren, stapte Dagnarus van de verhoging af.
'Kom met mij een rondje door de zaal lopen, vereerde heer,' zei Dagnarus. 'Ik denk gemakkelijker als ik loop.'
De oorlogsmagiër kwam naast hem lopen.

'Wat is uw naam, heer?' vroeg Dagnarus. 'Vergeef mij. Ik weet dat we aan elkaar zijn voorgesteld, maar ik heb geen hoofd voor namen.'

'Tasgall, Uwe Majesteit.'

'Familienaam?'

'Fotheringall, sire. Mijn familie komt uit een klein dorp in het voorgebergte van de Orkenbergen.'

'Er is een pas door die bergen, herinner ik me. Komen de orken ooit door die pas?' vroeg Dagnarus, met duidelijke belangstelling.

'Zo af en toe een roofinval,' antwoordde Tasgall. 'Verder niets.'

'Ik heb begrepen dat de orken hebben gedreigd een oorlog tegen ons te beginnen, vanwege het feit dat wij er volgens hen medeplichtig aan zijn dat de Karnuanen hun heilige berg hebben ingenomen. Het lijkt me mogelijk dat ze met een leger door die pas zullen komen. Hebben we daar een garnizoen nodig?'

Tasgall antwoordde niet meteen, maar dacht erover na.

'Ik denk niet dat ik daar mankracht aan zou verspillen, Uwe Majesteit,' zei hij ten slotte. 'De orken houden niet zo van grondoorlog. Dat blijkt wel uit het feit dat ze nog niet geprobeerd hebben hun berg terug te veroveren.'

'Ik wist dat het in de oude tijd zo was,' zei Dagnarus. 'Ik wist niet of hun gewoonten en manieren intussen veranderd waren. Ik heb het voornemen me tot jou, Tasgall, te wenden voor dit soort informatie en advies. Ik hoop oprecht dat ik me op jou zal kunnen verlaten?'

'Ik ben blij dat ik Uwe Majesteit van dienst zal kunnen zijn. Het is goed dat er eindelijk iemand is die...' Tasgall zweeg en sloot zijn mond.

'Goed dat er eindelijk iemand is die belang stelt in militaire zaken? Nee, daar hoef je geen antwoord op te geven. Ik begrijp het.'

'Nu wat die tanen betreft, Uwe Majesteit...' probeerde Tasgall.

'Je bent iemand die graag tot zaken komt, nietwaar Tasgall? Dat bevalt me in een man. Ik heb een plan voor de tanen. Om dat te doen slagen, heb ik de hulp nodig van jouw oorlogsmagiërs – allemaal, of zoveel als je binnen vierentwintig uur bijeen kunt brengen. Het is noodzakelijk dat ze bekend zijn met Leegtemagie, dat ze weten hoe ze die moeten herkennen en wat ze ertegen moeten doen. Ik zal morgen een bespreking met hen houden om mijn plan uit te leggen. Je zult hen hier in het paleis bij mij brengen op het tijdstip dat de zon op zijn hoogste punt aan de hemel staat.'

Tasgall, die tijdens hun gesprek steeds langzamer was gaan lopen, bleef nu helemaal stilstaan. Hij zei niets, maar nam zijn nieuwe monarch taxerend op.

'Ik weet het,' zei Dagnarus. Hij was doorgelopen, en draaide zich nu om zodat hij omkeek naar de oorlogsmagiër. 'Ik weet wat je denkt. Dat dit voor mij een mooie manier zou zijn om me te ontdoen van een aantal zeer gevaarlijke individuen die geen reden hebben om van mij te houden.'

Tasgall antwoordde niet, maar bleef zijn nieuwe heerser aandachtig aankijken.

'Ik ben geen goed mens,' gaf Dagnarus toe. 'Ik heb in mijn leven verschrikkelijke dingen gedaan. Dingen waarvan ik diepe spijt heb. Als excuus zou ik kunnen zeggen dat ik jong en roekeloos was, en dat zou de waarheid zijn. Ik zou kunnen zeggen dat ik ambitieus en machtsbelust was, en dat zou ook de waarheid zijn.'

Hij haalde zijn schouders op. Zijn glimlach trok scheef, zijn ogen verduisterden. 'Ik zou kunnen zeggen dat de goden me al hebben gestraft, dat ik geleden heb ten gevolge van mijn daden, en ook dat zou de waarheid zijn. Maar weet één ding, heer.'

Dagnarus keek op en opende zijn ogen, zodat Tasgall diep in zijn binnenste kon kijken, de duisternis kon zien en het kleine vonkje licht.

'Wat ik gedaan heb, deed ik om één reden, Tasgall. Bij alle slechte daden die ik heb begaan, werd ik gedreven door één enkel verlangen, dat zuiver en onbezoedeld was, één verlangen dat mijn leidraad is geweest bij alles wat ik heb gedaan sinds de tijd dat ik oud genoeg was om mezelf te begrijpen. Koning van Vinnengael te zijn, het land te leiden in grootheid en glorie, het een vooraanstaande positie in deze wereld te geven, het oppermachtig te zien heersen over alle andere naties, dat is mijn liefste wens, en is dat altijd geweest. Ik zweer je, Tasgall, dat alles wat ik gedaan heb en alles wat ik zal doen, voor Vinnengael is. Tasgall,' zei Dagnarus op ernstige toon. 'Ik weet dat jij denkt dat ik koning ben omdat ik jou het mes op de keel heb gezet. Ik weet dat je me niet vertrouwt. Ik ben voornemens dat vertrouwen te verdienen, maar dat kost tijd. Tijd die we niet hebben. Ik zeg alleen dit: als ik Vinnengael werkelijk kwaad wilde doen, zou ik dat mes hebben gebruikt. Ik zou tienduizend tanen op de stad hebben losgelaten. De tanen zijn woeste en verschrikkelijke krijgers, voor wie het mooiste in het leven is glorieus te sneven in de slag. Ze zouden Nieuw Vinnengael hebben ingenomen. Jullie hadden geen schijn van kans. Dat heb ik niet gedaan. Ik vraag je daarom mij de gelegenheid te geven om de stad en de natie die ik liefheb te redden.'

Tasgall was geroerd. Dagnarus kon het zien. Hij bekrachtigde zijn voordeel.

'Ik zal je het volgende beloven, Tasgall. Ik geef jou mijn leven in handen. Als er één Vinnengaelees sterft door verraad van mij, zul je me doden.'

Tasgall schudde zijn hoofd. 'Uw leven duurt al meer dan tweehonderd jaar...'

'Door de wil van de goden! Maar toch ben ik sterfelijk!' zei Dagnarus dadelijk. 'Geef me je zwaard.'

Zonder zijn ogen van Dagnarus af te wenden, trok Tasgall zijn zwaard uit de schede en gaf het met het gevest naar voren aan zijn koning.

Dagnarus nam het gevest in zijn rechterhand en sloot zijn linkerhand stevig om de ontblote kling. Toen liet hij zijn hand langzaam en welbewust langs de vlijmscherpe rand glijden.

'Uwe Majesteit!' zei Tasgall geschrokken. Hij deed instinctief een stap naar voren en stak zijn hand uit om hem tegen te houden.

'Achteruit!' commandeerde Dagnarus. Zijn gezicht vertrok even van pijn, maar dat was alles. Hij liet het zwaard los en opende zijn hand.

De stalen kling was met bloed bevlekt. Rood, glinsterend bloed lag in de holte van zijn hand, en droop van zijn hand af op de

vloer van de Zaal van het Glorieus Verleden.
'Je ziet het, ik ben echt sterfelijk,' zei Dagnarus.
Tasgall staarde naar het bloed op de gewonde hand van zijn koning, naar het bloed dat op de vloer druppelde.
'Morgenochtend zullen de oorlogsmagiërs bijeen zijn en onder uw bevel staan, sire.'
'Uitstekend,' zei Dagnarus. Hij nam het zwaard, sneed achteloos een lange reep stof van zijn mantel en bond die om de wond.
'Ik zou die wond voor Uwe Majesteit kunnen helen,' zei Tasgall.
'Kom zeg, heer,' zei Dagnarus lachend, 'wat zou de zin van deze vertoning zijn als ik jou toestond mijn wond te helen? Nee. De wond zal ons beiden blijvend herinneren aan de belofte die ik je heb gedaan.'
Dagnarus veegde het bloed van de kling met de slip van zijn mishandelde mantel en gaf het zwaard toen met een zwierig gebaar terug aan Tasgall, die het plechtig in ontvangst nam en het terugstak in de schede.
Nu hij zeker was van Tasgalls bewondering, zo niet van zijn volledig vertrouwen, ging Dagnarus ertoe over zijn plan voor de vernietiging van het tanenleger uit te leggen. Al luisterend raakte Tasgall steeds meer gefascineerd. Ze vergaten de tijd en bleven praten in de Zaal van het Glorieus Verleden tot een van de baronnen Dagnarus kwam halen en hem meenam naar het feestmaal en de andere feestelijkheden.

Wat de tanen betreft, in plaats van de beloofde slag zagen ze hun god, Dagnarus, Heer van de Leegte, alleen op zijn paard de stad inrijden. Voor de aanval op deze stad waren ze helemaal hierheen gereisd. De tanen wisten dat de derrhuth de vreemde gewoonte hadden om voor een slag te moeten praten, 'om te proberen het bloedvergieten te voorkomen', dat had hun god tenminste gezegd, maar ze begrepen het niet.
Omdat het leven van tanen erop gericht is hun bloed in de strijd te vergieten, zagen ze er de noodzaak niet van in tijd te verspillen met het uitwisselen van woorden. Het feit dat die derrhuth alles zouden doen om een gevecht te vermijden overtuigde de

tanen – die nauwelijks overtuigd hoefden te worden – des te meer van de inherente zwakte van die soort. De tanen gingen terug naar hun kampvuren, hun topaxi en hun verhalen over moedige krijgers. De topaxi was sterker dan gewoonlijk, en de feestelijkheden kregen een baldadig karakter. De tanen, die hun agressie kwijt moesten, begonnen die op elkaar bot te vieren. De gevechten waren niet goedmoedig. Ze waren hard en gemeen, en meer dan één nizam moest tussenbeide komen om er een eind aan te maken.

Nb'arsk liep met grote stappen door het kamp. Ze zag het moreel van haar volk steeds verder inzakken, en ze begreep niet wat Dagnarus van plan was. Dit was niet de eerste keer dat hij had laten blijken dat hij de tanen eigenlijk niet begreep, ook al beweerde hij dan hun god te zijn.

De andere derrhuth in het kamp – de menselijke huurlingen, die in Dagnarus' dienst waren – stoorde het niet dat er niets werd gedaan. De mensen praatten lachend over belegeringen die maanden, of zelfs jaren hadden geduurd. Al die tijd deden de vijandelijke legers niets, behalve af en toe een schot op elkaar lossen over de muren. Nb'arsk had eerst gedacht dat ze haar onwaarheden vertelden die grappig bedoeld waren – grappen maken was ook een onbegrijpelijke kant van de derrhuth – maar uiteindelijk raakte ze ervan overtuigd dat ze de waarheid spraken. Derrhuth vochten echt op die manier.

Nb'arsk keek naar de mensen, die lachend en vloekend hun kansspelen speelden, ze zag hen in de struiken rollebollen met vrouwelijke soortgenoten, of in dekens gerold op de grond liggen snurken. Ze keek met afkeer naar hen; ze verachtte hen omdat ze lafaards waren. Ze vond het vreemd dat haar god hun gezelschap kon verdragen, en niet voor het eerst vroeg Nb'arsk zich af wie haar god eigenlijk was.

Dagnarus vocht als een echte tanengod, hij had de moed van een taan, de woestheid van een taan, de listigheid van een taan. Om deze dingen vereerde Nb'arsk hem. Toch was er iets mysterieus aan hem, iets wat ze nooit kon begrijpen. Wanneer hij niet het wonderbaarlijke zwarte harnas droeg dat hem tot Heer van de Leegte bestempelde, gaf de god Dagnarus er de voorkeur

aan in de huid van een derrhuth rond te lopen.
Nu was hij weggegaan naar de stad van de derrhuths – een welvoorziene stad, zei hij, met magazijnen vol stalen wapenrustingen en stalen wapens, met schatkisten vol van de edelstenen die de tanen eerst betoveren met Leegtemagie, om ze vervolgens onder hun vel te stoppen, en met veel derrhuth die gevangen konden worden genomen en als voedsel konden worden gebruikt. Dat had hun god hun allemaal beloofd. Maar het mooiste was dat hij hun een oorlog tegen een goed bewapende vijand had beloofd, de kans voor jonge krijgers om zich te bewijzen en bevorderd te worden in rang, en voor de oudere krijgers om roem te verwerven.
Driemaal was de zon over deze stad opgegaan, en drie keer was hij ondergegaan, en er werd niet over een veldslag gepraat. Er werd alleen maar gepraat.
Nb'arsk was een Kyl-sarnz, een Vrykyl. Drie tanen waren 'door de god aangeraakt', zoals de tanen het noemden – tot Vrykyl getransformeerd. De oudste van deze drie, K'let, een albino, was een van de eerste tanen geweest die Dagnarus had ontmoet toen hij hun wereld binnenkwam. Dagnarus had K'let gedood met de Dolk van de Vrykyls en hem getransformeerd tot een van de ondode, zielenrovende monsters van de Leegte.
De Vrykyls zijn door de Dolk gebonden aan Dagnarus; ze zijn gedwongen zijn wil te doen, anders dreigt verbanning naar het niets van de Leegte. Alle Vrykyls moesten Dagnarus gehoorzamen, alleen K'let niet. Toen Dagnarus macht over K'let wilde uitoefenen, weigerde de Vrykyl te doen wat hij zei. Toen zag K'let, net als Nb'arsk nu begon in te zien, dat Dagnarus niets om de tanen gaf, maar hen alleen voor zijn eigen doeleinden gebruikte.
K'let brak met Dagnarus – als eerste en enige Vrykyl die dat ooit had gedaan. K'let verliet Dagnarus' leger en nam een aantal tanen mee die hem trouw waren. K'lets doel was de tanen te bewijzen dat Dagnarus geen god was, dat hij niets meer was dan een derrhuth die speelde dat hij een god was.
Dit wist Nb'arsk omdat ze met K'let in contact stond via het bloedmes – iets wat Dagnarus niet wist.

Nb'arsk geloofde K'let niet. Ze voelde zich vereerd en gevleid dat zij bij degenen behoorde die 'door de god waren aangeraakt', en was er trots op Dagnarus te dienen. Nb'arsk had aan Dagnarus behoren te vertellen dat ze in contact stond met K'let. Toch deed ze dat niet. Ze zei ook niets tegen K'let over haar bange vermoedens, maar hield ze voor zich.

Die bange vermoedens waren sterker geworden tijdens hun mars door het land van de gdsr – de elfen, een derrhuth-ras dat zo zwak en nietig was dat het zelfs niet geschikt was om als slaven te worden gebruikt. De steden van de gdsr waren welvoorzien van edelstenen en staal, en de tanen verheugden zich erop ze in te nemen. Maar Dagnarus verbood het. De tanen vlogen vliegensvlug door het gebied van de gdsr door middel van een magisch gat-in-de-lucht. Ze leverden één slag, en die ging over zo'n gat.

Geen steden, geen slaven, geen wapentuig, geen edelstenen. Alleen gepraat. De gdsr, zei Dagnarus, zouden zich aan hem overgeven. Hij zou hun heerser zijn en daarom wilde hij dat hun steden intact werden gelaten en dat hun volk geen haar werd gekrenkt.

Daarna waren de tanen het land van de xkes, de mensen, binnen gemarcheerd, en toen had Nb'arsk contact gezocht met K'let. Ze was het niet met al zijn standpunten eens – zij beschouwde Dagnarus nog altijd als haar god – maar haar twijfels begonnen toe te nemen.

Dagnarus keerde die nacht niet terug naar zijn leger. Nb'arsk was niet bang dat er iets met hem gebeurd kon zijn – hij was tenslotte een god. Toen ze kreten en geroep uit de stad hoorde komen, was ze tevreden. Ze verwachtte dat de tanen elk ogenblik ten strijde zouden worden opgeroepen. De tanen grepen haastig hun wapens en wachtten op de oproep.

Die kwam niet.

Nb'arsk ging op zoek naar een van de halftanen, een ellendig volk, dat wel zijn nut had, want zij spraken zowel de taal van de tanen als die van de xkes. Nb'arsk beval de van angst bevende halftaan haar te vergezellen, ging het kamp van de huurlingen binnen en ging op zoek naar hun aanvoerder, een mens

die Klendist heette. Klendist had het bevel over het leger overgenomen toen de vorige leider van de huurlingen, Gurske, na de noodlottige slag om het Portaal van de elfen geëxecuteerd was.
'Wat gebeurt er?' vroeg Nb'arsk via de tolk. Ze wees naar de ommuurde stad. 'Wat heeft al dat lawaai te betekenen? Is onze god zonder ons begonnen aan het doden van de mensen?'
'Welnee!' Klendist begon te lachen, maar hield er meteen weer mee op. Hij was niet bang voor de Vrykyl, zoals de meeste andere mensen. Maar hij mocht haar niet, hij vond het niet prettig in haar gezelschap te zijn. 'Dat is gejuich, wat u daar hoort. Ik weet niet wat er gebeurt, maar het moet iets goeds zijn. De stad heeft zich waarschijnlijk overgegeven.'
De halftaan vertaalde dit zo goed en zo kwaad als het ging, want de tanen hebben geen woord voor 'zich overgeven'. Toch begreep Nb'arsk het wel zo ongeveer.
Nb'arsk wierp een onheilspellende blik op de stad, die zo sterk en smakelijk naar mensenvlees geurde. 'Dus we mogen weer niet vechten.'
'Wie weet?' zei Klendist schouder ophalend. 'Onze heer zal wel zeggen of we moeten vechten of niet.'
'Dit bevalt me niets,' gromde Nb'arsk.
'Het is niet aan jou om te zeggen of het je bevalt, Vrykyl,' antwoordde Klendist. 'Je zult doen wat je god je zegt.'
De halftaan viel op zijn knieën voordat hij Klendists woorden vertaalde en smeekte de Vrykyl niet te denken dat dit zíjn woorden waren. Nb'arsk wist heel goed dat ze dat niet waren.
Ze draaide zich om en wilde al weggaan, toen haar plotseling iets inviel.
'Dagnarus is niet jouw god, toch?'
De vraag overviel Klendist, maar bij nader inzien vond hij hem grappig.
'Nee,' antwoordde hij kortaf.
'Wie is dan jouw god?'
'Ik geloof niet in goden,' was het antwoord van Klendist. 'Een man moet voor zichzelf opkomen in dit leven.'
Nb'arsk dacht hierover na. 'Niemand van jullie xkes gelooft dat

Dagnarus een god is. Waarom niet? Hij is even machtig als een god.'
'Ik denk omdat hij als mens geboren is,' zei Klendist. 'Wat er daarna ook met hem gebeurd mag zijn, hij is net zo begonnen als wij. Hij kreeg waarschijnlijk billenkoek van zijn ouweheer, net als ik van de mijne. Dus nee, ik beschouw hem niet als een god.'
De mens liep weg, zijn hoofd schuddend om de domheid van die 'wilden'.
Nb'arsk staarde hem na. Ze had zich al eerder het hoofd gebroken over het gebrek aan vroomheid bij de mensen, maar ze had dit altijd toegeschreven aan het feit dat mensen geen vroom ras waren. Niets was hun heilig, behalve dan hun lichamelijke genoegens. Ze maakte zich vaak boos over hun gebrek aan eerbied jegens Dagnarus; maar nu ze erop terugkeek, zag ze dat hij niets deed om de xkes aan te moedigen hem eerbied te betuigen. Wat hij wel bij de tanen deed.
'Maar als K'let nu toch gelijk heeft?' mompelde ze, koud van schrik. 'Als hij nu eens geen god is? Wat betekent dat voor ons?'
Nb'arsk liep tussen de tanen door, die vast lagen te slapen na hun vertier. Ze dacht de hele nacht over dit soort vragen na.
De volgende ochtend kreeg ze haar antwoord.
Dagnarus keerde naar zijn leger terug toen het licht van de zon de oostelijke hemel al verlichtte. Het land was nog in duisternis gehuld; de taankrijgers sliepen. De taanwerkers waren al op en bezig de maaltijd te bereiden waarmee ze hun vasten zouden beëindigen. Gehuld in de mantel van de Leegte rees Dagnarus op uit de nevelen die boven de rivier hingen; het leek alsof hij vlak voor Nb'arsk vaste vorm aannam.
Ze schrok ervan, was onder de indruk en voelde zich niet op haar gemak. Hij leek beslist op een god, zoals hij de nevelslierten die aan hem kleefden met spookachtige handen verscheurde. Het zwarte harnas van de Leegte blonk in het grauwe licht voor zonsopgang. Toen hij Nb'arsk zag, wenkte hij haar mee te komen.
Ze kon niet zeggen wat hij dacht, want ze kon zijn gezicht niet zien. Hij droeg de dierlijke helm van de Heer van de Leegte zo-

dat zijn gezicht verborgen bleef. De gezichten van de derrhuth waren zwakke gezichten, zacht en plooibaar; elke emotie, elke gedachte werd erdoor onthuld. Dagnarus droeg de helm altijd wanneer hij tegen de tanen sprak, want hij besefte heel goed dat wanneer hij in zijn menselijke gedaante aan hen verscheen, hij iets verloor.

Hij keerde Nb'arsk het dierlijke, metalen gezicht toe. Ze zag donkere ogen en innerlijk vuur, en even werd ze bang, omdat ze vreesde dat hij misschien haar opstandige gedachten had gezien. Ze wilde al bijna op de knieën zinken en hem om vergeving smeken, maar toen begon hij te spreken, en zijn houding was nuchter en zakelijk. Ze onderhielden zich via de Dolk van de Vrykyls, die gedachten overbracht, zodat er geen tolk nodig was.

'Ik heb een opdracht voor jou, Nb'arsk. Je zult vijfduizend tanen nemen en naar het zuiden marcheren, naar een stad die bekend is als Delak 'Vir. Ik zal je een van de taangeleerden meegeven met landkaarten. Je zult die stad aanvallen en innemen, en het Portaal dat daar is veroveren. Wanneer je de stad hebt veroverd en alle inwoners hebt gedood of tot slaaf hebt gemaakt, zul je duizend tanen achterlaten om de stad te bewaken. De rest van jullie zal het gat-in-de-lucht binnengaan. Het Portaal zal jullie in het land Karnu brengen, waar je de andere taan-Vrykyl, L'nskt zult treffen, en daar zul je de tanen die daar al vechten versterken.'

Nb'arsk was verheugd en opgelucht. Geen derrhuthpraat over onderhandelen of overgave. Dit was taal die een taan kon begrijpen: innemen, veroveren, doden, tot slaaf maken.

'Je zult onmiddellijk vertrekken,' vervolgde Dagnarus. 'Wek de tanen en zorg dat ze zich klaarmaken. Ik wil dat het leger vertrekt zodra het licht wordt.'

De tanen waren altijd gereed om het kamp op te breken en te vertrekken, dus een snelle aftocht vormde geen probleem. Maar waarom moesten ze zich in twee groepen splitsen? Wat zouden de overige tanen gaan doen?

'Morgen bij het krieken van de dag zullen wij Nieuw Vinnengael binnengaan,' antwoordde hij.

'Binnengaan, Ko-kutryx?' vroeg Nb'arsk, ontstemd. 'Niet aanvallen?'
'Het is niet nodig de stad aan te vallen,' zei hij. 'Ze heeft zich aan mij overgegeven. De mensen hebben me tot hun god gemaakt.'
'Dat doet me genoegen voor u, Ko-kutryx,' zei Nb'arsk. 'Maar voor de tanen betekent het geen slaven. Geen edelstenen, geen wapenen.'
'Integendeel,' zei Dagnarus. 'Die stadsmensen zijn hoogmoedig. Ze moeten nodig vernederd worden, naar lichaam en geest. Ze moeten begrijpen dat ík hun god ben en dat mijn woord wet is. Het is mijn bedoeling de tanen te gebruiken om hun te leren wat het betekent mijn gezag te eerbiedigen.'
Nb'arsk twijfelde nog. 'Hoe zal dat gaan, Ko-kutryx? Hoe zullen wij de stad in kunnen komen zonder te vechten?'
'De stadsmensen denken, hoogmoedig als ze zijn, dat ze een val voor de tanen opstellen, een val waar de tanen blindelings in zullen lopen omdat de tanen onwetende dieren zijn.'
Dagnarus lachte hierom, evenals Nb'arsk.
'In werkelijkheid,' vervolgde hij, 'zijn het natuurlijk de tanen die een val voor de mensen opstellen – een val die ik in werking zal stellen zodra de tanen in de stad zijn.'
'Ik zou graag deel uitmaken van die val, Ko-kutryx,' zei Nb'arsk gretig. 'Net als alle tanen.' Ze maakte een minachtend gebaar. 'Dat gat-in-de-lucht kunnen we later wel veroveren.'
'Ik heb je een bevel gegeven, Nb'arsk,' zei Dagnarus. 'Ik ben niet gewend dat er kritiek op mijn bevelen wordt geleverd. Jij zult bij het eerste licht vertrekken.'
'Ja, Ko-kutryx,' antwoordde Nb'arsk deemoedig. 'Ik wilde geen kritiek op u leveren.'
'Ik zal niet aanwezig zijn om je te zien weggaan, want ik moet terug naar de stad. Denk erom dat je vertrokken moet zijn zodra het licht wordt. Roem in de strijd, Nb'arsk.'
'Roem in de strijd, Ko-kutryx.'
Nb'arsk wekte de tanen en gaf orders om te vertrekken. De tanen werkten snel om hun kamp op te breken, en in minder tijd dan de mensen ervoor nodig zouden hebben gehad om met sla-

perige gezichten uit hun tent te kruipen, waren de tanen bepakt en bezakt, klaar om te gaan. Het vooruitzicht van meer slaven, meer wapens en een grootse strijd lag voor hen. De opgetogen tanen juichten Nb'arsk toe toen ze haar plaats aan het hoofd van de colonne innam en bevel gaf te vertrekken.
Nb'arsk keek nog eens om naar de stad, en ze dacht met spijt en schaamte aan de gevoelens van twijfel en ontrouw die ze had gehad. De taan-Vrykyl en de helft van het tanenleger gingen op weg naar het zuiden, naar Delak 'Vir.

Een van de eerste lessen die een magiër krijgt, is een les in slapen. Omdat het vermogen te slapen eigen is aan alle levende wezens, lijkt het idee dat iemand zou moeten leren slapen belachelijk voor iedereen die niet aangewezen is op het gebruiken van magie, hetzij om in leven te blijven, hetzij om in zijn levensonderhoud te voorzien. Magie wordt wel een 'gave' van de goden genoemd, en dat is het ook – een vermogen dat verwant is aan dat van de goden, dat aan het mensdom is gegeven om te gebruiken. Maar de term 'gave' houdt niet in, zoals sommige leken ten onrechte denken, dat magie gebruikt kan worden zonder dat er een prijs voor moet worden betaald.
Magie toepassen is zwaar werk dat de kracht van de magiegebruiker uitput. De enige manier om die kracht te vernieuwen is slapen; diep, vredig, rustgevend, ononderbroken slapen. Daarom moeten alle magiërs de kunst verstaan alle wereldse gedachten en zorgen achter zich te laten en in de slaap kracht en vernieuwing te vinden.
Vooral oorlogsmagiërs moeten leren rust en ontspanning te vinden onder omstandigheden die verre van vredig of ontspannend zijn. Zodoende was Tasgall in staat al zijn innerlijke woelingen, zorgen, angsten, vrees en twijfels te verdrijven door enkele ogenblikken zwijgend te bidden. Hij sliep goed en vast en werd bij het ochtendgloren met een verkwikt gevoel wakker, om vervolgens te ontdekken dat zijn zorgen, angsten, vrees en twijfels nog precies daar waren waar hij ze de vorige avond had achtergelaten.
De klok die de bewoners van de Tempel wekte en hen opriep

aan hun dagelijks werk te gaan, had amper geluid toen er op Tasgalls deur werd geklopt. Hij werd ontboden voor een gesprek met de regentes. Hij werd ontboden voor een gesprek met de Inquisiteur. Hij werd ontboden voor een onderhoud met de regentes én de Inquisiteur.

Hij stuurde een boodschap terug dat hij een afspraak had met de hoofden van de Orden, dat dit een korte bijeenkomst zou zijn, en dat hij als enige het woord zou voeren.

Dat vonden ze natuurlijk niet leuk. Dat had hij wel geweten, maar hij had niet genoeg tijd om hun zijn plan voor te leggen, er vervolgens uitvoerig over te praten, het van alle kanten te bekijken, en dan proberen te beslissen of hij het zou doorzetten en zo ja, wanneer.

Hij was van plan om die morgen maar met één persoon te gaan praten, onder vier ogen, en die persoon was Rigiswald. Tasgall ging zijn oude leermeester in de bibliotheek opzoeken.

Hij kwam er binnen en zocht aan de tafels waaraan zwijgende lezers zaten die hardnekkig doorgingen met hun studie, ook al was er onrust en oorlog; hij vond Rigiswald die bij een steenlamp zat. Tasgall legde zijn hand op de schouder van de magiër. Rigiswald keek op. Toen hij zag wie het was, sloot hij dadelijk zijn boek en ging met Tasgall naar de kamer waar ze al eerder met elkaar hadden gepraat.

'Ik heb weinig tijd,' zei Tasgall. Hij ging niet zitten, en Rigiswald ook niet. 'Ik heb over enkele ogenblikken een bijeenkomst met de hoofden van de Orden om de strategie uit te leggen die we morgen tegen de tanen gaan gebruiken. De hoofden zullen het niet leuk vinden,' voegde hij er grimmig aan toe. 'Zelf vind ik het ook niet leuk. Maar deze strategie is voor zover ik kan zien voor ons de enige manier om het er levend af te brengen.'

'Wat wil je van mij?' vroeg Rigiswald.

'U kent deze man, Dagnarus.'

'Dat zou ik niet direct zeggen,' antwoordde Rigiswald.

'U hebt hem bestudeerd...'

'Zo goed als mogelijk was. Ik heb bestudeerd wat er over hem geschreven is, maar hij is net als wij allemaal een zeer complex individu.'

Met een ongeduldig gebaar wuifde Tasgall dit weg. Daarop begon hij Dagnarus' plan te schetsen om zich van de tanen te ontdoen. Toen hij uitgesproken was, keek hij Rigiswald in spanning aan.

'Nou?' vroeg Tasgall.

'Hoezo, nou?' antwoordde Rigiswald verstoord, want hij wilde zich niet bij deze kwestie laten betrekken. 'Je hebt kennelijk al besloten dat je met hem meedoet, Tasgall. Ik begrijp niet wat je van mij wilt. Mijn goedkeuring?'

'Nee,' zei Tasgall. 'Denkt u op grond van wat u over hem weet, dat dit een val is?'

'Zeker, het is een val.'

'Maar een val voor wie?' vroeg Tasgall gespannen. 'Voor de tanen? Of voor ons?'

Rigiswald zweeg, dacht na. Toen vroeg hij: 'Geloof je nu wel dat de jonge koning een van Dagnarus' Vrykyls is?'

'Ik weet niet wat ik moet geloven,' antwoordde Tasgall ongeduldig. 'Gisteren, op een bepaald moment, ja, toen geloofde ik het misschien. Maar nu weet ik het weer niet. Trouwens, doet het er nog toe? De jonge koning is geen koning meer.'

Rigiswald had kunnen zeggen dat het er veel toe deed, maar dat was natuurlijk niet zo. Niet voor Tasgall, die de levens van duizenden in zijn handen hield. Rigiswald slaakte een diepe zucht.

'Dagnarus heeft zijn goede trouw met zijn leven ingedekt,' voerde Tasgall aan. Het leek erop dat hij zichzelf evenzeer probeerde te overtuigen als Rigiswald. 'Hij heeft zichzelf als onderpand gegeven. Als hij ons verraadt, moeten wij hem doden.'

'Als hij de Dolk van de Vrykyls bezit, heeft hij evenveel levens als er Vrykyls op deze wereld zijn, want ze laten Dagnarus allemaal een leven na wanneer ze sterven. Je zou hem misschien wel veertig keer moeten doden om hem echt te laten sterven,' zei Rigiswald droog.

'Hij is sterfelijk!' zei Tasgall. 'Hij heeft zichzelf een snee toegebracht. Er vloeide rood bloed uit.'

'En heeft hij jou toegestaan zijn wond te helen?'

'Nee. Hij zei...' Tasgall zweeg.

'Natuurlijk niet. Hij heeft jou de wond niet laten helen omdat

dat niet zou gaan. Dagnarus is de Heer van de Leegte en als zodanig is hij met Leegte besmet. Alle Aardemagie van de wereld had hem nog niet kunnen helen. Als het je tot troost is, Tasgall, moet ik zeggen dat ik Dagnarus zelf ook heel charmant, innemend, zelfs sympathiek vond. We weten allebei wat hij is, en toch voelen we ons beiden tot hem aangetrokken. Hij heeft iets van de bittere drankjes die de genezers met honing moeten vermengen opdat de patiënten ze zullen innemen. Alleen is hij vergif.'

'En is dit met honing gezoete vergif voor ons bedoeld?' vroeg Tasgall. Hij zag er plotseling vermoeid uit.

Rigiswald aarzelde. 'Ik vind niet zozeer de leugens verontrustend, als wel de vele waarheden.'

Tasgall snoof, getergd.

'Ik geloof Dagnarus wanneer hij zegt dat deze val een val voor de tanen is,' zei Rigiswald. 'Ik geloof hem wanneer hij zegt dat hij zich niet tegen ons zal keren om ons uit te leveren aan die monsters. Afgaand op mijn studie van Dagnarus en op wat ik gisteren van hem gezien heb, is zijn liefste wens in dit leven te worden wat zijn vader was – de geliefde en geëerde heerser van Vinnengael. Dat zal hij niet bereiken door ons aan de tanen te verraden.'

'Zo interpreteer ik hem ook,' zei Tasgall. 'Maar ik heb nog één vraag voor u: waarom laat hij de tanen eigenlijk binnenkomen in Nieuw Vinnengael? Hij heeft beloofd de helft van zijn leger weg te sturen, en volgens berichten die ik vanmorgen heb ontvangen, heeft hij dat ook gedaan. Vijfduizend tanen zijn bij het ochtendkrieken afgemarcheerd naar het zuiden. Waarom stuurt hij ze niet gewoon allemaal weg?'

'Hij wil dat wij de tanen in actie zien. Hij wil dat we zien hoe fel ze zijn, hoe goed ze kunnen vechten. Ja, we kunnen ze nu misschien verslaan, maar de strijd zal niet gemakkelijk zijn. Hij wil dat wij weten dat hij deze valse hond kan loslaten wanneer hij maar wil, en hem kan bevelen ons naar de strot te vliegen.'

'Dat was ook hoe ik het zag,' zei Tasgall. 'Ik zal dit de hoofden van de Orden door de strot moeten duwen. Dank u dat u dit probleem met me hebt willen doornemen. Ik moest er zeker van

zijn dat ik de juiste beslissing heb genomen.'
'Daar ben ik nog niet zo zeker van, Tasgall. Volgens mij zouden we allemaal beter af zijn in een kookpot van de tanen. Maar ja, veel keus heb je niet.'
'U zegt zelf dat hij het beste voorheeft met Vinnengael. Het zou misschien niet verkeerd zijn om voor de verandering eens een sterke monarch te hebben,' antwoordde Tasgall bits. 'Een monarch die voornemens is Vinnengael op te stoten in de vaart der volkeren en het zijn vroegere roemrijke plaats terug te geven.'
'Boven op een berg knekels?' zei Rigiswald.
Tasgall keek de bejaarde magiër aan. 'Zoals u zegt, heer, ik heb niet veel keus.'
Hij liet Rigiswald achter. Hij was blij met zijn raad, maar had er spijt van dat hij erom had gevraagd. Tasgall moest aan zijn dromen denken. Niet het wezen ervan, want dat ontging hem nog steeds, maar de strekking die een verontrustend gevoel van nederlaag, verlies en dreigend onheil bij hem achterliet.

De bijeenkomst van de raad verliep volgens verwachting. Tasgall bracht Dagnarus' voorstel naar voren, zei dat hij er voor was en trok zich vervolgens terug om het tumult af te wachten. De anderen waren ervan overtuigd dat Dagnarus hen wilde vernietigen, dat ze door de poorten open te zetten voor de tanen evengoed de poorten konden openzetten voor hun eigen ondergang. Tasgall hield onwrikbaar stand temidden van de loeiende winden die tegen hem tekeergingen; hij sloeg geen acht op de verdachtmakingen en verwijten die hem troffen en beantwoordde hun argumenten door telkens weer te herhalen wat zijn positie was. Hij won doordat hij de laatste was die nog overeind stond. Hij vroeg telkens weer of iemand een beter plan had, en uiteindelijk moesten ze wel toegeven dat geen van hen dat had.
Tegen het einde van de bijeenkomst had de regentes last van hartkloppingen en moest ondersteund worden bij het verlaten van de kamer. Ze werd onmiddellijk naar het Huis van de Hospitaalridders gebracht. Tasgall gaf de anderen pas toestemming om te gaan nadat hij elk van hen had laten zweren dat ze hem

zouden helpen, of hem in elk geval niet zouden hinderen. Het hoofd van de Orde der Hospitaalridders had het meeste te doen, want de Huizen van Genezing moesten in gereedheid worden gebracht om grote aantallen gewonden te ontvangen.
Een uitkomst van de bijeenkomst die Tasgall onprettig verraste, was dat de Inquisiteur openlijk Tasgalls kant koos. Tasgall had de Inquisiteur nooit gemogen, zelfs niet toen ze samen studeerden. Tasgall vermoedde dat de enige reden waarom de Inquisiteur nu zijn kant koos, was dat de man nu de gelegenheid zou hebben om zich binnen te dringen bij zijn gesprekken met Dagnarus. Tasgall had de Inquisiteur en de regentes samen zien fluisteren. Hij twijfelde er niet aan dat hij nu onder verdenking stond.
Best. Ze mochten hem ervan verdenken dat hij de Leegte in werd getrokken. Toen hij oorlogsmagiër was geworden, had hij de goden gezworen dat hij Vinnengael en zijn mensen met zijn leven zou verdedigen. Hij zou zijn eed gestand doen, ook al maakte hij zijn kameraden tot vijanden.
Ook al had hij bange voorgevoelens.

Tasgall kwam op de afgesproken tijd met zijn oorlogsmagiërs bij het paleis aan. Het waren er vijftig in totaal, en daartoe behoorde een aantal van de sterkste magiërs die toen leefden. Allen waren zeer goed opgeleid en zeer kundig. De meesten waren veteranen die vele malen hadden gevochten, tegen de Karnuanen bij Delak 'Vir en tegen de dwergen, want de dwergen deden voortdurend invallen op Vinnengaelees grondgebied. De meesten maakten zowel gebruik van Aardemagie als van Vuurmagie; dit laatste was het wapen waaraan de oorlogsmagiërs de voorkeur gaven vanwege de verwoestende kracht ervan.
Tasgall was trots op zijn mensen. Zijn mannen en vrouwen traden Dagnarus tegemoet met een koele, afstandelijke en professionele houding. Ze hadden een taak te vervullen en de eventuele gedachten en gevoelens die ze koesterden over Dagnarus en zijn plotselinge greep naar de macht hielden ze voor zich. Zoals Tasgall had voorzien, kwam de Inquisiteur beleefd vragen of hij de bijeenkomst mocht bijwonen. Deze vraag was een for-

maliteit. Tasgall kon het niet weigeren. Zijn enige hoop was dat de Inquisiteur genoeg om de mensen van Nieuw Vinnengael gaf dat hij niets zou doen waarmee hij hen in gevaar zou kunnen brengen. Maar gezien de fanatieke plichtsgetrouwheid van de Inquisiteur, was dit maar een flauw sprankje hoop.
Dagnarus was in een uitstekend humeur, en waarom ook niet? Zijn liefste wens was eindelijk in vervulling gegaan. Hij kwam alle magiërs persoonlijk begroeten. Hij wilde hun stuk voor stuk de hand schudden, vroeg hoe ze heetten en liep zelf met hen naar de vergaderkamer. Hij deed dit allemaal met een vorstelijke houding: vriendelijk, maar toch afstandelijk, zodat hij het klaarspeelde tegelijkertijd koning en kameraad te zijn.
Tasgall zag wel dat zijn magiërs de man sympathiek begonnen te vinden, en dat kon hij hun niet kwalijk nemen. Hij moest zelf erg zijn best doen om niet voor Dagnarus' betovering te vallen – een betovering die niets met magie te maken had.
Dagnarus bracht hen naar een vergaderkamer. Daar stond een ronde tafel waarop een gedetailleerde plattegrond van de stad was uitgespreid. De magiërs staarden verbaasd naar de plattegrond, want geen van hen had ooit zoiets gezien.
'Ik heb er de hele nacht aan laten werken door een groep kaartenmakers,' zei Dagnarus. 'Ik wist dat we een kaart nodig zouden hebben, ziet u. Het is je reinste waanzin om een gevecht aan te gaan zonder het terrein te kennen. Is de kaart correct? Kan iemand van u er een fout in ontdekken?'
Hij scheen graag geprezen te willen worden en was als een kind zo blij met hun loftuitingen.
'Dank u. Of liever, dank uw kaartenmakers. Prima kerels, stuk voor stuk. Ik heb hen elk naar huis gestuurd met een zak zilveren tams. En nu' – Dagnarus wreef in zijn handen – 'ter zake.' Hij boog zich over de kaart. 'De tanen zullen hier binnenkomen...'
Dagnarus praatte door en wees verschillende plaatsen aan terwijl hij zijn plan uiteenzette. De magiërs luisterden naar zijn verhaal, kijkend naar de kaart. Plotseling sloeg Dagnarus zijn ogen op en keek de Inquisiteur recht aan. De koning praatte gewoon door, zonder onderbreking, en misschien was Tasgall

de enige die het merkte behalve de Inquisiteur zelf. Diens benige gelaat veranderde niet van uitdrukking. Hij vertrok geen spier. Toch gebeurde er iets tussen die twee, daar was Tasgall van overtuigd.
Dagnarus glimlachte vaag en keek toen weer op de kaart. Hij ging door over zijn plan. De Inquisiteur stond er zwijgend bij; zijn gevoelens waren onpeilbaar, behalve dat er een spiertje trok bij zijn kaak, en dat hij zijn vuisten balde, zo stijf dat zijn knokkels wit werden. Tasgall had er zelf een zak zilveren tams voor over gehad om te weten wat er gebeurd was. Hij ging het natuurlijk vragen, maar de Inquisiteur zou misschien geen antwoord willen geven. Zo te zien was hetgeen er gebeurd was, niet naar de zin van de Inquisiteur.
De bespreking en de uitleg over het strijdplan gingen nog twee uur zonder pauze door. Dagnarus had veel goede ideeën, maar ook een aantal minder goede; dit was voornamelijk te wijten aan het feit dat hij niet precies wist wat een oorlogsmagiër allemaal kan. Hij was bereid om te luisteren, hij was vlug van begrip, stelde intelligente vragen en was graag bereid zijn ongelijk te erkennen als een ander meer kennis van zaken had.
Na twee uur kondigde hij een pauze aan. Hij droeg de bedienden op zijn gasten in de eetzaal spijs en drank te serveren, waarna ze hun gesprek zouden hervatten. Hij was tevreden over de manier waarop het plan vorm kreeg en twijfelde er niet aan dat ze de volgende dag de overwinning zouden behalen. Het speet hem te vernemen dat de Inquisiteur er niet bij zou zijn tijdens de nog volgende bijeenkomsten, maar hij wist dat diens plicht hem riep. De koning ging het gezelschap voor naar de eetzaal, en op weg erheen onderhield hij zich nog met verscheidene oorlogsmagiërs.
Tasgall excuseerde zich en wist de Inquisiteur in te halen voordat de man het paleis had verlaten. Hij liep met hem mee.
'Wat gebeurde daar, Inquisiteur?' vroeg Tasgall.
'Niets,' zei de Inquisiteur.
'Jawel, er gebeurde iets. Ik zag het tussen jullie gebeuren. Wat het ook was, ik moet het weten. Luister naar me,' voegde Tasgall er wanhopig aan toe terwijl hij de man bij zijn mouw pak-

te zodat hij moest stilstaan en hem aankijken. 'Ik ben niet de vijand.'
'O nee?' zei de Inquisiteur op koele toon. 'Je lijkt het anders erg goed te kunnen vinden met je nieuwe koning. Ik hoorde je hartelijk lachen om zijn geestige opmerkingen, en hem de hemel in prijzen.'
'Ik lachte omdat het grappig was wat hij zei,' gromde Tasgall. 'En wat dat prijzen betreft, zijn strijdplan zit goed in elkaar, en dat heb ik tegen hem gezegd. Ik vertrouw hem net zomin als jij. Dat heb ik vanmorgen tijdens ons gesprek duidelijk gemaakt, als je naar me geluisterd had. Ik dacht dat ik ook duidelijk had gemaakt dat dit niet het goede moment is dat de linkerhand zich gaat afvragen wat de rechter doet. We zitten allemaal in hetzelfde schuitje, of zo zou het moeten zijn. Wat gebeurde er?'
De Inquisiteur staarde enkele ogenblikken in het niets, en keek toen met zijn te grote ogen Tasgall aan.
'Ik sprak een betovering over hem uit, een betovering die de Leegtemagie zou moeten verstoren.'
Tasgall was onder de indruk. Hoewel hij zelf goed thuis was in de magie, had hij er niets van gemerkt dat de Inquisiteur een betovering had uitgesproken, terwijl hij vlak naast hem had gestaan.
'Met welk doel?' vroeg Tasgall.
'Bij wijze van proef,' zei de Inquisiteur. 'Als hij Heer van de Leegte is, zoals de geschiedenis wil, dacht ik dat de betovering hem misschien zou dwingen zijn ware aard te tonen, hem zou tonen zoals hij is.'
'Wat je betovering toonde, was een bijzonder aantrekkelijke, charmante man,' zei Tasgall. 'Óf je betovering heeft gefaald, óf hij is werkelijk een beter mens geworden, zoals hij beweerde.'
'Onzin!' zei de Inquisiteur op scherpe toon. 'Mijn betovering heeft niet gefaald. Mijn betovering botste tegen een muur en spatte uit elkaar.'
'Wat probeer je dan te zeggen, Inquisiteur?' vroeg Tasgall, die ongeduldig werd omdat hij elke snipper informatie eruit moest trekken. 'Of niet te zeggen misschien?'

'De betovering die ik opriep was een Leegtebetovering,' antwoordde de Inquisiteur op ijzige toon. 'De enige manier om die af te wenden was een andere Leegtebetovering, sterker dan de mijne. Denk daar maar eens aan, oorlogsmagiër, de volgende keer dat je om zijn grappen lacht.'

'En wat moet ik volgens jou dan doen?' wilde Tasgall weten van de rug van de Inquisiteur. 'Laat ik de tanen binnenkomen om ons de keel af te snijden? Roep ik: "Ha ha, heer, wie het laatst lacht, lacht het best! We zullen allemaal sterven uit kwaadaardigheid." Wil je dat ik dat doe?'

De Inquisiteur zweeg en draaide zich langzaam om. Hij sprak zacht, met een afwezige, naar binnen gekeerde blik. 'Mijn leven lang heb ik tegen de Leegte gestreden. Ik heb het werk van de goden gedaan. En het was goed werk, dat geloofde ik tenminste. Om mijn werk te kunnen doen moest ik Leegtemagie leren.' Hij fronste zijn wenkbrauwen. Hij schudde zijn hoofd. 'Je zult dit niet begrijpen, Tasgall, maar ik heb nooit ingezien hoe paradoxaal dat was. Tot ik zojuist in zijn ogen keek, zag ik niet in dat ik geworden was wat ik het meest verafschuw.

En zo zal het voor ons allemaal zijn, zolang Dagnarus over Vinnengael heerst.' Hij haalde zijn schouders op. 'Doe wat volgens jou nodig is. Het zal niets uitmaken. Uiteindelijk maakt het niets uit. We hebben deze slag tweehonderd jaar geleden al verloren.'

Briesend liep Tasgall terug naar de vergaderkamer. Rigiswald en de Inquisiteur mochten zich dan als moraalridders opstellen en in welsprekende bewoordingen over martelaarschap spreken, maar wat zou een vijfentwintigjarige Vinnengaelese moeder met drie kleine kinderen die zich aan haar rokken vasthielden over dit onderwerp te zeggen hebben? Zij zou zich waarschijnlijk ook behoorlijk welsprekend uitdrukken!

Toen hij een hoek omsloeg, kwam hij bijna in botsing met Dagnarus, die van de andere kant kwam. Een flottielje van hovelingen volgde in zijn kielzog en overlaadde hem met complimentjes en vleierijen. Toen Dagnarus Tasgall zag, sprong hij op hem af, pakte hem bij de arm en sleepte hem mee voor een persoonlijk onderhoud. De hovelingen bleven achter, dobberend op het water tot het moment dat Zijne Majesteit weer in hun richting zou komen varen.

'Tasgall,' zei Dagnarus. 'Ik wilde je laten weten dat ik de jonge prins Hirav wegstuur naar een minder gevaarlijk oord. Voor zijn eigen veiligheid natuurlijk, en om ervoor te zorgen dat Vinnengael nog een koning heeft in het geval dat – de goden verhoeden het – onze plannen mislukken. De prins zegt dat zijn vader een jachthuis heeft in het Illanofgebergte. Ik denk dat hij daar wel veilig zal zijn; wat denk jij?'

'Ik weet het niet, Uwe Majesteit,' zei Tasgall bezorgd. 'Er is natuurlijk een tanenleger op pad...'

'Ik weet waar dat leger zich bevindt, Tasgall,' zei Dagnarus glimlachend. 'Het volgt de loop van de rivier. Er zijn geen tanen naar het westen gegaan. Ik zal een veilige reisroute voor Zijne Hoogheid bepalen. Hij zal zijn eigen persoonlijke bedienden bij zich hebben, en zoveel gewapende mannen als we kunnen missen.'

'Dat zullen er niet veel zijn, Uwe Majesteit,' zei Tasgall.

'Er zullen er ook niet veel nodig zijn. De prins zal niet in gevaar zijn. Daar sta ik garant voor. Laten we nu weer aan het werk gaan. Ik ben erg onder de indruk van je magiërs, Tasgall. Volgens mij gaan we een goed begin tegemoet, denk je ook niet?'

'Ja, Uwe Majesteit,' zei Tasgall.

De Vrykyl Valura maakte aan de tanen bekend dat Dagnarus de stad Nieuw Vinnengael helemaal alleen had veroverd en dat de bevolking hem had uitgeroepen tot hun god. Ze kondigde aan dat de tanen deze gelegenheid zouden vieren met een goddag.

Hoewel het voor de tanen weer een teleurstelling was dat er deze dag niet gevochten zou worden, mopperden ze niet, zoals ze de afgelopen dagen hadden gedaan. Hun was beloofd dat ze de volgende dag de stad binnen zouden gaan, en dat ze dan mochten nemen wat ze wilden.

Niets vonden de tanen zo fijn als een goddag. Er zouden verhalen worden verteld en er zou sterk voedsel zijn, dat kon worden weggespoeld met overvloedige hoeveelheden topaxi. Het hoogtepunt van de dag zou gevormd worden door de kdah-klks – rituele gevechten tussen stamleden, waarmee in vroeger tijden werd bepaald wie het leiderschap van de stam toekwam, maar die nu gebruikt werden om de vaardigheid en de moed van jonge krijgers te beproeven, en om oudere krijgers de gelegenheid te geven in rang te stijgen.

Om deze Dag der Overwinning een bijzonder accent te geven, zouden calaths tegen calaths worden ingezet. Dit betekende dat hele gevechtseenheden tegen elkaar zouden vechten, waarna de winnaars als prijs waardevolle wapens en wapenrustingen zouden krijgen. De tanen waren opgetogen.

'Jullie moeten goed vechten,' zei de Kyl-sarnz tegen hen, 'want de xkes van de stad zullen getuige zijn van jullie prestaties.'

Terwijl ze dit zei, wees Valura naar de muren van de stad, waar de tanen rijen mensen op de tinnen zagen staan, die naar het tanenkamp aan de overkant van de rivier staarden. De tanen joelden naar de mensen en rammelden met hun wapens.
Nadat ze Dagnarus' opdracht had uitgevoerd, droeg Valura de verantwoordelijkheid voor de organisatie van de goddag over aan de leden van de Zwarte Sluier, een elitegroep van taan-sjamanen. Valura had opdracht terug te gaan naar Tromek, het elfenkoninkrijk, om het Schild te steunen in zijn strijd tegen de Goddelijke. Ze werd weggestuurd, en ze wist dat ze nooit toestemming zou krijgen om terug te komen.
Valura wilde bij Dagnarus zijn. Ze wilde delen in zijn overwinning, bij hem zijn wanneer hij de prijs veroverde waarvoor hij zo lang gewerkt en gevochten had, en waarvoor hij zoveel had opgeofferd. Ze wilde aanwezig zijn om te zien dat hij tot koning van Vinnengael werd gekroond. Ze smeekte om toestemming om bij de kroning te zijn, om haar plaats onder de Vinnengaelezen te mogen innemen, om de gedaante van de mooie, betoverende elfenvrouw die hij ooit had liefgehad te mogen aannemen.
Dagnarus wees haar smeekbeden van de hand. De tijd was hier nog niet rijp voor, zei hij. Ze zou naar Nieuw Vinnengael komen, maar nu niet. Wanneer het Schild naar Vinnengael kwam om de heerschappij over Tromek aan Dagnarus over te dragen, mocht Valura met hem mee komen. Dan zou Dagnarus haar graag welkom heten aan zijn hof.
Valura wist dat hij loog. Ze wist het, zelfs al wist hij het zelf niet.
'Ik zal nooit toestemming krijgen om Nieuw Vinnengael binnen te komen. Mijn aanwezigheid zou zijn plezier vergallen. Alle anderen zouden de illusie van een mooie elfenvrouw zien, met een huid zo zacht als bloemblaadjes, lippen met de tint van een roos en stralende, amandelvormige ogen. Maar wanneer hij naar me kijkt, ziet hij de ontvleesde schedel, de lege oogkassen, de starre grijns. Ik ben een voortdurend verwijt aan hem. Ik heb mijn ziel opgegeven om bij hem te zijn, en nu walgt hij ervan mij te zien. Elke keer dat hij naar me kijkt, ziet hij de waarheid van wat hij is – de Heer van de Leegte.'

Dagnarus wilde niet langer Heer van de Leegte zijn. Hij wilde koning van Vinnengael zijn. Hij wilde haar liefde niet, want die was duister en besmet met het kwaad. Hij wilde de liefde van de levenden, door hen wilde hij aanbeden worden. Door haar te verbannen, zou hij dat deel van zijn leven verbannen.

Daar vertrouwde hij op. Dat hoopte hij. Maar zijn vertrouwen was misplaatst, want het was gebaseerd op hemzelf. Zijn hoop was gedoemd, want ook de hoop was afhankelijk van hemzelf.

Vooralsnog was hij blij met dit glanzende nieuwe speelgoed. Hij nam er genoegen mee er voorzichtig mee te spelen, uit angst dat hij het kapot zou maken. Maar na verloop van tijd zou het speelgoed slijten, de verf zou afschilferen en de wielen zouden er telkens af vallen. Dan zou het speelgoed hem teleurstellen en niet meer voldoen aan zijn gulzige ambitie. Hij zou er genoeg van krijgen. Hij zou het terzijde werpen en op zoek gaan naar een ander stuk speelgoed, en daarna weer naar een ander.

Wee degenen die in hem geloofden, die op hem vertrouwden, zoals deze meelijwekkende tanen, zoals zijzelf. Hij dronk hun bloed, hij stal hun ziel en hij gaf er niets voor terug.

Ze wenkte haar rijdier, een beest dat een equis werd genoemd, een demonisch paard, ontsproten aan de Leegte. Ze ging op de rug van het beest zitten en greep de teugels, maar gaf het nog niet meteen de sporen. Ze nam een ogenblik de tijd om naar de tanen te kijken, die rondom hun vuren zaten te schransen, die dansten en bokkensprongen maakten en zich vrolijk voorbereidden op de viering van de overwinning van hun god. Ze keek naar de muren van Nieuw Vinnengael, met daarop rijen soldaten die zich grimmig voorbereidden op de verdediging van hun stad en hun nieuwe koning.

'Arme sukkels,' zei ze met koel medelijden, en toen richtte ze het hoofd van haar ros naar het noorden, naar Tromek.

Het was Dagnarus' bedoeling de mensen van Nieuw Vinnengael bang te maken, hen te intimideren en tot gehoorzaamheid te dwingen door de tanen een soort militaire manoeuvres te laten uitvoeren, en dat lukte heel goed. De soldaten op de muur keken geschokt en verbijsterd toe terwijl de tanen zich gretig in de strijd stortten, schreeuwend en krijsend van vreugde, en elkaar

zo fel bevochten dat velen op het met bloed bevlekte gras bleven liggen. En dit was nog maar een oefening.
Het was ook Dagnarus' bedoeling de tanen te verzwakken, hen af te matten, hun aantal te verminderen en hun vechtlust te doven, en dat lukte ook heel goed. Toen de nacht inviel, waren de meeste krijgers doodmoe of dood zonder meer.
De tanen sliepen die nacht goed, in hun tent of in de armen van Lokmirr, de godin van de strijd. De enige Vinnengaelezen die sliepen, waren kindertjes die te jong waren om angst te kennen, en degenen die hun angst probeerden te verdrinken met brandewijn. Gelukkig waren dat er niet zoveel, want Dagnarus had in de stad een edict van de koning uitgevaardigd. Daarin werd bepaald dat alle taveernes, herbergen en brouwerijen gesloten zouden blijven tot het einde van de huidige crisis.
Oorlogsmagiërs, burgervrijwilligers en militairen werkten de hele nacht door om alles voor de volgende morgen in gereedheid te brengen. Mensen werden geëvacueerd uit werkplaatsen en huizen in de buurt van de hoofdpoort en naar veiliger plaatsen overgebracht. Ze wierpen barricaden op die alle hoofdstraten afsloten, door midden op straat karren en wagens ondersteboven te keren en daar meubilair, houten kisten en biervaten op te gooien; zelfs lichtten ze zware houten deuren uit hun scharnieren en legden die op de groeiende stapel.
Kleermakers gaven de Hospitaalridders rollen stof waarvan verband kon worden gemaakt. Er werden extra bedden geplaatst in het ziekenhuis. Patiënten wier toestand niet kritiek was, werden naar huis gestuurd om ruimte te maken voor de verwachte slachtoffers.
Soldaten en boogschutters trokken in de lege huizen en winkels om er hun schuilplaats in te nemen en zo mogelijk nog wat te slapen voor de ochtend. Novicen klommen op het dak om daar de noodzakelijke voorbereidingen aan te brengen voor de oorlogsmagiërs; ze brachten voorraden kaarsen mee, te gebruiken door degenen die Vuurmagie bedreven, en hesen waterzakken en voedsel omhoog om hen te helpen op krachten te blijven.
Het werk werd gedaan bij het licht van de maan of van toortsen, en met zo weinig mogelijk geluid en drukte, want de tanen

mochten niet vermoeden dat er iets ongewoons in de stad gebeurde. Dagnarus gaf opdracht alle riolen af te sluiten door de ingangen onder water te zetten, teneinde tanen tegen te houden die het in hun hoofd zouden halen de stad langs die weg binnen te gaan.

Dagnarus kwam zelf de werkzaamheden inspecteren, en meer dan één brave burger ontdekte die avond tot zijn schrik dat zijn nieuwe koning naast hem aan het werk was en opgewekt met gebogen rug zakken meel versjouwde of meehielp een wagen ondersteboven te kieperen. Met zijn zelfvertrouwen, opgewektheid en geestdrift vrolijkte Dagnarus iedereen op die met hem in aanraking kwam.

Rigiswald zwierf door de straten en keek naar de voorbereidingen. De oude magiër keek en luisterde naar Dagnarus, en hij moest toegeven dat deze zich geweldig weerde en dat hij hem wel moest bewonderen.

Rigiswald liep nadenkend en verdrietig weg. Hij had nooit iemand gekend die van nature zo geschikt was om koning te zijn. Was hij als oudste zoon geboren, dan zou Dagnarus op dit moment vredig de slaap des doods slapen, geëerd en aanbeden als goede, wijze monarch. Waarlijk, de meest tragische woorden in alle talen van alle volken waren: 'hoe het had kunnen zijn'.

Enkele uren na middernacht waren de meeste voorbereidingen voltooid. Dagnarus ging met veel vertoon naar bed. Vervolgens hulde hij zich in de Leegte en verliet Nieuw Vinnengael. Hij sloop het paleis uit door een van de geheime tunnels die waren aangelegd om de koning te beschermen tijdens een aanval of een volksopstand. Er stond een paard voor hem klaar, en hij reed naar een van tevoren bepaalde plek ten noorden van de stad.

Onderweg nam Dagnarus in gedachten zijn plannen door, om na te gaan of hij ergens nog iets over het hoofd had gezien.

Hij had zich ontdaan van Valura en Shakur, die hij geen van beiden meer kon gebruiken.

Wat de Vinnengaelezen betreft, hij was grotendeels tevreden over hen. Ja, er waren sommigen die gevaarlijk waren en die zouden moeten verdwijnen – bijvoorbeeld die Inquisiteur met zijn borende blik. Het feit dat de man bedreven was in Leegtemagie zou het iets moeilijker maken hem weg te werken, maar zelfs de meest kundige tovenaar kon zichzelf niet beschermen tegen een val van een paard, of een ongelukkige val van een trap. Dan was er die slim uitziende oude heer die Dagnarus danig in verlegenheid had gebracht door naar de Vrykyls te vragen. Dagnarus had geprobeerd erachter te komen wie hij was, maar geen van de hovelingen scheen het te weten. Hij had het aan Tasgall willen vragen, maar tijdens hun gesprekken gisteren was hij de kwestie vergeten. Na afloop van de komende strijd zou hij uitzoeken wie die oude heer was en beslissen of hij iemand was om zich zorgen over te maken.

Wat de tanen betreft, Dagnarus vond het heel vervelend om vijfduizend manschappen te verliezen, maar er was niets aan te doen. Hun dood zou niet verspild zijn. Hun bloed zou hem tot koning zalven. En eigenlijk bewees hij hun een gunst. Het was de liefste wens van een taan om in de strijd te sneuvelen. Hij zou ervoor zorgen dat er vijfduizend wensen in vervulling gingen.

'Zoals ook mijn wens in vervulling is gegaan,' zei hij met een grijns bij zichzelf.

Hij kon het niet echt geloven. Hij had meer dan tweehonderd jaar naar deze dag toegewerkt, en eindelijk zou hij aanbreken. Hij zou tot Koning van Vinnengael worden gekroond.

Er was maar één probleem, een vervelende kink die in de overigens strakgespannen kabel was gekomen.

K'let.

Ooit had Dagnarus zich gelukkig geprezen dat hij K'let had ontmoet. Nu betreurde hij het. Van alle mensen die Dagnarus in de loop van zijn leven had gekend, was K'let degene die er het dichtste bij kwam, als een echte vriend te worden beschouwd. K'let was een taan, maar Dagnarus was altijd goed in staat geweest de tanen te begrijpen, waarschijnlijk omdat hij zelf een krijger was. K'let en hij hadden veel gemeen: ze waren beiden ambitieus, ze waren beiden meedogenloos als het erom ging te krijgen wat ze wilden hebben, ze waren beiden moedige en kundige krijgers.

Dagnarus had één fout gemaakt in zijn omgang met de albino-taan. Hij had K'let onderschat en zichzelf overschat. K'let was niet langer alleen maar hinderlijk zoals Shakur. De opstandige taan-Vrykyl was gevaarlijk geworden. Er bevonden zich nu vele duizenden tanen op Vinnengaelees grondgebied. Tot nu toe waren de meesten trouw aan Dagnarus, maar als het K'let zou lukken hen te verenigen – wat hij probeerde te doen – konden ze een ernstige bedreiging vormen.

Bij zijn aankomst op de afgesproken plek trof Dagnarus Klendist aan, de leider van de huurlingen, die op hem wachtte.

Dagnarus had Klendist aangeworven, een voormalige bandiet en guerrillaleider die goed had kunnen leven van het plegen van invallen in steden langs de grens tussen Vinnengael en Tromek. Klendist bracht zo'n achthonderd mannen mee, allen doorgewinterde veteranen, van wie sommigen oorlogstovenaars waren. Klendist was een zwijgzame man, klein van stuk, ouder dan vijftig jaar, hard en pezig. Hij was nergens bang voor aan deze kant van de Leegte, en voor weinig aan de andere kant. Toen Dagnarus door het donker kwam aanrijden, begroette hij de Heer van de Leegte met een kort knikje en een brede grijns.

Klendist stuurde zijn lijfwacht weg en wachtte op orders.

'Waar zijn je mannen?' vroeg Dagnarus.

'Achter die heuvel,' antwoordde Klendist met een rukbeweging van zijn duim.

Dagnarus keek die kant op. De nacht was onbeweeglijk en geluidloos.

'U zult hen niet zien of horen, heer,' zei Klendist. 'Maar toch zijn ze er.'

'Ik neem aan dat je uit het tanenkamp weg hebt kunnen komen zonder argwaan te wekken.'

'U ziet of hoort hier toch geen gigs, heer? We zijn in alle stilte het kamp uit geslopen, zoals u hebt bevolen. Er waren wel patrouilles die niet sliepen, maar wij zeiden tegen de gigs dat we geen zin meer hadden om te vechten en dat we teruggingen naar huis.'

'En dat geloofden ze?'

'Natuurlijk geloofden ze het. De gigs denken dat alle mensen lafaards zijn. Wat zijn uw orders, heer?'

'Jullie rijden westwaarts naar een stad die Mardurar heet. Die ligt in het centrale deel van Vinnengael...'
'Ik ken de stad.'
'Mooi. Wanneer jullie daar zijn, zul je Shakur treffen.'
'Waar?'
'Hij zal jou vinden,' zei Dagnarus.
Klendist haalde zijn schouders op. 'En dan?'
'Hij zal nadere orders voor je hebben. Je zult hem gehoorzamen zoals je mij zou gehoorzamen. Ik kan niet duidelijker zijn omdat de situatie niet vastligt. Alles verandert voortdurend. Eén ding kan ik je wel vertellen. Sommige tanen zijn tegen mij in opstand gekomen en zijn zelfstandig opgetreden. Hun leider is een taan-Vrykyl. Ik wil dat zij worden uitgeschakeld.'
'Ik neem aan dat Shakur zich met die Vrykyl zal bezighouden,' zei Klendist met een frons.
'Ja,' zei Dagnarus, en in het donker glimlachte hij bij zichzelf. 'Shakur zal zich met K'let bezighouden.'
Als alles verliep zoals Dagnarus hoopte, zou hij van twee problemen verlost zijn. Het was de bedoeling dat een gevecht tussen deze twee krachtige Vrykyls zou eindigen in de vernietiging van beide.
'Jij hoeft alleen tegen de tanen te vechten, Klendist.'
'Daarop verheugen we ons, heer. We hebben gezien wat de gigs met onze vrouwen doen. Eerlijk gezegd heeft het mij moeite gekost mijn jongens ervan te weerhouden de een of andere gig de keel af te snijden.'
Dagnarus vond het grappig dat Klendist, die tijdens zijn met bloed doorweekte loopbaan meer verkrachtingen en andere gewelddaden tegen vrouwen had gepleegd dan hij vermoedelijk zelf kon tellen, plotseling de gezworen wreker van alle vrouwen was geworden. Maar Dagnarus zei niets. Hij vroeg Klendist zo snel mogelijk te gaan.
Klendist deed precies wat zijn heer zei en vertrok onmiddellijk, zonder plichtplegingen. Dagnarus vertrok ook, in de tegenovergestelde richting. Hij ging op weg naar het kamp van de tanen, naar de plaats waar hij zijn commandopost had ingericht.
Hij riep de machtige taansjamanen bij zich die bekendstonden

als de Zwarte Sluier en die het tanenleger leidden wanneer de Kyl-sarnz, de Vrykyl, afwezig was. Niet alle leden van de Zwarte Sluier waren aanwezig. Verscheidene van hen waren meegegaan met Nb'arsk, om mee te doen aan de aanval op het Portaal bij Delak 'Vir. Degenen die er wel waren, begroetten Dagnarus met eerbiedig ontzag en respect, heel anders dan het korte knikje dat hij van Klendist had gekregen.

Dagnarus gaf de Zwarte Sluier hun orders, die niet ingewikkeld waren: wanneer bij zonsopgang het hoornsignaal klonk, moesten de tanen zich verzamelen voor de hoofdpoort en daar wachten tot ze werden binnengelaten. Alle tanen moesten de stad binnengaan, ook de werkers en de kinderen, niet alleen de krijgers. Dit verbaasde de Zwarte Sluier, want meestal bleven de werkers achter in het kamp om alles in orde te maken voor de terugkomst van de krijgers.

'Dit keer,' deelde Dagnarus hun via zijn tolk mee, 'zullen alle tanen deze dag vieren, ook de werkers. Er is in deze vette stad genoeg rijkdom voor iedereen. En voor de jonge tanen zal het leerzaam zijn om met eigen ogen een overwinning te zien.'

Zodra ze in de stad waren, stond het de tanen vrij om alles te nemen wat ze wilden hebben – slaven, edelstenen, wapentuig, wat ze maar konden vinden.

'Zo zal ik de trotse harten van de Vinnengaelezen aan me onderwerpen en hun reden geven om mij te vrezen,' zei Dagnarus.

Hij vroeg de Zwarte Sluier en de taan-nizam om als eerste naar binnen te gaan, en in vol ornaat aan het hoofd van het tanenleger te lopen, om de mensen angst in te boezemen en hun moreel te vernietigen. De Zwarte Sluier voldeed met genoegen aan zijn verzoek. Met een buiging vertrokken ze en gingen de slapende tanen wekken.

Nu Dagnarus de aanval had opgezet, haastte hij zich terug naar Vinnengael om zich ertegen te verdedigen. Hij voelde zich ongeveer zoals een poppenkastspeler zich voelt, die met een pop in elke hand tegen zichzelf in de slag gaat.

De dageraad gloorde. Eindelijk kregen de tanen het bevel om te vechten.
Aangevoerd door de zes sjamanen van de Zwarte Sluier en de nizams die het bevel voerden over de gevechtsgroepen, trokken de tanen de rivier over op drijvende bruggen die al dagenlang hadden liggen wachten. Joelend en schreeuwend verdrongen ze zich voor de stadspoorten en rondom de stadsmuren. De tanen waren niet in de allerbeste conditie voor een gevecht – de meeste krijgers voelden zich loom en mat na de gevechten van de vorige dag en de nacht feestvieren.
Ze zouden nooit toestemming hebben gekregen om in die toestand ten strijde te trekken, maar ja, ze trokken ook niet ten strijde. Ze zouden de rijke stad van de derrhuth binnengaan, en daar de sterken grijpen om als slaaf te dienen, de hulpelozen afslachten, en verder brandstichten en plunderen.
Tasgall en Dagnarus keken vanaf de tinnen toe. Zij waren de enige twee mensen daar, althans zo leek het van beneden af. De tinnen waren bemand, maar de boogschutters en zwaardvechters lagen plat op hun buik met hun wapen in de hand, en wachtten op het signaal.
Dagnarus, die zich tegen de ochtendkou in een zware mantel van zwart fluweel had gehuld, zei dat hij die nacht goed had geslapen. Hij was uitgerust en klaar voor de dag. Hij maakte nog een laatste inspectieronde door de stad, sprak zijn tevredenheid uit over het vele werk dat in de nacht was verzet en nam nog tijd voor een persoonlijk gesprekje met velen van de soldaten en

oorlogsmagiërs. Daarna beklom hij de trap die naar de tinnen leidde om zich bij Tasgall te voegen die daar al sinds lang voor zonsopgang wachtte.
Tasgall keek met een ernstige uitdrukking neer op het tanenleger; hij zag krijgers duwen en dringen, elkaar met de ellebogen opzij stoten en in sommige gevallen met elkaar vechten om bij de eersten te zijn die de stad binnen zouden gaan. Het deed hem denken aan wriemelende maden op een in ontbinding verkerend lijk. Zijn maag kwam erdoor in opstand, zodat hij spijt kreeg dat hij ontbeten had.
'Laat je magiërs en de soldaten niet zelfgenoegzaam worden,' hield Dagnarus hem voor. 'Een taankrijger die half zo sterk is als normaal kan een volledig uitgeruste en voorbereide menselijke krijger gemakkelijk aan. En zodra deze tanen beseffen dat ze in de val zitten, zullen ze vechten met de woestheid van een in het nauw gedreven draak.'
'Daar ben ik ook van uitgegaan, Uwe Majesteit,' zei Tasgall. 'Ik heb mijn mensen en de commandanten van het leger gewaarschuwd.'
'Volgens ons plan zullen de oorlogsmagiërs eerst de Zwarte Sluier en de nizams uitschakelen, zodat de tanen geen leiding meer hebben. Niet dat dat veel zal helpen, want de tanen hebben zich in de strijd nooit veel van hun leiders aangetrokken, omdat elke taan vooral vecht om zelf roem te verwerven.'
'Ja, Uwe Majesteit,' antwoordde Tasgall.
Dagnarus had dit de vorige dag al gezegd tijdens de vergadering, maar Tasgall had het niet echt geloofd, tot op dit moment. Hij keek neer op de grauwende, schreeuwende, joelende tanen die met hun gruwelijke krijgsbanieren zwaaiden, waarvan sommige waren versierd met mensenhoofden of andere lichaamsdelen, en hij voelde dat zijn nekharen overeind gingen staan. Hij had nooit angst gekend voor een slag, maar nu voelde hij angst. Hij was bang voor de tanen. Hij was bang voor zijn nieuwe koning. Had Dagnarus hen verraden? Zouden ze worden overgeleverd aan deze wilden? Lagen er ergens achter de horizon nog tienduizend taankrijgers te wachten tot de stadspoorten zouden worden opengezet, om dan naar binnen te stormen?

'Uwe Majesteit,' zei Tasgall eerbiedig, 'u moet nu eigenlijk teruggaan naar het paleis, naar een veilige plek. Ik heb wachten uitgezet...'
Dagnarus glimlachte en schudde zijn hoofd. 'Ik heb mijn wachten weggestuurd om te vechten, Tasgall. Ze zullen meer nut hebben in de strijd. Ik ben nooit iemand geweest die vanuit de achterhoede bevel voerde, en dat zal ik nu ook niet doen.'
Dagnarus hield een plooi van zijn mantel opzij zodat een schitterend borstschild zichtbaar werd, gemaakt van staal dat met goud was ingelegd in een ingewikkeld vervlochten patroon. Het was een prachtig stuk vakmanschap; niemand maakte tegenwoordig meer zulk mooi spul. Tasgall had weleens zulke harnassen gezien, maar alleen in de wapencollectie van het paleis of in het huis van een edelman, waar ze op een standaard waren uitgestald en stof en spinnen aantrokken.
'Dit was het harnas van mijn vader,' zei Dagnarus met trotse vertedering. 'Ik heb het nog nooit gedragen. Ik heb gezworen dat ik het niet zou dragen tot ik weer samen met mijn mensen zou strijden en mijn zwaard zou gebruiken om hen te verdedigen. Dat heb ik gezworen op zijn graftombe, toen ik die tussen de puinhopen aantrof.'
'U bent teruggegaan naar Oud Vinnengael?' vroeg Tasgall verbaasd.
'Inderdaad,' zei Dagnarus, en zijn ogen stonden gekweld, duister. 'Ik ben erheen gegaan als onderdeel van mijn boetedoening. Het is geen plaats waar ik vrijwillig naar toe zou gaan.'
'Zijn de oude verhalen erover waar?'
'Ik ken de oude verhalen niet,' antwoordde Dagnarus op sombere toon. 'Maar als die gaan over een plaats waarvan het kwaad elk weerzinwekkend schepsel dat over Loeremse bodem kruipt heeft aangetrokken, dan zijn die verhalen inderdaad waar. Ik weet niet of het kwaad kan worden verdreven zodat de stad kan worden terugveroverd, maar dat zou ik graag proberen. Ik zou er graag een passend monument van maken voor degenen die het leven hebben verloren, onder wie mijn moeder. Zij was die nacht in het paleis. Ze was krankzinnig, echt krankzinnig. Door mijn toedoen – ik heb haar tot waanzin gedreven. Dat zou ik

ooit willen goedmaken. Voor haar en voor mijn vader.'
Tasgall wist dat hij niet meer aan hem dacht. Dagnarus sprak tegen schimmen die ergens aan de rand van zijn geheugen rondhingen, schimmen wier beschuldigende ogen altijd op hem gericht waren, schimmen die altijd met hun beschuldigende vingers naar hem wezen. Tasgall had kunnen denken dat dit bedrog was, een leugen met de bedoeling hem beet te nemen, maar het verdriet dat het knappe gezicht deed vertrekken en dat pijnlijk hoorbaar was in de stem, was te echt om gespeeld te zijn.
'Ben je gereed?' vroeg Dagnarus.
'Ja, Uwe Majesteit,' zei Tasgall, die hem eindelijk vertrouwde. 'Alles is in gereedheid.'
'Geef het signaal dat ze de poorten openen.'

De grote raderen draaiden. De poorten van Nieuw Vinnengael, een wonder van techniek, schoven omhoog in de dubbele bogen die de brede weg die de stad inging in tweeën deelden: de ene kant voor uitgaand, de andere kant voor binnenkomend verkeer. De tanen kwamen langs beide kanten naar binnen.
Eerst kwamen de leden van de Zwarte Sluier. Hoe belust de tanen ook waren om aan hun rooftocht te beginnen, ze koesterden zo'n heilig ontzag voor de sjamanen van de Zwarte Sluier dat ze niet voor hen uit durfden dringen. De Zwarte Sluier liep zwijgend, gewikkeld in de zwarte pijen die de rituele littekens op hun lichaam en de kostbare edelstenen die onder hun vel gestopt waren, aan het oog onttrokken. Deze edelstenen verschaften de energie voor de Leegtebetoveringen om dood en vernietiging te brengen die elke sjamaan op zijn tong kon proeven. De leden van de Zwarte Sluier wendden hun hoofd en keken naar Dagnarus, ook in het zwart gehuld, die op de tinnen stond. Ze bogen voor hem en dachten blijkbaar dat het de bedoeling was dat ze naar hem toe kwamen, want ze maakten aanstalten om de trappen naar de tinnen te beklimmen.
Dagnarus maakte een afwijzend gebaar en wees naar het centrum van de stad. De leden van de Zwarte Sluier bogen en gingen verder. Tasgall floot zacht. Hij kon de kracht van de Leegte voelen die van die sjamanen af golfde en de stad overstroomde

als donker water. Hij hoopte dat zijn magiërs op hun taak berekend waren.

Na de sjamanen kwamen de nizams, de vooraanstaande taankrijgers die hun rang hadden verdiend met hun heldhaftig optreden in de strijd. Ze dromden door de poorten, joelend en met hun wapens tegen elkaar kletterend. Ze daagden de xkes uit te voorschijn te komen uit hun schuilplaats, met hen te vechten en te sterven. De tanen keken omhoog naar Dagnarus, ze juichten en joelden en beloofden hem dat ze vandaag duizenden mensen zouden doden en te zijner ere een feestmaal zouden houden van de harten van die doden.

Dagnarus kon hen verstaan. Tasgall niet, en dat was maar beter ook, want anders zou zijn geloof in zijn koning ernstig geschokt zijn. Dagnarus zei niets; hij maakte alleen gebaren om aan te geven dat de tanen volgens plan door moesten gaan.

De overige taankrijgers kwamen achter hun leiders aan. Ze dromden gretig naar voren, duwend en dringend, want elke taan was bang dat een ander hem voor zou zijn en er met de buit vandoor zou gaan.

Het was stil in de stad, die verlaten leek. Maar de tanen konden de xkes ruiken, ze roken sappig vlees en warm bloed. De mensen waren niet ver weg; ze hielden zich achter hun muren verborgen, zoals het zoete vruchtvlees van de zargnoot zich verbergt achter zijn schaal.

De stad Nieuw Vinnengael was een ontworpen stad, geen stad die zich uit een dorp had ontwikkeld. Daarom waren de straten van Vinnengael recht en breed, niet bochtig en smal. Belangrijke gebouwen zoals het paleis en de Tempel stonden in het centrum; bepaalde plaatsen waren voor woonwijken bestemd, winkels en werkplaatsen waren weer ergens anders gesitueerd, en het was zelfs van tevoren bepaald welke bedrijfstak waar moest komen.

In de gebouwen die het dichtst bij de stadspoort stonden, waren winkels gevestigd die zich richtten op degenen die de stad binnenkwamen; daar werd alles verkocht wat een bezoeker nodig zou kunnen hebben, zoals plattegronden, listig ontworpen beurzen waar zakkenrollers gegarandeerd geen raad mee zou-

den weten en gekonfijte gember voor de liefhebber van zoetigheid. De winkels waren leeg, want volgens het plan moesten de tanen verder de stad in gelokt worden. De eerste tanen die deze gebouwen bereikten, trapten de deuren in en renden naar binnen. Toen ze niets van waarde vonden, liepen ze walgend weg. De tanen bleven door de poorten binnenstromen, een vloed van lichamen die zich weldra door alle straten verspreidde. Tasgall wachtte in spanning op de eerste geluiden die erop wezen dat er gevochten werd. Dit was het kritieke punt. Zoveel mogelijk tanen moesten naar het hart van de stad worden gelokt.
'Ik ben bang, Uwe Majesteit, dat de tanen zodra er gevechten losbreken, zullen beseffen dat ze in de val zijn gelopen en op de vlucht zullen slaan,' zei Tasgall.
Dagnarus lachte. 'Dat zal nooit gebeuren. Een taankrijger die op de vlucht slaat voor de strijd, maakt zich te schande. De stam zou hem al zijn bezittingen afnemen, hem martelen en hem doden. Hij zou het hiernamaals niet mogen betreden. Zijn ziel zou door de Leegte worden opgeslorpt. Nee, ik kan je garanderen dat dat niet zal gebeuren.'
'Ook niet als ze weten dat het een val is?' vroeg Tasgall.
'Juist dan niet,' zei Dagnarus achteloos. 'Hoe wanhopiger de strijd, hoe groter de glorie.'
In Tasgalls oren begonnen stemmen te klinken; de oorlogsmagiërs deelden hem langs magische weg mee wat ze zagen. De taankrijgers hadden toestemming gekregen om voor de nizams uit te rennen en ze holden nu door de hoofdstraten, op zoek naar een gevecht. Ze vonden niets en hun teleurstelling nam toe. Sommigen begonnen deuren in te trappen en luiken van de ramen te rukken. In sommige van die gebouwen zaten Vinnengaelese boogschutters die hun pijlen op hun boog hadden gezet en klaar waren om te schieten; achter hen zaten soldaten die voorbereid waren op gevechten van man tegen man.
De nizams verspreidden zich en gingen ook meedoen met de vernielingen. Voor zover de magiërs konden zien, gaven ze helemaal geen leiding. De sjamanen van de Zwarte Sluier bleven bij elkaar en degenen die naar hen keken, kregen de indruk dat ze zich zorgen begonnen te maken. Ze stonden op een kluitje te

overleggen zonder acht te slaan op de tanen die om hen heen stroomden.
Tasgall gaf dit alles door aan Dagnarus, die knikte en zei: 'Heb geduld. De tijd is nog niet gekomen.'
De laatsten die de poort binnenkwamen, waren de werkers met kleine kinderen aan beide handen; de jongsten droegen ze op hun rug. Tasgall keek naar de taankinderen beneden, die huppelden, dansten en lachten zoals alle kinderen op een dagje uit. Hij had er nog niet bij stilgestaan dat hij ook kinderen zou doden. Hij hield zichzelf voor dat dit kinderen waren die zouden opgroeien tot woeste wilden, maar het stuitte hem toch tegen de borst om wezens te doden die zwakker waren dan hij, die niet terug konden vechten, die niet begrepen dat ze doodgingen.
'Houd jezelf niet voor de gek, Tasgall,' zei Dagnarus. 'Die kinderen zijn al verzot op mensenvlees.'
De vraag 'En wie heeft hun dat als eerste laten proeven, Uwe Majesteit?' brandde op Tasgalls lippen, maar hij slikte hem in. Dit was niet het moment om aan politiek te gaan doen. Hij had een taak te vervullen. Hij maakte zijn geest vrij van elke emotie, van elke twijfel, zodat er niets restte dan het reinigende vuur van de magie.
De laatste groep taanwerkers was juist binnen de poorten aangeland toen er vanuit de binnenstad gekrijs en woest gebrul hoorbaar werd.
'De tanen zijn een van de gebouwen binnengedrongen, Uwe Majesteit,' meldde Tasgall. 'De boogschutters schieten in de menigte. En, Uwe Majesteit, het schijnt dat de sjamanen van de Zwarte Sluier zijn omgekeerd. Ze komen weer deze kant op.'
'Geef het signaal,' beval Dagnarus.
Tasgall maakte een gebaar naar een van de novice-oorlogsmagiërs die in de schaduw van de muur gehurkt had gezeten. Ze stond op, sprak magische woorden en haalde haar hand door de vlam van het vuur dat vlakbij in een komfoor brandde. Haar hand leek het vuur op te scheppen als een bal, en met een zwaaibeweging slingerde ze de vurige bol in de lucht, waar hij een oranje licht verspreidde. De heldere vuurbal zou te zien zijn voor iedereen die ergens op een dak zat; allen zaten erop te wachten.

De oorlogsmagiërs namen elk een doel in gedachten en begonnen hun toverspreuken te prevelen.
De mannen die de raderen bedienden waarmee de poorten werden neergelaten, sprongen uit hun schuilplaats te voorschijn. Bewaakt door gewapende mannen draaiden de mannen aan de raderen, en de poorten begonnen te zakken.
De taanwerkers hoorden het geratel en gekraak en draaiden zich om om te zien wat er aan de hand was. Degenen die nog dicht bij de poorten waren en konden zien wat er gebeurde, keken verschrikt en begonnen te schreeuwen. In tegenstelling tot de krijgers vechten werkers alleen als het echt niet anders kan. Hun taak was te zorgen voor de overleving van de stam, en nu beseften velen van hen dat die overleving in gevaar was. Verscheidene tanen grepen de kinderen en begonnen naar de poort te rennen, terwijl ze anderen waarschuwende kreten toeriepen.

'De hekken gaan niet snel genoeg naar beneden!' riep Dagnarus, toen hij het logge dalen van de zware hekken zag. Hij boog zich over de muur en brulde: 'Kap de touwen!'
De mannen die de raderen bedienden, keken dommig omhoog; ze begrepen het niet. Een alerte jonge soldaat hoorde het bevel en zag het gevaar. Hij sprong naar voren en sneed met één slag van zijn strijdbijl een van de touwen door, terwijl hij zijn kameraden toeriep hem te komen helpen. Ridders en soldaten gingen de touwen te lijf. De hekken vielen met donderend geraas omlaag, maar verscheidene taanwerkers waren er al in geslaagd om met hun pupillen te ontsnappen. De boogschutters rezen op uit hun dekking en schoten een regen van pijlen op hen af. Elk schot was raak. De tanen struikelden en vielen op de grond. Sommige bleven liggen, maar andere sprongen op en liepen door. De boogschutters keken onthutst naar wat er gebeurde. Ze zagen de bevederde schachten uit de ruggen van de vluchtende tanen steken, maar niets scheen hen tegen te houden. Hun officieren schreeuwden bevelen. De boogschutters schoten telkens nieuwe pijlen af. Eindelijk waren alle tanen neergelegd. In bijna elk lijk staken minstens drie pijlen. De boogschutters hadden grote ogen van verbazing.

Ze hadden geen tijd om feest te vieren. De taanwerkers besef-ten dat ze verraden waren, dat dit een val was. Ze verhieven hun stem in een onaards gebrul dat geen gejammer van wanhoop was, maar een waarschuwing, bedoeld om de andere tanen op-merkzaam te maken op het gevaar dat hen bedreigde. De wer-kers grepen alles wat maar als wapen kon dienen en zetten een woedende aanval in op de tinnen. Zelfs de kinderen deden mee. Tasgall maakte zich gereed om zich tegen hen te verweren, toen hij vanuit zijn ooghoek iets zag bewegen. Hij keek om en zag een taan, met pijlen die uit haar rug staken, overeind krabbelen en wegrennen. Tasgall stond op het punt een bevel te schreeu-wen dat men haar moest neerhalen, maar hield zijn mond. Hij kon het niet opbrengen een vluchtende vijand in de rug te schie-ten. Laat haar maar gaan. Wat kon één taan voor kwaad doen? Hij draaide zich weer om naar de strijd.

Jonge, nog onervaren krijgers, die in de achterhoede waren ge-plaatst terwijl oudere en betere krijgers de voorrang hadden ge-kregen bij de invasie van de stad, hoorden de kreten en kwa-men teruggesneld. De jonge krijgers deden samen met de werkers een aanval op de barricaden die rondom de trappen waren op-geworpen. Binnen enkele minuten haalden de tanen weg wat de Vinnengaelezen in uren hadden opgebouwd. De barricaden vie-len. De tanen stormden de trappen op, krijsend en zwaaiend met vreemde, angstwekkend uitziende wapens: speren met drie scherpe punten; enorme kromzwaarden; een v-vormig wapen dat bestond uit twee klingen, elk scherp genoeg om de arm van een man af te hakken. De boogschutters hoefden hun pijlen niet te richten. Ze troffen zeker doel door domweg in de menigte te schieten.

In tegenstelling tot de oudere krijgers droegen de jonge taan-krijgers vrijwel geen harnas. Pijlen landden met een plof in hun onbedekte vel, maar hadden weinig effect. Soms bleven de jon-ge krijgers staan om een pijl uit te trekken en met een geërgerd gebaar weg te gooien, maar meestal lieten ze de pijlen domweg zitten en liepen ze door; ze waren zo bezeten van strijdlust dat ze het niet eens merkten.

Tasgalls magie en de magie van zijn collega-oorlogsmagiërs ble-

ken beter te werken. Vuurbollen ontploften temidden van de tanen op de trap. De vurige klap doodde een aantal onmiddellijk, en veel anderen vlogen in brand toen de brandende lijken naar beneden vielen en daar in de menigte tanen terechtkwamen.
De vuurdood van hun kameraden hield de tanen niet tegen. Ze kwamen weer massaal de trap op, trapten de nog brandende lichamen van hun kameraden opzij, klommen er overheen of gingen erop staan om boven te komen bij de vijand. Degenen die boven aankwamen, stuitten op de ridders en soldaten die hen opwachtten. Ridders en soldaten die nog nooit zoiets hadden gezien.
De verdedigers, uit het veld geslagen door de kracht en de woeste felheid van de tanen, deinsden terug. Tasgall durfde zijn magie niet te gebruiken omdat hij bang was zijn eigen mannen te treffen. Dagnarus en hij wisselden een blik en trokken tegelijkertijd het zwaard. Ze renden voorwaarts om de terugtocht tegen te houden.
Tasgall was een redelijk zwaardvechter, maar geen superieure. Hij hanteerde een tweehandig slagzwaard en rekende erop dat de kracht van zijn slagen dodelijk was. Dagnarus was een uitstekend zwaardvechter. Hij viel de tanen zo handig aan dat weinigen ook maar bij hem in de buurt konden komen. Het was duidelijk dat hij al eerder tegen hen had gevochten. Hij kende hun werkwijzen en hun vreemd uitziende wapens.
Tasgall was benieuwd hoe de tanen zouden reageren als hun 'god' hen aanviel, en zag tot zijn verbazing dat geen van hen Dagnarus blijkbaar herkende. Tasgall had graag gekeken naar de manier waarop Dagnarus met zijn zwaard omging, maar hij moest voor zijn leven vechten.
Hij had de tanen altijd afgedaan als primitieve wilden, maar was nu gedwongen hen in een ander licht te zien. Hun wapens zagen er vreemd en uitheems uit, maar waren absoluut dodelijk, en de tanen hanteerden ze vaardig. Er kwam een taan op hem af, die in beide handen een zwaard met meerdere klingen liet rondwervelen; de klingen bewogen zo snel dat Tasgall ze als een wazige vlek zag. De taan verdedigde zich met het ene wapen en viel aan met het andere. Het scherpe staal sneed door de met

metaal bezette handschoen die Tasgall droeg en sneed in zijn handrug. De andere kling hield zijn zwaard tegen en stopte zijn dodelijke slag.
Het grauwende gezicht van de taan kwam vlak bij Tasgalls gezicht. Hij kon de smerige stank van het schepsel ruiken en de oogjes zien die blonken van woede. De taan was lang, en krachtig gebouwd; hij leek uit niets anders te bestaan dan spieren, pezen en botten, bedekt met een harig vel dat taaier was dan een leren harnas. De taan voelde zich niet te goed om zijn voeten als wapen te gebruiken. Hij schopte naar Tasgall en probeerde hem uit zijn evenwicht te brengen terwijl hij voortdurend naar hem uithaalde met zijn dodelijke klingen.
Zo stonden ze beiden te zwoegen, uit te halen en te worstelen, zonder dat een van de twee er iets mee opschoot, toen de taan plotseling een grommend geluid maakte en achteroversloeg, zo snel dat Tasgall naar voren schoot en bijna van de muur afviel. De taan lag in elkaar gezakt aan zijn voeten; hij was dood en er stak een zwaard uit zijn buik. Dagnarus ving Tasgall op, steunde hem en wees naar beneden.
De tanen hadden de trap die naar de tinnen leidde veroverd en er kwamen er steeds meer naar boven. Een nieuwe vuurstoot van een van zijn oorlogsmagiërs ontruimde de onderste helft van de trap, maar dat duurde niet lang. Meer tanen kwamen aanrennen om de plaats van degenen die levend verbrandden in te nemen.
'Pas op voor de sjamanen!' riep Dagnarus Tasgall toe. 'Zij gebruiken Leegtemagie!'
Tasgall keek omlaag tussen de tanen en zag verscheidene taansjamanen, van wie sommige bijna naakt waren en andere in gewaden waren gewikkeld die op een lijkwade leken. Ze wezen omhoog, naar hem. Hij moest nu overschakelen van het gebruiken van staal op het gebruiken van magie. Dat betekende dat hij zijn brein moest ontdoen van de benevelde razernij die bij een gevecht van man tot man ontstaat, en de heldere, koele, logische denktrant moest zien te vinden die nodig is voor de uitoefening van magie. Hij had in zijn opleiding geleerd zijn gedachten te beheersen en te richten, maar had toch een paar ogen-

blikken nodig om zich te concentreren en zich de woorden van de toverformule voor de geest te halen.
Uit de borst van een van de sjamanen kwamen vier zwarte pijlen. De pijlen schoten omhoog en lieten een spoor van walgelijk, zwart slijm achter. De pijlen bewogen met een ongehoorde snelheid. Tasgall had nog net tijd om te beseffen dat een ervan op hem gericht was, toen de pijl zijn kuras raakte.
Tasgalls harnas was betoverd om magische aanvallen af te weren en het deed de Leegtemagie wegsmelten. De pijl stootte op zijn kuras zonder schade aan te richten.
De man naast Tasgall was minder fortuinlijk. De pijl trof de ridder in het midden van zijn voorhoofd en sloeg door zijn metalen helm. Zijn schedel barstte uit elkaar, zodat degenen om hem heen bespat werden met bloed en hersens.
Het komfoor stond te ver van Tasgall af om Vuurmagie te kunnen gebruiken. Hij had een aantal flacons gezegende aarde bij zich. Hij haalde er eentje te voorschijn, smeet hem op de stenen vloer, stampte met zijn voet op de vloer en sprak de woorden van de toverformule uit.
De grond onder de sjamanen begon te schudden en te golven. Door de schok vielen ze om. Tasgall nam een speer uit de hand van de dode ridder en smeet die met al zijn kracht naar een van de sjamanen, die probeerde overeind te krabbelen. De speer doorboorde de taan. Het lichaam schokte nog even en werd toen slap. Tasgall riep bevelen en gaf boogschutters en speerwerpers opdracht hun wapens op de sjamanen te richten. Even later waren ze allemaal dood.
Tasgall veegde bloed en hersenweefsel uit zijn gezicht en keek snel om zich heen. Dagnarus had een aanval ingezet die de tanen van de trap verdreef. De meeste taankrijgers waren dood of stervende. De werkers liepen doelloos rond, onzeker en ongeordend. De boogschutters mikten op hen alsof ze op eenden schoten in een kooi. De oorlogsmagiërs bestookten hen met betoveringen. Nu was het gewoon een slachtpartij geworden.
Toen Dagnarus terugkwam, grijnzend en ongedeerd, vroeg hij vrolijk: 'En, hoe gaat de strijd verderop? Wat hoor je van je magiërs daar?'

'Heel weinig op dit moment,' antwoordde Tasgall. Zijn magiërs zwegen al een tijdje, en hij maakte zich zorgen. 'Ze moeten hun krachten natuurlijk sparen voor het gevecht, en ze niet verspillen door tegen mij te praten. Maar uit hun meldingen bleek dat er fel gevochten werd in de stad.'
'De tanen hebben een gezegde,' zei Dagnarus, een stuk minder opgetogen. '"Derrhuth zijn verliefd op het leven. Tanen zijn verliefd op de dood."'
'En dat betekent wat?' vroeg Tasgall.
'Dat degenen die de dood vrezen altijd in het nadeel zullen zijn,' antwoordde Dagnarus.
'Misschien, heer,' zei Tasgall. 'Maar misschien ook niet. Want degenen van ons die de dood vrezen, zullen vechten voor hun leven.'

Die dag vochten de Vinnengaelezen voor hun leven.
De tanen wisten nu dat ze in een hinderlaag waren gelopen. Ze waren woedend en namen zich voor zoveel mogelijk mensen te doden voor ze zelf stierven.
De Vinnengaelese soldaten waren volkomen uit het veld geslagen door de woestheid van de taankrijgers, die met zo'n razende vreugde vochten dat hun tegenstanders er bijna de moed door verloren.
Dagnarus had geprobeerd de Vinnengaelezen te waarschuwen, geprobeerd hen voor te bereiden op wat ze tegenover zich zouden vinden. Het is twijfelachtig of ze ooit voorbereid hadden kunnen zijn op het zien van taankrijgers, wier lichaam onder het bloed zat, die kwijlden en tierden en zich zonder aarzelen door met lood beklede, glazen ramen stortten en recht tegen een pijlenregen in stormden.
De elite van de taankrijgers droeg een harnas, vaak een dat ze hadden afgenomen van derrhuth die ze hadden gedood. Wonden deden hun niets; de meesten vochten nog door nadat ze een arm of been hadden verloren. Zij gebruikten magie om zich af te schermen voor wapens van staal of voor toverkunsten en kwamen ongedeerd te voorschijn uit vuurstormen van de oorlogsmagiërs. Hoewel ze in de minderheid waren en in de val zaten,

gingen de tanen met zo'n ontstellend geweld tegen hun vijand tekeer dat het er even op leek dat de tanen het misschien nog zouden winnen.

Hoewel hij als oorlogsmagiër was opgeleid, was Rigiswald te oud en ongeoefend om deel te nemen aan de gevechten. In plaats daarvan had hij aangeboden zijn magische vaardigheden te gebruiken voor het genezen van de gewonden. Bij het ochtendkrieken ging hij naar het ziekenhuis met een selecte groep andere magiërs die hun eigen specialisatie hadden opgegeven om helende magie te gaan uitoefenen. Rigiswald liep zij aan zij met magiërs die kundig waren op het gebied van techniek of architectuur, steenhouwen (zij gebruikten hun magie om bouwblokken te vormen, te tillen en te leggen), Portaalzoekers, bibliothecarissen, leden van de Orde der Inquisiteurs, alchemisten, koks en leraren. De meesten hadden boeken met toverformules bij zich waar sommige magiërs zelfs onder het lopen in lazen, om te proberen zich snel bij te spijkeren op het gebied van een magie die ze niet hadden gebruikt sinds hun noviciaat. Zelfs jonge magiërs waren opgeroepen om te komen helpen, want zij konden op zijn minst eenvoudige toverkunsten toepassen die geschikt waren om lichte verwondingen te behandelen en pijn te stillen.

Rigiswald was juist de Huizen van Genezing binnengekomen – een gebouwencomplex dat qua opzet aan elfenarchitectuur deed denken, met rondom groene grasvelden, bomen en bloeiende heesters, en waarvan vele paviljoens konden worden opengezet om frisse lucht en zonlicht binnen te laten – toen hij de dreunende klap van het vallende poorthek hoorde en voelde. Hij en alle anderen draaiden zich om en keken uit de ramen in de richting van het noordelijke deel van de stad, waar de strijd zou plaatsvinden. De Huizen van Genezing waren gesitueerd op een natuurlijke heuvel, en hoewel het uitzicht werd belemmerd door hoge gebouwen, konden de magiërs af en toe een glimp opvangen van figuurtjes (oorlogsmagiërs misschien, of soldaten) die boven op de gebouwen rondslopen.

Het gekrijs van de tanen – onmenselijk en ijzingwekkend – sneed door de stille morgenlucht. Rigiswalds maag krampte samen, terwijl hij geen man was die gauw van streek raakte. Om zich heen zag hij gezichten verbleken. Er werden sombere blikken gewisseld. De hospitaalridders zetten de vrijwilligers meteen aan het werk; ze moesten bedden verplaatsen, verband oprollen, meehelpen met het maken en in potten doen van kompressen, zalven en dranken, of angstige patiënten troosten. Het gekrijs en gegil werden luider. Rigiswald, die bezig was zalf in stenen potten te scheppen, had een plaats weten te bemachtigen naast een glazen wandpaneel dat uitzicht gaf op de kant waar de strijd gevoerd werd. Hij zag een gordijn van blauwwit vuur omhoogkomen, een muur van vuur die alles wat in zijn weg stond zou verzengen. De kreten van tanen die levend verbrandden, waren gruwelijk om te horen. Een jonge novice die naast Rigiswald zat schrok zo van dat vreselijke geluid dat ze de fiool die ze bezig was te vullen uit haar handen liet vallen, zodat hij op de vloer kletterde.

Rigiswald sprak troostende woorden, al kon hij er niet veel bedenken, raadde haar aan wat water te drinken, diep in te ademen en bij het raam weg te gaan. Toen hij weer naar buiten keek, zag hij een reusachtige, zwarte rookzuil die wervelend opsteeg. De mensen in het ziekenhuis zetten hun werkzaamheden zwijgend voort. Toen begonnen de gewonden binnen te komen.

De eerste slachtoffers waren degenen die op eigen kracht konden lopen. Ze kwamen in hun eentje, of in groepjes van twee of drie personen, die elkaar hielpen. Ze waren hierheen gestuurd door genezers die op de plek van de strijd aanwezig waren en die de meer levensbedreigende verwondingen behandelden.

'Ze hebben daar meer draagbaren en dragers nodig,' waren de eerste woorden die een soldaat sprak, terwijl hij een vermoeid hoofdgebaar maakte naar de plaats van de strijd.

De sterkste magiërs gingen op weg met draagbaren. Genezers ontfermden zich over de gewonden, boden hun een schouder om op te steunen en hielpen hen het ziekenhuis binnen te gaan. Een vrouw zakte in elkaar op de grond; ze kon niet verder. Rigiswald, die aan haar harnas en tabberd zag dat ze een oorlogsmagiër was, ging haar zelf onderzoeken, want hij kende de soorten verwondingen die deze magiërs vaak opliepen.

Er stonden verscheidene jonge novicen om haar heen, die kennelijk niet goed wisten wat ze moesten doen, want ze was in een harnas gehuld en ze hadden geen idee hoe dat moest worden losgemaakt. Rigiswald droeg een novice op bij hem te blijven voor het geval dat hij hulp nodig had, en stuurde de overigen weg om elders hulp te gaan bieden.

De jongeman liep weg om te gaan kijken naar iets wat leek op donker water dat langs de brede weg stroomde die in de volksmond de Mooie Dag Weg heette, want op mooie, zonnige dagen kwam de bevolking naar buiten om over deze weg te wandelen, vrienden en familie te begroeten, met mooie nieuwe kleren te pronken en de laatste roddels te horen.

Het stroompje dat langs de Mooie Dag Weg naar beneden liep, verbreedde zich langzamerhand tot een gestage stroom. De jongeman bukte zich om ernaar te kijken. Hij slaakte een gesmoorde kreet en deinsde terug. Zijn gezicht was krijtwit geworden. Hij sloeg zijn hand voor zijn mond en wankelde een bosje struiken in.

De donkere stroom bestond niet uit water, maar uit bloed.

Rigiswald schudde zijn hoofd en boog zich over de oorlogsmagiër, die begon bij te komen.

'Waar ben je gewond?' vroeg hij nuchter.

Haar ledematen waren intact. Ze had geen klap op het hoofd gekregen. Ze zat onder het bloed, maar dat was misschien niet haar eigen bloed. Haar pols was zwak, maar begon krachtiger te worden. Ze had geen koorts. Hij dacht dat hij wist wat er aan de hand was, maar hij wilde zekerheid.

'Ik ben niet gewond geraakt,' zei ze met zwakke stem. 'Een betovering ging mis.'

Hij had het goed geraden. Soms werkt een betovering niet goed. De redenen waarom zoiets gebeurt zijn velerlei. Misschien had de magiër een verkeerd woord uitgesproken, een zin weggelaten of de woorden in de verkeerde volgorde gezegd. Misschien had ze haar concentratie verloren en was ze midden in de betovering vergeten waar ze mee bezig was. Of misschien had de magiër alles goed gedaan, maar werkte de betovering domweg niet zoals hij zou moeten werken. Waarom dat gebeurde, ging het begrip van een sterfelijk mens te boven. Om die gevallen te beschrijven, maakten de handboeken gebruik van beeldspraak: 'De magie gedraagt zich als een vurig ros. Door de betovering op te roepen, geeft de magiër het paard de sporen. Als de betovering slaagt, gaat het paard in handgalop en blijft de ruiter het dier meester. Als de betovering misgaat, slaat het paard op hol. De ruiter kan er niets tegen doen en wordt uit het zadel geworpen, of meegesleurd naar zijn ondergang.'

'Gesp haar harnas los,' droeg Rigiswald de novice op. 'Ga dan snel wat brandewijn en water halen. Vlug!'

De novice deed wat hem gezegd was. Zijn slanke, snelle vingers hadden de leren knopen waarmee het kuras van de magiër op zijn plaats werd gehouden, binnen de kortste keren losgepeuterd. Zodra het kuras was afgenomen kon de magiër vrijer ademhalen.

'Ga liever voor de anderen zorgen,' zei ze terwijl ze haar ogen sloot. 'Met mij komt het wel goed. Ik heb alleen rust nodig.'

'De anderen zijn in goede handen,' zei Rigiswald. 'Ik blijf hier bij jou wachten tot je je sterk genoeg voelt om te lopen.'

De novice kwam terug met twee flacons en een beker. Rigiswald nam de flacon met brandewijn en mengde hiervan een kleine hoeveelheid met het koele water. Hij tilde de magiër wat overeind en hielp haar te drinken.

'Ah, brandewijn,' zei ze, en ze keek met een glimlach naar hem op. 'Het geneesmiddel van de soldaat. U hebt zeker veel veldslagen meegemaakt.'

'Ik heb er de nodige gezien. Hoe gaat het daarginds?' vroeg Rigiswald.

Ze huiverde en wendde haar ogen af. 'Ik heb ook de nodige veldslagen gezien,' zei ze zacht. 'En ik heb geen gruwelen gezien die hiermee te vergelijken waren. Ze hebben Leegtetovenaars in hun midden – krachtige tovenaars, die lange, zwarte sluiers dragen en Leegtemagie gebruiken op manieren die wij helemaal niet kenden. Tasgall had ons gewaarschuwd deze tovenaars als doelwit te kiezen, en dat wilden we ook doen, maar nog voor de

woorden van de toverformules op onze lippen lagen, legden deze tovenaars een duisternis over de straten, zo zwart dat het leek alsof ze de zon hadden weggenomen. Ik kon de man die naast me stond niet meer zien. Ik kon zelfs mijn eigen handen niet zien! We stonden op een dak en durfden ons niet meer te bewegen, want we konden onze voeten niet zien.
Wij konden hen niet zien, maar de Leegtetovenaars konden ons wel zien. De magiër naast me viel plotseling op zijn knieën. Hij riep dat zijn hart uit zijn borst werd gerukt. Een andere man, een goede vriend van me die Grims heette, kreeg een aanval van stuiptrekkingen, zo hevig dat hij van het gebouw af duikelde. De val was niet dodelijk. Ik kon hem horen gillen...'
Ze huiverde. Haar stem stierf weg. Rigiswald gaf haar nog wat brandewijn.
'Praat erover,' zei hij tegen haar. 'Bevrijd jezelf ervan.'
'Dat zal nooit gebeuren,' antwoordde ze. 'Ik zal de gruwelen van deze dag tot aan mijn dood met me meedragen.'
'Wat is er met die Leegtetovenaars gebeurd?' vroeg hij.
'Dat weet ik niet. Er kwam een explosie van vuur en toen was de duisternis voorbij. Maar het vuur heeft de tovenaars niet vernietigd, en als dat wel zo was, konden wij hun lijken niet zien. Het lijkt me waarschijnlijk dat ze van de duisternis gebruik hebben gemaakt om te vluchten. Grims heb ik wel gevonden, dat wil zeggen wat er van hem over was. De monsters hadden hem met hun blote handen aan stukken gescheurd.'
Rigiswald keek op en zag een gestage stroom gewonden uit de stad komen; er waren ook brancarddragers die de ernstigste gewonden droegen.
'Ik moet nu gaan,' zei Rigiswald. 'Gaat het wel met jou?'
Ze scheen hem niet te horen. Haar ogen staarden weer in dat vreselijke donker.
'We doden, en doden, en doden,' zei ze. 'En toch blijven ze komen.'
Hij gaf een klopje op haar hand en liet de flacon brandewijn bij haar achter. Hij kwam overeind en staarde naar al die gewonden, die doden, die stervenden.
Rigiswald keek naar hen. Hij keek naar de rivier van bloed die

de weg afstroomde, en op dat moment keek hij in het hart van Dagnarus en zag zijn eigenlijke plan.
Zijn val was opgezet voor iedereen.

Vinnengael had de overwinning behaald. De tanen waren verslagen, in de pan gehakt. Dagnarus gaf bevel dat niet één taan in leven mocht blijven, en zijn bevel werd opgevolgd. De tanen waren vernietigd, maar tegen een vreselijke prijs. De Arven was besmet door het bloed dat erin stroomde. Het water kreeg een gruwelijke, donkerbruine kleur en stonk naar de dood.

De straten lagen vol met taanlijken. Wachten laadden de lijken op karren en sleepten ze weg, maar het duurde dagen om ze allemaal weg te halen. Rioolratten en rozestaarten kwamen massaal uit de riolen te voorschijn om de doden aan te vreten; ze brachten ziekten mee die verergerd werden door het gebrek aan schoon water. De lijken werden verbrand op een reusachtige brandstapel die ten zuiden van de stad was opgericht, zodat de meestal uit het noorden waaiende wind de rook kon wegvoeren.

De Vinnengaelezen die in de strijd waren omgekomen, werden begraven in een massagraf buiten de stadsmuren. Er was niet genoeg tijd, mankracht of materiaal om zoveel doodskisten te maken en zoveel graven te delven, of iedereen een eigen begrafenisritueel te geven.

Aanvankelijk blies de noordenwind de doodsrook weg van Nieuw Vinnengael, maar op de tweede dag na de slag – de dag waarop Dagnarus tot koning gekroond zou worden – draaide de wind naar het zuiden en voerde hij kwalijke rook en as naar de stad. De as vormde op elk oppervlak een zwart roetlaagje dat afschuwelijk vettig aanvoelde. De burgers bonden een reep stof over hun neus en mond en verboden hun kinderen buiten te spelen. De as bedekte de glanzend witte, marmeren voorgevel en muren van het paleis en nestelde zich in de holten en spleten van het beeldhouwwerk dat de Tempel versierde. De burgers boenden en schrobden, maar water haalde weinig uit tegen het roet en smeerde het alleen verder uit.

De straten en stenen waren bevuild met bloed dat niet kon worden verwijderd. De mensen werkten dagenlang om de vlekken van de stenen van de Mooie Dag Weg weg te boenen, maar het bleek ondoenlijk. Het bloed was in de spleten tussen de keitjes gelopen en was niet meer weg te krijgen, leek het.

Nu de Vinnengaelezen de tanen hadden gezien, en getuige waren geweest van de dierlijke woestheid waarmee ze hadden gevochten, konden ze alleen maar huiveren en zich uitermate gelukkig prijzen dat hun stad en haar bevolking gespaard waren gebleven voor een erger lot. Dat hadden ze aan hun nieuwe koning te danken, en ze wilden hem graag van ganser harte bedanken. Iedereen, van de hoogstgeboren edelman in zijn paleisachtig stadshuis tot de jonge schooier die de stallen van de sjofelste herberg in de stad uitmestte, droeg zijn steentje bij en werkte zich uit de naad om Nieuw Vinnengael op tijd voor Dagnarus' kroning schoon te krijgen.

De gruwelijke vlekken die niet konden worden verwijderd, werden met witkalk bedekt. De smerige geuren die niet konden worden weggenomen, werden gemaskeerd met bloemen.

Zeven dagen nadat Dagnarus de overwinning had behaald op het vijandelijke leger dat hij zelf had aangevoerd, werd hij gekroond tot Koning van het Vinnengaelese Rijk. Dit rijk zou glorieus zijn en geëerd worden. Alle naties zouden ervoor buigen. Alle volken zouden buigen voor hun koning.

Op de ochtend van zijn kroningsdag liep Dagnarus alleen door de Zaal van het Glorieus Verleden. Hij had de bedienden en de hovelingen heengezonden; ze moesten verder gaan met de voorbereidingen.

De Kerk zou de leiding hebben over de kroning. Dagnarus had lang en hard gewerkt om zich van haar medewerking te verzekeren – haar bereidwillige medewerking – en Tasgall had ervoor

gezorgd dat het gelukt was. Dagnarus was tevreden over Tasgall. De oorlogsmagiër deed de koning sterk denken aan de kapitein van de lijfwacht van zijn vader, een man die belangstelling had getoond voor de jonge Dagnarus toen geen enkele andere volwassene aandacht voor hem had, een man die in feite had geholpen hem groot te brengen.
Kapitein Argot had een beter lot verdiend. Hij was omgekomen in de slag om Oud Vinnengael, en dat had Dagnarus oprecht verdriet gedaan toen hij het hoorde. De koning besloot dat Tasgall beloond moest worden. Hij was nog geen geschikte kandidaat voor het Vrykylschap; Tasgall was niet ingewijd in de geheimen van de Leegte. Maar dat kon later nog komen. Intussen benoemde hij Tasgall tot venerabele hoge magiër – na het aftreden van de voormalige regentes, Clovis, wegens gezondheidsredenen.
Aangezien het vereist is dat alle hoofden van de Orden hun ontslag indienen wanneer er een hoge magiër wordt gekozen, hadden de anderen zulks gedaan. Gewoonlijk weigerde de nieuwe hoge magiër simpelweg die ontslagen te accepteren. Maar Tasgall had, op advies van Dagnarus, alle ontslagen geaccepteerd en de hoofden vervangen door mensen die hem trouw waren.
Tasgall had een geweten, en dat geweten knaagde aan hem, want hij had de positie van venerabele hoge magiër met de grootste aarzeling aanvaard. Toch had hij dat gedaan, want hij had gezien hoeveel onheil het kan opleveren wanneer de Kerk en de kroon tegenover elkaar staan, of wanneer de ene partij te veel macht krijgt en de andere overheerst. Tasgall verbeeldde zich dat Dagnarus en hij samenwerkten ten behoeve van Vinnengael. Dagnarus moest Tasgall nog van dat idee afhelpen. Dagnarus had in de tweehonderd jaar van zijn bestaan geleerd geduld te oefenen, en hij had ook geleerd subtiel te werk te gaan.
Alles verliep naar wens, zelfs wat het terugvinden van de Verheven Stenen betrof. Toegegeven, er waren nog problemen, maar wanneer hij eenmaal keizer was, zouden die worden opgelost. Valura meldde vanuit het elfenkoninkrijk Tromek dat de burgeroorlog in een impasse was geraakt. De strijdkrachten van de

Goddelijke hielden nog steeds hardnekkig bepaalde belangrijke gebieden van Tromek bezet, zoals de westkant van het Portaal, die verdedigd werd door de krijgers van het Huis Kinnoth, die buitengewoon taai en vasthoudend waren en niet vatbaar waren voor pogingen hen over te halen een andere heer te dienen. Ten gevolge hiervan begonnen sommige Huizen die tot nu toe het Schild steunden, te wankelen in hun steun, maar Valura zei dat ze ervan overtuigd was dat een moord hier en een schandaal daar de Huizen weer op één lijn zou brengen. Dagnarus droeg haar op in Tromek te blijven tot de oorlog afgelopen was en de situatie naar zijn genoegen was geregeld. Daarna had hij plannen voor Valura waarvoor ze voorgoed in Tromek zou moeten blijven – zodat ze bij hem wegbleef.

Ze zou daar niet blij mee zijn, maar ze zou gehoorzamen. Ze moest wel gehoorzamen.

In de Troonzaal, die op de begane grond lag, begonnen de mensen binnen te komen: de hooggeplaatste leden van de Kerk, de baronnen, de lagere adel, ridders en hun dames, de rijke, invloedrijke kooplieden, de ambassadeurs van de (weinige) regeringen die nog bondgenoten van Vinnengael waren, de koninklijke musici en de eregasten, zoals de wakkere jonge soldaat die zo voortvarend de touwen had doorgesneden die de poort lieten zakken.

De jonge Hirav zou er niet bij zijn. Hij was weggestuurd. Over ongeveer een halfjaar zou het bericht Vinnengael bereiken dat het arme kind was bezweken aan een ziekte, misschien de mazelen. Tegen die tijd zou dat niemand meer veel kunnen schelen.

Ze zouden allen bijeen zijn in de troonzaal, wachtend op hun koning, de veroveraar. De Vinnengaelezen hadden overwonnen. Helaas hadden ze juist met hun overwinning een ernstige nederlaag geleden. Ze konden proberen de rook en het bloed weg te wassen, maar ze konden de herinnering nooit wegwassen. Vanaf die dag kon geen enkele Vinnengaelees over de wegen van Nieuw Vinnengael lopen zonder die gruwelijke vlekken te zien. Geen Vinnengaelees zou 's nachts kunnen slapen zonder de kreten van de stervenden in zijn oren te horen weerklinken. Geen

Vinnengaelees zou de bergen lijken die op het marktplein waren opgestapeld kunnen vergeten, of de stinkende rook van de brandstapels waarop de doden werden verbrand.
Door de oorlog binnen te brengen in Nieuw Vinnengael had Dagnarus elke man, elke vrouw en elk kind de gruwelen van de oorlog opgedrongen. Hij had een reden om dat te doen. Wanneer hij gekroond was, zou hij de rouwende en verslagen bevolking iets beloven: als zij hem trouw en gehoorzaamheid beloofden, zou hij voor hun veiligheid instaan.
Ze zouden dat nederig beloven. Ze zouden het graag beloven. Knielend in het bloed zouden ze hem trouw zweren. Ze zouden het nooit vergeten.
Dagnarus zou ervoor zorgen dat ze het nooit vergaten.
Hij tilde de kroon van Vinnengael op van het fluwelen kussen waarop hij rustte, klaar om door de venerabele hoge magiër naar de kapel beneden te worden gedragen, waar deze de zegen van de goden over hun koning zou afsmeken.
De goden konden hun zegen geven, of niet, net wat ze wilden. Dat maakte Dagnarus eigenlijk niets uit. Hij had de goden niet nodig. Hij had de Leegte. Er was maar één zegen die hij wilde krijgen.
Dagnarus liep naar de schildering die vroeger de twee koningen van Vinnengael had uitgebeeld, vader en zoon, Helmos en Tamaros. De schildering was overgeschilderd. De schilder en zijn helpers hadden dag en nacht gewerkt om de schildering af te hebben voor deze historische gelegenheid. De zaal rook sterk naar verse verf en lijnolie.
Op de schildering stond koning Tamaros naast zijn zoon, prins Dagnarus. Het gezicht van de vader straalde van trots. Dagnarus was knap en aantrekkelijk.
Gekleed in zijn koninklijke gewaden, klaar om af te dalen naar de troonzaal en daar de huldebetuigingen van zijn volk in ontvangst te nemen, viel Dagnarus voor het schilderij op de knieën.
'Ik heb het gedaan, vader,' zei Dagnarus. 'Ik ben koning van Vinnengael. Ik zal ervoor zorgen dat u trots op me bent, vader. Ik zweer het. U hoeft zich niet langer voor me te schamen.'
Zijn vader leek heel dichtbij. Dagnarus wachtte een ogenblik;

hij hoopte, of vreesde misschien een fluistering vanuit het graf te horen.
Er kwam niets, maar Dagnarus voelde zich overtuigd van de goedkeuring van zijn vader. Hij kwam overeind en verliet de zaal. Hij werd begroet met luide juichkreten van de verzamelde ridders en baronnen die hem opwachtten om als erewacht te dienen.
Gedurende de hele langdurige en soms saaie kroningsplechtigheid verbeeldde de pasgekroonde koning zich dat hij kon voelen dat de trotse blik van zijn vader op hem rustte – op Dagnarus, het geliefde kind.

Rigiswald had de kroningsplechtigheid niet bijgewoond, hoewel hij een uitnodiging had ontvangen. Tasgall had hem verteld dat Dagnarus heel graag de 'oude heer' wilde ontmoeten die belangstelling had geuit voor de Vrykyls.
'Dank je,' had Rigiswald gezegd, 'maar ik heb dan iets te doen.'
'Wat dan?' had Tasgall gevraagd.
'Dat heb ik nog niet besloten,' had Rigiswald geantwoord.
Tasgall had zijn voorhoofd gefronst, maar verder niets gezegd.
De feestgeluiden waren nog steeds hoorbaar op straat. De feestelijkheden hadden de hele nacht geduurd en gingen nog steeds door terwijl de zon al op was. Rigiswald vouwde zijn beste lamswollen pij zorgvuldig op, met de bedoeling hem vervolgens op te rollen en in een leren rugzak te steken. Hij werd gestoord door een klop op zijn deur.
Hij deed de deur open en zag een pienter uitziende jongenspage, geheel opgedoft met ruches en gouden borduursel. De page stak hem een met ouwel dichtgeplakt pakje toe.
'Voor u, heer.'
Rigiswald begon de deur al dicht te doen toen hij aan de overkant van de gang Tasgall zag staan, die naar hem keek. Rigiswald knikte even en wendde zich om. Tasgall, die het knikje als uitnodiging opvatte, volgde Rigiswald de kamer in.
Rigiswald wierp het pakje op de tafel. Hij schoof de pij in de rugzak, streek hem glad en sprenkelde er wat cederolie op tegen motten.

'Dat is een uitnodiging voor het koninklijk paleis,' zei Tasgall met een blik op het pakje.
'Ja,' antwoordde Rigiswald. 'Dat zal het wel zijn, denk ik.'
'U gaat er niet heen?'
'Nee.'
'Zijne Majesteit zal ontstemd zijn.'
Rigiswald begon zijn kousen op te rollen tot nette bollen. 'Er zijn zovele honderden die aandacht van Zijne Majesteit vragen dat één bejaarde heer niet gemist zal worden.'
'Ik weet waar dit over gaat,' zei Tasgall.
'Heel toevallig,' zei Rigiswald, 'weet ik het ook.'
'U zult niets bereiken door weg te blijven.'
'Ik zal niets bereiken door te komen.'
'Zijne Majesteit was teleurgesteld omdat baron Shadamehr niet bij de kroning aanwezig was,' zei Tasgall. 'Shadamehr was de enige baron die niet present was. Zijn afwezigheid is opgevallen.'
Rigiswald schoof de opgerolde kousen netjes naar de bodem van de rugzak. Hij hield een gepolijst, zilveren schijfje omhoog en bestudeerde zijn spiegelbeeld. Hij kamde zijn korte baard en zijn haar en schoof vervolgens het schijfje en de ivoren kam in de rugzak.
Tasgall sloeg hem in wanhoop gade. 'Als baron Shadamehr niet onmiddellijk hier komt om zijn nieuwe koning hulde te betonen en trouw te zweren, zal hij als verrader worden veroordeeld. Hij zal verbannen worden, op straffe des doods als hij naar Vinnengael terugkeert. Zijn landerijen en kasteel zullen vervallen aan de kroon. Zijne Majesteit wenst zekerheid te verkrijgen dat de baron zal komen.'
Rigiswald stopte verscheidene boeken in de rugzak; een aantal dat hij pas had gekocht en enkele die hij zelf had meegebracht. Hij stak ze er zorgvuldig in, zodanig dat ze de pij niet kreukten en zijn sokken niet platdrukten. Toen hij klaar was met pakken, tilde hij de rugzak op, sloot hem en verstelde de banden op maat. Hij deed zijn reismantel om.
'Ik ben niet baron Shadamehrs secretaris voor sociale aangelegenheden,' zei Rigiswald terwijl hij de gouden gesp vastmaakte

die de mantel stevig op zijn plaats hield. 'Ik maak geen afspraken voor hem.'
'U bent zijn vriend, heer. U zou hem op het hart moeten drukken dat hij zijn koning hulde moet komen brengen.'
Rigiswald tilde de rugzak op. Hij gaf Tasgall geen hand. 'Vaarwel, Tasgall. Gefeliciteerd met je bevordering in rang.'
Hij liep naar de deur.
Tasgall raapte het pakje van tafel en speelde ermee. 'De familie van de baron bezit dat land al generaties lang,' zei Tasgall. 'Zijn inkomen komt uit de opbrengst van dat land en van de tolgelden die hij ontvangt van mensen die de rivier afzakken. Als Shadamehr zijn baronie verliest, zal hij een verarmde banneling zijn, die nergens heen kan, geen vrienden heeft die voor hem opkomen, geen toevluchtsoord.'
Rigiswald bleef staan en draaide zich om. 'Ik hoor dat het hoofd van de Orde der Inquisiteurs gisteren gestorven is.'
Tasgall antwoordde niet meteen.
'Hij is gestorven aan... wat ook weer? Een hartstilstand?' zei Rigiswald.
Tasgall staarde naar het pakje in zijn handen. 'Zijn gezondheid is al een tijdlang slecht geweest. Bij een lijkschouwing is vastgesteld dat zijn dood aan natuurlijke oorzaken te wijten is.'
Rigiswald glimlachte met strakke lippen. 'Ik zou maar uitkijken voor die natuurlijke oorzaken als ik jou was, Tasgall. Ik hoor dat ze nogal besmettelijk zijn.'
Tasgall was met drie stappen de kamer door en greep Rigiswalds arm.
'Zeg tegen de baron dat hij maar één ding hoeft te doen: zijn knie buigen en trouw zweren aan koning Dagnarus.'
'Is dat het enige?' Rigiswald nam hem vriendelijk op.
'Beste vriend, dat is alles.'
Rigiswald liep alleen door de straten van de stad, die nog steeds geschrobd werden, en ging naar buiten door de stadspoort, die nog steeds gerepareerd werd. Toen hij achteromkeek, zag hij de nieuwe vlaggen van Vinnengael. Er was een gouden feniks op afgebeeld die uit bloedrode vlammen opstijgt, fladderend in de met rook bezwangerde lucht.

DEEL
II

Wolfram de Paardloze was niet van plan geweest lang in het klooster op de Drakenberg te blijven. Door de beloning die hem door wijlen heer Gustav was gegeven, was Wolfram zelf een heer. Hij was de heer van een landhuis – een menselijk landhuis met een menselijk landgoed eromheen – en hij verheugde zich erop dat huis binnen te gaan als eigenaar ervan, en de hofmeester en de bedienden verbaasd te doen staan door hun mee te delen dat ze nu een dwerg als meester hadden.

Hij zei elke dag tegen zichzelf dat hij nu weg zou gaan. En elke dag vond hij weer een uitvlucht om te blijven. Er gingen weken voorbij, en de dwerg verbleef nog steeds op de Drakenberg. Het punt was dat Ranessa probeerde te leren hoe ze een draak moest zijn, en dat viel niet mee. Wolfram wilde haar liever niet alleen laten.

Hij wist niet waarom hij het zo vreemd vond. Ranessa was als mens niet bepaald geslaagd geweest. Ze had haar familie en de hele Trevinicistam waarin ze geboren was, van zich vervreemd. Daarna was ze erin geslaagd bijna iedereen die ze op hun reis was tegengekomen te beledigen of te kwetsen. Wolfram gaf toe dat haar misantropische instelling wel te billijken was. Ranessa had haar hele leven tot nu toe gedacht dat ze een mens was (wat ze vreselijk vond), om plotseling tijdens een overweldigend en catastrofaal ogenblik te beseffen dat ze geen mens was, maar een draak.

Nadat hij zelf van de schok was hersteld (een herstel dat vele bekers van het goede, nootbruine bier van de monniken had gevergd om hem te ondersteunen) had Wolfram gehoopt dat de ontdekking van haar ware aard Ranessa zou transformeren van een prikkelbare, onberekenbare en licht gestoorde mensenvrouw in een ontspannen en gemoedelijke draak. Maar Ranessa bleek nog steeds prikkelbaar en onberekenbaar te zijn. Het enige verschil was dat ze, voordat ze een draak werd, haar scherpe tong had gebruikt om een man af te snauwen. Nu had ze bovendien scherpe tanden.

De kloosterlinge Vuur, die Ranessa's drakenmoeder was, verzekerde Wolfram dat Ranessa's gedrag normaal was. Alle pas 'uitgekomen' jonge draken hadden dezelfde problemen met het wennen aan hun nieuwe vorm en gedaante en aan de nieuwe manier waarop ze zichzelf en de wereld om hen heen moesten leren te zien.

'Wanneer de eerste euforie over het vinden van haar ware aard wegebt, is de jonge draak in de war, van streek. Ze voelt zich vaak boos en verraden en kan het moeilijk vinden om zich aan zo'n volstrekt nieuwe levenswijze aan te passen. Deze reactie lijkt wel enigszins op wat we bij pas Paardloos geworden dwergen zien,' voegde Vuur er koeltjes aan toe.

Wolfram, zelf een Paardloze dwerg, begreep precies wat ze bedoelde, maar hij deed net of hij het niet snapte.

'Het lijkt een rare manier van doen, mevrouw,' zei hij. 'Tegennatuurlijk. Waarom brengen jullie draken je kinderen niet zelf groot, in plaats van ons arme nietsvermoedende stervelingen ermee op te zadelen? Kinderen grootbrengen is niet gemakkelijk, ze huilen en spugen en maken hun broekjes vies, als u begrijpt wat ik bedoel. Toch doen we het. We besteden onze kinderen niet aan jullie uit. Daar bedoel ik verder niets mee, hoor.'

'Dat weet ik ook wel, Wolfram,' antwoordde Vuur, en hij zag tot zijn opluchting dat ze niet boos was, maar geamuseerd.

Vuur kon van gedaante veranderen en ze had nu haar dwergengedaante weer aangenomen en liep naast hem zoals een nette, fatsoenlijke vrouwelijke dwerg naast hem zou lopen. Maar omdat ze elk moment kon veranderen in haar eigenlijke drakengedaante, wilde Wolfram liever niet dat ze boos op hem werd, in welke gedaante dan ook.

Het tweetal wandelde door de tuin die het klooster omringde. Vijf draken bewaakten het klooster en zorgden dat de monniken niets overkwam. Vier van deze draken vertegenwoordigden de elementen van de wereld: Vuur, Water, Aarde en Lucht. De vijfde draak vertegenwoordigde de afwezigheid van de elementen, de Leegte.
De mensen van Loerem wisten dat het klooster door draken werd bewaakt, maar weinigen wisten dat de draken ook het klooster leidden, want de draken vermomden zich als monniken wanneer ze met de andere volken te maken hadden. Wolfram had per toeval de waarheid ontdekt, doordat hij er per ongeluk getuige van was geweest dat Vuur zich van een vrouwelijke dwerg transformeerde in een prachtige, rode draak.
Leugens, dat zijn het. Niets dan een hoop leugens, dacht Wolfram verontwaardigd. Niet dat hij zelf te goed was om een leugen te vertellen. Een leugentje op zijn tijd kon nuttig zijn. Maar dit was iets anders. Deze leugens waren van invloed op de levens van mensen.
'Mensen gaan om mensen geven,' zei Wolfram bars. 'Mensen gaan iets voor mensen voelen als mensen, en dan ontdekken ze opeens dat het draken zijn. Daar kunnen mensen door gekwetst raken. Dat wilde ik maar even zeggen, mevrouw.'
'Ik begrijp het, Wolfram.'
De tuin was aangelegd op de rand van een steile rotswand, en bood een schitterend uitzicht over het land dat zich aan de voet van de hoge berg uitspreidde. Het tweetal stond stil bij een stenen muur die daar was aangebracht om te verhinderen dat iemand langs de bergwand naar beneden zou vallen. Onder hen dreven wolkenslierten. Ver beneden was de rivier een blauwe draad die zich tussen rood gesteente door slingerde.
Ranessa was daar tussen de wolken bezig met haar vliegoefeningen. Ze vond vliegen heerlijk, zei ze tegen Wolfram. Ze vond het heerlijk op de warme luchtstromingen op te stijgen of neer te duiken op een doodsbange geit. Ze vond het heerlijk rond de hoge, besneeuwde toppen te cirkelen en te weten dat ze hoog boven de wereld met zijn problemen zweefde.
Maar Ranessa kon niet altijd blijven vliegen. Ze moest landen,

moest terugkomen op de vaste grond. Om de een of andere reden kon ze het landen maar niet onder de knie krijgen. De eerste keer dat ze het had geprobeerd, was ze te snel aan komen vliegen, was uitgegleden, had haar kop te vroeg omlaag gebogen, zodat ze over de kop was geslagen en ten slotte met een klap tot stilstand was gekomen tegen de stallen van de monniken, waarbij ze het gebouw had vernield en twee muilezels had gedood.

Wolfram was ervan overtuigd geweest dat Ranessa hierbij zelf om het leven was gekomen. Ze had de ramp overleefd, maar de meeste schubben waren van haar neus geschaafd en ze had een spier in haar poot gescheurd. Ze had zich heilig voorgenomen nooit meer te vliegen. Maar de blauwe hemel en de wolken en de vrijheid riepen haar. Elke dag deed ze landingsoefeningen (in een groot, leeg veld). Ze beweerde dat het al beter ging. Wolfram wist niet of dat waar was. Hij kon het niet opbrengen ernaar te kijken.

Wolfram wreef over zijn neus, krabbelde in zijn baard en keek naar Ranessa, die rusteloos tussen de toppen heen en weer zwenkte. Haar rode schubben glinsterden oranje in de zon. Ze was een sierlijke, slanke, gevleugelde schoonheid. Hij wenste plotseling dat zij zichzelf zo kon zien als hij haar zag. Misschien zou dat helpen.

'Onze redenering om onze jongen bij mensen onder te brengen is niet uitsluitend zelfzuchtig,' zei Vuur. 'We hebben gemerkt dat sommige van onze jongen door bij mensen te leven leren jullie te begrijpen, te begrijpen hoe jullie denken en handelen.'

'Jammer dat het omgekeerd niet zo werkt,' zei Wolfram knorrig. 'Ik heb me iets afgevraagd. Ranessa voelde zich genoodzaakt om hierheen te komen. Ze had de Drakenberg in haar dromen gezien. Gebeurt dat bij al jullie jongen?'

'Slechts bij een paar,' antwoordde Vuur. 'Het gebeurt bij drakenkinderen die niet tevreden zijn met hun leven. Met degenen die zoeken. Degenen die niet passen in hun omgeving. Zoals Ranessa. Zij weten dat het leven hun iets bijzonders te bieden heeft, en ze rusten niet tot ze ontdekken wat dat is. Haar zoektocht heeft haar hierheen gebracht, bij mij.'

'En wat gebeurt er met de rest? Met degenen die het prettig vinden om een mens, een dwerg of een elf te zijn?'
'Die leven en sterven als mensen, dwergen of elfen, zonder ooit te weten dat ze iets anders waren. Op die manier raken we sommige van onze kinderen kwijt. We weten dat dit risico bestaat, en we accepteren het.'
Vuur keek naar Ranessa en glimlachte trots. 'Ranessa heeft nu een vriend nodig.'
'Succes met het zoeken,' merkte Wolfram op. 'Ik ga morgen weg.'
'Dan wens ik je een behouden reis,' antwoordde Vuur en ze liep terug naar het klooster.
Wolfram stond naar Ranessa te kijken met zijn handen in de zakken van zijn leren broek gestoken; zijn gezicht stond op onweer. Hij kon zien dat ze moe begon te worden, want haar kop zakte naar beneden. Ze stelde het landen waarschijnlijk zo lang mogelijk uit.
Wolfram schudde zijn hoofd en ging het klooster binnen, terwijl hij zichzelf voorhield dat hij nu zijn spullen ging pakken. In plaats daarvan ging hij toch weer naar buiten, op weg naar dat kale veld.

Ranessa lag tussen een hoop grote keien woedend met haar vleugels te slaan zodat er grote stofwolken omhoogdwarrelden.
Wolfram wuifde het stof met zijn hand weg en liep om een kei heen zodat ze hem kon zien.
'Wat doe je hier?' wilde Ranessa weten. 'Kom je om eens lekker te kunnen lachen?'
'Ik ben gekomen om te zien dat je je domme nek niet hebt gebroken,' zei Wolfram terug. 'Je gaat vooruit.'
'Wat bedoel je daarmee?' Ranessa keek hem kwaad aan.
'Ik bedoel... dat je vooruitgaat,' zei Wolfram. 'Je bent niet in het meer geland.'
De draak keek nog kwader. 'Als je het weten wilt, ik mikte juist op het meer. Maar ik schoot eroverheen.'
Ranessa hees haar massieve lijf uit de hoop stenen, schopte keien opzij met haar voeten en zwiepte geërgerd met haar lange, geschubde staart. Een van de keien kwam op Wolfram af stui-

teren, zodat de dwerg snel moest uitwijken om niet verpletterd te worden.

'Sorry,' mompelde Ranessa.

Ze spreidde haar vleugels in het zonlicht. De namiddagzon scheen door het transparante rood-oranje vlies, zodat het leek of de draak door een innerlijk vuur werd verlicht. De rode schubben vlamden op. Haar elegante kop, geplaatst op de bochtige nek, ging op en neer terwijl ze zichzelf dwong het vlies geduldig te onderzoeken op kleine scheurtjes of schrammen, want zelfs het kleinste gaatje in de vleugel kan snel groter worden tijdens het vliegen en ernstige schade geven als het niet wordt behandeld. Ranessa, die van nature niet erg geduldig was, had deze les door schade en schande geleerd.

'Waarom wilde je in het meer landen?' vroeg Wolfram.

Wanneer hij haar zo zag, glanzend in het zonlicht, was hij soms tot tranen geroerd. Hij schraapte zijn keel en keek huiverend naar het ijzige, blauwe water van het meer, dat gevoed werd door de sneeuw.

'Ik dacht dat landen in het water gemakkelijker zou zijn,' antwoordde Ranessa op pruilende toon. 'Zachter.'

Ze schudde haar hele lichaam zodat haar schubben ratelden, en vouwde haar vleugels langs haar zijden. Met een diepe zucht bracht ze haar kop omlaag naar de stenige grond, zodat haar neus zich op gelijke hoogte bevond met Wolfram. Met een ruk kwam haar kop weer omhoog. Ze was met haar kin op een klein dennenboompje terechtgekomen. Ze ademde een geërgerde vuurstoot uit waardoor het dennetje werd verkoold. Ze zuchtte weer en liet haar kop zakken tot hij lekker op de zonverwarmde aarde lag.

'Dat vind ik leuk om te doen,' zei ze.

'Dingen in brand steken,' zei Wolfram.

'Ja. Dat, en de magie. Alleen ben ik daar ook niet erg goed in.'

'Vuur zegt dat het heel goed gaat,' probeerde Wolfram haar gerust te stellen. 'Het kost alleen veel tijd.' Hij wachtte even en zei toen langs zijn neus weg: 'Misschien wil je liever weer zo worden als je was? Dat kan, moet je weten. Je kunt terugveranderen naar je menselijke gedaante.'

De spleetogen van de draak waren groen; ze schitterden als smaragden in contrast met de vurige, oranje schubben. Wolfram keek in die ogen, op zoek naar de Ranessa die hij had gekend; de wilde, ongetemde mensenvrouw. Een klein gedeelte van die Ranessa was daar nog – het gedeelte dat teleurgesteld, ongeduldig, bang was. Maar dat gedeelte was aan het verdwijnen, het was elke dag verder weg. Het drakengedeelte, het gedeelte dat hij niet kon begrijpen, kreeg steeds meer de overhand.

'Nee,' zei ze.

Wolfram wreef over zijn neus en staarde somber naar zijn laarzen, die afgesleten waren door het vele lopen. Morgen ging hij hier weg. Heel beslist.

'Ik weet niet of je dit kunt begrijpen of niet,' zei Ranessa. Door de manier waarop ze dit zei, leek het alsof ze probeerde het zelf te begrijpen. 'Maar ik voelde me nooit prettig in dat lichaam. Toen ik klein was, heb ik een keer een slang gezien die haar huid afstroopte. Wat was ik daar jaloers op! Mijn eigen huid voelde zo klein en strak en beperkend. Ik wilde niets liever dan mijn rug openscheuren en vervellen. Nu heb ik dat gedaan, en ik wil nooit meer in die huid terugkruipen. Maar ik verwacht niet dat jouw soort dat begrijpt.'

'Toevallig begrijp ik het wel,' zei Wolfram uit de hoogte. 'Ik heb een keer mijn huid afgelegd.'

'Wat? Hoe dan? Vertel het,' drong Ranessa aan. Haar groene ogen waren groter geworden.

'Dat doet er niet toe,' zei Wolfram. 'Het is een lang verhaal, en ik kwam je alleen vertellen dat ik morgen wegga.'

'Dat heb je gisteren ook gezegd,' merkte Ranessa op. 'En eergisteren.'

'Nou ja, maar ditmaal ga ik echt,' antwoordde Wolfram.

Hij wachtte tot ze iets zou zeggen om te proberen hem tegen te houden, maar dat deed ze niet. De lucht was ijskoud. Zijn tenen begonnen gevoelloos te worden, en hij stampte met zijn voeten om ze warm te krijgen.

'Nou, vaarwel dan,' zei hij, en hij voegde er stijfjes aan toe: 'Bedankt dat je mijn leven hebt gered.'

Daarna draaide hij zich om en begon aan de lange wandeling

van de bergtop naar het klooster beneden.
Hij hoorde de staart van de draak rusteloos tegen de stenen slaan. Een kleine lawine van steengruis stuiterde om zijn voeten omlaag, zodat hij bijna struikelde. Toen hij ongeveer op de helft van de helling was, riep Ranessa hem iets na.
'Bedankt dat je het mijne hebt gered.'
Wolfram trok zijn hoofd in en deed alsof hij het niet had gehoord.

Hij liep om de westkant van het klooster heen om bij de hoofdingang te komen. Toen hij de hoek van het gebouw om kwam, bleef hij opeens staan. Hij stond even te kijken, want hij geloofde zijn ogen niet. Toen trok hij zich haastig terug achter de hoek van het gebouw van grijze steen.
'Verdorie!' Hij vervloekte zijn pech. 'Ik wist dat ik eerder weg had moeten gaan!'
Een gezelschap dwergen – twintig ongeveer – was bezig zijn kamp op te slaan voor het klooster. Van deze afstand kon hij niet zien tot welke clan ze behoorden. Iedere clan heeft een bepaald kenmerk waarmee hij zich onderscheidt. En in het schemerige licht kon hij geen duidelijke merktekens onderscheiden. Hij zou dichterbij moeten komen om het beter te kunnen zien, en Wolfram was niet van plan om dichterbij te komen.
Hij kon zichzelf wel voorhouden – en hield zichzelf voor – dat er een paar miljoen dwergen over de vlakten van de dwergenlanden rondzwierven en dat de kans erg klein was dat er bij deze twintig eentje zou zijn die hem zou herkennen, een kans die nog kleiner was doordat hij in geen twintig jaar in zijn geboorteland was geweest. Dit waren bovendien Paardendwergen, en Wolfram was Paardloos. Hij kwam uit Saumel, de Stad der Paardlozen, en hoewel er weleens clandwergen in Saumel kwamen om zaken te doen, bleven ze er nooit lang. Als ze hem hadden gezien, zouden ze zich hem waarschijnlijk niet herinneren. Maar dat 'waarschijnlijk' hield toch een risico in dat hij niet mocht nemen.
Terwijl hij naar de dwergen keek die hun paarden aflaadden, maakte een grote nieuwsgierigheid zich van Wolfram meester.

Wat deden ze hier? Hij had nooit dwergen gekend die helemaal van hun eigen land naar het klooster op de Drakenberg reisden. Er waren trouwens maar weinig clandwergen die van het bestaan van het klooster of van de Drakenberg af wisten. Hun reis moest lang en zwaar zijn geweest; en ook gevaarlijk, want de dwergen hadden door het gebied van de Vinnengaelezen, hun oude vijand, moeten reizen.
De zon gleed weg achter de berg. De hemel kreeg een schitterend gouden glans, het land nam avondtinten aan. Wolfram zorgde ervoor dat hij in de schaduw van de sparren bleef; hij gebruikte ze als dekking en sloop zo naderbij.
Het gezelschap bestond uit twintig dwergen en twee keer zoveel paarden; de kleine, ruige, stoere paardjes die door de dwergen worden gefokt en die waardering genieten bij al degenen in Loerem die iets van paarden weten. De dwergen waren zwaarbewapend – heel gewoon voor dwergen die door vijandelijk gebied reizen, en elk gebied buiten de dwergenlanden was vijandelijk gebied. Hun wapens waren niet het primitieve soort wapens dat de meeste clandwergen maakten. Wolfram herkende tot zijn verbazing het uitzonderlijke werk van de Paardlozen van Karkara, die aan de oostkant van het Dwergengebergte woonden. Het was heel moeilijk om aan zulke schitterende wapens te komen, zelfs voor de dwergenclans; ze werden hoog gewaardeerd en waren heel duur.
Dit moest het escorte van een clanhoofd zijn, en geen gewoon clanhoofd. Misschien het hoge hoofd-clanhoofd. Gespreksflarden die hij kon beluisteren, bevestigden dit. De dwergen hadden het over iemand die Kolost heette. Aan hun eerbiedige intonatie te horen, was dit een belangrijk personage in hun gezelschap. Wie deze Kolost ook was, hij was in het klooster en had een onderhoud met een van de monniken. Wolfram kon er nog steeds niet achter komen welke clan het was, en dat vond hij vreemd.
Een aantal van de paardjes droeg merktekens, maar er waren ook paardjes zonder merkteken. Sommige paardjes waren bedekt met dekens die er hetzelfde uitzagen, maar niet allemaal. Verscheidene dwergen droegen rode kralen, die aan de punten

van hun snor bengelden, terwijl andere geen kralen droegen. Nog een vreemd verschijnsel in deze groep was dat de dwergen, die samen aan het werk waren, elkaar toch met een stijve, eerbiedige houding behandelden. Wanneer ze niet bezig waren met een taak, gingen ze uit elkaar en groepten ze met drie of vier bij elkaar.

Plotseling kreeg Wolfram het door, en hij schold zichzelf uit omdat hij de grootste stomkop ter wereld was. Deze dwergen waren geen hooggeplaatste krijgers van één clan. Deze groep bestond uit hooggeplaatste krijgers uit verschillende clans.

Het was misschien vergeeflijk dat Wolfram deze conclusie niet eerder bereikte, want het was gewoon zo dat hij nog nooit getuige was geweest van een dergelijke gebeurtenis: dat er zoveel clans bijeen waren onder leiding van één clanhoofd. Zelfs het hoofd-clanhoofd, dat in naam de leiding had over alle clans, reisde gewoonlijk alleen met krijgers van zijn eigen clan.

De Paardlozen vormden een uitzondering op deze regel, maar ja, zij hadden weinig keus. De Paardlozen waren dwergen die, ten gevolge van een belediging, een wetsovertreding of een ander ongelukkig voorval, uit de clan waren gestoten. Als bannelingen waren zij genoodzaakt geweest zich aaneen te sluiten om te kunnen overleven, en zo waren de vier steden van de Paardlozen gesticht.

Nadat hij dit allemaal had bedacht, herkende Wolfram de Staalclan aan de rode kralen, de Zwaardclan aan hun paardendekens en de Rode Clan aan het zigzagteken op het achterdeel van hun paardjes. Deze clans waren in het verleden verbitterde vijanden geweest. Wat had hun hooggeplaatste krijgers zover gekregen dat ze samen een gevaarlijke reis maakten waarbij ze een half continent doorkruisten?

Wie was die Kolost? Wat deed hij hier, uitgerekend op de Drakenberg? Wat had een dwerg te zoeken bij de monniken die de geschiedenis vastlegden? Wolfram was zo ontzettend nieuwsgierig dat hij in de verleiding kwam zich aan zijn mededwergen bekend te maken en uit te zoeken wat er aan de hand was. Maar hij verzette zich tegen de verleiding door zichzelf eraan te herinneren dat hij een bandiet was, een misdadiger, en dat hij ge-

vaar liep geketend en vernederd terug te worden gesleept naar Saumel.
Intussen bevonden zijn spullen zich in de gemeenschapsruimte, en hij was buiten, met twintig dwergen tussen hem en de ingang. Hij keek omhoog naar de muur achter hem. De ramen stonden open om de frisse berglucht binnen te laten. Hij overwoog te proberen naar binnen te kruipen, maar herinnerde zich dat de reusachtige Omarah altijd door de gangen zwierven, en dat ze een dwerg die erop betrapt werd dat hij zomaar door een raam naar binnen klauterde boos zouden bejegenen.
Wolfram had geen andere keus dan achter de sparren neer te hurken en te wachten tot de dwergen zich in hun paardendekens wikkelden en gingen slapen. Dan kon hij vlug naar binnen glippen, zijn rugzak pakken en vertrekken voor iemand hem zag.
De nacht drong op tussen de sparren en om Wolfram. De dwergen legden het nachtelijk vuur aan dat heilig is voor de dwergen; een van hen, de Vuurmagiër, draagt de verantwoordelijkheid voor het aanleggen van het vuur elke avond, en het zorgvuldig doven van het vuur elke morgen. De dwergen bereidden hun avondmaal; ze roosterden konijnen aan het spit.
Toen ze klaar waren, wikkelden ze zich in hun paardendekens, stelden de wacht aan en gingen te bed voor de nacht. Wolfram dacht dat die Kolost nu wel elk ogenblik in het kamp zou terugkeren, want geen clandwerg zou erover peinzen de nacht in een gebouw door te brengen, als hij de keus had. Maar het clanhoofd verscheen niet, en na verloop van tijd zetten de honger en het feit dat zijn knieën pijn deden door het hurken tussen de sparren Wolfram tot actie aan.
Hij stond op, met een pijnlijk vertokken gezicht vanwege zijn stijve gewrichten, en liep geruisloos door het donker naar de toegangspoort. Wolfram wachtte tot de wachtdoende dwerg hem zijn rug had toegekeerd en de andere kant op stapte. Toen schoot Wolfram langs de achterkant van de rij sparren, holde de trap op en rende door de voordeuren naar binnen.
Hij stuitte op een imposant uitziende dwerg en Vuur, de draak, in dwergengedaante.
'Ha, Wolfram,' zei Vuur onverstoorbaar. 'We kwamen je juist

zoeken. Wolfram, dit is Kolost, het hoofd-clanhoofd. Kolost, dit is de dwerg over wie ik u vertelde. De dwerg die u kan helpen. Dit is Wolfram, de Domeinheer.’

'Bent u Wolfram, de Domeinheer?' vroeg Kolost.
'Mijn naam is Wolfram,' zei hij. 'Maar ik ben geen Domeinheer.'
'Dan liegt deze kloosterlinge dus?' Kolost staarde Wolfram met een felle blik aan, zo fel dat Wolfram hem niet aan kon kijken.
'Ze liegt niet,' zei Wolfram terwijl hij zijn hoofd boog. 'Ze vergist zich, dat is alles.'
'Hoe kan ze zich vergissen?'
Wolfram haalde zijn schouders op, hield zijn hoofd gebogen en mompelde iets.
'Wat zei u?' wilde Kolost weten.
'Zelfde naam. Komt veel voor, de naam Wolfram...'
Zijn woorden vielen in een put van stilte, daalden wervelend neer in het donker en kwamen met een bons op de bodem terecht. Kolost stond met zijn armen gekruist voor zijn borst en nam Wolfram met gefronst voorhoofd op. Het was duidelijk dat het clanopperhoofd niet begreep wat er speelde, en met de hardnekkigheid die dwergen eigen is was hij vastbesloten het fijne ervan te weten te komen. De kloosterlinge Vuur keek met een geduldige glimlach naar Wolfram, als een ouder die het slechte gedrag van een kind door de vingers ziet, in het besef dat het kind zich op den duur vanzelf beter zal gaan gedragen.
Wolfram kon erop rekenen dat Kolost hem urenlang onder druk zou zetten en dat Vuur urenlang met die vervloekte geduldige glimlach zou toekijken. Hij ging overstag.
'Goed dan! Ik ben die Wolfram. Of liever, die was ik. Ik ben

ooit een Domeinheer geweest. We maken allemaal fouten wanneer we jong en dwaas zijn. Maar toen kwam ik tot inzicht. Ik hield ermee op, ik ging eruit.' Hij rukte de voorkant van zijn wollen hemd open, ontblootte zijn borst. 'Ziet u hier een medaillon? Nee, precies. Omdat ik er geen draag. Omdat ik geen Domeinheer ben. Niet meer. Dus als dat alles is, zeg ik jullie beiden goedenacht. Ik ga iets eten.'

Hij liep met geheven hoofd naar de tafel waar de monniken de nachtelijke collatie hadden uitgestald. Eigenlijk had Wolfram geen trek meer, maar hij deed demonstratief alsof hij honger had. Hij vulde de houten kom met een stapel brood, kaas en gerookt vlees en ging ermee naar een hoek van de gemeenschapsruimte. Hij plofte neer voor de haard en begon als een razende op het brood te kauwen. Vanuit zijn ooghoek hield hij Vuur en Kolost in de gaten.

Het tweetal stond samen te overleggen. Wolfram kon stukken van het gesprek horen en de rest raden. Kolost vroeg naar het medaillon waar Wolfram over had gesproken. Vuur legde uit dat het medaillon een geschenk van de goden was voor al degenen die de pijnlijke Transfiguratie ondergaan om Domeinheer te worden. Het medaillon verschafte een magisch harnas dat de Domeinheer tegen aanvallen beschermde en gaf hem tevens bepaalde magische vermogens.

Wolfram moest zijn best doen om het brood door te slikken. Met behulp van wat bier slaagde hij erin om het weg te krijgen, waarna hij met tegenzin aan het vlees begon.

Het gesprek was afgelopen. Vuur vertrok. Wolfram hoopte dat Kolost ook weg zou gaan. Tot zijn ongenoegen kwam het clanhoofd naar de plek toe lopen waar Wolfram met zijn rug naar het vuur zat. Wolfram kreunde inwendig.

Hij nam Kolost goed op en probeerde zijn vijand te taxeren. Dit was de eerste keer dat hij de kans kreeg het clanhoofd goed te bekijken, en wat hij zag verbaasde hem; hij vond het vreemd. Kolost had ongeveer de gemiddelde lengte van een dwerg, maar hij was aan de magere kant, waardoor hij langer leek. Zijn haar, zijn bossige wenkbrauwen en zijn lange snorren waren zwart, zijn ogen diepbruin. Zijn gezicht was zo door zon en wind ver-

brand en verweerd dat het moeilijk was te zeggen hoe oud hij was. Van een afstand had Wolfram hem voor een dwerg van middelbare leeftijd gehouden. Nu hij hem van dichterbij bekeek, zag Wolfram tot zijn verbazing dat Kolost nog betrekkelijk jong was. Veel te jong om clanhoofd te zijn.
Het vreemdste was nog dat Kolost helemaal geen clanemblemen of merktekens droeg. Zijn enige versiering, als je het zo mocht noemen, was een strijdbijl die met een riem op zijn rug was vastgesnoerd. Als liefhebber en kenner van wapentuig had Wolfram deze bijl al opgemerkt toen Kolost met Vuur praatte. De bijl was in Karkara ontworpen en gemaakt, en het was een van de mooiste bijlen die Wolfram ooit had gezien.
Kolost liep weg naar de tafel, en Wolfram voelde zich weer wat beter. Maar het clanhoofd ging alleen een kroes bier voor zichzelf inschenken. Kolost bleef even staan om een flinke teug te nemen. Hij boerde voldaan en kwam toen naar Wolfram toe, en hurkte voor de haard naast hem neer.
Zij beiden waren deze nacht de enige bezoekers van het klooster. Wolfram bleef gespannen en nors zwijgen; hij wachtte op de beschuldigingen, de veroordeling, het gevecht.
'Goed bier,' zei Kolost. 'Voor mensen dan.'
Wolfram zei niets; hij kauwde op zijn eten.
'Het zou u misschien helpen als u wist dat ik vroeger ook een Paardloze ben geweest,' zei Kolost. Hij keek niet naar Wolfram, maar keek rond in de gemeenschapsruimte, naar de tafel op schragen, de manden met brood en kannen bier. 'Ik ben in Karkara geboren en getogen.'
Bij deze onthutsende mededeling verslikte Wolfram zich zowat in zijn vlees. Zijn hoofd kwam met een ruk omhoog. Hij keek Kolost met grote ogen aan.
'Maar u bent toch een clanhoofd?' Er kwam een gedachte bij Wolfram op. 'Die mannen buiten. Zij weten dit niet, hè? Maak u niet ongerust. Uw geheim is veilig bij mij.'
'Ze weten het wel,' zei Kolost. Zijn donkere, dikke wenkbrauwen fronsten zich. Hij wierp Wolfram een zijdelingse blik toe. 'Ik zou niet graag willen dat mijn hele leven een leugen was.'
Wolfram snoof. 'Dat klinkt prachtig, maar u kunt niet ver-

wachten dat ik er een woord van geloof. Een Paardloze zou nooit geaccepteerd worden in een clan, laat staan opklimmen tot clanhoofd. Als u probeert mij om de tuin te leiden...'

'Het is de waarheid,' zei Kolost plechtig. 'En ik ben niet alleen een clanhoofd, ik ben het hoofd-clanhoofd – de heerser over de natie der dwergen.'

Nadat hij dit had verkondigd, ontspande Kolost zich en grijnsde wrang. 'Er zijn bij sommige clans natuurlijk lieden die mijn aanspraak betwisten, maar dat is te verwachten. Die draaien nog wel bij.'

Het was geen opschepperij. Hij straalde een groot zelfvertrouwen uit, en nu Wolfram naar hem keek en luisterde, twijfelde hij er niet meer aan dat het waar was wat de dwerg zei.

'Mijn ouders waren Paardlozen,' vervolgde Kolost. 'Mijn moeder was mank. Ze was onder een paard terechtgekomen tijdens een rooftocht. Haar benen waren nooit goed genezen, en haar ouders brachten haar naar Karkara. Ze was nog maar acht jaar oud toen ze haar in de steek lieten. De andere Paardlozen brachten haar groot en later ontmoette ze mijn vader en trouwde met hem. Hij was een uitgestotene die uit zijn clan verbannen was omdat hij het had aangelegd met de vrouw van een andere man. Hij werkte als smidshulp. Dat zou ook mijn vak geworden zijn, maar de Wolf zei tegen me dat mijn bestemming niet in Karkara lag. De Wolf wilde niet dat ik mijn hele leven een zwart beroete smidshulp zou zijn. De Wolf raadde me aan mijn ouders te verlaten, het Dwergengebergte over te steken en een clan te zoeken die mij zou willen accepteren. Dat deed ik. Ik was toen twaalf jaar oud.'

Wolfram deed niet langer alsof hij at. Hij luisterde met grote ogen.

'De reis was lang en zwaar. Ik leed honger en dorst. Ik verdwaalde. Maar steeds wanneer ik honger had, kwam de Wolf me voeden. Wanneer ik verdwaald was, kwam de Wolf me de weg wijzen. Hij bracht me bij de Staalclan. Eerst joegen ze me weg; ik mocht zelfs hun kamp niet binnenkomen. Ik hield vol. Ik volgde hen dag en nacht. Ik had geen paard, maar ik probeerde hen zo goed mogelijk te voet bij te houden. Steeds wan-

neer ik hen kwijtraakte, liet de Wolf me zien hoe ik hen kon terugvinden. Ik ging op jacht voor mijn levensonderhoud en gaf hun vlees ten geschenke, om te laten zien dat ik hun niet tot last zou zijn.
Toen kwam de dag dat het clanhoofd het kamp uit kwam en naar mij toe kwam. Hij zei dat de clan ermee had ingestemd mij op te nemen, vanwege mijn moed en mijn koppigheid. Hij gaf me aan een echtpaar dat hun enige kind aan een ziekte had verloren en zei dat ik hun zoon zou zijn. En zo werd ik opgenomen in de Staalclan. Tegen de tijd dat het clanhoofd stierf, had ik bewezen dat ik een sterk krijger en een kundig jager was. Ik kon me bewijzen in wedstrijd en gevecht en werd tot clanhoofd uitgeroepen, iets wat nog nooit eerder was gebeurd.
Ik reisde terug naar Karkara. Ik kocht er wapens, nadat ik over de prijs had onderhandeld. Ik nam ze mee over de bergen en gaf ze aan de krijgers van de Staalclan. Onder mijn leiding en met onze uitstekende wapens bewezen we onze slagvaardigheid in de strijd met zowel de Zwaardclan als de Rode Clan. Zij waren bereid mij als hoofd-clanhoofd te accepteren, evenals de Paardlozen van Saumel en Karkara. De andere clans zullen weldra hun voorbeeld volgen.'
Wolfram zette grote ogen op van verbazing. Kolost sprak heel nuchter over zijn verleden, maar Wolfram kon door de woorden heen de werkelijkheid zien. Hij kon zich een beeld vormen van de vreselijke ontberingen die de jongen had doorstaan, de eenzaamheid, de angst. Wolfram kon bewondering opbrengen voor de moed en vastberadenheid die al deze hindernissen hadden overwonnen, die hem tot hier hadden gebracht. Wat wilde Kolost in de toekomst bereiken?
Het clanhoofd las zijn gedachten. Kolost glimlachte en nam nog een teug bier.
'Ik heb geen geringe plannen, dat kunt u wel begrijpen. Ik ben van plan te regeren over de natie der dwergen, alle clans onder mijn gezag te brengen. Wanneer ik dat heb gedaan, zal ik ons gebied uitbreiden, de stukken land die de mensen, de elfen en de orken ons hebben afgenomen terugveroveren. Ik bedoel niet dat ik hun veekralen ga overvallen, ik bedoel dat ik het land te-

rug zal nemen, hen zal dwingen het aan ons te geven, met misschien nog iets erbij.'
'Maar waarom bent u dan hierheen gekomen?' vroeg Wolfram. Hij voelde zich verbijsterd en verblind, alsof hij in aanraking was gekomen met de stralende zon. 'U bent hier vast niet gekomen om mij te zoeken.'
'Nee, dat niet,' zei Kolost. 'Niet speciaal naar u. Ik had er geen idee van dat er zoiets als een dwergen-Domeinheer bestond.' Hij zweeg even en zei toen nadenkend: 'Alhoewel, in zekere zin ben ik misschien wel hier gekomen om u te zoeken. De Wolf heeft me gezegd dat ik hier op de Drakenberg de hulp zou vinden die ik nodig had. Misschien bedoelde de Wolf u.'
'Misschien ook niet,' zei Wolfram kortaf. Hij wierp het clanhoofd een tersluikse blik toe. 'U lijkt anders niet het type dat hulp nodig heeft – van mij noch van de monniken.'
Kolost keek met gefronst voorhoofd in zijn lege bierkroes. 'Ik ken mezelf; ik ken mijn sterke punten en mijn beperkingen. Ik ken de dwergen, de Paardendwergen en de Paardlozen. Ik weet hoe ze denken en hoe ze zullen reageren op wat ik doe en zeg. Ik ken de strijd en ik ken de vrede. Ik weet hoe de natuur werkt – wind, stroom en vuur. Maar mijn probleem heeft niets met dat alles te maken, en ik weet niet hoe ik het moet aanpakken. Daarom heeft de Wolf me hierheen gestuurd om antwoorden te zoeken.'
'En wat is dan de brandende vraag waarvoor u zich honderden kilometers ver in het land van uw vijanden hebt gewaagd?' vroeg Wolfram, die moed putte uit zijn gevoel van opluchting. Het leek niet meer zo waarschijnlijk dat hij als een misdadiger zou worden opgebracht.
'Het dwergendeel van de Verheven Steen is gestolen,' zei Kolost. 'Ik ben gekomen om de monniken te vragen of ze iets weten over de dief.'
'Gestolen?' Wolfram was stomverbaasd. 'Weet u dat zeker?' Zijn stem kreeg een harde klank. 'Misschien is het alleen zoekgeraakt. Geen enkele clandwerg en weinig van de Paardlozen hebben zich ooit om de Steen bekommerd.' Het was wonderlijk dat de woede ook na al die jaren nog zo fel in hem brandde. 'En wat maakt het u eigenlijk uit?'

'Het is waar dat niemand zich er in het verleden druk over maakte,' zei Kolost op grimmige toon. 'Maar nu doen ze dat wel. De Verheven Steen is door de Wolf aan de dwergen gegeven. De Steen is van ons. Niemand heeft het recht om hem van ons te stelen.'
'De waarheid is dat u denkt dat u hem misschien nodig zult hebben,' zei Wolfram listig. 'Weet u wie hem heeft meegenomen? De dief is vast door iemand gezien.'
Kolost schudde zijn hoofd. 'Het is ongemerkt gedaan, in de nacht. Niemand heeft iets gezien of gehoord.'
Wolfram krabde op zijn hoofd. Tweehonderd jaar lang had het dwergendeel van de Verheven Steen veilig in de Paardloze stad Saumel gelegen. Geen dwerg zou erover peinzen het te stelen. Deze Kolost was de eerste dwerg die Wolfram ooit had ontmoet die ook maar iets over de Verheven Steen scheen te weten, en die zich er druk over maakte. Saumel was een handelscentrum voor de dwergenrijken. Leden van andere volken hadden toegang tot de stad, al werden zij geacht zich niet buiten bepaalde wijken te begeven. De dwergen lieten de Verheven Steen niet bewaken, behalve door de kinderen.
'Wat zei Vuur ervan?' vroeg Wolfram. 'Wist zij wie de dief zou kunnen zijn?'
'Ik geloof het niet,' zei Kolost. Er verscheen een niet-begrijpende rimpel op zijn voorhoofd. 'Die vrouw is heel vreemd. Ze lijkt helemaal niet op een echte dwerg. Ik weet niet of ik haar wel vertrouw.' Terwijl hij dit zei, keek hij Wolfram aan.
'O, Vuur valt best mee,' zei Wolfram achteloos. 'En als ze het wist, zou ze het u vertellen. Wat zei ze?'
'Ze zei dat ze me geen hulp kon geven, maar dat hier een dwerg op bezoek was die kennis heeft van de Verheven Steen, want hij is een Domeinheer.'
'Wás een Domeinheer,' zei Wolfram geprikkeld. 'Wás. Ik ben het niet meer. Ik heb het opgegeven.'
'Vuur zegt iets anders,' zei Kolost.
'Wat weet zij er nou van?' zei Wolfram verontwaardigd.
'Zij weet dat u het misschien hebt opgegeven, maar dat de Wolf het nooit zal opgeven met u.'

Wolfram gromde. Hij riep de Wolf weleens aan als hij vloekte, maar meer hadden ze tegenwoordig niet met elkaar te maken.
Kolost stond op. 'We zullen het hier morgenochtend verder over hebben. Wilt u vannacht mijn vuur met me delen?'
Het is een grote eer, een teken van vriendschap, om uitgenodigd te worden het vuur van een dwerg te delen. Maar Wolfram zag de valstrik en prees zichzelf gelukkig dat hij zo slim was die te ontwijken.
'Ik dank u, clanhoofd,' zei hij. 'De maan is vol, en de weg wenkt. Ik ben hier al te lang gebleven. Ik moet gaan.'
Hij verwachtte dat Kolost boos of beledigd zou kunnen reageren. Wolfram was erop voorbereid; hij kon dat wel opvangen.
'De Kinderen zijn vermoord,' zei Kolost.
Wolframs gezicht vertrok alsof iemand hem met een naald had gestoken.
'Wat bedoelt u?' vroeg hij, alsof hij dat niet wist. 'Welke kinderen?'
'De Kinderen van Dunner. De Kinderen die zich hebben opgeworpen als bewakers van de Steen. Degene die de Steen heeft meegenomen, heeft hen vermoord. De Kinderen hebben gevochten om hem te verdedigen. Ze zijn als helden gestorven. Ik wens je een grazige vlakte, Wolfram.'
Waarmee hij bedoelde: een behouden reis. Kolost liep het klooster uit. Wolfram stond nog lang nadat Kolost was weggegaan in het vuur te staren. Hij staarde zo lang dat zijn ogen begonnen te tranen door het felle schijnsel.
Dat maakte hij zichzelf tenminste wijs.

Kolost en zijn escorte stonden op bij zonsopgang, doofden hun vuur en pakten hun schamele bezittingen bijeen. Kolost had zijn taak volbracht. Zijn vraag was gesteld en beantwoord. Het deed er niet toe dat het antwoord niet het antwoord was dat hij wenste. Hij aanvaardde dit met het stoïcijnse fatalisme dat hem door het leven had geholpen. Hij maakte zich gereed om verder te trekken.
Wolfram keek vanuit de schaduwen van de poort naar de dwergen. Hij had die nacht slecht geslapen; vreemde dromen hadden

hem gekweld. Hij besloot dat hij op zijn minst nog een paar vragen aan Kolost kon stellen.
De dwergen zagen aan zijn lange baard en het ontbreken van clantekens dat Wolfram een Paardloze was, en ze bekeken hem met medelijden. Wolfram lette niet op hen. Hij had eerder gezien dat er zo naar hem gekeken werd, maar al te vaak. Hij liep regelrecht naar Kolost toe, die gebukt stond om onder de buik van zijn paard te kijken of de zadelriem strak genoeg zat.
'Kolost,' zei een van de dwergen waarschuwend. 'Er komt iemand aan.'
Het clanhoofd ging rechtop staan en wendde zich naar Wolfram toe. Als Kolost zelfgenoegzaam had gedaan, veelbetekenend had geglimlacht of er op een andere manier triomfantelijk had uitgezien, zou Wolfram zich meteen hebben omgedraaid en zijn weggelopen. De uitdrukking op het gezicht van het clanhoofd was ernstig en kalm, deelde niets mee, verwachtte niets, en dus bleef Wolfram staan.
'Hoe lang is het geleden dat die diefstal plaatsvond?' wilde hij weten.
Kolost dacht er even over na. 'De volle maan heeft sindsdien drie keer ons pad verlicht.'
Wolframs mond viel open. 'Drie maanden?'
'Zo lang hebben wij nodig gehad om deze afstand te reizen,' zei Kolost. 'Wij zijn geen elfen. Wij kunnen niet vliegen.'
'Dat kunnen elfen ook niet,' mompelde Wolfram.
'Ik zou het niet weten,' zei Kolost beleefd. 'Ik heb nog nooit een elf ontmoet.'
'Geen groot gemis.' Wolfram bleef weifelend, besluiteloos staan. Hij keek weer naar Kolost. 'Ik weet niet wat u verwacht dat ik aan deze diefstal doe. Tegen de tijd dat we terug zijn gereisd, zullen er nog drie maanden zijn voorbijgegaan. Of meer. Dan zou de dief al aan de andere kant van de wereld kunnen zijn. Hij zou daar nu al kunnen zijn, voor zover we weten.'
Hij schudde zijn hoofd. 'Nee, het is onbegonnen werk. Ik kan niets doen. Niemand kan iets doen. Maar ik kom weleens ergens. Ik zal mijn oren open houden. Als ik iets hoor...'
'Hallo, Wolfram,' zei Ranessa die van achter hem aan kwam lo-

pen. 'Stel je me voor aan je vrienden?'
Wolframs tenen kromden zich. Zijn haren gingen overeind staan. Hij had zich met genoegen van de berg kunnen storten, en dacht er zelfs even over dat te doen.
Ze was in haar mensengedaante, de eerste keer dat hij haar zo zag sinds ze een draak was geworden. Hij was vergeten hoe vreemd ze er eigenlijk uitzag met haar zwarte, ongekamde haar dat in slierten voor haar gezicht hing, haar kaal gesleten en niet al te schone leren broek en tuniek en die wilde, half krankzinnige glans in haar ogen.
Dwergen moeten niets van mensen hebben. De clandwergen wisselden norse blikken. Kolost keek streng en afkeurend.
Wolfram had Fringrees gesproken, de taal van de clandwergen. Hij schakelde over op de Taal der Oudsten.
'Dit is niet het goede ogenblik, Ranessa,' gromde hij. 'Je kunt me later wel komen vervelen. Wat doe je hier trouwens? En in die uitdossing?'
'Ik kwam kijken of je al weg was,' antwoordde Ranessa koeltjes. 'En natuurlijk was je niet weg. Wat mijn "uitdossing" betreft, zoals je het noemt, Vuur wil niet dat ik in en om het klooster mijn drakengedaante gebruik. Ze zegt dat ik iets kapot zou kunnen maken.'
'Wie is deze mens, Wolfram?' vroeg Kolost, in de Taal der Oudsten.
'Niemand die belangrijk is,' zei Wolfram, weer in het Fringrees. 'Een mens die zich aan mij heeft vastgeklampt. Ik kan haar maar niet...'
'Ik ben Ranessa,' zei Ranessa, terwijl ze zich hoog oprichtte en Kolost verachtelijk bekeek. 'En ik ben een draak.'
'Een draak!' herhaalde Kolost.
'Ze is zo gek als een deur,' zei Wolfram zacht. 'Ik weet dat jullie vroeg weg willen, dus ik ga maar eens. Een behouden reis gewenst...'
'Ik ben niet gek!' riep Ranessa laaiend van woede. 'Ik heb er schoon genoeg van dat iedereen denkt dat ik gek ben!'
'Niet doen, Ranessa,' smeekte Wolfram, die besefte dat hij een vreselijke fout had gemaakt. 'Het spijt me.'

'Ik zal je eens laten zien wie er gek is!' zei Ranessa.
Haar menselijke gedaante vervloeide tot de gedaante van een draak. Haar armen werden vleugels. Haar hoofd blonk rood toen de schitterende schubben over haar vel schoven. Haar zwarte haar veranderde in een zwarte, piekerige bos manen die trilden van verontwaardiging en triomf. Haar groene ogen glinsterden. Dikke, zwaar gespierde achterpoten ondersteunden een massief lijf. Haar rode, glanzende staart zwiepte boos over de grond.
Toen de paarden drakenlucht opsnoven, sloegen ze op hol; sommige galoppeerden de berg af, andere renden rond langs de oostmuur van het klooster.
De dwergen bleven een ogenblik verstijfd van schrik staan kijken. Toen schreeuwde Kolost bevelen. Hij greep zijn strijdbijl en hield die in de aanslag. De andere dwergen pakten hun zwaard, bijl of boog en maakten zich gereed voor een aanval.
Wolfram schreeuwde zich schor om te proberen aan de ene kant de dwergen en aan de andere kant Ranessa te kalmeren. De draak stiet een brul uit en ontblootte haar glinsterende slagtanden. De monniken, door het lawaai opgeschrikt uit hun studie, keken uit de ramen en uit de deur naar buiten. De Omarah kwamen dreunend aanrennen over het terrein, zwaaiend met hun staven, om een eind te maken aan de rel.
Opeens wees Kolost in de lucht.
'Nog een!' riep hij. Een tweede draak kwam vanuit het oosten aanvliegen, met grote vleugelslagen over de bergen.
Toen ze haar moeder zag, viel Ranessa terug in haar mensengedaante. Ze dook weg achter Wolfram in een poging zich te verstoppen. Omdat zij lang was en hij klein, lukte dat niet erg.
De rode draak vloog laag over het klooster.
'Berg uw wapens weg, heren,' zei Vuur terwijl ze boven hen rondcirkelde. 'Mijn dochter heeft geen kwaad in de zin. Zo is het toch, dochter?'
Ranessa, die gehurkt achter Wolfram zat, schudde haar hoofd.
'Vergeef het mijn kind, heren,' vervolgde Vuur. 'Ze is nog maar pas uitgebroed en heeft nog niet geleerd hoe ze zich moet gedragen. Het spijt me van uw paarden. De Omarah zullen ze bij-

eendrijven en ervoor zorgen dat u ze terugkrijgt.'
Kolost staarde verbijsterd omhoog, te verbluft om te reageren.
Wolfram legde zijn hand op de schouder van het clanhoofd.
'U kunt beter doen wat ze zegt,' raadde Wolfram hem aan. 'Doe uw wapens weg. Nu.'
Kolost liet zijn strijdbijl zakken en gaf zijn escorte bevel hetzelfde te doen.
'Dit is allemaal jouw schuld!' riep Ranessa en ze gaf Wolfram een stomp tussen zijn schouderbladen. Door de klap zonk hij op de knieën. Ze beende weg, zodat hij zelf overeind moest krabbelen.
'Nogmaals, heren, mijn excuses,' zei Vuur.
Ze sloeg haar vleugels uit en zweefde omhoog naar de wolken, om achter de berg te verdwijnen.
De dwergen keken van de draak naar Wolfram. Laat ze maar kijken. Het kon hem niet schelen.
'Ze zullen jullie paarden terugbrengen.'
Wolfram draaide zich om en liep weg in de richting van het klooster om zijn rugzak op te halen. Hij was doodmoe door het gebrek aan slaap, maar dacht dat hij wel een aantal kilometers van de Drakenberg weg kon komen voor hij instortte.
Hij griste zijn rugzak van de vloer en zette zijn nieuwe, met bont gevoerde hoed op. Hij was op weg naar buiten en wilde de Drakenberg afdalen toen de zware hand van een van de Omarah zich om zijn schouder sloot.
'Vuur wil u spreken.'
'Ik wil haar niet spreken,' zei Wolfram. 'Ik ga weg.'
'Vuur wil u spreken,' herhaalde de Omarah. De greep van de hand werd vaster.
Wolfram trof Vuur aan, uit het raam starend, met haar handen verstrengeld op haar rug. Toen ze zich omdraaide, had ze een bezorgde, angstige uitdrukking op haar gezicht waardoor Wolfram sterk aan zijn eigen moeder moest denken. Die had namelijk vaak dezelfde uitdrukking op haar gezicht gehad. Hij voelde zich plotseling onberedeneerbaar schuldig.
'Mevrouw,' zei hij terwijl hij vlug zijn hoed afnam. 'Het spijt me echt heel erg...'
'Het is niet jouw schuld, Wolfram.' Vuur glimlachte spijtig. 'Als

het al iemands schuld is, denk ik dat het mijn schuld is. Ranessa is mijn eerste kind, moet je weten. Ik ben in een val gelopen waar veel ouders met hun eerstgeborene in lopen. Ik heb haar te veel beschermd. Ik heb te veel door de vingers gezien. Ze is eigenwijs en koppig, net als ik toen ik een jong draakje was. Met andere woorden, ik heb niet veel terechtgebracht van het moederschap. Ik ga Ranessa de wereld in sturen, Wolfram. En ik wil dat jij met haar meegaat.'
Wolfram probeerde te protesteren, maar hij bracht slechts een gesmoord gorgelend geluid voort.
'Dit zou de oplossing voor al je problemen kunnen zijn,' vervolgde Vuur, die net deed alsof ze zijn ontsteltenis niet opmerkte. 'Ranessa krijgt een kans om de wereld door drakenogen te zien. Kolost en jij zullen snel en veilig naar de stad Saumel reizen. De verdwijning van het dwergendeel van de Steen is een zeer ernstige zaak, Wolfram. Dat begrijp je toch?'
'Ik... dat zal wel, mevrouw,' zei Wolfram versuft. 'Alleen... ik weet niet wie hem gestolen kan hebben. Wie zou hem willen hebben...'
'Wil jij hem dan niet hebben, Wolfram?' vroeg Vuur zacht. Haar hand ging omlaag en speelde met een met turkoois versierd zilveren kistje.
Wolfram staarde naar het kistje dat eens in het bezit was geweest van de dode Domeinheer Gustav. Er kwamen herinneringen terug. Gustav was gestorven terwijl hij dat kistje verdedigde, waarin ooit het deel van de Verheven Steen had gezeten dat aan het mensenvolk was gegeven. Gustav had het kistje aan Wolfram nagelaten. Misschien had de Domeinheer hem tegelijk daarmee nog iets anders nagelaten.
Afschuwelijke vermoedens kwamen bij Wolfram op. Hij had al twee keer een ontmoeting gehad met een Vrykyl, en hij wilde het niet een derde keer meemaken. Alleen al de herinnering was genoeg om zijn edele delen te doen verschrompelen. Maar toen dacht hij aan de kinderen.
Wolfram schraapte zijn keel. 'Ik zal teruggaan naar Saumel, mevrouw. En hoewel ik geen Domeinheer ben, zal ik doen wat ik kan.'

'Waarom ben je geen Domeinheer, Wolfram? Je hebt de Transfiguratie ondergaan...'
'Dat was een vergissing van de goden,' zei hij. Hij voelde de hitte naar zijn gezicht stijgen. Hij wachtte in spanning of Vuur nog meer zou zeggen, maar ze bleef zwijgen. Hij haalde diep adem en ging verder. 'En Ranessa mag met me mee komen. Ze is een irritant kreng, neem me niet kwalijk, mevrouw, maar, nou ja, ik geloof dat ik haar nu kan begrijpen. Ik weet wat ze voelt...'
'Dat de goden in haar geval ook een vergissing hebben gemaakt?' vroeg Vuur, met een treurig lachje.
Wolfram zette zijn hoed op. 'Ik weet alleen niet of het zal lukken met Kolost. Dwergen kunnen uitstekend paardrijden, maar op een draak... dat weet ik niet, mevrouw. Ik denk niet dat hij het zal doen.'
'Ik heb in zijn hart kunnen kijken. Hij wil heel graag terug naar de dwergenlanden. Hij is bang dat tijdens zijn afwezigheid zijn rivalen tegen hem ageren. Ik zal met hem praten. Ik denk niet dat hij ernstige bezwaren zal maken,' zei Vuur. 'En ik zal ook met Ranessa praten.'
Wolfram had een keer op een griffioen gereden – voor een weddenschap – en dat had hij leuk gevonden. Vliegen was een ervaring waar je vrolijk van werd, net zoiets als in volle vaart over een zonnige weide galopperen. Maar plotseling kreeg hij een levendig beeld voor ogen van zitten op de rug van een eigenzinnige, nukkige en onhandige jonge vuurdraak. Hij dacht terug aan haar klungelige, onzachte landingen, en veegde met de mouw van zijn hemd over zijn voorhoofd.
'Eh, mevrouw, misschien kunt u iets tegen haar zeggen over het vervoeren van ruiters. Dat het niet slim zou zijn om plotseling te besluiten in de lucht een salto te maken, en dat ze ook moet uitkijken waar ze neerstrijkt, dat dat bijvoorbeeld niet in een meer is, of in zee of in de krater van een vulkaan...'
Vuur glimlachte. 'Ik vermoed dat je zult merken dat Ranessa verstandiger is dan je denkt, Wolfram.'
'Ja, mevrouw,' zei Wolfram beleefd, maar vol twijfel, en buigend ging hij naar buiten.

De tijd zette de andere mensen in de wereld onder druk, achtervolgde hen met zijn gestage, niet-aflatende snelheid. Voor Dagnarus werd de tijd gemeten in eeuwen, maar toch hoorde ook hij de klok van de tijd tikken.

Voor Shadamehr, Damra en Griffith was de tijd vertraagd. Voor hen werd de tijd gemeten aan het gerinkel van de bel dat het wisselen van de wacht op het orkenschip aankondigde. Gezegend met goed weer en een stevige wind verlieten ze de Zee van Sagquanno en zeilden westwaarts, naar de Zee van Orkas. Hun dagen werden gevuld met kalme wandelingetjes over de dekken, ernstige gesprekken over de toekomst, minder ernstige verhalen en liederen, en altijd de duidingen van voortekenen door de orken. Toch hoorden ze elke vier uur de bel die hen eraan herinnerde dat zelfs in de stilte van de nacht de tijd op de golven reed die onder hun boeg stroomden.

Voor Wolfram en Kolost sloeg de tijd gestaag met de vleugels. Het lukte Ranessa grotendeels rekening te houden met de veiligheid van haar berijders. Haar landingen gingen vooruit, in die mate dat Wolfram nu bijna zijn ogen open durfde te houden. Wat Kolost betreft, hij was verrukt over het vliegen en zag onmiddellijk hoe nuttig dit zou kunnen zijn in de strijd. Hij begon er serieus over na te denken hoe hij griffioenen zou kunnen importeren, want ze waren niet inheems in de dwergenlanden.

Voor de Grootmoeder, Jessan en Ulaf galoppeerde de tijd op snelle paardenhoeven; zij reden naar het westen, naar huis. De tijd liep in een sukkeldrafje voor Rigiswald, die zich had aan-

gesloten bij een karavaan van wijnkopers die op weg was naar Krammes. Hij ruilde zijn diensten als genezer voor bescherming en gezelschap en genoeg wijn om de bittere nasmaak van zijn ervaringen in Nieuw Vinnengael weg te spoelen.
De tijd duwde al degenen voort die in aanraking waren gekomen met wat heer Gustavs Verheven Steen genoemd zou kunnen worden, met één uitzondering. Voor Raaf, die met de tanen meereisde, was tijd een lange dagmars, het opbreken van het ene kamp en het opslaan van een ander, en weer op mars.
De Trevinici doen wel een poging het voorbijgaan van de dagen bij te houden, want een krijger die met verlof thuis is, moet weten hoeveel zonsopgangen hij bij zijn familie kan blijven voor hij terug moet naar zijn post. Maar voor Raaf was de tijd in feite tot stilstand gekomen. Hij hoefde nergens te zijn, nergens naar toe te gaan.
Wanneer Raaf terugkeek in de tijd, zag hij zijn vroegere leven terugwijken in de verte. Hij zag het zonder spijt kleiner en onzichtbaar worden. Hij kon nooit teruggaan naar dat leven – een oneervol leven voor een Trevinici die in de slag gevangen was genomen en als gevangene was weggevoerd, terwijl zijn kameraden vochten en sneuvelden.
Het doden van Qu-tok, de taan die hem gevangen had genomen, was het stralende vuurbaken dat nu Raafs weg verlichtte. Hij had wraak genomen op de vijand die hem te schande had gemaakt. Hij had zich gewroken op de vijand die hem had bespot, hem had uitgelachen, met hem had gespeeld. Door zijn vijand te doden, had Raaf een twijfelachtige eer verdiend – hij had de aandacht getrokken van een van de gruwelijke, ondode Vrykyls, een albino-taan die K'let heette en die Raaf als lijfwacht had gekozen. Raaf had nog iets eervols bereikt, iets wat voor hem meer betekende. Hij was in de gunst gekomen bij de stam van de tanen.
Raaf was geen gevangene meer, maar een krijger temidden van de tanen, die de volledige status van een krijger bezat. Hij had Qu-toks wapens gekregen, zijn tent en een ereplaats in de buitenste kring krijgers, en alle bezittingen van Qu-tok, waaronder een slavin, een halftaan die Dur-zor heette. De meeste bezittin-

gen van Qu-tok waren voor Raaf onbruikbaar. Qu-tok had een mooie wapenrusting, die hij gekregen had als beloning voor zijn moed in de strijd, maar de diverse onderdelen daarvan pasten Raaf niet, dus hij gaf ze weg aan enkele andere tanen van de stam, waarmee hij nog meer waardering verwierf. Het mooiste stuk ervan – een helm die eigenhandig aan Qu-tok was gegeven door hun god, Dagnarus, gaf Raaf aan Dag-ruk, de nizam of leidster van de stam.

Dag-ruk was blij met het geschenk en ingenomen met de gever. Als Raaf had geweten hoe ingenomen de vrouwelijke taan met hem was, zou hij de helm hebben begraven in het diepste gat dat hij kon graven, en er zelf achteraan gekropen zijn. Maar hij had er geen flauw idee van. Dur-zor wist het, want zij zag hoe Dag-ruk naar Raaf keek, en ze begreep de werkelijke betekenis die achter Dag-ruks vleiende opmerkingen school. Maar het paste Dur-zor niet om iets af te doen aan de glorie van Raaf, en dus zei ze niets.

De dagen gingen voorbij, grotendeels zonder dat Raaf het merkte. Hij vond het gemakkelijker om van moment tot moment te leven, zonder aan het verleden te denken en zonder rekening te houden met de toekomst. Hij had werk om hem bezig te houden, en daar was hij dankbaar voor. Dag-ruks stam had de beslissing genomen zich met andere stammen te verenigen onder leiding van de opstandige taan K'let.

Dag-ruks stam had in de strijd tegenover de stammen van K'let gestaan, maar de Vrykyl had niet tegen zijn mede-tanen willen vechten. Hij had hen voor zijn streven willen winnen. Hij had tot Dag-ruk en haar volk gesproken en hun verteld dat de god die zij vereerden, die Dagnarus, helemaal geen god was, maar gewoon een mens. Een mens die niets om de tanen gaf, zoals hij wel beweerde, maar die hen gebruikte om de overhand te krijgen over de zachte en snotterende volken van Loerem. Wanneer hij de tanen niet meer nodig had, zei K'let, zou Dagnarus hen niet belonen zoals hij had beloofd. Hij zou zich tegen hen keren en proberen hen te vernietigen.

K'let drong erop aan dat de tanen met Dagnarus zouden breken, dat ze weer hun oude goden gingen vereren, die zelf tanen waren en die de tanen begrepen en om hen gaven. K'lets woorden hadden overtuigingskracht en Dagnarus was niet in de buurt om ze te weerleggen. Dag-ruk had altijd geleerd de Vrykyls, of Kyl-sarnz, zoals de tanen hen noemen, – de door de goden aangeraakten – te vereren. Ze bewonderde K'let, net als alle tanen die het verhaal van zijn opstand tegen Dagnarus kenden, en ze voelde in haar hart dat hij de waarheid sprak. Ze had ermee ingestemd hem te volgen en had de meeste van haar krijgers meegekregen. Degenen die het er niet mee eens waren, hadden hun mond gehouden of de stam verlaten.

K'let en de tanen die hem steunden, onder wie Dag-ruk en haar stam, reisden naar het oosten, op weg naar een onbekende bestemming. Wat die was, wilde K'let niet zeggen, maar het was blijkbaar zaak er zo snel mogelijk te komen. Hij gaf de tanen elke dag opdracht een lange mars te maken. Ze hielden onderweg geen pauzes, maar dat was niet ongewoon voor de nomadische stammen. Alle tanen voelden dat er haast geboden was bij hun reis, en velen probeerden te gissen naar hun bestemming, en Raaf deed dat ook.

Met die lange dagmarsen en de avonden die besteed werden aan het oefenen in het gebruik van de vreemde taanwapens die hij had geërfd, terwijl hij 's nachts Dur-zor lesgaf in de manier waarop de mensen de liefde bedreven, had Raaf genoeg om zijn geest bezig te houden.

Hij vond het bijna allemaal plezierig, zelfs de marsen, want hij was een zwervend leven gewend en hield van de vrijheid van het reizen. De enige uitzondering was de tijd die hij in het gezelschap van K'let doorbracht. Alleen al de aanblik van de Vrykyl deed Raaf rillen van afgrijzen; het herinnerde hem aan zijn verschrikkelijke rit naar Dunkar, waarbij hij het vervloekte harnas van de dode Vrykyl die heer Gustav had gedood had moeten meevoeren.

Raaf vond het leuk om een nieuw wapen te leren gebruiken – de tum-olt. De tum-olt, die leek op een slagzwaard met een gekartelde rand aan de kling, moest met twee handen worden gehanteerd. Hij had ook plezier in zijn nachten met Dur-zor; tot nu toe had zij van het liefdesspel alleen de brute behandeling

van mensenvrouwen gekend, en de bijna even grove manier van paren die tanen onderling toepasten.
Dur-zor leefde voor de nachten dat zij beiden samen alleen konden zijn en de rest van de wereld konden buitensluiten. Ze verlangde de hele dag lang naar de aanraking van zijn handen op haar lichaam, het gevoel van zijn lippen op de hare. Ze had het woord 'liefde' van hem geleerd. Ze wist wat het betekende – de heerlijke, vreselijke gevoelens die ze voor hem koesterde. Ze sprak het woord echter nooit tegen hem uit, want Dur-zor wist dat hij niet van haar hield, en ze wilde hem niet in verlegenheid brengen.
Na hun liefdesspel bleven ze samen liggen, en dan leerde zij hem woorden in de taanse taal. Raaf kon het taans niet spreken; de taal van de tanen bestaat voornamelijk uit keelklanken. De menselijke keel is niet in staat die geluiden voort te brengen. Maar hij leerde hem verstaan. Ten gevolge van de jaren die ze in dienst van de legers van andere landen hadden doorgebracht, hadden de Trevinici een talenknobbel ontwikkeld. Raaf was een snelle leerling, en Dur-zor hoefde zelden te vertalen wat hij hoorde, al had hij haar nog wel nodig om zijn antwoorden te geven.
Die nacht was Raaf zojuist bij de stam teruggekeerd nadat hij twee akelige nachten voor K'let op wacht had gestaan. Er waren verscheidene tanenstammen bijeengekomen onder K'lets leiderschap. De stam van Dag-ruk had zijn kamp opgeslagen op ongeveer zeveneneenhalve kilometer van de hoofdstam waar K'let zijn tent had. Raaf kwam laat in de avond terug. Hij had razende honger en zag tot zijn teleurstelling dat de kookpot leeg was.
'Wat is dit?' vroeg hij aan Dur-zor.
Ze viel op haar knieën. 'Het spijt me...'
Raaf pakte haar handen en trok haar overeind. 'Dur-zor, ik heb je toch gezegd dat je voor mij niet hoeft te knielen. Ik ben niet je meester. Wij zijn gelijken, jij en ik.' Hij wees op haar, en daarna op zichzelf. 'Gelijken.'
'Ja, Raaf,' zei Dur-zor vlug. 'Het spijt me. Ik was het even vergeten. Dag-ruk heeft gevraagd...'
Maar Dag-ruk interesseerde Raaf niet. Hij keek rond in het

kamp en zag met gefronst voorhoofd dat andere halftanen op hun knieën zaten om het lage werk te doen waar de werkers zich te goed voor voelden, of de klappen te ontvangen die ze dagelijks toegediend kregen.
'Het is niet te geloven dat ze jou en die anderen als honden behandelen,' zei hij, terwijl zijn boosheid toenam. 'Slechter dan honden zelfs. Ik heb veel zin om het bij Dag-ruk aan te kaarten.'
'Alsjeblieft, Raaf,' zei Dur-zor smekend. 'Begin daar nou niet weer over. Ik heb het al eerder tegen je gezegd. Je kunt ons niet helpen. Je zult het ons en jezelf alleen maar moeilijk maken.' Ze wierp een bevreesde blik op de tent van de nizam. 'Dag-ruk wil je spreken, Raaf. Je moet haar niet laten wachten.'
Raaf zette zijn kiezen op elkaar. Met een grimmige uitdrukking op zijn gezicht ging hij zijn tent uit en liep door het kamp naar de tent van de nizam. Dur-zor volgde hem haastig, bezorgd en bevreesd. Ze had die koppige uitdrukking inmiddels leren kennen. Niets dat ze kon zeggen, zou hem tegenhouden. Hij had die uitdrukking ook op zijn gezicht gehad toen hij Qu-tok had uitgedaagd bij de kdah-klks.
Dag-ruk stond voor haar tent, in gezelschap van enkele taankrijgers. Ze lachten ergens om. Dag-ruk, groot en krachtig, droeg haar littekens uit de strijd met trots. Ze had de gunst verworven van de sjamaan, R'lt, en haar armen vertoonden bobbels door de met magie verrijkte stenen die hij onder haar leerachtige vel had aangebracht. Ze was een onbevreesd krijger en een machtige nizam. Bij de komst van Raaf staakte ze het gesprek. Ze keek hem met gefronst voorhoofd aan, en de krijgers grijnsden. Hoewel de tanen Raaf bewonderden omdat hij Qu-tok had verslagen, waren de krijgers – vooral de jongere krijgers – jaloers op hem en vonden ze het wel aardig als hij op zijn donder kreeg.
'Je hebt me laten wachten, R'f,' zei Dag-ruk op strenge toon.
Nog voor Raaf iets kon zeggen, kwam Dur-zor ertussen.
'Het was mijn schuld, grote Kutryx,' zei ze terwijl ze nederig voor Dag-ruk op haar knieën viel. 'Ik vergat het tegen hem te zeggen.'

'Dat had ik kunnen weten,' zei Dag-ruk smalend.
Ze wilde Dur-zor een schop geven. De halftaan zette zich schrap voor de klap, maar voor Dag-ruk kon trappen, ging Raaf tussen hen in staan.
'Als u iemand wilt schoppen, Kutryx, schop dan maar tegen mij,' zei hij. 'Maar weet wel – ik schop terug. Zeg tegen haar wat ik zei, Dur-zor.'
'Raaf, alsjeblieft!' zei Dur-zor bevend. 'Doe dit niet.'
'Zeg het tegen haar!' zei hij koel.
Dur-zor herhaalde de woorden in het taans, al sprak zij ze zo hortend en zacht uit dat het twijfelachtig was of Dag-ruk ze kon horen. Maar Dag-ruk hoefde ze niet te horen. Ze begreep heel goed wat Raaf had gezegd.
Ook de toekijkende krijgers begrepen het. De grijns verdween van hun gezicht. Hun ogen werden groot van ontzetting over zijn gewaagde optreden. De meesten verwachtten dat hij ter plekke zou sterven, want niemand daagde de nizam ongestraft uit.
Dag-ruks handen balden zich tot vuisten. Raaf bleef staan waar hij stond, op alles voorbereid.
Het nieuws van dit treffen verspreidde zich toen de sjamaan, R'lt, zich naar de plek haastte. Hij zei niets, bewoog geluidloos en bleef aan de buitenrand van het oploopje staan. Dag-ruk was zich bewust van zijn komst. Hoewel ze hem niet groette, ontspanden haar handen zich. Haar lippen weken vaneen in een dierlijke grijns die rijen gelige tanden blootlegde.
'Je gedraagt je erg vrijpostig, R'f, door zo tegen je nizam te spreken,' zei Dag-ruk.
'De nizam weet dat ik veel respect voor haar heb,' antwoordde Raaf, die zich er net als alle omstanders over verbaasde dat hij niet plat op zijn rug lag. 'De nizam is rechtvaardig en eerlijk. Het was mijn schuld, niet die van Dur-zor.'
'Zij is een halftaan,' zei Dag-ruk verachtelijk. 'Het is dus altijd haar schuld.'
Raaf deed zijn mond open, maar hij hoorde achter zich dat Durzor een zacht, smekend jammergeluidje maakte, en daarom zei hij niets. Hij wist nog niet waarom Dag-ruk hem had ontboden.

'Je bent vrijpostig, R'f,' vervolgde Dag-ruk. 'En je bent moedig. Je hebt jezelf bewezen in de kdah-klks en in de calath. Je bevalt me, R'f. Je bevalt me zelfs zo goed dat ik je als gezel zal nemen.'
In de rijen krijgers ging een zucht op. Maar niemand durfde een woord te zeggen, behalve R'lt. Hij maakte een sissend geluid. Dag-ruk keek verachtelijk zijn kant op, maar besteedde geen aandacht aan hem.
Dur-zor moest twee keer slikken voor ze deze afschuwelijke woorden kon vertalen, de woorden die Raaf voorgoed van haar zouden afnemen. Op dat moment wenste ze dat Dag-ruk haar schedel had verbrijzeld. De pijn van het sterven zou niets zijn in vergelijking hiermee.
Raaf begreep het, al kon hij het niet geloven. Hij wachtte op de vertaling om er zeker van te zijn.
'Zeg tegen de nizam dat ik haar bedank voor deze grote eer,' zei Raaf. 'Maar ik moet weigeren. Zeg tegen haar dat ik al een gezellin heb. Jij bent mijn gezellin, Dur-zor.'
Dur-zor keek hem met grote ogen aan; haar adem stokte in haar keel. Het duurde even voor ze fluisterend kon uitbrengen: 'Is dat waar, Raaf? Ben ik... de jouwe?'
'Natuurlijk, Dur-zor,' zei hij. 'Anders zou ik niet met je slapen. Als ik dat deed, zou ik je onteren.'
'Een halftaan heeft geen eer, Raaf,' zei Dur-zor, maar haar hart juichte. 'Toch bedank ik je hiervoor. Je hebt me heel gelukkig gemaakt. Ik zal het me altijd herinneren. Nu zal ik tegen Dag-ruk zeggen dat je er trots op zult zijn haar gezel te worden.'
'Wat? Nee, dat doe je niet,' zei Raaf. Hij pakte Dur-zors arm en hees haar overeind zodat ze naast hem stond. 'Ik dank u, Dag-ruk,' zei hij. Hij sprak luid en duidelijk, alsof dat haar zou helpen zijn woorden te verstaan. 'Maar ik heb een gezellin. Dur-zor is mijn gezellin.' Hij stak Dur-zors hand in de lucht.
'En bovendien,' riep Raaf terwijl hij zich omdraaide naar de menigte, 'verwacht ik dat iedereen mijn gezellin met evenveel respect behandelt als mij.'
Dur-zor maakte zich zo klein mogelijk. Ze stond doodsangsten uit, maar die golden niet haarzelf. Ze was bang voor Raaf. Toch kon ze, ook al kromp ze ineen, niet nalaten even een triomfan-

telijke blik op de woedende nizam te werpen.
Dag-ruk maakte een snel gebaar met haar hand, een gebaar dat iedereen beduidde te verdwijnen. De tanen struikelden over elkaar in hun haast om te gehoorzamen, alle tanen behalve R'lt, die roerloos bleef staan. Dag-ruk wierp hem een woeste blik toe en uiteindelijk draaide hij zich langzaam om en liep weg.
Dag-ruk kwam met haar gezicht vlak bij dat van Raaf, die welbewust niet terugdeinsde of opzij ging, omdat hij wist dat dat een teken van zwakheid zou zijn.
'Er is één reden waarom ik je niet dood wegens deze belediging, R'f, en dat is dat je in een goed blaadje staat bij K'let, de Kylsarnz. Het valt voor jou te hopen dat de schaduw van zijn hand je zal blijven beschermen, want als die ooit wordt weggehaald...' – Dag-ruk rukte de tum-olt uit zijn lederen schede en hield de kling tegen Raafs keel – '... dan zal je hart me goed smaken.'
Raaf bewoog niet. Hij vertrok geen spier van zijn gezicht, ook al schramde de scherpe kling zijn keel tot bloedens toe.
Dag-ruk stak het zwaard terug in de schede. Met een laatste, woedende grauw ging ze haar tent binnen.
'Ik zal je tijd geven om op je weigering terug te komen,' zei ze.
Raaf voelde een brandende pijn aan zijn hals. Hij voelde aan de wond; toen hij zijn hand weghaalde, zat die onder het bloed. Hij legde zijn arm om Dur-zor heen; zij was zo slap van angst dat ze nauwelijks kon staan. Ze hielden zich stevig aan elkaar vast en liepen zo door het onheilspellend stille kamp. De andere tanen vermeden het hen aan te kijken, omdat ze bang waren Dag-ruks woede op te wekken. Raaf kon in het voorbijgaan hun brandende blikken voelen. Enkele halftanen keken hem wel aan, al sloegen ze hun ogen daarna snel neer. Hij zag er een glorend respect en een begin van bewondering in, en dat bracht hem op een idee.
Raaf had zich nog niet eerder gerealiseerd dat het feit dat hij was uitverkoren tot een van K'lets lijfwachten twee dingen betekende: het verleende hem status in de stam en het verschafte hem een zekere mate van bescherming. Hij vermoedde meteen dat het verlangen van Dag-ruk om hem tot haar gezel te nemen, veel te maken had met de gunst van K'let, en dat leidde tot een

interessante gedachte. Raaf had de uren vervloekt waarin hij dicht in de buurt van de Vrykyl moest staan. Maar in plaats van ze te vervloeken, kon hij er misschien iets mee doen. Toen hij soldaat was in het leger, had Raaf altijd verachting gevoeld voor degenen die zoete broodjes bakten bij hun commandant om te proberen promotie te maken. Raaf wilde geen promotie maken. Hij wilde iets anders, iets belangrijkers. Het kon geen kwaad het te proberen.

Maar dat kon allemaal wachten. Zijn idee was nog maar half gevormd, en hij was nu te moe om erover na te denken. Hij trok de bevende Dur-zor hun tent in, nam haar in zijn armen en drukte haar tegen zich aan. Hij begon haar te kussen, maar ze verstrakte en ontglipte aan zijn greep.

'Je moet naar haar toe gaan, Raaf,' zei Dur-zor. 'Je moet tegen haar zeggen dat het je spijt en dat je met haar samen wilt zijn.'

'Maar dat wil ik niet, Dur-zor,' zei Raaf. 'Jij bent mijn gezellin. Ik heb me aan jou verbonden. Dag-ruk mag met me doen wat ze wil.'

Dur-zor keek hem bedroefd aan. Hij zou het nooit begrijpen, en dat wilde ze ook niet. Haar leven was al zo gelukzalig – dat was ook een woord dat ze van hem had geleerd. Ze had niet het recht om meer te verwachten. Met een zucht en een trillend lachje kroop ze weg in zijn armen.

Taantenten, zelfs de tenten van de belangrijkste tanen, zijn kleine constructies, ontworpen om snel te worden afgebroken en op de rug van de taan te worden meegedragen. De nizam Dag-ruk kon niet rechtop staan in haar tent. Ze kon er niet in heen en weer lopen om op die manier de woede kwijt te raken die zo in haar bloed brandde dat het leek alsof ze blaren in haar ingewanden kreeg. Ze hurkte neer op de aarden vloer, ziedend en tandenknarsend, en drukte haar scherpe klauwnagels zo hard in haar handpalmen dat die rood werden van het bloed.

Ze hoorde een geluid en keek op. Het was R'lt.

'Wie heeft je toestemming gegeven om binnen te komen?' snauwde ze. Er hingen schuimvlokken aan haar lippen. 'Scheer je weg!'

'Niet voordat ik gezegd heb wat ik moet zeggen, Dag-ruk.'

Hoewel de nizam over de stam regeert, heeft de sjamaan macht over leven en dood van de mensen van de stam, en daarom is hij vaak de meest gevreesde van de twee. De sjamaan is degene die de magische stenen onder het vel van een krijger aanbrengt, degene die de krijger met Leegtemagie begiftigt, degene die dat geschenk weer kan terugnemen of het zelfs tegen de krijger kan aanwenden.

Dag-ruk keek hem woest aan.

Hij staarde terug; zijn blik was koel.

Ze stak haar onderlip naar voren; nors, uitdagend.

'Zeg dan wat je moest zeggen, en verdwijn.'

'Waarom wil je met een xkes paren? Wil je ons allemaal te schande maken?'

'Ik heb er mijn redenen voor,' zei ze. 'En die hoef ik aan jou niet uit te leggen!' Ze maakte een verachtelijk gebaar. 'Je bent jaloers, dat is alles.'

'Alsof er ooit een dag zou komen waarop ik jaloers zou zijn op xkes!' zei R'lt smalend. 'Wat zullen de tanen wel van je denken op de dag dat je zijn kind baart – een jankende, kotsende halftaan...'

Dag-ruks lippen krulden om in een zelfgenoegzaam lachje.

'Aha, ik begrijp het al. Daarom kies je hem juist,' zei R'lt. Zijn stem klonk hard van boosheid. 'Van zijn kind zou je je kunnen ontdoen. Bij het mijne zou dat niet gaan!'

'Ik ben een krijger!' zei Dag-ruk briesend. 'Ik ben de nizam van mijn volk. Hoe lang zou ik nizam zijn als ik niet met de strijd mee zou kunnen doen omdat mijn buik dik is van jouw nageslacht? Maar er zijn nog andere redenen. R'f is in de gunst bij K'let. De sjamaan Derl heeft me in vertrouwen verteld dat K'let grote plannen heeft met deze xkes.'

Dag-ruk dempte haar stem. 'K'let is van plan om van deze R'f een Kylbufftt te maken.'

'Een Vrykyl? Pff!' R'lt spuwde op de grond om zijn verachting te tonen. Toch voelde hij zich niet op zijn gemak. Het was bekend dat de bejaarde sjamaan Derl K'lets beste vriend en vertrouweling was. 'Waarom zou K'let ervoor kiezen een xkes die eer te gunnen?'

'Vraag dat maar aan K'let,' zei Dag-ruk met een onvriendelijke glimlach.
R'lt wierp haar een boze blik toe, maar zei niets. Dag-ruk besefte, nogal aan de late kant, dat het gevaarlijk kon zijn om zo'n machtig man dwars te zitten. Ze sloeg een verzoenende toon aan.
'Je begrijpt toch wel, R'lt, dat ik dit voor de stam doe. Voor jou, voor ons. Om een door de goden aangeraakte te kunnen worden, moet R'f gedood worden. Zijn lijk zal geen gezellin meer nodig hebben. Tegen die tijd zal ik in rang gestegen zijn, misschien zelfs tot bevelhebber van een calath benoemd zijn. Dan zou ik kunnen overwegen een kind te nemen.'
'Mijn kind?' zei R'lt.
'Jouw kind,' zei Dag-ruk.
R'lt nam haar argwanend op. Hij vertrouwde haar niet. Ze loog om te proberen hem gunstig te stemmen. Hij zag dat ze bang voor hem was, en dat deed hem genoegen. Ze zou hem een kind baren, daar zou hij voor zorgen. Hij durfde haar nu niet te na te komen. Maar er zou een dag komen dat ze vernederd zou worden, en dan zou ze hem maar al te graag tot gezel nemen.
Hij ging haar tent uit en liet haar achter met een zelfgenoegzame uitdrukking op haar gezicht. Ze dacht dat ze gewonnen had. Hij sprak zacht de woorden van zijn toverspreuk uit en hulde zich in schaduw, zodat hij één was met de donkere nacht. Hij wachtte buiten Dag-ruks tent. Hij hoefde niet lang te wachten. Ze kwam uit de tent te voorschijn en riep luid om Ga-tak, een van de krijgers.
De oproep werd door de stam doorgegeven en even later kwam Ga-tak aangesneld.
'Ik heb een opdracht voor je, Ga-tak,' zei Dag-ruk.
De krijger knikte en keek haar aan met een glans in zijn ogen.
'Ken je de halftaan Dur-zor?'
Ga-tak aarzelde, want hij wilde niets toegeven.
'Je kent haar,' grauwde Dag-ruk. 'Ik wil dat je haar doodt.'
'Ja, Nizam,' zei Ga-tak, en hij zou meteen zijn weggerend, maar Dag-ruk hield hem tegen.
'Niet nu, stomme grolt! Je moet het met beleid doen. Ik wil niet

dat R'f het weet. Dat zou misschien problemen geven met K'let. Je zult het doen wanneer hij dienst heeft bij de Kyl-sarnz. Je zult Dur-zor meenemen naar een verre plek, haar doden en haar lichaam zodanig verbergen dat het nooit gevonden zal worden. Ik zal tegen R'f zeggen dat ze weggelopen is. Begrijp je dit?'
'Ja, Nizam,' zei Ga-tak.
'Mooi. Ga nu weg. Laat me weten wanneer het gebeurd is.'
Dag-ruk dook haar tent weer in. Ga-tak vertrok, blij met zijn opdracht. R'lt wachtte nog een tijdje, maar Dag-ruk kwam niet uit haar tent en nodigde ook niemand anders uit om binnen te komen. Hij ging weg. Hij moest nu aan zijn eigen plannen denken.

Hoewel de zon al hoog aan de hemel stond, lag de sjamaan Derl nog te slapen toen hij werd ontboden om bij K'let te verschijnen. Een andere taan die erop betrapt werd dat hij sliep tijdens de uren waarin gewerkt moest worden, zou met stenen en vloeken uit de stam zijn weggejaagd. Maar Derl liep geen gevaar. Als machtigste tovenaar die ooit in Loerem had rondgelopen, werd hij maar iets minder vereerd dan K'let, de door de goden aangeraakte, en werd hij evenzeer gevreesd.

Derl bracht veel van zijn tijd slapend door. Hij had zijn leven door middel van Leegtemagie verlengd, maar was niet in staat geweest de jeugdige vitaliteit te verlengen. Hij was een stokoude taan. Hij had zo lang geleefd dat hij was vergeten hoe oud hij was. Zijn lichaam was breekbaar en hij moest zijn krachten sparen. Hij zou kracht nodig hebben in de tijden die hij zag naderen. Derl had aan de oude goden, aan Iltshuzz, Dekthzar, Lokmirr en aan Rivalt, zijn schutsgodin, gezworen dat hij lang genoeg zou leven om de ondergang van Dagnarus te zien, waarmee aan de tanen bewezen zou zijn dat deze xkes geen god was.

Derls lichaam was zwak geworden. Zijn haar was nu wit, zijn vel grijs gevlekt. Hij sliep tegenwoordig meer dan hij wakker was, maar wanneer hij wakker was, was zijn geest scherp en alert als de klingen van een sut-tum-olt. Een jonge sjamaan legde zijn hand op Derls schouder.

'K'let laat u roepen, meester,' zei de danhz-skuyarr op eerbiedige toon.

Derl knipperde met zijn ogen tegen het felle daglicht en stond

toen moeizaam op van zijn bed. De jonge sjamaan was hem behulpzaam door de spieren van de oude sjamaan te masseren om de bloedsomloop weer op gang te brengen.
'Er is iets gebeurd,' zei Derl, die de jonge taan scherp opnam en zag dat ze onrust uitstraalde. 'Wat is er aan de hand? Worden we aangevallen?'
'Nee, meester,' antwoordde de jonge sjamaan. 'Maar u hebt gelijk. Er is iets gebeurd. Hebt u...' Ze aarzelde. 'Hebt u K'let niet gehoord?'
'Je weet toch dat ik aan één oor doof ben,' zei hij korzelig. 'Ik heb niets gehoord. Wat is er met K'let? Wat heeft hij gezegd?'
'Hij heeft niets "gezegd", meester,' antwoordde de sjamaan. Haar stem klonk hees van ontzetting. 'Hij heeft een vreselijke gil geslaakt die door merg en been ging. Een gil die door het kamp weergalmde zodat alle krijgers hun bezigheden staakten, hun wapens grepen en aan kwamen rennen. Ze dachten allemaal dat die gil zijn doodskreet was. Zijn lijfwachten kwamen naar buiten om ons te zeggen dat er niets aan de hand was, dat de Kyl-sarnz veilig was. Ze zeiden niet wat er gebeurd was. Ze zeiden alleen dat K'let u onmiddellijk wilde spreken.'
'Geef me mijn gewaden aan,' zei Derl. 'Pak er gewoon een, het doet er niet toe welk. Schiet op.'
Geholpen door de jonge sjamaan wikkelde hij zich in de zware kledingstukken die niet zwaar genoeg waren om de kou buiten te houden die hij zelfs op de warmste zomerdag in zijn botten voelde. Hij liep door het kamp, heel langzaam, maar op eigen kracht. De dagelijkse routine was tot stilstand gekomen. De krijgers stonden her en der met hun wapens in de hand, gespannen en op hun hoede. De werkers hielden voor alle zekerheid de kinderen bij zich.
De lijfwacht, onder wie de xkes R'f, ging opzij om Derl te laten passeren.
K'lets tent was groter en gerieflijker dan de tenten van de meeste tanen. Dagnarus had K'let net zo'n tent geschonken als menselijke koningen en bevelhebbers gebruikten, een tent die zo groot was dat een taan er rechtop in kon staan. Daar was Derl dankbaar voor. Het altijd maar bukken om de kleine tenten van

de tanen binnen te komen, begon een ramp te worden voor zijn oude botten.
Hij ging de tent binnen en zag dat K'let zijn Leegteharnas had afgelegd. Hij had zijn taangedaante aangenomen. K'let gebruikte zijn taangedaante zelden, want hij hulde zich liever in het glanzend zwarte harnas van de Leegte dat hem boven zijn volk verhief en hem van hen afzonderde. K'let, die als albino geboren was, was door zijn volk gemeden en nauwelijks beter behandeld dan een halftaan. Hoewel hij al tijdens zijn leven een bijna goddelijke status had bereikt bij de tanen, waren die herinneringen zo pijnlijk dat ze over de dood heen voelbaar bleven. Zelden nam K'let de gedaante aan van wat hij tijdens zijn leven was geweest – een mannelijke taan, krachtig en gespierd, woest en indrukwekkend, met een grauwwit vel en hagedisachtige, rode ogen.
K'let liep door de tent te ijsberen. Op zijn gezicht lag een uitdrukking die Derl nog nooit had gezien, en hij kende K'let toch al bijna honderd jaar. Zijn dierlijke gezicht was verwrongen tot een woedend masker, maar in de rode ogen blonk iets van woeste vreugde.
'K'let,' zei Derl, 'ik kom omdat u mij hebt ontboden. Ik vrees dat u ongunstig nieuws hebt gekregen...'
'Je vrees is terecht,' zei K'let, die ophield met ijsberen en zich naar Derl omdraaide. 'Stuur de wacht weg.'
Bevreemd lichtte Derl het tentdoek op. 'Jij en de rest van de wacht kunnen gaan.'
De mens, R'f, verstond misschien zijn woorden niet, maar het gebaar was duidelijk genoeg. Hij liep weg in de richting van het kamp van zijn stam.
'Ja, mijn vriend, wat is er dan?' vroeg Derl terwijl hij het tentdoek liet vallen.
K'let wenkte de sjamaan naderbij te komen. De rode ogen van de taan gloeiden. 'Ik heb contact gehad met Nb'arsk.'
Nb'arsk was ook een Vrykyl, een taan-Vrykyl net als K'let. Zij communiceerden via het bloedmes.
'Er zijn vijfduizend tanen gedood bij de slag om de Stad van de God,' zei K'let.

Derl zette grote ogen op; hij was sprakeloos van ontzetting.
'Ze zijn vermoord,' vervolgde K'let, die de woorden vermaalde tussen zijn scherpe tanden. 'Door Dagnarus.'
Derl wist niet wat hij moest zeggen. Het ontstellende nieuws verlamde hem, schokte hem. Zijn benen begonnen te prikken en te beven, het bloed stroomde weg uit zijn hoofd. Hij moest gaan zitten, anders zou hij gevallen zijn. K'let hielp de bejaarde sjamaan en hurkte naast hem neer.
Toen de duizeling voorbij was, voelde Derl zich weer beter. Nu begreep hij die smeulende woede... en dat triomfantelijke lichtje in zijn ogen.
'Vertel,' zei hij alleen maar.
'Toen de tanen bij de Stad van de God aankwamen, is Dagnarus alleen de stad binnengereden; hij zei tegen de tanen dat hij de xkes wilde bepraten om zich over te geven.'
Derl haalde zijn schouders op en trok een mal gezicht. Hij had dat vreemde begrip nooit kunnen bevatten, maar hij liet het er maar bij.
'Dagnarus zei tegen de tanen dat ze op hem moesten wachten voor ze de aanval zouden inzetten. Er gingen dagen voorbij, en Dagnarus kwam niet terug. Toen kwam hij op een morgen bij de tanen om te zeggen dat de xkes zich niet alleen hadden overgegeven, maar dat ze hem wilden accepteren als hun koning en hun god. Er zou geen aanval op de mensenstad plaatsvinden. Hij gaf Nb'arsk en vijfduizend tanen opdracht om naar het zuiden te marcheren, daar een van de magische gaten-in-de-lucht te veroveren en vandaar de tanen te gaan versterken die vochten in het menselijke land van de xkes, Nesskrt-tulz-taan (Zij die Sterven als Tanen).'
'Heeft Nb'arsk het magische gat-in-de-lucht veroverd?' vroeg Derl belangstellend.
'Natuurlijk.' K'let deed dit af alsof het niets was. 'Maar ze is het gat niet meteen binnengegaan, want de tanen hadden veel slaven buitgemaakt, en ze wist dat ze beter zouden vechten als ze van hun buit mochten genieten voor ze verder gingen. Ze waren daar vier dagen toen er een werker in het kamp aankwam. Ze kon nauwelijks lopen, want ze was halfdood door haar ver-

wondingen. Ze meldde dat Dagnarus de overige tanen in de val had gelokt. Zodra de tanen binnen de muren van de Stad van de God waren, gingen de poorten achter hen dicht. Ze werden aangevallen door machtige tovenaars die gebruik maakten van gemene toverkunsten, en door boogschutters en zwaardvechters. Onze krijgers vochten dapper en namen vele xkes met zich mee in de dood, maar er bleef niet één taan in leven. Lokmirr nam die dag vijfduizend tanen tot zich. Allen stierven, ook de werkers en de kinderen. Maar hoewel ze in een hinderlaag zijn gelokt, zijn ze toch als helden gestorven en zullen ze door ons volk worden geëerd. Daar zal ik voor zorgen.'

Derl zag de uitdrukking op K'lets gezicht en nu begreep hij waarom K'let ervoor had gekozen hem dit in zijn taangedaante te vertellen. Het was bij de tanen niet de gewoonte krijgers te eren die bij een nederlaag waren omgekomen. Maar in dit geval waren deze tanen een edele dood gestorven. Met hun nederlaag hadden ze een grote overwinning geboekt voor K'let en voor het hele tanenvolk.

'De dag waarvan ik heb voorspeld dat hij zou komen, ís gekomen,' zei K'let met woeste opgetogenheid. 'Dagnarus heeft bewezen dat hij geen god van de tanen is, dat hij niets om de tanen geeft. Zoals hij deze vijfduizend heeft vermoord, is hij van plan ons allemaal te vermoorden – natuurlijk pas dan wanneer we hem zijn grote overwinningen hebben bezorgd.'

'Waar is Nb'arsk?' vroeg Derl.

'Ik heb haar opgedragen door het magische gat te reizen. Ze zal ermee doorgaan tegen de mensen te vechten, maar nu vecht ze voor de glorie van de oude goden en voor de glorie van de tanen, niet voor Dagnarus. De tanen zullen alle slaven en de hele buit zelf houden, en die niet aan hem geven. Uiteindelijk zal ze zich met haar strijdmacht bij ons voegen.'

Derl vond dit een goed plan, maar hij had zijn twijfels. 'Nb'arsk heeft niet uw kracht, K'let. Ik vrees dat ze niet met Dagnarus zal kunnen breken. Hij zal nog steeds haar bewegingen kunnen sturen door middel van de Dolk van de Vrykyls.'

'Integendeel, vriend,' zei K'let, L'nskt en zij hebben al met hem gebroken. Hij heeft hen laten gaan. Hij zei dat hij hen niet meer

nodig had en dat de Leegte hen mocht halen.'
'Is hij zo dom?' vroeg Derl zich verbaasd af.
'Wat hij verder ook mag zijn, Dagnarus is niet dom,' gromde K'let. 'Ik zie nu wat hij van plan is; ik heb dat altijd al gezien. Hij zal naar de andere derrhuth van dit rijke land gaan en tegen hen zeggen dat de tanen zich van hem hebben losgemaakt, zodat ze nu een bedreiging vormen voor alle derrhuth. Hij zal toegeven dat dat zijn schuld is, en hij zal aanbieden het goed te maken. Hij zal de strijd tegen ons aanvoeren, en hij zal alle derrhuth mee moeten krijgen.'
'Maar als wij ermee doorgaan tegen de derrhuth te vechten, doen we precies wat Dagnarus wil,' vond Derl.
'Wij zullen alleen lang genoeg vechten om onze krijgers te voorzien van sterk voedsel en vele slaven, edelstenen voor onder ons vel, wapenrustingen en wapens. Dan, wanneer de Dolk van de Vrykyls in mijn bezit is en Dagnarus mijn slaaf is, zullen we door het magische gat-in-de-lucht teruggaan naar ons oude land.'
'Jammer om hier weg te gaan,' zei Derl. 'Zo'n rijk land.'
'Bah! Te veel bomen en te veel water naar mijn smaak,' antwoordde K'let. 'Onze goden vinden het hier ook niet prettig. Zij zullen blij zijn wanneer we weer thuis zijn. Bovendien,' voegde hij er langs zijn neus weg aan toe, 'kunnen we altijd wanneer we willen terugkomen door het magische gat.'
'Dat is waar,' beaamde Derl. 'Wat staat ons nu te doen?'
'We zullen alle verkenners die we kunnen missen, uitsturen om dit aan de andere stammen te berichten. Ik heb Nb'arsk en L'nskt opgedragen hetzelfde te doen. Zij zullen de tanen die al aan onze kant staan, zeggen dat ze uit hun schuilplaats kunnen komen, dat ze nu weer openlijk over de oude goden kunnen gaan praten en het volk kunnen aansporen Dagnarus af te zweren en terug te keren tot de oude gewoonten. Ze zullen verkondigen dat ik de nieuwe leider van de tanen ben.'
'Dat zal tot onenigheid tussen sommige stammen leiden,' voorspelde Derl. 'Sommige zullen Dagnarus trouw blijven. Het zal tot bloedvergieten komen.'
K'let haalde zijn schouders op. 'Des te beter. Laten we onze gelederen zuiveren van al diegenen die deze smerige xkes als een

god blijven beschouwen. De Leegte mag ze halen.'
K'let hielp Derl op te staan. 'Roep de stammen bijeen. Ik zal het volk toespreken, hun vertellen wat er gebeurd is en de verkenners uitsturen.'
'Ik zal voorbereidingen treffen om de goden te danken,' zei Derl. 'Morgen zal het een feestdag zijn.'
'Je kunt nog iets in je gebeden opnemen, Derl,' zei K'let toen de sjamaan wilde weggaan. 'Ik heb gisteren bericht gekregen van onze reizigers naar het oosten.'
'En?' Derl wachtte en keek om.
'Hun missie is geslaagd,' zei K'let met een brede grijns. 'Ze zijn behouden aangekomen op de ontmoetingsplaats en wachten daar op me.'
'Is alles goed gegaan?' vroeg Derl.
'Alles is heel goed gegaan,' antwoordde K'let.

Raaf, die erg was geschrokken van de afgrijselijke gil van K'let, was blij dat hij terug kon gaan naar het kamp en dat hij al het mogelijke kon doen om te proberen Dur-zor op te vrolijken. Hij was nog in de war van die verschrikkelijke gil toen er een tweede nare verrassing volgde.
De sjamaan, R'lt, kwam uit de schaduwen te voorschijn en versperde Raaf de weg.
Raaf bleef onmiddellijk stilstaan, om lijfelijk contact met R'lt te vermijden. Zoals alle Trevinici had Raaf een aangeboren afkeer van magie en van degenen die zich ervan bedienden. Hij moest niets van menselijke magiërs hebben, en van deze taan-sjamaan, die naar de Leegte stonk, werd Raaf misselijk.
Raaf nam R'lt argwanend op. 'Wat wilt u?'
'Ik ben gekomen om je te waarschuwen, R'f,' zei R'lt via een halftaan die als tolk optrad. 'Je arme Dur-zor is in gevaar.'
Raaf staarde hem achterdochtig aan; hij bleef op zijn hoede.
'Dur-zor!' herhaalde R'lt, en hij maakte een klievende beweging met zijn vingers over zijn keel. 'Bevel van Dag-ruk.'
Raaf begreep meteen alles en begon te rennen. Hij vervloekte zichzelf omdat hij zo stom was geweest. Daarom was Dur-zor zo ongelukkig geweest. Daarom had ze erop aangedrongen dat

hij Dag-ruks gezel zou worden. Hij had zelfzuchtig alleen aan zichzelf gedacht en niet aan haar. Dag-ruk zou hém niet straffen. Hij was een krijger en daarom waardevol voor haar. Hij was bij K'let in de gunst. Dag-ruk zou Dur-zor straffen en haar als een hindernis uit de weg ruimen.
Raaf rende het kamp in; zijn ongewone haast en verwilderde aanblik wekten verontrusting. Krijgers schreeuwden hem toe; ze wilden weten wat er aan de hand was. Raaf besteedde geen aandacht aan hen, maar rende regelrecht naar zijn tent. Hij sloeg de deurflap op en keek naar binnen.
Dur-zor was er niet.
Hij zocht het hele kamp af, maar vond haar niet. De krijgers, die het eindelijk begrepen, gingen weer aan hun werk. Raaf zag dat velen van hen blikken wisselden, wat zijn verdenking bevestigde. Iedereen wist wat er aan de hand was.
Hij klampte de eerste halftaan die hij zag aan.
'Waar is Dur-zor?' schreeuwde hij.
De halftaan deinsde angstig terug. Hij pakte haar beet en schudde haar door elkaar. 'Zeg het, verdomme! Waar hebben ze haar heen gebracht?'
De halftaan, gewend te gehoorzamen, hief een bevende hand op en wees naar het oosten.
Raaf duwde de vrouw van zich af, draaide zich om en rende in de richting die ze had aangegeven. Hij was nog niet ver gekomen toen zijn geoefende oog tekenen zag dat iemand hem voor was geweest. Grasprieten waren geknakt en gebogen. In de aarde zag hij de nagelsporen van taantenen. Hij volgde de tekenen terwijl het hart hem in de keel klopte. Hij verwachtte elk ogenblik over Dur-zors lichaam te zullen struikelen.
Hij bleef het spoor volgen, zo snel hij kon. Hij was alleen bang dat hij te snel zou gaan en daardoor het spoor zou kwijtraken. Maar dit spoor was niet zo gemakkelijk kwijt te raken. De tanen hadden geen moeite gedaan om hun sporen te verbergen. Degene die Dur-zor had meegenomen, vond het niet nodig om een achtervolger af te schudden. Haar ontvoerder vertrouwde er waarschijnlijk op dat Raaf op wacht stond bij K'let.
Dat zou kunnen, dacht Raaf plotseling, of dit is een hinderlaag.

'Daarom doet R'lt plotseling zo vriendelijk tegen me,' zei Raaf bij zichzelf. 'Hij wil met Dag-ruk paren, dat weet iedereen in de stam. Op deze manier ontdoet hij zich van een rivaal.'
Maar ja, of ik vandaag doodga of een andere dag, dat maakt niets uit, dacht Raaf.
Hij rende door het terrein en keek maar zo nu en dan naar het spoor. Hij had ongeveer anderhalve kilometer afgelegd toen hij bij een lage heuvel kwam. Het landschap bestond uit golvende heuvels en dalen, een ideale plek voor een hinderlaag. Hij voelde met het instinct van een krijger dat hij in de buurt begon te komen, en hij vertraagde zijn pas terwijl hij tegen de volgende heuvel op rende, en bereidde zich voor op het gevaar dat voor hem lag. Hij was bijna bij de top toen hij Dur-zor hoorde gillen.
Ze gilde niet van angst. Haar gil was de kreet van een krijger, en hij was afkomstig van achter de top. Raaf rende de heuvel op met zijn tum-olt in de hand. Toen hij de top bereikt had, zag hij een taankrijger en Dur-zor met elkaar vechten. In vroeger tijd zou ze haar dood hebben aanvaard als een straf die haar toekwam, maar nu vocht ze voor haar leven. Ze schopte, klauwde en beet en probeerde de dolk te grijpen die hij haar in het hart had willen stoten.
Raaf stiet een woeste, uitdagende brul uit.
De krijger, Ga-tak, hief zijn hoofd op, maar hij was blijkbaar niet van plan om in plaats van Dur-zor de Trevinici aan te vallen.
Ga-tak wist dat hij geen gevaar liep. Bij Raafs kreet sprongen twee andere taankrijgers op uit het hoge gras waarin ze zich hadden verborgen.
Raaf was niet zo dom om te denken dat hij drie doorgewinterde taankrijgers kon verslaan, en zelfs als dat hem lukte, zou Dur-zor sterven. Haar krachten namen al af. Ze wierp hem een smekende blik toe.
Raaf had maar één kans. Hij smeet de tum-olt weg, zodanig dat die trillend in de grond bleef staan. Hij stak zijn handen omhoog en riep met luide stem: 'Ik beveel jullie in naam van K'let daarmee op te houden!'

Tot Raafs stomme verbazing werkte het. De tanen verstonden maar één woord, maar dat was het belangrijkste woord – K'let, een taans woord dat zelfs door een mens kon worden uitgesproken. Raaf droeg de ceremoniële wapenrusting die hij had gekregen toen hij toetrad tot de lijfwacht van K'let: een fraai bewerkt stalen borstschild, een stalen, rondom met punten bezette halsring over een maliënkolder, en een sneeuwwitte mantel die symbool stond voor de albino. De tum-olt die hij had gebruikt, was een geschenk van K'let.

'Ik ben K'lets dienaar,' vervolgde Raaf. 'Wie mij een haar krenkt, verwondt K'let.'

Een tikje overdreven en niet helemaal waar, maar de tanen waren onder de indruk.

Ga-tak aarzelde. Meer had Dur-zor niet nodig. Ze wrong zich los en rende naar Raaf toe om naast hem te gaan staan.

Ga-tak en de andere taankrijgers keken elkaar onzeker aan. Ze hadden opdracht van Dag-ruk om de halftaan te doden, en opdracht van R'lt om de xkes te doden, maar ze koesterden ook een heilige angst voor de Vrykyl K'let. Dag-ruk en R'lt zouden woedend zijn. Zij zouden hun lichaam kunnen doden, maar K'let kon hun zielen laten verschrompelen en in de Leegte werpen, zodat ze nooit zouden kunnen deelnemen aan de strijd van de goden waarmee eens de heerschappij over de hemel zou worden beslist.

De zielen wogen het zwaarst.

De tanen staken hun wapens in de schede. Ga-tak gooide de dolk op de grond. Een voor een liepen ze Raaf voorbij. Hij durfde nog niet toe te geven aan zijn opluchting. Hij hield zijn vertoon van beledigde verontwaardiging vol tot ze weg waren.

De tanen wierpen hem in het voorbijgaan koele blikken toe, alsof ze wilden zeggen: 'Nu heb je misschien gewonnen, maar hoe moet je nu verder?'

Dat vroeg Raaf zich zelf ook af. Toen hij zeker wist dat de tanen weg waren en dat er geen tanen meer op hem af zouden springen, zuchtte hij diep. Toen wendde hij zich naar Dur-zor.

'O goden! Wat hebben ze met je gedaan?'

Ga-tak had haar zo te zien herhaaldelijk geslagen. Haar gezicht

was bebloed en gekneusd, haar neus was gebroken en haar oogleden waren zo gezwollen dat haar ogen bijna dicht zaten. Haar ene pols was paars en dik, waarschijnlijk gebroken, en ze had snijwonden aan haar armen, veroorzaakt door het afweren van de dolk. De knokkels van haar handen bloedden.
Op dat moment speet het Raaf dat hij er niet voor had gekozen het gevecht aan te gaan. Hij sloeg zijn armen om haar heen en drukte haar tegen zich aan.
'Vergeef me, Raaf,' mompelde ze door haar bloedende lippen heen. Ze spuwde een tand uit.
'Het is niet jouw schuld.'
'Jawel, toch wel. Ik had me door hem moeten laten doden. Ik ben je alleen maar tot last.' Ze liet het hoofd hangen. 'Als ik dood was gegaan, zou jij een eervol leven hebben gekregen. Nu zal er jacht worden gemaakt op ons allebei. Ik ben de oorzaak van jouw dood. Ik ben een lafaard.'
'Je bent geen lafaard,' zei Raaf. 'Herinner je je dat woord dat ik je geleerd heb... hoop? Zolang er leven is, is er de hoop dat alles beter wordt.'
Dur-zor keek naar hem op, zo goed als dat ging door haar gezwollen oogleden. 'Echt, Raaf?'
'Echt, Dur-zor,' zei hij. 'Jij bent mijn gezellin. Zo lang als ik leef wil ik geen ander. Ik hou van je.'
Dur-zor haatte zichzelf omdat ze het vroeg, maar ze kon het niet laten. 'Hou je van me zoals je van een mensenvrouw zou houden, Raaf? Een mensenvrouw zoals mijn moeder?'
'Ik hou van je om wie je bent, Dur-zor,' zei hij.
'Ik hou van jou, Raaf,' zei Dur-zor. 'Maar dat weet je al, natuurlijk. Helaas,' voegde ze er met de nuchterheid van een taan aan toe, 'helpt de liefde ons niet erg. Als ik terugga naar de stam, zal Dag-ruk me doden...'
'En als ik terugga, zal R'lt mij doden,' zei Raaf.
'We zouden weg kunnen lopen...' Maar nog terwijl Dur-zor de woorden uitsprak, viel ze stil.
Beiden keken naar de mistroostige vlakte, bruin en kaal. Een mens en een halftaan die hier alleen waren, zonder dak boven hun hoofd, en die niet eens wisten waar ze ergens waren, zou-

den omkomen in weer en wind, of gedood worden door menselijke of taanse rovers.
Het idee dat al een tijd in Raafs achterhoofd had gespeeld, kwam nu naar voren.
'Ik vind het heel vervelend dat ik je dit moet vragen, nadat je zo bent toegetakeld, maar we moeten snel zijn. We moeten K'let zien te bereiken voor de anderen bij hem aankomen.'
'K'let?' herhaalde Dur-zor angstig. 'Vlucht je nu in de dood, Raaf?'
'Nee, ik vlucht in het leven. Alle tanen hier schijnen te denken dat ik een zekere mate van invloed heb op de Vrykyl,' zei Raaf grimmig. 'We zullen eens zien of ze gelijk hebben.'

Raaf zorgde wel dat hij met een grote boog om zijn eigen kamp heen liep, want hij was bang dat Dag-ruk hem zou lastig vallen. Hij zette er flink de pas in, en Dur-zor kon hem nog net bijhouden. Ze moest haar gebroken pols ondersteunen en door haar gezwollen oogleden turen. Raaf was bezorgd over haar, maar hij had geen tijd om haar te vertroetelen, iets wat ze trouwens niet van hem verwacht zou hebben. Raaf dacht niet dat Dag-ruk zich bij K'let over hem zou gaan beklagen, maar die mogelijkheid bleef altijd bestaan. Wat R'lt betrof, niemand kon zeggen wat die zou doen.

Toen Raaf in het kamp van K'let aankwam, bleek dat in rep en roer te zijn. De tanen waren onrustig, ze schreeuwden en gilden, maakten woeste gebaren en zwaaiden met hun wapens. Sjamanen zaten in groepjes bijeen zacht te praten, terwijl jonge sjamanen erbij stonden om op orders te wachten. Werkers waren bedrijvig bezig; ze maakten zich zo te zien gereed om het kamp op te breken.

'Wat is er gebeurd?' vroeg Dur-zor zich af terwijl ze verbaasd om zich heen keek.

Tanen zijn nomaden, en het opbreken van een kamp was helemaal niet ongewoon, alleen had Raaf gehoord dat K'let hier een aantal dagen had willen blijven om op de komst van een andere tanenstam te wachten. Hij herinnerde zich die afgrijselijke gil van K'let. Dit was niet het moment om een gunst te gaan vragen. Maar dit moment was het enige dat hij had.

Hij ging op weg naar K'lets tent. Hij sleepte Dur-zor met zich

mee, liep naar de taanwachten, groette en zei dat hij een dringende boodschap voor K'let had.
Hij rekende erop dat de opgewonden stemming in het kamp hier in zijn voordeel zou werken, en daarin vergiste hij zich niet. De taanwachten kenden Raaf. Ze lieten hem door om met de Vrykyl te spreken. Hij ging naar binnen en trof K'let aan in vergadering met al zijn nizams, onder wie Dag-ruk.
Ze wierp één blik op hem, en één blik op Dur-zor; toen wist ze het hele verhaal. Ze keek hem woedend aan. Hij keek woedend terug en had de voldoening te zien dat ze haar ogen neersloeg. Ze wierp tersluiks een blik op K'let en deed vervolgens alsof Raaf haar niet interesseerde. De nizams stonden in een rij voor K'let en wachtten op hun orders. K'let zag Raaf en beduidde hem erbij te gaan staan.
Raaf nam zijn plaats in aan het eind van de rij. Dur-zor kroop weg achter Raaf en probeerde zich zo klein mogelijk te maken.
'Wat is er aan de hand?' vroeg Raaf zacht aan haar. 'Wat zegt K'let?'
Hij luisterde verbaasd naar het verhaal van de hinderlaag en de moord op de vijfduizend tanen in een stad die de Stad van de God werd genoemd. Raaf kneep even in haar hand toen ze uitgesproken was.
'Mooi zo,' zei hij zacht.
K'let deelde orders uit, kort en bondig. Er zouden verkenners worden uitgestuurd om het verhaal door te geven aan andere tanen. De stammen die al bij K'let waren, zouden nu zo snel mogelijk oostwaarts reizen om zich aan te sluiten bij andere tanen die vanuit het zuiden optrokken. De nizams hadden geen vragen, en K'let stuurde hen weg om hun taken te gaan vervullen. Nadat ze luidkeels uiting hadden gegeven aan hun verontwaardiging en woede, gingen ze weg. Dag-ruk wierp Raaf in het voorbijgaan nog één bliksemende blik toe, maar ze zei niets. Raaf richtte zijn aandacht op K'let, dankbaar omdat de Vrykyl nog in zijn taangedaante was. In zijn eigen vel was hij niet zo beangstigend.
In de veronderstelling dat al zijn nizams vertrokken waren, keerde K'let zich naar Derl toe om iets tegen hem te zeggen. De bejaarde sjamaan knikte in de richting van Raaf.

'Er is er nog een hier, K'let. Uw lievelingsmens.'
K'let draaide zich met gefronst voorhoofd om. Hij nam Raaf van top tot teen op. De frons werd dieper toen hij Dur-zor zag. Ze wilde al op de knieën vallen, maar Raaf hield haar overeind.
'Ik heb je nodig als tolk,' zei hij.
'Wat wil je, R'f?' snauwde K'let.
'Gelegenheid om met u te spreken, grote Kyl-sarnz,' zei Raaf.
'Ik ben nu niet in de stemming om met xkes te praten,' zei K'let. 'Ik heb je in een opwelling laten leven.'
'Ik ben hier om ervoor te zorgen dat u die opwelling niet gaat betreuren, grote Kyl-sarnz,' zei Raaf. 'Ik wil u een voorstel doen.' Hij duwde Dur-zor naar voren in het licht. 'Kijkt u hier eens naar. Kijk naar wat de tanen met haar hebben gedaan.'
K'let haalde zijn schouders op. 'Ze is een gruwelijk schepsel. Wat mij betreft slaan ze haar de schedel in.'
'Maar bent u vroeger ook niet als een gruwelijk schepsel beschouwd, machtige K'let?' zei Raaf dapper, om niet te laten merken dat zijn hart in zijn borst bonsde. Hij nam een groot risico. Dur-zor staarde hem aan; ze durfde zijn woorden niet te herhalen. Dat was ook niet nodig. K'let, die meer dan tweehonderd jaar met Dagnarus had opgetrokken, verstond het heel goed. Hij kneep zijn ogen halfdicht.
'Zeg wat je te zeggen hebt, R'f, voor ik je dood.'
'Alleen dit, grote K'let. Dat u ooit door uw eigen volk als waardeloos werd beschouwd, terwijl toch de verhalen over uw overwinningen in de strijd, de verhalen over uw moed en dapperheid legendarisch zijn. Ik zeg dat deze schepsels die u gruwelen noemt, deze halftanen, verspild worden. De tanen gebruiken hen als slaven die water moeten halen en de billen van de kinderen moeten afvegen, terwijl ze zouden kunnen leren met speren om te gaan in uw leger. De tanen doden hen voor de aardigheid, terwijl ze voor u zouden kunnen sneuvelen in de strijd. Kijkt u naar haar. Kijk hoe ze is geslagen. Toch staat ze voor u, dapper en zonder te klagen. U hebt gezien hoe ze zich weert in de strijd, maar dat heeft ze zichzelf geleerd. Wat zou ze niet allemaal kunnen als ze was opgeleid?
Mijn voorstel is dat ik de halftanen onder mijn hoede neem en

er een zelfstandige stam van maak. Ik zal ze opleiden tot krijgers die voor u kunnen vechten.'
Derl zei iets met gedempte stem. K'let luisterde en gaf een kort knikje. Hij bleef Raaf aankijken met zijn rode ogen.
Raaf wachtte even om te proberen zijn eigen gevoelens te begrijpen, zichzelf niet alleen aan K'let maar ook aan zichzelf te verklaren.
'Mijn volk bestaat net als de tanen uit krijgers. Wij geloven net als de tanen dat degenen die in de strijd sneuvelen in het hiernamaals gezegend worden met een kans om deel te nemen aan de hemelse strijd. Ik heb uw verhaal gehoord over de tanen die zijn afgeslacht. Ik zou zo niet willen sterven, gevangen binnen de muren van een stad. Ik zou niet willen sterven door toedoen van tovenaars – lafaards die zich verschuilen achter hun magie, en die geen gevecht van man tot man aandurven. Omdat ik dit begrijp, wil ik de dood van die tanen wreken.'
Terwijl Dur-zor dit vertaalde, werd haar eigen stem luider. Iets van Raafs enthousiasme ging op haar over.
'De tanen gebruiken de halftanen als slaven, zegt u. Ze zullen niet blij zijn als ze hen kwijtraken,' zei K'let.
'Het lijkt mij dat u de tanen belangrijker dingen hebt gegeven om nu over na te denken, grote K'let, dan het verlies van een paar slaven die gemakkelijk te vervangen zijn,' zei Raaf.
Derl liet een kuchje horen dat ook wel gegrinnik kon zijn. De sjamaan mompelde iets. K'let antwoordde ook mompelend, zodat de woorden zacht en onduidelijk waren.
'Ik zal genoodzaakt zijn de tanen te betalen voor het verlies van hun slaven,' bromde K'let.
'Als ik van uw slaven een gevechtseenheid kan maken, zal uw rijkdom goed besteed zijn,' antwoordde Raaf.
Er blonk een lichtje in K'lets ogen. 'Hoe weet ik dat ik je kan vertrouwen? Ik zou het niet prettig vinden als er later over me werd gezegd dat ik de jonge baak heb gekoesterd die vervolgens mijn hoofd afbeet.'
'Ik geef u mijn woord van eer, Kyl-sarnz. Uw strijd is mijn strijd.'
'Een andere mens heeft me dat ook eens gezworen,' zei K'let zacht. 'En hij heeft me verraden.'

'Ik zal u niet verraden, Kyl-sarnz,' zei Raaf trots. 'U hebt mijn woord.'
K'let gromde, niet onder de indruk. Hij nam Raaf sluw op. 'Corrigeer me als ik me vergis, R'f, maar op dit moment is jouw leven nog minder waard dan een gebarsten kookpot. Ja, ik weet alles over Dag-ruk en R'lt. Ik word goed op de hoogte gehouden.'
'Dat is waar, Kyl-sarnz,' zei Raaf, die geen reden zag om dit te ontkennen.
'Dan zal ik dezelfde overeenkomst met jou aangaan die Dagnarus met mij is aangegaan. Ik zal je geven wat je vraagt. Ik zal je nizam maken van je eigen stam halftanen. Je zult mijn bescherming genieten. Geen taan zal jou of de jouwen te na komen, anders zal mijn toorn hem treffen. In ruil daarvoor zul je mij je leven geven wanneer ik het vraag.'
Raaf dacht hierover na. Dur-zor mompelde protesterend, maar hij legde haar het zwijgen op.
'Ik ga daarmee akkoord, Kyl-sarnz.'
'Dan zal het zo gebeuren,' zei K'let. 'Ik ben voornemens om ons hele volk toe te spreken voor we op weg gaan. Dan zal ik dit aankondigen. Wanneer we vanavond ons kamp opslaan, zullen jij en de halftanen een eigen kamp opslaan.' Hij maakte een gebaar om aan te geven dat Raaf kon gaan.
Raaf salueerde en vertrok. Zodra hij de tent uit was, ademde hij diep de frisse lucht in, om de smerige stank van de Leegte uit zijn longen te verdrijven. Hij keek triomfantelijk naar Durzor in de verwachting haar even gelukkig te zien als hij zich voelde. Maar in plaats daarvan keek ze zorgelijk en nadenkend.
'Wat is er nu nog?' vroeg hij geërgerd. 'Je hebt wat je altijd hebt gewild – vrijheid voor jou en je volk.'
'Dat weet ik wel,' zei ze terwijl ze probeerde te glimlachen met haar gehavende lip. 'En ik ben erg trots op je, Raaf. Maar toch' – ze zuchtte – 'zal het niet gemakkelijk zijn. Sommigen vinden het prettig om slaaf te zijn.'
'Dat geloof ik niet,' zei hij kortaf. 'Jij vond het niet prettig.'
Dur-zor kon haar eigen gevoelens niet uitleggen, en daarom ging ze er niet over door. Ze drukte zich tegen Raaf aan. 'Het bevalt

me niet dat je gedwongen werd om je leven aan K'let te verkopen.'
'Ach wat!' Raaf haalde zijn schouders op. 'De overeenkomst is vooral voordelig voor mij. Zoals K'let al zei, is mijn leven op dit moment niets waard, dus ik heb niets te verliezen. Ik ben van plan mezelf zo onmisbaar te maken voor K'let dat hij geen gebruik zal maken van zijn recht. Bovendien zal het waarschijnlijk niet zover komen, doordat ik voor die tijd in de strijd zal sneuvelen.'
'Dat hoop ik maar, Raaf,' zei Dur-zor ernstig.
Hij trok een gemaakt boos gezicht naar haar. 'Dat is me ook wat moois, dat een gezellin dat zegt.'
'O, ik bedoel niet dat ik hoop dat je zult sneuvelen!' riep ze ontsteld. 'Alleen dat...'
'Ik weet het,' zei hij lachend en hij drukte haar tegen zich aan. Hij voelde zich heel tevreden met de wereld. 'Ik plaagde je maar. Een van de eerste dingen die ik de halftanen ga leren, is hoe ze moeten lachen.'
'Het eerste dat je ze zult moeten leren, Raaf, is hoe ze moeten leven,' zei Dur-zor plechtig. 'Op dit moment weten ze alleen hoe ze moeten sterven.'

De drakenvlucht naar de stad Saumel had iets vreemds, droomachtigs, zowel voor de dwergen die als passagier meegingen als voor de draak die hen vervoerde. De dwergen, die zich hadden gehuld in warme jassen van schapenvacht die ze van de Omarah hadden gekregen, zaten voor de warmte dicht tegen elkaar aan op de brede rug van de draak en hielden zich vast aan een leren tuig dat Kolost had gemaakt van het tuig van zijn paard, en dat hij stevig aan de stekelige manen van de draak had bevestigd.
De dwergen noch de draak zeiden iets terwijl ze in de lucht waren. Terwijl ze hoog over het land scheerden, waren de enige hoorbare geluiden de geluiden die de draak maakte – het kraken van pezen en het trage zoeven van haar vleugels – en zelfs die hielden op wanneer Ranessa op de luchtstromingen zweefde. De dwergen vonden het prachtig om alles te zien – hoge bomen die onder hen soepel voorbij gleden, de schaduw van de draak die meebewoog over de grond onder hen, het flitsen van zonlicht dat weerspiegeld werd in het gladde oppervlak van een meertje.
Beide dwergen waren in gedachten verzonken. Kolost dacht vooral aan verovering. Hij keek naar het land Vinnengael onder hem en zag het bevolkt met dwergen. Zijn ambitie strekte zich uit tot aan de horizon, en de weidsheid van de wereld zoals die onder de punt van de drakenvleugel zichtbaar was, schrikte hem niet af. In gedachten galoppeerde Kolost over zijn vijanden heen en reden zijn dwergenlegers onder zijn leiding de overwinning tegemoet.

Wolframs gedachten waren minder aangenaam. Hij zag weinig van het land beneden en lette niet op de hemel boven. Zijn blik was naar binnen gericht, naar de reden waarom hij geen Domeinheer was. En niemand kon hem overhalen toch weer een Domeinheer te worden. Zelfs Kolost niet, hoe vaak hij er ook over begon. Zoals deze avond.

Nadat ze geland waren, liet de draak hen achter om eten en een slaapplaats te zoeken. Het was al erg genoeg, zei Ranessa tegen Wolfram, dat ze overdag hun gezelschap moest dulden. Ze had er behoefte aan om 's nachts alleen te zijn, en daarom ging ze vaak alleen op pad, op zoek naar een grot of een holte waar ze ongestoord kon uitrusten.

Kolost verstond de kunst iemands diepste gedachten naar boven te halen. Hij was zo'n zeldzaamheid, iemand die goed kon luisteren. Hij stelde belang in alles wat hij hoorde. Daar had hij een reden voor. Niet alleen kwam hij zo dingen te weten, maar mensen lieten zich door zijn belangstelling in de luren leggen en waren geneigd te veel over zichzelf los te laten.

Als een goede jager kreeg Kolost zijn prooi van een afstand in het oog, benaderde hem met een omtrekkende beweging en sloeg dan toe.

'Vertel eens iets over die Dunner,' zei Kolost. 'Ik weet van de Kinderen van Dunner, de kinderen van de Paardloze die zich hebben opgeworpen als bewakers van de Verheven Steen. Maar wie is Dunner?'

Wolfram wilde niet over Dunner praten, of over iets wat met de Verheven Steen te maken had. Maar Wolfram hoopte van het clanhoofd meer te horen over zijn plannen, en voor wat hoorde wat. Leer om leer, zoals het gezegde luidt bij strijdende partijen.

'Dunner was de eerste dwerg die ooit een Domeinheer is geworden,' antwoordde Wolfram. 'Hij was een Paardloze. Hij woonde in Oud Vinnengael en was er meestal in de Koninklijke Bibliotheek te vinden.'

Wolfram moest eerst aan Kolost uitleggen wat een bibliotheek is. Dwergen moeten bijna even weinig van boeken hebben als orken.

Toen het onderwerp bibliotheken bevredigend was afgehandeld, vroeg Kolost: 'Wat deed Dunner in de bibliotheek?'
'Hij las er in de boeken,' zei Wolfram.
Kolost dacht hierover na. 'Je zegt dat hij een Paardloze was. Was hij een van de krankzinnigen?'
'Dunner was niet gek,' antwoordde Wolfram die zijn held wilde verdedigen. 'Hij was net als u – geïnteresseerd in mensen. Hij kwam veel over mensen te weten door boeken te lezen. Over allerlei soorten: echte mensen, elfen en orken. Hij heeft het geleerde later goed kunnen gebruiken.'
Dit leek bij Kolost een gevoelige snaar te raken. Hij dacht enkele ogenblikken zwijgend na en zei toen: 'Die boeken... wat vertelden ze hem?'
Wolfram gebaarde met een konijnenbotje. 'O, van alles. Er waren boeken over oorlogvoering, over strategie en tactiek; er waren boeken over planten, welke giftig zijn en welke gebruikt kunnen worden om te genezen; boeken over de geschiedenis. Omdat hij zoveel las en meer kennis vergaarde dan welke andere dwerg ook die ooit had geleefd, werd Dunner uitverkoren om het dwergendeel van de Verheven Steen te ontvangen. Hij nam het mee terug naar de stad Saumel. Helaas...'
Kolost viel hem in de rede. 'Die boeken... kun jij ze lezen?'
'Zeker,' zei Wolfram. 'Alle Kinderen van Dunner leren lezen. Dunner leerde het aan de eerste kinderen, en zij leerden het aan degenen die na hen kwamen.'
'Ga door,' zei Kolost. 'Wat is er met Dunner gebeurd? Waarom werd hij een Domeinheer?'
'Dat weet niemand met zekerheid,' zei Wolfram voorzichtig. 'Volgens een van de verhalen hoopte hij dat de Transfiguratie zijn lamme been zou genezen, zodat hij weer op een paard zou kunnen rijden.'
'De Trans-fi-gu-ra-tie,' zei Kolost langzaam en proevend. 'Dat is de plechtigheid waarin de Wolf het magische harnas aan de Domeinheer geeft. Vertel me hoe dat gaat.'
'Dat gaat niet,' zei Wolfram. 'We moeten geheimhouding beloven.'
Dat was niet helemaal waar, maar hij had geen zin om die scheu-

rende, doordringende pijn nog eens te beleven.
'Maar wat gebeurde er met Dunner?' vroeg Kolost.
'Hij werd een Domeinheer en zijn been was genezen, maar hij bleef toch een Paardloze. Niemand weet waarom. Hij heeft in zijn leven een grote teleurstelling gehad. Men zegt dat hij bevriend was met de jonge prins, Dagnarus, en dat hij het verschrikkelijk vond toen de prins voor het kwaad koos en Heer van de Leegte werd. Dunner ging weg uit Vinnengael en nam de Verheven Steen mee naar de dwergenlanden. Hij hoopte dat de Steen de dwergen zou helpen sterk te worden, maar' – Wolfram haalde zijn schouders op – 'ze vertrouwden de Steen niet, omdat hij uit de handen van een mens kwam.'
Kolost gromde, fronste zijn voorhoofd en schudde zijn hoofd over de domheid van de dwergen.
'Dunner bouwde in Saumel een schrijn voor de Steen,' vervolgde Wolfram, 'maar weinig dwergen besteedden er ooit aandacht aan. Op een dag zag Dunner dat kinderen met de Verheven Steen zaten te spelen – dat dacht hij tenminste. Hij was boos, tot ze tegen hem zeiden dat ze niet met de Steen speelden. Ze waren de bewakers van de Steen. Daar was Dunner blij om, en toen is hij uit Saumel weggegaan om er nooit meer terug te keren. Men zegt dat toen de eerste Kinderen van Dunner meerderjarig waren geworden, degenen die geroepen waren om Domeinheren te worden, hem zijn gaan zoeken. Denkt u er soms over een Domeinheer te worden?' vroeg Wolfram sluw.
'Ik? Nee,' zei Kolost, met een geschokte uitdrukking op zijn gezicht. 'Ik bedoel het niet kwaad, en ik hoop dat je je niet beledigd voelt, maar om het volk te leiden moet ik hun vertrouwen en hun trouw verwerven, en dat zou ik niet kunnen doen als ik een Domeinheer was. Zoals je zelf al zei, dwergen hebben geen vertrouwen in geschenken die uit handen van een menselijke koning komen.'
'Maar dat is niet het geval,' zei Wolfram. 'De Verheven Steen was een geschenk van de goden... eh... van de Wolf.'
'Dat weet jij, en dat weet ik,' zei Kolost, wiens ogen blonken in het licht van het vuur. 'De Wolf heeft tegen mij gezegd dat ik de steen moet zoeken en terugbrengen. Ook al wil ik zelf geen

Domeinheer worden, ik wil begeleid worden door dwergen-Domeinheren. Ik heb hun kracht nodig, hun wijsheid...'
'Domeinheren zijn geen krijgers,' voelde Wolfram zich genoodzaakt op te merken. 'Ze hebben zich verbonden aan de vrede.'
'Precies,' zei Kolost. 'Na oorlog komt vrede. Jullie dwergen-Domeinheren zullen me helpen te behouden wat ik verover.'
Wolfram krabde zich in de baard. Hij verbaasde zich zeer over deze opmerkelijke man. De meeste dwergen kijken niet verder dan de zonsondergang van vanavond, zo luidt het gezegde. Dit was er een die na een heel leven van zonsondergangen een stralende zonsopgang zag gloren.
Toch moest hij een foutje in Kolosts redenering rechtzetten.
'U zei 'jullie' Domeinheren,' zei Wolfram. 'U moet mij daar niet bij rekenen.'
'Waarom niet, Wolfram?' vroeg Kolost. 'Wat is er dan gebeurd? Waarom heb je het opgegeven en ben je ervan weggelopen?'
'Daar wil ik niet over praten,' mompelde Wolfram.
'Maar je hebt er al over gepraat. In je slaap. Ik weet dat het iets te maken heeft met Gilda...'
'Hou op!' brulde Wolfram. Hij keek Kolost woest aan.
'Wie is zij, Wolfram? Je gezellin?'
Wolfram schudde zijn hoofd. De pijn bonsde in hem.
'Wie dan?' zei Kolost zacht.
'Mijn tweelingzus. Gilda.'
Kolost zweeg. Als hij iets had gezegd, zou Wolfram niet hebben gesproken. Maar hij moest de stilte opvullen. Anders zou hij haar stem horen. Hij had hard gewerkt om dat geluid te verdrijven. Hij had zijn leven met andere stemmen gevuld om die ene stem niet te hoeven horen. Nu, in de stilte, kon hij haar stem horen, en hoewel die van ver weg kwam en hij niet kon verstaan wat ze zei, wist hij dat ze wilde dat hij haar verhaal, hun verhaal vertelde.
'Wij waren Kinderen van Dunner. Zo noemen jullie ons.' Wolfram snoof verachtelijk. 'Kinderen van de ellende, dat lijkt er meer op. U weet hoe het is om kinderen van de Paardlozen te zijn. Hun leven is leeg en troosteloos, en dat is de erfenis die ze doorgeven aan hun kinderen. U had de moed om dat erfdeel te

weigeren. U had de moed om weg te gaan.'
'Jij hebt het erfdeel ook geweigerd, Wolfram,' zei Kolost.
'Dat dacht ik, ja,' gaf Wolfram toe. 'Toen ik de Verheven Steen voor het eerst zag, toen ik zag hoe mooi hij was, koel en schoon schitterend als een ster op een bitter koude nacht, dacht ik dat ik mijn roeping had gevonden. Ik vertelde Gilda over de Steen en nam haar mee zodat ze hem ook kon zien. We wijdden ons aan de Steen. We dienden hem en bewaakten hem, samen met de andere Kinderen van Dunner. Er was verder niemand die erom gaf, maar voor ons betekende hij iets – de hoop op een beter leven. We hadden het erover dat we Domeinheren zouden worden, net als Dunner, en dat we naar al die prachtige, wonderlijke oorden zouden reizen waarover we al zoveel hadden gehoord van de handelaars die in onze stad kwamen. En nu heb ik al die plaatsen gezien,' zei hij zacht, bijna tegen zichzelf. 'Zonder uitzondering.'
Hij zuchtte diep en gaf zich over aan de herinnering.
'Alle kinderen willen in het begin Domeinheer worden, maar weinig kinderen worden het ook echt. De meeste verliezen hun belangstelling voor de Steen wanneer ze volwassen beginnen te worden. Dan denken ze meer aan het krijgen van een gezel, het verdienen van hun brood. Maar sommigen zijn geroepen. Wij waren geroepen, zij en ik. Dunner verscheen ons in een vuurvisioen en droeg ons op de plek te zoeken waar hij begraven was. Het was een zware, lange tocht, met vele beproevingen. We kwamen er toch, omdat we samen waren. Geen van ons beiden had het alleen gekund. Ik wist dat we samen Domeinheren zouden worden...'
Hij zweeg, en slikte, maar dat was alleen om zijn keel te bevochtigen. De woorden, de herinneringen dromden samen op zijn tong. Gilda had gelijk. Het was voor hem een opluchting om hierover te spreken. Hij had dat tot nu toe nog nooit gedaan.
'We vroegen ons af hoe de Proeven zouden zijn, of ze heel moeilijk zouden zijn, want we hadden van de menselijke handelaars verhalen gehoord over de Proeven die hun heren hadden ondergaan. Maar het zoeken naar Dunners graf bleek zelf de Proef

te zijn. Dat vertelde hij ons. Zijn geest vertelde het ons, bedoel ik. Hij sprak ons beiden toe, afzonderlijk, en vroeg of we gereed waren om de Transfiguratie te ondergaan. Dat was het mooiste moment van mijn leven... en van het hare.'
Wolfram wreef over zijn pijnlijke voorhoofd.
'Ik ben geen Domeinheer.'
'Je was geslaagd voor de Proef...' moedigde Kolost hem aan.
'De Wolf zal het me niet vergeven. Ik heb de goden afgezworen. Ik heb vreselijke dingen tegen hen gezegd. En die meende ik ook allemaal,' voegde Wolfram eraan toe met een flits van toorn. 'Na wat ze gedaan hadden...'
'Wat hadden ze dan gedaan?'
Hij antwoordde eerst niet. Toen hij het toch deed, was zijn stem zacht van woede. 'Gilda wilde een Domeinheer worden. Ze werkte er hard aan, dubbel zo hard als ik. Ze was het meer waard dan ik. Ik deed vooral mee vanwege haar. En ze hebben haar erom gedood. Ze is omgekomen in de vlammen. Ik zie haar nog altijd... hoor haar nog altijd schreeuwen...'
Hij kon niet verder. Hij beet op zijn lip om te verhinderen dat de gal uit zijn keel opborrelde. Toen hij zich weer in de hand had, keek hij uitdagend op.
'Ik heb haar mijn medaillon gegeven. Het kwam haar rechtens toe. Ik heb het bij haar as in de kist gelegd en het begraven onder het hoge gras van de vlakten van ons vaderland, naast het graf van Dunner. Toen ben ik weggegaan, en ik ben nooit terug geweest.'
Kolost begon het vuur op te banken en voerde eerbiedig die delen van het nachtelijke ritueel uit die toegestaan zijn aan dwergen die ergens moeten overnachten zonder dat er een Vuurmagiër aanwezig is. Nadat hij dat had gedaan, wikkelde hij zich in zijn deken en ging slapen.
Wolfram droomde die nacht dat hij Gilda hoorde roepen dat hij wakker moest worden, zoals ze had gedaan toen ze nog kinderen waren. Toen hij echt wakker werd, was het bijna licht, en zij was er niet.

De dwergen wisten dat ze in het gebied van de dwergen waren

aangekomen toen ze over de rivier vlogen die de dwergen de Arven noemen, een naam die door de mensen was overgenomen en die nu op menselijke landkaarten te vinden is. De draak vloog over de stad Nieuw Vinnengael heen, waardoor Kolost de unieke gelegenheid kreeg haar verdedigingsmiddelen vanuit de lucht te bekijken. Op zijn verzoek vloog Ranessa zelfs een keer in een cirkel over de stad, door haar vleugels omlaag te houden. Haar verschijning was voor de mensen aanleiding uit winkels en huizen naar buiten te rennen om haar te zien. Wachters op de tinnen rekten hun nek om het te zien. Ranessa beweerde dat ze het deed om Kolost een goed zicht te geven, maar Wolfram vermoedde dat ze genoot van al die aandacht.

Draken werden in Loerem zelden waargenomen. Ranessa was waarschijnlijk de eerste draak die de meeste van deze mensen hadden gezien. Ze vonden het zo geweldig dat sommigen over de stadsmuren meerenden in een poging hen in het gezicht te houden. Wolfram zat voor de grap naar ze te wuiven, hoewel hij wist dat ze hem niet konden zien.

'Een grote stad,' zei Kolost. 'Met sterke muren.'

Wolfram meende een ontmoedigde klank in zijn stem te horen en keek naar hem om.

'Het is de kunst, hen tussen die muren uit te lokken,' zei Kolost met een knipoog en een grijns.

Wolfram sloeg zijn ogen ten hemel en schudde zijn hoofd.

Toen ze de rivier over was, zwenkte Ranessa naar het zuiden. Ze had nog niet genoeg zelfvertrouwen om over de hoge bergkammen van het Dwergengebergte te vliegen, en daarom volgde ze de Zee van Sagquanno met de bedoeling Saumel vanuit het zuiden te naderen.

Saumel was gebouwd tegen de wand van een berg die uitzag op het Saumelmeer. Door zijn ligging bij de Zee van Sagquanno werd Saumel het handelscentrum voor het dwergenrijk. Saumel was de enige dwergenstad met een haven en de enige dwergenstad waar bezoekers van andere rassen welkom waren (al was welkom misschien te sterk uitgedrukt).

Leden van andere rassen mochten niet in Saumel wonen, maar handelaars hadden toestemming om tijdelijke verblijfplaatsen in

te richten aan de buitenranden van de stad. Saumel was de enige dwergenstad waar je mensen, orken en elfen op straat kon tegenkomen, hoewel de buitenlanders zich tegenwoordig niet buiten bepaalde gebieden mochten begeven.
Omdat de Paardloze dwergen van Saumel omgingen met leden van andere rassen en zelfs (grotendeels) goed met hen konden opschieten, had Dunner gedacht dat de dwergen van Saumel meer open zouden staan voor nieuwe ideeën, en daarom had hij de Verheven Steen naar de stad Saumel gebracht. Hij was in die mening teleurgesteld. De Steen had daar meer dan tweehonderd jaar gelegen, en niemand had er aandacht aan besteed, behalve een groep haveloze kinderen.
'Het is echt iets voor de dwergen om de Steen pas te willen hebben wanneer hij weg is,' zei Wolfram tegen Kolost.
Ranessa zette hen zonder problemen aan de grond in de heuvels aan de voet van het gebergte. Haar landingen waren tijdens de vlucht vooruitgegaan, evenals haar hele houding. Vuur had gelijk gehad. Nu ze weg was van de Drakenberg, en alleen met haar gedachten, voelde Ranessa zich veel beter in haar drakenvel.
Maar toch was en bleef ze Ranessa. Wolfram had het akelige gevoel dat het belastend voor haar was zich zo goed te gedragen, en dat het niet lang kon duren. Hij had gelijk. Nauwelijks waren ze geland, of Ranessa nam weer haar slonzig en verwilderd ogende mensengedaante aan, en kondigde aan dat ze mee wilde naar Saumel.
'Nee,' zei Wolfram botweg.
'Waarom niet?' vroeg Ranessa gepikeerd.
'Omdat er geen mensen mogen komen waar wij heen moeten,' zei Wolfram. 'Als jij probeerde die delen van de stad binnen te gaan, zou je teruggestuurd en misschien zelfs gearresteerd worden.'
Ranessa beet op haar lip en keek Wolfram argwanend aan. 'Volgens mij lieg je. Ik ga aan Kolost vragen hoe het zit.'
'Doe dat gerust,' zei Wolfram.
Ranessa liep naar Kolost, die bezig was zijn spullen opnieuw in te pakken. Nadat ze met hem had gesproken, kwam Ranessa te-

rug. Ze liep langzaam terwijl ze nadacht over de tactiek die ze nu zou gebruiken; die bleek te bestaan uit vleierij en charme. Ze veegde haar slordige haar uit haar gezicht om Wolfram glimlachend aan te kijken. 'Jij kunt hun opdragen me door te laten. Jij bent een belangrijk iemand. Een Domeinheer. Dat zegt Kolost. Ze zullen naar je luisteren.'
'Beste meid,' zei Wolfram. 'Ik ben twintig jaar geleden uit Saumel weggegaan en ik ben er sindsdien niet meer terug geweest. Niemand kende me voor ik wegging. Niemand zal me nu kennen. Bovendien is de wet nu eenmaal de wet, en zelfs de Wolf zou daar niet tegen in kunnen gaan. Stel dat ik alleen en onuitgenodigd het dorp van de Trevinici was binnen komen lopen? Wat zouden jouw mensen dan gedaan hebben?'
Ranessa keek hem kwaad aan. 'Verwacht je dan van me dat ik hier blijf, in m'n eentje, zonder iets te doen en zonder iemand om mee te praten, terwijl jullie daarginds pret hebben?'
'Ik zal heus geen pret hebben,' gromde Wolfram. 'Bovendien zijn draken solitaire wezens, heb ik van Vuur gehoord. Jij hoort het leuk te vinden om alleen te zijn.'
'Dat vind ik ook leuk,' zei ze hooghartig. 'Ik ben veel liever alleen dan in gezelschap van lieden zoals jij. Ik dacht alleen dat je misschien hulp nodig kon hebben. Gezien het feit dat je je altijd op de een of andere manier in de nesten werkt.'
Wolfram negeerde haar laatste opmerking. 'Er is één mogelijkheid.'
Ranessa nam hem argwanend op. 'En dat is?'
'Je zou de gedaante van een dwerg aan kunnen nemen.'
'Dat doe ik niet!' riep ze verontwaardigd.
Wolfram haalde zijn schouders op. 'Nou, dan houdt het op wat mij betreft.'
Ranessa besefte te laat dat ze erin was getuind. 'Ik heb veel zin om weg te vliegen en jou hier aan je lot over te laten.'
'Ik ben je heus dankbaar omdat je ons hier hebt gebracht, meisje,' zei Wolfram op verzoenende toon. 'Kolost en ik zijn je allebei dankbaar. Ik zou willen dat je mee kon, echt waar, maar je begrijpt wel dat het niet kan. Als je de behoefte hebt terug te gaan naar de Drakenberg, begrijp ik dat. Maar ik zou graag wil-

len dat je hier bleef. Als je blijft,' zei hij er in een opwelling bij, 'zal ik een geschenk voor je meebrengen.'
'Zweer je dat bij die Wolf waar je het altijd over hebt?' Ranessa nam hem achterdochtig op.
'Ik zweer het bij de Wolf,' zei Wolfram.
'Goed dan,' zei Ranessa uit de hoogte. 'Je mag gaan. Ik zal hier op jou en op dat geschenk wachten. Als je maar wel een beetje opschiet.'
'Neem dat maar van me aan,' zei Wolfram. 'Ik ben niet van plan er te blijven rondhangen.'

Wolfram en Kolost gingen Saumel lopend binnen door de Dwergenpoort, die toegang gaf tot het centrum van de stad; in tegenstelling tot de Buitenlanderpoort, die leidde naar gebieden die voor leden van andere rassen bestemd waren. Kolost had tegen Ranessa gezegd dat Wolfram een belangrijk personage in de dwergenwereld was, maar eigenlijk was Kolost zelf dat belangrijke personage. Wolfram, die de gebruikelijke terughoudendheid van de Paardlozen kende, was verrast te zien hoe Kolost begroet werd met de lachende gezichten en de klappen op de rug die bij dwergen tekenen van respect zijn; zelfs kreeg hij hier en daar een broederlijke handdruk.
Dit verbaasde Wolfram, want de Paardlozen gedroegen zich meestal teruggetrokken en zwijgzaam tegenover clandwergen. Toen Wolfram zag hoe Kolost door de straten liep, vol dwergen, van wie velen aan een of ander gebrek leden, begreep hij dat Kolost in de Stad van de Paardlozen zelf ook een Paardloze was. Hij kende hun taal en hun gewoonten. Hij kende en deelde hun pijn.
'En wanneer hij over de vlakten rijdt, is hij een clandwerg,' zei Wolfram, onder de indruk. 'Daar kent hij hún gewoonten, en begrijpt hij hún problemen. Hij kan in beide werelden leven zonder aanstoot te geven. Ik geloof dat ik hem onderschat heb. Het is heel goed mogelijk dat hij de wereld verovert.'
Zoals hij al had gedacht, werd Wolfram bekeken als een eigenaardig verschijnsel; een dwerg die er bewust voor had gekozen ver van zijn eigen volk te leven, zijn leven te slijten temidden

van de Buitenlanders. Toch vond hij zijn naam terug in het geboorteregister, hoewel ze vele pagina's terug moesten slaan om hem te vinden. Zijn naam was opgeschreven naast de namen van zijn vader en moeder, die nu allebei dood waren. Gilda's naam stond naast de zijne. Hij zag de aantekening bij haar naam, in zijn eigen handschrift.

Dood.

Hij wendde zich af.

Omdat hij in het geboorteregister stond, mocht hij overal in Saumel komen.

Hoewel Wolfram twintig jaar lang elke herinnering aan de stad waar hij geboren was welbewust uit zijn geest had gebannen, wist hij er nog steeds de weg te vinden. De stad was natuurlijk gegroeid en veranderd, maar het oudste gedeelte was uitgehouwen in de bergwand, en dat was niet veranderd.

Saumel was een stad die door middel van Aardemagie was gebouwd; een menselijke vorm van magie, geschonken door een al lang geleden overleden Nimoreaanse koningin als tegenprestatie voor een vergeten dienst die de dwergen haar hadden bewezen. De oude stad leek op een honingraat; de huizen en winkels waren in het gesteente gebouwd. Maar omdat het aantal Paardlozen voortdurend toenam, had Saumel zich moeten uitbreiden. De stad zette zich nu voort over de bodem van de kloof en kroop langs de zijkanten omhoog, breidde zich uit in de rivierbedding en slingerde zich langs het meer.

Wolfram was geboren en grootgebracht in het oude deel van de stad. De gezichten die hij zag nu hij door de vertrouwde straten liep, waren dezelfde gezichten die hij had gezien toen hij wegging. Of liever, de uitdrukking op die gezichten was hetzelfde: ernstig, plechtig, zonder vreugde. Vreugde was vrij over de vlakte galopperen, iets wat deze dwergen nooit zouden ervaren. Het vreemde was dat er niet méér kinderen van de Paardlozen op het idee kwamen om buiten op de vlakte hun fortuin te zoeken, zoals Kolost had gedaan. Maar dwergen hebben een sterk plichtsgevoel, een sterk familiegevoel. De meesten kennen hun levenslot en aanvaarden het.

Net als Kolost was Wolfram in opstand gekomen tegen zijn lot.

Anders dan Kolost had Wolfram zijn volk de rug toegekeerd. Als hij zichzelf met Kolost vergeleek, schaamde Wolfram zich. Hij sjokte door de stenen straten, glad afgesleten door generaties dwergenschoenen, en liet zijn ogen ronddwalen op zoek naar bekende punten. Hij zette de poorten open en liet zich overspoelen door de herinnering. De herinneringen waren niet de bittere kwelling die hij had gevreesd. Ze lieten een warm en licht treurig gevoel bij hem achter.

'Neem me niet kwalijk,' zei Wolfram met een blik naar Kolost. 'Wat zei u?'

'Ik vroeg of je mijn woning wilde delen,' zei Kolost.

Wolfram schudde zijn hoofd. 'Nee, dank u. Ik weet waar ik de nacht moet doorbrengen. Dat is het minste wat ik voor hen kan doen.'

Kolost begreep het. 'Wil je daar nu heen gaan?'

'Ja,' zei Wolfram. 'Er is al genoeg tijd verspild.'

'Ik zie dat je de weg kent,' zei Kolost, terwijl ze een weinig gebruikte zijstraat insloegen.

'Die zal ik niet gauw vergeten,' zei Wolfram.

De verblijfplaats van de heilige Verheven Steen was een tent in het oude deel van de stad. De meeste huizen en winkels in dit deel van Saumel waren als een soort grotten in de berg gebouwd, waarbij de natuurlijke vorm van de berg was gevolgd, zodat sommige woningen en bedrijven eerst een stukje omhoog en dan weer een stuk omlaag gingen.

Dunner had de tent opgezet op een groot plein dat als ontspanningsoord was bedoeld door de menselijke bouwers, die niet wisten dat recreatie voor dwergen een onbekend fenomeen was – of het nu een clandwerg of een Paardloze was. Het plein had de unieke eigenschap dat er geen woningen of winkels aan gebouwd waren. Het was aan drie kanten omringd door rotswanden; de vierde kant keek uit over het meer.

Dunner had gehoopt dat de dwergen een permanente tempel voor de Verheven Steen zouden bouwen, maar dat was niet gebeurd. De tent was nog dezelfde tent die Dunner daar tweehonderd jaar geleden had opgezet. Hij was wat meer versleten dan Wolfram zich herinnerde, er zat hier en daar een nieuwe lap leer die er slordig op was genaaid. Hij had geen idee hoe de tent in elkaar bleef zitten.

Alles bijeen genomen waren de tent en het plein nog precies zoals hij ze zich herinnerde, op één ding na – het aantal dwergen dat op het plein verzameld was.

Wolfram keek met verbazing naar de menigte. Dit was altijd een stil, afgelegen hoekje geweest. Hij vroeg zich af wat ze hier deden.

'Ze komen de Kinderen eer bewijzen,' zei Kolost in antwoord op Wolframs onuitgesproken gedachten.
'Wel wat laat,' merkte Wolfram verbitterd op.
'Dat weten zij nu ook.'
Wolfram bleef aan de buitenrand van de menigte staan. De dwergen stonden er zwijgend om de doden hun eerbied te betuigen voor ze teruggingen naar hun dagelijks leven. De aanblik van al deze mensen die om de tent heen stonden, heel anders dan wat hij gewend was, maakte Wolfram eerst onrustig. Daarna werd hij boos.
'Ze proberen iets goed te maken,' zei Kolost.
Wolfram snoof verachtelijk. Hij liep naar de tent toe en luisterde naar de stilte die uit het binnenste kwam. Hij had niet de moed om er binnen te gaan. Nog niet.
'Wilt u tegen ze zeggen dat ze weg moeten gaan?' zei hij tegen Kolost. 'Ik kan niet denken met zoveel mensen om me heen.'
Kolost leek iets te willen zeggen, maar deed het niet. Hij ging naar de dwergen toe, sprak hen zacht toe en na een paar nieuwsgierige blikken naar Wolfram gingen de dwergen weg. Alle dwergen op één na. Een vrouwelijke dwerg bleef achter en weigerde koppig weg te gaan. Ze droeg haar haar los, niet in vlechten – wat bij sommige dwergen een teken van rouw was. Ze zei niets, niet met haar mond noch met haar ogen. Ze keek zwijgend toe, zonder dichterbij te komen, maar ook zonder weg te gaan.
'Zij is de moeder van een van de vermoorde Kinderen,' zei Kolost zacht. 'Zij is degene die hen heeft gevonden.'
Wolfram wierp even een blik op haar en wendde toen zijn ogen af. 'Ze mag blijven.'
Hij bleef nog even voor de tent staan. Toen haalde hij diep adem en dook erin. Kolost volgde hem.
De tent was kenmerkend voor het type dat de clandwergen gebruikten. Hij was van huiden gemaakt en had bovenin een opening die zowel licht als frisse lucht moest doorlaten. Het was koel en schemerig in de tent, en het duurde even voor Wolframs ogen zich hadden aangepast na het felle zonlicht dat buiten op de stenen blonk. Toen hij weer iets kon zien, was hij even in de war, want beelden van vroeger kwamen over de beelden van de

huidige situatie heen en hij wist even niet wat werkelijk was. Er was heel veel hetzelfde, maar tegelijkertijd was er heel veel veranderd, op een gruwelijke manier.
'Alles is nog zoals het was,' zei de vrouw die bij de ingang stond. 'Ik wilde niet dat ze iets aanraakten. Ze hebben alleen wel de lichamen weggehaald. Mijn kind loopt nu met de Wolf.'
'Erg naar voor u,' zei Wolfram bars, te ontsteld om het te ontkennen.
'Jij bent niet zoals de rest hier,' zei de vrouw. 'Je ziet er niet schuldig uit. Je ziet er boos uit. Ik wist dat vroeg of laat een van de Kinderen terug zou komen. Daarom heb ik ervoor gezorgd dat ze alles zo hebben gelaten als het was. Daarom heb ik gewacht.'
'Ben ik de enige die is teruggekomen?' vroeg Wolfram.
'Voor zover ik heb kunnen zien,' antwoordde de vrouw. 'Als er anderen zijn geweest, brandde hun boosheid niet zoals de jouwe.'
Wolfram kon zich hen allemaal herinneren. Het waren er in zijn tijd zes geweest, Gilda en hem meegerekend. Hij vroeg zich af wat er met de rest was gebeurd, maar besloot dat hij dat niet wilde weten.
Kolost hield zich achteraf, bemoeide zich er niet mee, hield zich stil. De vrouw bleef buiten staan.
Wolfram liep naar het altaar toe – een paardendeken die over een houten kist was uitgespreid. De paardendeken was tot op de draad versleten door langdurige blootstelling aan weer en wind. Hij was ook in Wolframs tijd al versleten geweest, maar niemand peinsde erover hem te vervangen, want de legende wilde dat deze deken aan Dunner zelf had toebehoord. De Verheven Steen had een ereplaats gekregen boven op de deken. Hij lag precies onder de opening in de tent en schitterde in talloze regenbogen wanneer de zon er recht boven stond, regenbogen die net als de kinderen sprongen en dansten.
Het houten altaar was aan splinters geslagen. De paardendeken lag vertrapt op de vloer. De grove ijzeren vuurkorf was omvergegooid. De Verheven Steen, die aan een lus van gevlochten paardenhaar was opgehangen, was weg.

Wolfram knielde neer naast de deken en hield hem omhoog in het licht. De deken was bedekt met roodbruine vlekken die diep in de stof waren getrokken, en harde plekken vormden. Ook al was het al drie maanden geleden, de geur van bloed was onmiskenbaar.

Wolfram keek om zich heen. De wanden van de tent, waar ooit die dansende regenbogen op te zien waren geweest, waren bespat met dezelfde roodbruine vlekken.

Wolfram liet de deken uit zijn hand vallen. Hij zocht zonder veel animo tussen de rommel; hij wist dat hij de Verheven Steen niet zou vinden tussen de houtsplinters, maar vond dat hij het op z'n minst moest proberen. Wie de Kinderen had vermoord, had de Steen meegenomen. Daar was diegene voor gekomen.

Hij ging de tent uit. Kolost kwam achter hem naar buiten, met een plechtige uitdrukking op zijn gezicht.

De vrouw stond nog buiten de tent, met haar sjaal om zich heen geslagen. 'Ik ben Wolfram, een van de Kinderen van Dunner. Kolost heeft me gevraagd hem te helpen de Verheven Steen te vinden en de dood van deze Kinderen te wreken.'

De vrouw knikte. 'Ik heet Drin. Ik zal je vertellen wat ik weet. Mijn zoon was een van de Kinderen van Dunner. Ik vond het geen probleem; in die tijd maakte het me niet uit waar hij heen ging, als hij maar geen kattenkwaad uithaalde. Ik ben wever van mijn vak. Ik werk thuis, en zo liep hij me niet voor de voeten. Dat was het enige wat ik belangrijk vond.'

Terwijl ze dit zei, kroop er een traan uit haar ene oog die langzaam over haar gezicht liep. 'Zijn vader is schoenmaker, en hij was erg streng voor Rulff. Hij wilde dat hij 's avonds thuiskwam voor het eten, en hij stuurde mij erop af om hem te halen als hij te laat was. Wanneer ik dan hier kwam, zat hij meestal met de andere Kinderen in de tent; dan zaten ze verhalen te vertellen of zo.'

Een tweede traan, de partner van de eerste, gleed langs de andere wang omlaag. 'Wanneer ik hem kwam halen, deden ze altijd alsof ik een vijand was die de Verheven Steen probeerde te stelen. Dan pakten ze de stokken die ze als zwaard gebruikten en gingen om de Steen heen staan, om hem te verdedigen.'

Ze keek op naar Wolfram. 'Toen ik zijn lichaam vond, had hij een stok in zijn hand. Hij lag vlak binnen de ingang; hij was de eerste die neergeslagen was.'
Wolfram veegde met zijn mouw langs zijn neus.
'Na het avondeten ging Rulff altijd terug,' vervolgde de vrouw met een zachte stem. 'Sommige Kinderen hadden geen huis, en die sliepen daar. Maar hij kwam altijd naar huis. We wachtten tot middernacht. Zijn vader was woedend. Ik ging hem zoeken...'
'Ik vind het erg naar, Drin,' zei Wolfram. Hij moest zijn keel schrapen.
'Er is wel iets vreemds,' zei ze. 'Er waren negen Kinderen van Dunner. Er waren maar acht lijken.'
'Misschien was een van de kinderen die avond thuisgebleven...'
'Nee.' Drin was heel zeker van haar zaak. 'Dat meisje was een van degenen die geen huis hadden. Ze was kort daarvoor verstoten door haar clan. Ze kwam weleens bij ons eten. Haar naam is Fenella, en niemand heeft haar sinds die nacht meer gezien. Ik heb navraag gedaan.'
Wolfram wreef over zijn kin. 'Tja, daar ga ik over nadenken. Hebt u enig idee wie dit heeft gedaan?'
Drin schudde haar hoofd. 'Ik heb een Vuurmagiër geld gegeven om een speurbetovering uit te voeren. Hij kon niets zien. Maar het ging een beetje vreemd. Hij gaf me mijn geld terug en zei dat ik het niet nog eens moest proberen.'
Wolfram wierp een blik op Kolost, en die knikte.
'Is er nog iets wat u wilt weten?' vroeg Drin.
Dat was er, maar niet van de moeder van de jongen.
'Nee,' zei Wolfram, 'ik dank u voor uw hulp.'
'Ik kan nu naar huis gaan,' zei Drin moeilijk. Ze trok haar sjaal om zich heen, draaide zich om en liep weg.
Wolfram keek haar na en wendde zich toen naar Kolost.
'Hoe zijn de Kinderen gestorven? Wat voor soort wapen is er gebruikt?'
'Haar zoon, Rulff, was doorstoken met een zwaard. De anderen hadden soortgelijke wonden, hoorde ik. Van één klein meisje was de schedel ingeslagen.'

‘Heeft niemand iets gehoord?’ vroeg Wolfram. Dat was wel vreemd. ‘Geen gegil of hulpgeroep?’
Kolost schudde zijn hoofd. ‘Ik heb het gevraagd aan mensen die hier in de buurt wonen. Als iemand geschreeuw had gehoord, zei die dat de Kinderen altijd schreeuwden en kabaal maakten. Niemand lette erop. Wat denk jij van dat ontbrekende kind?’
‘Dat komt wel weer boven water,’ zei Wolfram. ‘Waarom zou iemand acht kinderen vermoorden en er één meenemen? Ze is waarschijnlijk weggelopen en is nu te bang om terug te komen.’
‘Zoiets dacht ik ook,’ zei Kolost.
‘Deze Vuurmagiër. Ik neem aan dat u hem kent?’
‘Ik heb al met hem gesproken. Hij zei niets waar we iets aan hebben.’
‘Toch zou ik wel willen horen wat hij te zeggen heeft.’
‘Hij woont niet ver van mijn woning. We gaan met hem praten, en daarna zul je bij mij te gast zijn voor het avondeten. Weet je zeker dat je geen onderdak wilt voor de nacht?’
Wolfram keek om naar de tent. ‘Dat weet ik zeker.’

De Vuurmagiër was een bejaarde dwerg die zijn brood verdiende met waarzeggen.
‘Ik doe al tachtig jaar aan waarzeggen,’ zei hij, ‘maar zoiets ben ik nog nooit tegengekomen. Weet u iets van waarzeggen, heer?’
Wolfram wist er iets van, maar deed alsof dat niet zo was om te horen wat de oude man te zeggen had.
‘Voor het waarzeggen zoek ik een plek op waar vroeger een vuur heeft gebrand. Ik leg een nieuw vuur aan op de plek waar het oude heeft gebrand, en dan kan ik in de vlammen zien wat er op die plaats gebeurd is. De Kinderen maakten meestal ’s nachts een vuur voor de warmte, dus dat was niet moeilijk. Ik ging naar de tent, ik legde mijn vuur aan en ik keek in de vlammen. Ik zag de Kinderen om het vuur zitten; hun gezichten werden erdoor verlicht. Eentje zei dat hij een geluid hoorde. Hij ging naar de ingang van de tent en’ – de magiër spreidde zijn handen – ‘dat was alles.’
‘Hoe bedoelt u, dat was alles?’ vroeg Wolfram.
‘Er kwam iets zwartigs voor mijn ogen, alsof de hele tent gevuld

was met dikke, verstikkende rook. Ik kon er niets doorheen zien. Ik kon niets horen. Ik kon zelfs de vlammen van het vuur niet zien. Ik kreeg het gevoel dat de rook me verstikte. Het was een afschuwelijk gevoel, dat heel echt leek. Ik kon me niet meer concentreren, en daarmee was het waarzeggen afgelopen.'
'Hebt u het nog een keer geprobeerd?'
'Dat heb ik geweigerd,' zei de Vuurmagiër grimmig. 'Ik heb haar het geld teruggegeven. Het kwam door de vloek,' voegde hij er op onheilspellende toon aan toe.
'Welke vloek?' vroeg Kolost. 'Daar hebt u niets over gezegd toen ik met u praatte.'
'Vraag dat maar aan hem,' zei de magiër en hij smeet zijn deur voor hun neus dicht.

'Hebt u het nog bij een andere Vuurmagiër geprobeerd?' vroeg Wolfram die avond tijdens de maaltijd aan Kolost.
'Ik heb met anderen gesproken, maar inmiddels had die oude man zijn bloedstollende verhaal verteld, zodat niemand het risico wilde nemen. Vandaar mijn reis naar de Drakenberg.'
Wolfram schoof een halfvolle broodplank opzij en reikte naar zijn kroes. Hij had vreselijke dorst, maar geen eetlust. In Kolosts woning waren net als in die van alle dwergen alleen zijn bepakking en wat kookgerei aanwezig. Wolfram en hij hurkten neer op de vloer. Het kookvuur was hun enige licht.
'Wat bedoelde die oude man met de vloek?' vroeg Kolost. 'Daar heeft hij het die eerste keer niet over gehad.'
Wolfram nam een lange teug van zijn bier. Hij reikte naar de kan en vulde zijn kroes nog eens.
'Ik vermoed,' zei hij terwijl hij het schuim van zijn lippen veegde, 'dat hij de Vloek van Tamaros bedoelt. Hebt u daar nooit van gehoord?'
Kolost schudde zijn hoofd.
'Een ouwe grijsaard weet zoiets nog, reken daar maar op. Het schijnt dat koning Tamaros, toen hij de Verheven Steen in vieren spleet, de ontvangers heeft laten zweren dat als een van de vier rassen ooit in nood zou zijn, de leden van de andere drie dat ene ras te hulp zouden komen, en daarbij hun deel van de

Verheven Steen zouden meebrengen. U weet van de val van Oud Vinnengael?' Wolfram keek even naar Kolost, die knikte.
'Wat u waarschijnlijk niet weet, is dat toen de Heer van de Leegte Vinnengael dreigde aan te vallen, koning Helmos hulp heeft ingeroepen bij Dunner, en hem heeft gevraagd de Verheven Steen naar Oud Vinnengael te brengen. Volgens de legende weigerden de Kinderen van Dunner de Steen af te geven, met als commentaar dat dwergen niets te maken hadden met de oorlogen van mensen.'
'Dat hebben we ook niet,' zei Kolost grimmig.
'Nee, maar daarmee was de eed gebroken,' zei Wolfram. De elfen zonden ook hun deel niet, evenmin als de orken. Oud Vinnengael viel. En daarom geloven velen dat degenen die de eed hadden gebroken, vanuit het graf door Tamaros vervloekt werden, en dat ze eens ter verantwoording zullen worden geroepen.'
Kolost fronste zijn voorhoofd. Dwergen zijn niet zo bijgelovig als orken, en ze zitten ook niet zo vast in hun ideeën over eer als de elfen. Maar dwergen hebben wel een strenge fatsoensnorm, en je woord te breken wanneer je een eed hebt afgelegd is een zeer ernstig misdrijf, een misdrijf dat er vaak toe had geleid dat een dwerg uit zijn clan werd gestoten.
'Als de menselijke koning ons echt heeft vervloekt, was dat zijn goed recht,' zei Kolost.
'Dat zal vast wel,' zei Wolfram niet overtuigd. Hij nam nog een flinke slok bier.
'Denk jij dat we vervloekt zijn?' vroeg Kolost.
'Ja,' zei Wolfram na een ogenblik nadenken. Hij zwaaide met zijn hand. 'Ik geloof niet in die onzin dat Tamaros ons vanuit het graf vervloekt zou hebben. Naar wat ik heb gehoord, was hij een brave man die nog geen vlo zou vervloeken als hij hem had gebeten. Wat ik wel geloof is dat we het probleem hebben geërfd. De levenden zouden al tweehonderd jaar geleden met de Heer van de Leegte afgerekend moeten hebben. Net als degenen die het schreeuwen van de Kinderen hebben gehoord,' voegde hij er op bittere toon aan toe. 'In plaats van uit hun warme bed te stappen om te gaan kijken wat er aan de hand was, trokken ze de dekens over hun hoofd en gingen weer slapen.'

'Die Dagnarus, de nieuwe koning van Vinnengael, is dat degene die ze de Heer van de Leegte noemen?'
Wolfram knikte.
'Maar wat heeft die met ons te maken?' wilde Kolost weten.
'Hij heeft heel veel met ons te maken,' zei Wolfram. 'Als u de Verheven Steen terug wilt hebben.'
Kolosts ogen werden groot van verbazing, en vernauwden zich toen van woede. 'Heeft hij onze Verheven Steen gestolen?'
'Ik denk dat zijn trawanten hem gestolen hebben,' zei Wolfram. 'En dat zij de Kinderen hebben vermoord.'
'Weet je dat zeker?'
'Nee,' zei Wolfram onomwonden. 'Ik weet ook niet hoe we ooit zekerheid kunnen krijgen.'
'Hoe krijgen we de Steen dan terug?'
'Die krijgt u niet terug,' zei Wolfram, terwijl hij het laatste beetje bier opdronk. 'Noem het de vloek van Tamaros, als u wilt, of de vloek van de dwergen zelf. Ze hadden goed op de Steen moeten passen toen ze hem nog hadden, niet nadat hij weg was.' Hij stond op. 'Ik wens u een goede nacht en veel geluk, Kolost.'
'Ga je weg uit Saumel?'
'Morgenochtend.'
'Maar ga je ons dan niet helpen?'
'Ik kan niets doen,' zei Wolfram kortaf.
Kolost liep met hem naar de deur en deed die voor hem open.
'Ik wou dat je...' Kolost bleef halverwege de zin steken. Zijn blik ging naar een punt achter Wolfram.
'Wat?' vroeg Wolfram geprikkeld, terwijl hij snel zijn hoofd die kant op draaide. 'Wat is daar te zien?'
'Niets. Ik vergiste me,' zei Kolost schouder ophalend. 'Ik wens je een goede reis.'
'Daar ben ik van plan voor te zorgen,' zei Wolfram.
Hij tuurde naar links en naar rechts in de straat, maar het was laat en de meeste dwergen lagen in bed. De straat was leeg. Wolfram keek argwanend naar Kolost.
Het clanhoofd stond in de deuropening naar hem te kijken.
Wolfram verheugde zich er niet op, de nacht in de met bloed bevlekte tent door te brengen, maar het was het minste dat hij

voor hen kon doen, voor de vermoorde Kinderen van Dunner. Het was zijn straf, zijn boetedoening. Hij wuifde ten afscheid naar Kolost en sjokte het donker in.

Kolost glimlachte voor zich uit terwijl hij Wolfram nakeek. Achter de dwerg, die zijn weg zocht door de donkere straten van de stad, draafde de schimmige gedaante van een enorme, zilvergrijze wolf mee.

Wolfram ging terug naar de tent die ooit de Verheven Steen had gehuisvest, en maakte zich klaar voor de lange nacht. Hij legde geen vuur aan in de vuurkorf, al was de lucht koel. Hij wilde het donker houden. Hij had al meer gezien dan hem lief was. Voordat hij ging slapen, ging hij op de vloer van de tent zitten en verzamelde de zielen van de vermoorde Kinderen om zich heen. Hij had hen nooit gezien, dus hij gaf hun de gezichten van de Kinderen die hij wel had gekend, die zijn vriendjes en kameraadjes waren geweest. Hij vroeg zich af wat er van hen geworden was. Dood, dacht hij, net als Gilda. Gekweld door schuldgevoel, net als hij.

'Jullie moeten jezelf niet de schuld geven,' zei Wolfram tegen de Kinderen. 'Die donkerte waar de Vuurmagiër het over had. Die hem verstikte. Dat was de Leegte. De schepsels die de Verheven Steen hebben meegenomen, waren schepsels van de Leegte. Het zijn verschrikkelijke wezens, die schepsels die Vrykyls worden genoemd. Ik heb er twee gezien, en ik wil er nooit meer een zien. Zij hebben de macht van de Leegte achter zich. Als elke dwerg in de stad tegen hen in het geweer was gekomen, dan hadden ze hen misschien kunnen tegenhouden. Maar misschien ook niet. Jullie hadden geen schijn van kans.'

Wolfram zuchtte en bleef een tijdlang zwijgend zitten. Ten slotte zei hij: 'Jullie hebben dan wel de Verheven Steen verloren, maar jullie hebben de belangrijkste schat behouden. Jullie hebben je ziel behouden. Omdat jullie je tegen de Vrykyl hebben verzet, omdat jullie terugvochten, kon de Leegte jullie niet nemen. We zullen het wel redden zonder de Steen. We hebben het al tweehonderd jaar zonder gedaan. Nog tweehonderd zal ook wel lukken. Ik wil dat jullie nu gaan slapen. Er zullen geen boze dromen meer komen. Dat beloof ik jullie. Ga slapen, en wanneer jullie wakker worden, zullen jullie in de zonneschijn hollen. Voor altijd en eeuwig. De Wolf zal bij jullie zijn.'

De gezichten van de Kinderen stonden plechtig. Hij wist niet of ze het begrepen of niet. Hij hoopte maar van wel. Hij maakte het zich behaaglijk, blijkbaar een beetje te behaaglijk, want even later was hij in slaap gevallen en droomde hij. Hij wist dat hij droomde omdat de tentdeur openging en Gilda daar stond.

Wolfram had de herinnering aan haar lang geleden weggeduwd. Hij had zich haar gezicht in geen twintig jaar voor de geest gehaald. Nu hij haar zag, speet hem dat. Hij besefte hoezeer hij haar had gemist. Hij vond troost in haar. De pijn was nog in zijn hart, maar het was geen marteling meer voor hem. De pijn was droef en verzacht, verwarmd door het geluk van hun gezamenlijke kinderjaren.

'Gilda!' zei hij zacht. 'Ik ben blij dat je bent teruggekomen om mij te bezoeken. Het is lang geleden.'

'Te lang,' zei ze.

'Ik begrijp het alleen niet. Waarom ben je nu naar me toe gekomen?'

'Ik ben gekomen toen je me riep, broer,' antwoordde Gilda met haar eigen ondeugende glimlach. 'Ik kom toch altijd als je roept?'

'Nee. Bijna nooit, herinner ik me. Maar toch,' ging hij verder, met een zachte klank in zijn stem, 'waren we nooit lang bij elkaar vandaan.'

'We zijn al twintig jaar bij elkaar vandaan. Ik begon al te denken dat je me nooit zou roepen, Wolfram.'

'Ik kan me niet herinneren dat ik je nu heb geroepen, Gilda,' zei hij, een beetje verlegen met de situatie. 'Ik ben blij dat je gekomen bent, maar ik herinner me niet...'

'Maar je herinnerde het je wel,' zei ze. 'Je hebt de herinnering opgeroepen die je bij mijn as in het hoge gras had begraven.'

'Ik moest het vergeten,' zei Wolfram. 'Anders had ik niet door kunnen gaan. Ik heb een deel van mezelf begraven in dat graf.'

'Dat weet ik,' zei ze zacht. 'En daarom heb ik al die jaren met je mee gelopen, al wist je dat niet.'
'Heb je met me mee gelopen?' Hij was verbaasd, maar toch ook niet. Een deel van hem scheen dit al geweten te hebben. Hij bekeek haar nu beter. 'Wat heb je daar aan, Gilda? Het lijkt een harnas.'
'Het is een harnas,' zei ze glimlachend. 'Het harnas van een Domeinheer.'
Het harnas was van het type dat dwergen dragen, niet het volledige harnas van plaatijzer en maliën dat een menselijke Domeinheer draagt. Gilda droeg het lederen harnas waaraan de dwergen de voorkeur geven, het soort harnas dat Wolfram had gedragen gedurende de paar korte, angstige ogenblikken dat hij een Domeinheer was geweest. Het leer was met de hand bewerkt en met zilver versierd, met zilveren gespen. Ze droeg zilveren polsbeschermers om beide polsen en een zilveren helm met open vizier. Een zilveren strijdbijl hing aan haar zij. Op haar borst droeg ze twee medaillons, elk versierd met de kop van een grauwende wolf.
'Ik begrijp het niet,' zei Wolfram, om toch maar iets te zeggen. Hij stak zijn hand onder zijn mouw en kneep zichzelf hard in zijn arm. Hij wilde nu wel wakker worden.
'Dit is geen droom, Wolfram,' zei Gilda. 'Ik ben hier, en ik heb de twee medaillons. Onze medaillons. Die Dunner ons gaf toen wij Domeinheren werden.'
'Maar jij bent geen Domeinheer geworden!' wierp Wolfram boos tegen. 'Jij bent doodgegaan! Ze hebben je vermoord!'
'Ik kan het uitleggen, als je eraan toe bent om het te horen,' zei Gilda. Ze nam het tweede medaillon van haar hals en stak het hem toe. Hij keek ernaar met een boze blik en raakte het niet aan.
'Toen ik de Transfiguratie onderging, verscheen de Wolf aan mij. Hij zei dat er een tijd aanbrak waarin de macht van de Leegte zou toenemen, en de macht van de andere elementen zou afnemen. In die donkere tijd zou van de Domeinheren van alle rassen gevraagd worden hun eed te vervullen en de stukken van de Verheven Steen bij elkaar te brengen. De keus zou aan hen

zijn, en van hun keuzes zou het lot van de wereld afhangen. Jij was degene die de Wolf had gekozen, broer. Jij zou een Domeinheer worden, de enige dwergen-Domeinheer, want na ons zou de macht van de Leegte groot worden, en er zouden geen anderen komen om het graf van Dunner op te zoeken.'

'Jij had het moeten zijn, Gilda,' zei Wolfram. 'Jij had de Domeinheer moeten worden. Niet ik. Jij wilde het meer.'

'Ik wilde het om de verkeerde redenen. Mijn hart was vol van haat en wraakzucht. Ik wilde een Domeinheer worden om me op ons volk te kunnen wreken, om hen te straffen voor wat ze jou en mij en de overige kinderen hadden aangedaan. Ik wilde hen straffen voor het lijden van onze ouders en voor de ontberingen die we hebben uitgestaan. De Wolf keek in mijn hart en hij toonde mij de Leegte die in me was. Hij gaf me een keus. Ik kon niet slagen voor de Proef en mijn leven verder leven zoals ik was – verbitterd en wraakzuchtig en vervuld van woede. Of ik kon jouw gids zijn terwijl jij het donker in liep.

Ik heb het laatste gekozen, Wolfram,' zei Gilda. 'Ik heb lang met je mee gelopen, ook al wist je dat niet.'

'Wat bedoel je – met me mee gelopen?'

Gilda lachte breed. 'Herinner je je de armband die de monniken je gaven? De armband die warm zou worden wanneer je iemand tegenkwam die je moest volgen? De armband werd warm toen je Jessan en Bashae tegenkwam, nietwaar?'

Wolfram knikte stomverbaasd.

'De warmte van de armband leidde je naar heer Gustav en de Verheven Steen.'

'Ja,' zei Wolfram.

'Die warmte kwam niet van de armband, Wolfram,' zei Gilda. 'De warmte die je voelde, was de warmte van mijn hand.'

'Ik wou dat je me dat had verteld,' zei hij, knipperend tegen opkomende tranen.

'Ik dacht dat je het zou begrijpen zonder dat er woorden voor nodig waren. We begrepen elkaar voor die tijd ook altijd.'

Wolfram keek in zijn eigen hart en zag de waarheid.

'Ik begreep het wel, Gilda. Maar ik was boos. Ik deed alsof ik boos was op de goden, maar dat was niet zo. Ik was boos op

jou. Jij was alles wat ik nog had op de wereld, en je koos ervoor mij te verlaten.'
'Ik heb je niet verlaten, dat weet je nu. Neem het medaillon, Wolfram. Word wat je moet zijn. De Wolf heeft je nodig.'
'Ik weet niet of... het is al zo lang geleden...'
Wolfram schrok plotseling wakker en zag dat het vroege morgenlicht door het gat boven in de tent naar binnen sijpelde. Hij was in slaap gevallen onder de met bloed bevlekte deken, en huiverend gooide hij hem van zich af. Zijn droom stond hem nog helder voor de geest, zo helder dat hij rondkeek in de tent in de hoop dat hij Gilda weer zou zien.
De tent was leeg; alleen hij was er. Toch had hij een vredig gevoel dat hij in jaren niet had gekend, een gevoel van rust dat hij niet had gevonden tijdens zijn rusteloze zwerftochten. Hij stond op en rekte zich uit om de stramheid te verdrijven. Hij bukte zich om zijn knapzak op te pakken, zodat hij kon vertrekken. Opeens voelde hij iets tegen zijn borst stoten.
Hij keek omlaag en zag een zilveren medaillon, versierd met de kop van een grauwende wolf.
Het medaillon van een Domeinheer.

'Je bent terug,' zei Kolost die de deur opende nadat Wolfram had aangeklopt.
Wolfram stapte naar binnen. 'Het schijnt u niet te verbazen.'
Kolost glimlachte. 'Ik zag gisternacht dat de Wolf je volgde. Ik wist dat de Wolf met je zou praten.'
Wolfram gromde; hij had geen zin om het uit te leggen. 'Ik heb een idee gekregen. Ik ga zelf een magisch vuur maken om te kunnen waarzeggen. Ik denk dat ik misschien door het donker heen zal kunnen kijken.'
Kolost deed zijn mond open om tegen te werpen dat Wolfram geen Vuurmagiër was en dat hij dus geen magisch vuur kon aanleggen. Maar hij deed op tijd zijn mond weer dicht, voordat de woorden eruit kwamen. Over de mysteriën van de Wolf stelt men geen vragen.
'Ik denk dat u er misschien bij wilt zijn,' ging Wolfram verder. 'Ik wil het graag doen nu het nog vroeg is. En we moeten de

plek afsluiten. Iedereen weg houden. Ik weet niet wat er zou kunnen gebeuren.'
'Dat valt te regelen. Ik kom bij je in de tent,' beloofde Kolost.
Wolfram knikte en sjokte terug naar de Tempel, zoals de Kinderen van Dunner hem kenden. Onder het lopen hield hij het medaillon in zijn hand. Het was een koude morgen, en het metaal was warm. Terwijl hij het aanraakte, had hij het gevoel dat hij Gilda's hand aanraakte. Hij dacht aan haar opmerking over de armband om zijn pols, en hij schudde glimlachend zijn hoofd. Hij had het kunnen weten. Ze bracht hem altijd in moeilijkheden toen ze kinderen waren. Zij was de avontuurlijke van hen beiden, ze ging altijd voorop. Hij, voorzichtiger aangelegd, kwam achter haar aan. Hij wilde wel dat hij de armband had gehouden, maar hij had hem in een aanval van ergernis aan Vuur teruggegeven.
Toen Wolfram bij het pleintje was aangekomen, dook hij de tent in, maar hield toen geschrokken stil. Iemand was hier binnen geweest tijdens zijn afwezigheid. Hij wist niet hoe hij dat wist, maar hij wist het. Hij tuurde overal rond, maar zag niets dat ontbrak, niets dat anders was neergelegd. Hij ging de tent uit, liep rond over het plein, en keek goed in elke holte waar iemand zich zou kunnen verstoppen. Hij vond niemand. Toch bleef hij zijn gevoel vetrouwen. Deze dwerg was meer dan eens door zijn instinctieve gevoelens gered. Hij zou tegen Kolost zeggen dat er goed moest worden opgelet.
Wolfram had wat hout en tondel meegebracht, genoeg om een klein vuur aan te leggen. Hij ging terug naar de tent, raapte de vuurkorf op en legde het hout erin. Toen ging hij zitten en staarde ernaar; hij wist het verder niet. Wolfram was geen magiër. Hij had zijn leven lang nog geen betovering opgeroepen, had dat nooit gewild. Nu ging hij proberen een grote betovering op te roepen, een betovering die zelfs ervaren magiërs moeilijk vinden. Wolfram maakte zich geen zorgen over het oproepen van de betovering. Hij maakte zich zorgen omdat hij er zo rustig onder bleef. Hij voelde een warmte van binnen wanneer hij aan de betovering dacht, een besef dat hij het kon, ook al had hij geen idee hoe. En dat zat hem dwars.

Kolost keek naar binnen in de tent. Wolfram kwam hem tegemoet. Het plein was afgesloten. Bij de ingangen stonden dwergen op wacht die nieuwsgierigen met een gebaar beduidden weg te gaan.
'Er is iemand in de tent geweest,' zei Wolfram. 'Zeg tegen je mensen dat ze goed opletten.'
'Het zijn goede mannen. Ze weten wat ze moeten doen,' zei Kolost. 'Wie was het? Heb je enig idee?'
Wolfram schudde zijn hoofd. 'Alleen een gevoel, meer niet. Kom binnen. Ga daar zitten.' Hij gebaarde naar een plek bij de vuurkorf. 'Als de betovering werkt, zullen we alles zien, precies zoals het die nacht is gebeurd, net alsof we er zelf bij waren. Maar dat zijn we natuurlijk niet. Het zijn alleen beelden van het verleden.'
Kolost knikte dat hij het begreep en hij ging op de plaats zitten die Wolfram aangaf. Kolost ging zitten met zijn knieën gespreid. Hij zette zijn handen op zijn knieën en keek Wolfram verwachtingsvol aan.
'Ik ga me... eh... verkleden,' zei Wolfram; zijn gezicht werd rood van verlegenheid. Hij wilde niet dat Kolost dacht dat hij probeerde indruk te maken of dat hij zich van alles verbeeldde. 'Het hoort bij het Domeinheerschap. Het harnas, bedoel ik.'
Wolfram keek Kolost tersluiks aan en wachtte in spanning af of hij iets zou vragen. Maar Kolost zei niets en gaf alleen aan dat hij klaar was om te beginnen. Wolfram was opgelucht. Hij begon deze dwerg steeds sympathieker te vinden.
Wolfram klemde zijn vingers stevig om het medaillon en haalde zich het beeld voor de geest van Gilda in haar magisch harnas, en plotseling was hij zelf ook in een harnas gehuld; van mooi, soepel leer met zilveren gespen en een zilveren helm.
Kolost zette grote ogen op toen hij dit zag, maar hij hield zijn mond.
Het wonderbaarlijke harnas was Wolfram even vertrouwd als zijn eigen huid; het gaf hem een veilig, beschermd gevoel. Hij wist onmiddellijk wat hij moest doen om de betovering van het vuur op te roepen. De magie stroomde van hem af. Hij hoefde maar iets te denken en het was al gebeurd. Het hout in de vuur-

korf vlamde op. Wolfram staarde erin, terwijl zijn gedachten zich richtten op de nacht dat er in die korf een ander vuur had gebrand.
Beelden van talloze nachten kwamen zijn geest binnen, veel te veel om er wijs uit te kunnen worden. Hij had iets nodig om hem in contact te brengen met die ene nacht. Hij stak zijn hand uit en greep een hoek van de met bloed bevlekte paardendeken beet.
Vuur wervelde in de vuurkorf en de tent vulde zich met rook, dikke, verstikkende rook. Wolfram kreeg geen lucht meer. Hij hoorde Kolost hoesten en kokhalzen.
'Scheer je weg!' beval Wolfram de Leegte.
De rook begon woedend te kolken. Toen werd het huilen van een wolf hoorbaar. Een windvlaag deed de tent schudden, zodat de randen flapperden. De wind zoog de rook uit de tent en nam hem mee. Wolfram kon weer ademen. Hij hoorde Kolost opgelucht naar adem happen.
Toen hij in de vlammen keek, zag hij de Kinderen...

De Kinderen van Dunner droegen de Verheven Steen om beurten. Elke dag droeg een ander kind de Steen. Deze nacht was Fenella de draagster. Als ziekelijk kind was Fenella achtergelaten in de stad Saumel. Door haar achter te laten, gehoorzaamden haar ouders aan het bevel van het clanhoofd, dat vond dat het zwakke kind de hele clan in gevaar bracht. Fenella was onder de hoede geplaatst van een bejaarde dwergenvrouw. Haar verzorgster was nog maar kort geleden gestorven. Het tien jaar oude meisje was alleen.
Inmiddels was Fenella de kinderziekten ontgroeid. Ze was net zo sterk als elke andere jonge dwerg. Maar dat betekende niet dat ze terug kon gaan naar haar clan. Ze had geen idee waar die waren, en ze zouden haar waarschijnlijk toch niet terugnemen. Fenella nam de mandenweverij van de dode vrouw over, en hoewel haar leven zwaar was, redde ze het.
Omdat ze de hele dag manden weefde, had ze alleen de nachtelijke uren om eer te bewijzen aan de Verheven Steen. Maar ze sloeg niet één nacht over. Ze verheugde zich op de dag wanneer

ze geroepen zou worden om op zoektocht te gaan naar Dunners graf en zijn zegen te vragen om een Domeinheer te worden. Fenella wist dat dit haar bestemming was. Dunner had het haar zelf gezegd in een droom.
Deze nacht nam Fenella de Verheven Steen op van zijn ereplaats in de tent die een tempel was, en keek hoe hij schitterde in het licht van het vuur. Elke keer dat ze de Steen aanraakte, voelde ze ontzag, nederigheid. Ze had het gevoel dat ze een rechte lijn kon trekken van zichzelf naar Dunner en van Dunner naar koning Tamaros. Het was alsof de tussenliggende honderden jaren er niet waren wanneer ze de Steen droeg. Het leek of er geen verschil was tussen een dwergenweeskind en een mensenkoning.
Fenella kon goed verhalen vertellen, en in de nachten dat zij de draagster van de Steen was, mochten de andere kinderen luisteren naar verhalen over de Steen en over degenen wier lot ermee verbonden was. Hoewel het oude verhalen waren, die sinds de tijd van Dunner waren doorgegeven, wist Fenella ze nieuw leven in te blazen. De Kinderen kregen er nooit genoeg van naar haar te luisteren.
Fenella ging zitten op de kist die het altaar was en maakte het zich gemakkelijk. Zeven Kinderen van verschillende leeftijden namen rondom haar plaats. Eén jongen, Rulff, kreeg tot taak de ingang van de tent te bewaken tegen indringers. Dit was een erebaan. Er was in de hele geschiedenis van het dwergendeel van de Verheven Steen maar één indringer geweest, en dat was tweehonderd jaar geleden geweest, toen een Domeinheer, gestuurd door koning Helmos, was doorgedrongen in de heiligheid van de tempeltent om teruggave van de Steen te vragen. Toch waren de Kinderen altijd waakzaam, want iemand zou kunnen proberen de Steen te stelen. Rulff nam trots zijn plaats in, met een gepunte stok in zijn hand.
Fenella had die hele dag een treurig gevoel gehad, en daarom koos ze een verhaal waar de Kinderen altijd om moesten lachen. Het was een verhaal geweest dat Dunner graag vertelde. Het ging over een mensenkind, Gareth geheten, die bevriend was met prins Dagnarus, en verhaalde van de eerste keer dat Gareth had geprobeerd een paard te berijden. Het verhaal was grappig voor

dwergenkinderen, want hoewel sommige van hen nooit op een paard hadden gezeten, waren ze allemaal geboren ruiters. Ze lachten hartelijk toen Fenella het gedeelte bereikte waar het paard bokte en de mensenjongen Gareth uit het zadel vloog en ondersteboven in een hooiberg belandde.
Rulff wendde zijn hoofd. 'Sst,' zei hij. 'Ik geloof dat ik iets hoorde.'
Hij sloeg de tentdeur open en staarde het donker in.
'Er is iemand daarbuiten,' meldde hij, en zijn stem klonk bevreemd, want er kwamen overdag al weinig mensen deze kant op, en na donker helemaal geen.
'Misschien is het weer een ridder die wil proberen de Steen van ons af te nemen,' zei een van de Kinderen hoopvol.
'Misschien is het jouw moeder, Rulff,' zei een ander, en hij grinnikte even.
'Ga jij op de kist staan, Fenella,' zei een derde. 'Wij houden de wacht.'
Met een gevoel van trots en maar een beetje zenuwachtig nam Fenella haar plaats boven op de kist in. De andere Kinderen gingen in een rij voor haar staan met gepunte stokken in hun handen. Fenella legde haar hand op de Verheven Steen en voelde zich gerustgesteld door het gevoel van het kristal, dat naar haar idee altijd in zichzelf leek te neuriën, alsof de edelsteen een eigen innerlijk leven had.
Ze luisterde met haar hart naar het lied van de Steen, toen Rulff een gil slaakte die zo gruwelijk was dat ze vanbinnen ijskoud werd. De kling van een zwaard, met bloed eraan, stak uit Rulffs rug. Een beestmens rukte de tentdeur open en stommelde naar binnen. Terwijl de beestmens binnenkwam, schopte hij ongeduldig tegen Rulff die aan het zwaard geregen was. Zijn lichaam gleed van de kling af en kwam in een hoop op de grond neer.
Nog twee beestmensen drongen de tent binnen. Een van de oudere jongens deed met zijn scherpe stok een wanhopige uitval naar de beestmensen. De beestmens maakte een soort gorgelend geluid, misschien een lach, en liet zijn knots neerkomen op het hoofd van de jongen; hij sloeg er een groot gat in, zodat de tentmuur bespat werd met bloed en viezigheid.

Van de andere Kinderen begonnen sommige te vechten. Andere gilden en probeerden te ontsnappen. Sommige keken verstard van schrik toe. De boosaardige zwaarden van de beestmensen flitsten in het licht van het vuur. Er vielen lichamen op de grond, sommige onthoofd, andere door het hart gestoken. De vloer was rood van het bloed.

Fenella was het enige kind dat nog leefde. Ze kon zich niet verroeren. Ze staarde naar de kwijlende beestmensen, met tot aan de elleboog bebloede armen, en ze wilde sterven. Eentje hief zijn zwaard, en Fenella sloot haar ogen.

Een stem zei iets op bevelende toon, en Fenella stierf niet.

Ze deed haar ogen weer open en zag dat de beestmensen naar haar wezen en met elkaar ruzie maakten. Hun taal was al even afschuwelijk als zijzelf.

De beestmensen kwamen tot een besluit. Een liep op haar af met zijn bebloede zwaard in zijn hand. Fenella voelde een afgrijselijke warmte over zich heen spoelen en was bang dat ze ging flauwvallen. Ze pakte de Verheven Steen beet, en de koelte van het kristal hielp haar zich te vermannen.

De beestmens sloeg haar hand weg. Hij pakte de Steen beet.

Een witte lichtflits verblindde Fenella. Ze kon minutenlang niets anders zien dan het blauwe nabeeld van de flits. Toen dat was weggetrokken, zag ze dat de beestmens die had geprobeerd de Steen te pakken op zijn rug op de grond lag en over zijn zwartverkleurde hand wreef.

Fenella was trots op de Steen omdat die tegen deze monsters vocht, en haar trots gaf haar moed. Ze ging kaarsrecht staan en staarde hen uitdagend aan.

Een tweede beestmens probeerde de Steen te grijpen. Fenella was er klaar voor en ze kneep haar ogen stijf dicht. Toch kon ze het verblindende licht nog zien.

De beestmens lag op de grond, hoofdschuddend en kreunend.

De beestmensen keken kwaad naar haar en naar de Steen; ze wisten niet wat ze moesten doen. Een van hen riep iets, en er kwam een vierde beestmens binnen. Deze beestmens was blijkbaar een soort slaaf, want hij liep met gebogen hoofd en ging in een onderdanige houding voor de andere beestmensen staan.

Dit schepsel leek op een beestmens, maar ook weer niet, want hij had niet zo'n snuit als de beestmensen. Zijn neus leek meer op de neus van een mens.
De beestmensen en de nieuwkomer hielden weer een gesprek. Fenella wist dat het gesprek ook over haar ging, want ze wezen voortdurend naar haar en naar de Steen. De beestmens wees naar haar hand, en hield toen zijn eigen verbrande hand omhoog.
De beestmens zei iets; zijn stem klonk heel beslist. Hij schopte naar de slaaf en wees naar Fenella.
De slaaf raapte een van de gepunte stokken op en kwam naar Fenella toe. Ze dacht dat hij haar zou doden met de stok, en ze bereidde zich voor op de dood. In plaats daarvan gebruikte hij de punt van de stok om voorzichtig het paardenharen koord waar de Steen aan bungelde, te pakken te krijgen en behoedzaam de Steen te verschuiven zodat hij nu op Fenella's rug hing. De slaaf liet de stok vallen en greep Fenella beet. Hij hees haar op zijn rug en nam haar polsen in een greep om zijn nek. Toen knikte hij naar zijn metgezellen en droeg haar op zijn rug de tent uit.
De nagels van de slaaf drukten pijnlijk in Fenella's armen. Zijn krachtige greep bezorgde haar beurse plekken. De geur van de beestmensen, vermengd met de geur van het bloed van haar vriendjes, maakte haar misselijk en duizelig. Ze voelde weer die afgrijselijke warmte over zich komen, en dit keer liet ze zich erin wegzinken.

Wolfram keek naar het visioen in de vlammen, witheet van woede. Maar hij probeerde zijn woede te bedwingen, lette goed op alles wat er gebeurde en luisterde aandachtig naar het gesprek van de beestmensen, in de ijdele hoop iets te horen wat hij zou kunnen gebruiken.
Het drietal praatte nog even in een taal die net zo lelijk was als de wezens zelf. Wolfram kon maar een paar woorden onderscheiden tussen de krassende en fluitende klanken. Hij merkte echter dat hij de slaaf wel kon verstaan; die sprak de taal van de beestmensen, maar de woorden kwamen er duidelijker uit,

niet zo met elkaar versmolten. Eén woord werd door deze slaaf diverse keren herhaald, steeds met duidelijk ontzag, dat was het woord 'K'let'. Het woord was gemakkelijk te verstaan, al had Wolfram geen idee wat het kon betekenen.
Toen de slaaf die Fenella droeg de tent uitging, ging een van de beestmensen met hem mee, waarschijnlijk om hem in de gaten te houden. De andere beestmensen bleven achter om de tent overhoop te halen, op zoek naar andere schatten. Ze sloegen de kist in elkaar en doorzochten zelfs de kleine lijken. Toen ze niets vonden, gromden ze misnoegd en gingen weg. Wolfram probeerde hen te volgen, maar zodra ze de tent uit waren, raakte hij hen kwijt in het donker. Het vuur in de vuurkorf verflauwde en doofde uit. De betovering eindigde.
Wolfram slaakte een diepe zucht. Noch hij, noch Kolost zei iets. Wat ze gezien hadden, was te erg om over te praten.
Toen Kolost na verloop van tijd iets zei, was zijn stem schor, bijna onherkenbaar. 'Wat waren dat voor schepsels?'
'Ze worden "tanen" genoemd,' zei Wolfram. 'Ik heb in het klooster van hun bestaan gehoord. Het zijn dezelfde schepsels die Dunkar hebben geplunderd, honderden mensen hebben gedood en nog eens honderden mensen tot slaaf hebben gemaakt.'
'Wat was dat andere schepsel, dat op een mens leek?'
'Die was half menselijk. Een door de goden vervloekte mengvorm.'
'Ik heb nog nooit van die "tanen" gehoord. Waar komen ze vandaan?'
'Niemand weet het. Misschien uit de Leegte. Dagnarus, Heer van de Leegte, heeft ze in dit land gebracht; dat heb ik tenminste gehoord. Ze dienen hem.'
'Dan is die Dagnarus degene die de Steen heeft gestolen en die verantwoordelijk is voor de dood van de Kinderen.'
'Daar lijkt het wel op,' zei Wolfram.
'We zijn er tenminste achter gekomen waarom er maar acht lijken waren. Ze hebben het negende kind meegenomen. Wat zullen ze met haar doen, denk je? Waarom hebben ze haar niet gedood?'
'U zag wat er gebeurde toen ze probeerden de Verheven Steen

te pakken,' zei Wolfram. 'De magie van de Steen maakte het hun onmogelijk hem aan te raken. Ze konden zien dat het meisje de Steen aanraakte en dat hij haar geen kwaad deed. Mijn vermoeden is dat ze denken dat zij op de een of andere manier macht heeft over de Steen, en dat ze haar daarom hebben meegenomen. Als ze dat geloven, mogen we hopen dat ze hun best zullen doen haar in leven te houden. En dat geeft ons een kans,' vervolgde Wolfram met grimmige vastberadenheid.

'Een kans waarop?' vroeg Kolost.

'Een kans om haar te redden en de Steen terug te krijgen.'

Kolost maakte een gebaar naar de sintels die nagloeiden in de vuurkorf. 'Maar dit is maanden geleden gebeurd. Ze zouden overal kunnen zijn...'

Zijn woorden werden onderbroken door een schelle kreet van boosheid en een stem die ze maar al te goed kenden.

'Ik ga naar binnen als ik daar zin in heb! Blijf met je smerige poten van me af. Wolfram! Kom naar buiten, nu meteen! Ik zei blijf van me af, dwerg die je bent. Als je aan me komt, beloof ik je dat het je zal berouwen. Als ik boos word, ben je nog niet jarig...'

'De Wolf mag ons redden. Het is Ranessa!' kreunde Wolfram, en hij rende de tent uit.

'Ranessa! Niet doen!' riep Wolfram. Hij voorzag al dat ze daar midden op het plein in een draak zou veranderen. 'Ranessa?' Hij keek verbaasd om zich heen. Hij hoorde haar stem, maar zag haar nergens. Toen kwam een dwergenvrouw met lang, slordig zwart haar op hem af stormen. Ze zwaaide met haar vuisten naar de andere dwergen die pogingen deden haar tegen te houden, en ze bleef af en toe even staan om naar hen te schoppen of uit te halen.

Toen ze Wolfram in het oog kreeg, riep ze: 'De hemel zij dank!' en veranderde in haar mensengedaante.

Met de plotselinge transformatie van de dwergenvrouw in een mensenvrouw werd één doel bereikt. De dwergen die haar vasthielden, lieten haar los en bleven achter, mompelend naar elkaar. Verscheidene van hen hieven hun wapens, en degenen die niet gewapend waren, raapten stenen en stokken op.

'Meisje, je moet niet...' begon Wolfram.

Ze wuifde zijn woorden weg. 'Een van die schepsels was hier! Ik heb het gezien.' Ze wees. 'Het stond daar, bij die tent waar je uit bent gekomen.'

'Een van welke schepsels?' vroeg Wolfram, die dacht dat ze misschien zo'n beestmens bedoelde.

'Zoals het schepsel dat probeerde je te ontvoeren,' zei ze, met ogen die donker waren van woede. 'Zoals het schepsel dat heer Gustav heeft gedood. Hoe noemde je het ook alweer...'

'Een Vrykyl?' hijgde Wolfram; hij voelde onder zijn helm de haartjes in zijn nek prikken. Hij droeg nog steeds zijn Domein-

heer-harnas, maar het harnas had heer Gustav niet geholpen. De Vrykyl had er dwars doorheen gestoken. 'Zie je hem nog?'
'Nee. Ik wilde er achteraan gaan, maar deze pummels wilden me niet doorlaten. Ik heb geprobeerd redelijk met hen te praten'- Ranessa draaide zich om naar de dwergen, die achter haar naderbij slopen – 'maar het schepsel heeft me waarschijnlijk horen schreeuwen, want toen ik er weer naar wilde kijken, was het weg.'
'Laat haar met rust,' beval Wolfram met een armzwaai naar de naderende dwergen. 'Ze hoort bij mij. Ik sta voor haar in.'
De dwergen namen hem vertwijfeld op; ze wisten nog niet zo zeker of hij wel te vertrouwen was, deze vreemde dwerg in zijn wonderlijke harnas. Kolost kwam Wolfram steunen en verzekerde de dwergen dat hij de situatie volledig beheerste. De dwergen trokken zich terug, maar bleven Ranessa en Wolfram argwanend in het oog houden.
'Waarom maakt zij zich zo druk?' vroeg Kolost.
'Er was hier een Vrykyl,' zei Wolfram. 'Een van die Leegteridders waarover ik u vertelde. Hij stond aan de tent te luisteren.'
'Als er Leegtewezens door de straten van Saumel lopen,' zei Kolost grimmig, 'zullen we ze vinden.'
'Helemaal niet,' zei Ranessa. 'Hij was vermomd als dwerg. Ik kon door zijn vermomming heen kijken, maar dat komt doordat ik een draak ben.'
'Praat niet zo luid!' zei Wolfram op scherpe toon. 'We hebben al genoeg problemen!'
'Nou, hoe vinden we die Leegteridder dan?' vroeg Kolost.
'Die wilt u niet vinden,' zei Wolfram ernstig. 'Vertrouw me maar, Kolost. U kunt niets tegen hem beginnen. Laten we maar hopen dat hij heeft gevonden wat hij zocht en dat hij is weggegaan.'
'Maar wat zocht hij dan?' wilde Kolost weten. 'De Verheven Steen is weg.'
Wolfram kreeg de onaangename gedachte dat de Vrykyl misschien naar hem kwam zoeken.
'Kreeg je misschien het gevoel dat die Vrykyl ons volgde?' vroeg hij aan Ranessa. 'Je weet wel, het gevoel dat je de vorige keer had, toen de Vrykyl ons volgde?'

'Nee,' zei ze beslist. 'Wij zijn niet gevolgd. Trouwens, Vrykyls kunnen niet vliegen. Of wel?'
Wolfram dacht van niet, maar hij wist niet zoveel over hun gewoonten, en hij had weinig zin om het uit te zoeken.
'Wat deed hij bij de tent?'
'Jullie afluisteren,' antwoordde Ranessa meteen. 'De Vrykyl had zijn hoofd tegen de zijkant van de tent gedrukt. Hij luisterde naar wat jullie zeiden.'
'Dat is toch wel heel vreemd,' mompelde Wolfram.
Waarom zou het een Vrykyl interesseren wat hij in het vuurvisioen zag? Wolfram kon het niet bedenken, en hij besloot dat hij zich er niet door zou laten storen. Er lag een taak voor hem, daar ging hij zich op concentreren.
'Ik word niet goed als ik aan dat kind denk in de handen van die monsters,' zei Kolost, zijn ogen donker van boosheid.
'Ik ook,' zei Wolfram. 'Om maar niet te spreken van de Verheven Steen.'
'Ja, de Verheven Steen, natuurlijk,' zei Kolost instemmend, bijna alsof dat hem nauwelijks interesseerde. Hij keek met gefronst voorhoofd om naar de tent.
Wolfram keek verbaasd naar Kolost. Het clanhoofd bleef hem verbazen en maakte steeds meer indruk op hem. Een andere clanleider zou allereerst aan de kostbare edelsteen hebben gedacht, niet aan het weeskind.
'Nou, meisje, we kunnen beter gaan, voor je een rel veroorzaakt,' zei Wolfram. 'En we gaan lópen,' voegde hij er met nadruk aan toe, omdat hij aan een lichtje in haar ogen dacht te zien dat ze van plan was ter plekke haar drakengedaante aan te nemen.
Ranessa keek knorrig, en hij wist dat hij het goed had geraden.
'Ik vind het hier niet leuk,' zei ze, met een afkeurende blik om zich heen door de knoedels slordig haar. 'En ik vind deze mensen niet aardig. En ik vind het niet leuk om een dwerg te zijn,' zei ze er beschuldigend achteraan, alsof het Wolframs schuld was. 'Jullie zijn allemaal zo... zo klein.'
Kolost kwam naast hen lopen. 'Jullie gaan die beestmensen achterna, hè?'
'Ja,' zei Wolfram.

'Het spoor is nu wel koud. Hoe weten jullie waar jullie moeten beginnen te zoeken?'
Wolfram haalde zijn schouders op. Hij moest Ranessa in de gaten houden.
'Het lijkt een hopeloze opgave,' zei Kolost. 'Maar de Wolf loopt met jullie mee. De Wolf zal jullie de weg wijzen.'
Bij de rand van het pleintje bleef Kolost staan. 'Ik zou willen dat ik met jullie mee kon, maar ze hebben me hier nodig. Tijdens mijn afwezigheid zijn de Zwaardclan en de Rode Clan een oorlog begonnen. Ik moet wat lieden met de koppen tegen elkaar slaan.'
'Sterkte,' zei Wolfram.
'Jullie ook,' zei Kolost.
Toen ze uiteengingen, zeiden ze beiden stilzwijgend tegen elkaar: 'Je zult het nodig hebben.'

De Vrykyl Caladwar was tijdens zijn leven een elf geweest. Hij zou het met Ranessa eens zijn geweest dat het dragen van de vermomming van een dwerg buitengewoon vervelend was. Voor een elf, die gesteld was op een losbandig leventje, was de ascetische leefwijze van de Paardlozen ongelooflijk saai. Caladwar ging de dwergen op den duur zo haten dat hij er zelfs geen plezier aan beleefde er eentje te doden, want dat betekende dat hij in de huid van die dwerg zou moeten kruipen en overspoeld zou worden door een reeks deprimerende herinneringen. Caladwar vreesde dat hij de rest van zijn ondode leven een dwerg zou moeten blijven, maar gelukkig voor hem verscheen de dwergen-Domeinheer, zodat Caladwar in staat was de informatie te verkrijgen die zijn meester tot elke prijs wilde hebben.
Het kwam niet door de verschijning van de draak dat Caladwar was weggerend. Voor hij bij de Leegte kwam, was Caladwar lid geweest van de Wyred. Hij had een hoge dunk van zijn eigen magische vaardigheden – en niet ten onrechte. Caladwar had het gevecht met die jonge, onervaren draak kunnen aangaan en hij zou haar waarschijnlijk verslagen hebben. Maar Caladwar was er niet in geïnteresseerd met draken te vechten. Hij wilde alleen van deze afschuwelijke dwergenhuid af, en zijn eigen huid

terug. Hij verliet het plein omdat hij de informatie zo snel mogelijk aan zijn heer wilde overbrengen, om dan uit dit godvergeten oord weg te gaan.
Dagnarus had Caladwar naar Saumel gestuurd om het dwergendeel van de Verheven Steen in bezit te nemen. Bij zijn aankomst had Caladwar ontdekt dat een ander hem voor was geweest. Dat had hij aan zijn heer gemeld; die was woedend geworden en had Caladwar bevolen in Saumel te blijven tot hij achter de identiteit van de dief was gekomen.
Caladwar had ook geprobeerd een vuurvisioen te creëren in de hoop zijn magie te gebruiken om de boosdoener te onthullen. Zijn plannen werden gedwarsboomd door de Leegte, hoewel die toch hun bondgenoot heette te zijn. Caladwar begreep er niets van. Er was dus iemand die Dagnarus de heerschappij over de Leegte betwistte. En nu wist Caladwar wie dat was.
Toen hij in zijn woning was aangekomen, legde Caladwar zijn hand op het bloedmes en zond een dringende oproep naar Dagnarus.
De Heer van de Leegte reageerde niet meer zo vlot als hij had gedaan voordat hij heerser over Vinnengael werd, en Caladwar brieste van ongeduld. Hij hield zichzelf voor dat Dagnarus nu een publieke figuur was, die bijna de hele dag en een flink deel van de nacht omringd was door mensen.
'Vlug,' zei Dagnarus toen zijn stem plotseling en onverwachts doorkwam. 'Ik heb niet veel tijd. Wat heb je ontdekt?'
'Ik weet wie het dwergendeel van de Verheven Steen heeft gestolen, heer,' zei Caladwar op vergenoegde toon.
'Dat is je geraden ook, anders zou ik er niet blij mee zijn dat je me stoort,' antwoordde Dagnarus koeltjes. 'Laat het theater maar zitten en vertel het.'
'K'let is de dief, heer.'
Op zijn woorden volgde een stilte, even leeg als de Leegte. Toen het almaar stil bleef, begon Caladwar zich zorgen te maken. Hij had toestemming nodig om de dwergenstad te verlaten, en die had hij nog niet gekregen.
'Heer?' vroeg hij. 'Bent u daar nog?'
'Weet je dat zeker?' vroeg Dagnarus.

'Heel zeker, heer. Een dwergen-Domeinheer creëerde een vuurvisioen in de tent waar de dwergen vroeger de Steen bewaarden. Ik kon het visioen niet zien, maar na afloop praatte hij erover met een andere dwerg. De Steen was meegenomen door drie taankrijgers en een halftaanse slaaf. U had het vast grappig gevonden, heer. De tanen beseften niet dat de magie van de Steen hen zou straffen als ze hem aanraakten, en dus kregen ze...'

'Ik vind hier niets grappigs aan,' kapte Dagnarus hem af. 'Zeg me dit, hebben die tanen de Verheven Steen?'

'Ze hadden hem meegenomen,' zei Caladwar.

'Op bevel van K'let?'

'De tanen spraken veel over K'let. Maar hoe kon K'let weten waar de Steen zich bevond?'

'Vele malen hebben we zij aan zij gestreden,' zei Dagnarus zacht terwijl hij het zich herinnerde. 'Ik heb zijn leven gered. Hij heeft mijn droom van verovering gered. We behoorden tot verschillende rassen, maar we dachten eender. Van alle Vrykyls die ik ooit heb gecreëerd, was hij de enige die me begreep. Ik vergaf hem zijn uitdagende houding, want zo zou ik zelf ook geweest zijn. Ik kon hem niet vergeven dat hij tegen mij opstond. Ik zou voor zijn volk hebben gezorgd. Hij had me moeten vertrouwen...'

Met andere woorden, dacht Caladwar, Dagnarus had zelf aan K'let verteld hoe hij het dwergendeel van de Verheven Steen kon vinden. Als Dagnarus het niet met zoveel woorden aan K'let had verteld, was hij slordig geweest met zijn gedachten, en die doortrapte K'let had ze gelezen via het bloedmes.

'Ja, Caladwar, dit is mijn schuld,' zei Dagnarus, en Caladwar kromp in elkaar.

'Heer, ik bedoelde niet...'

'Genoeg,' zei Dagnarus. 'Dit kan nog in mijn voordeel werken. De Steen betekent niets voor K'let. Hij kan hem niet gebruiken. Hij kan hem niet eens aanraken. Hij heeft de Steen genomen omdat hij weet dat ik hem zal komen halen. En dat zal ik ook doen. Ik zal het doen...'

'Hoe luidt uw opdracht voor mij, heer?'

Laat die alsjeblieft ver hiervandaan zijn, smeekte Caladwar stilzwijgend.

'Jij gaat terug naar Tromek en helpt Valura en het Schild in hun strijd tegen de Goddelijke.'
'Ja, heer! Dank u, heer. Ik zal dadelijk vertrekken.'
Caladwar was al bijna de deur uit, met het bloedmes nog in zijn hand, toen de laatste gedachten van Dagnarus de geest van de Vrykyl bereikten. Caladwar probeerde ze niet te horen, want hij was bang dat Dagnarus zich zou bedenken en hem zou opdragen in Saumel te blijven. Maar de Vrykyl moest ze wel horen, of hij wilde of niet. Met een zucht van opluchting besefte hij dat de Heer van de Leegte het niet tegen hem had, maar tegen de rebel.
'Je hebt een fout gemaakt, K'let,' zei Dagnarus, en zijn kalmte was beangstigender dan zijn woede. 'Ik zou veel van jou door de vingers hebben gezien, maar dit niet.'
Haastig stak Caladwar het bloedmes terug in zijn schede. Hij zorgde er wel voor dat hij het niet meer aanraakte eer hij veilig uit het dwergengebied was, en op de terugweg naar Tromek.

Wolfram en Ranessa waren drie dagen bezig rond de zuidpunt van het Dwergengebergte te vliegen, op zoek naar het spoor dat de tanen hadden achtergelaten. Er waren drie maanden verstreken en het spoor was allesbehalve vers. Maar het enige dat Wolfram nodig had, was een kampplek of de resten van een vuur. Wanneer hij zoiets vond, kon hij door middel van visioenen bepalen of het vuur door de tanen was aangelegd, en daaruit kon hij afleiden welke kant ze opgingen. Als je één vuur vond, zo redeneerde hij, was het gemakkelijker om de overige te vinden.
Het leek hem logisch dat de tanen naar het westen zouden reizen. Ze waren uit het westen gekomen, uit Dunkarga. De tanen vochten nog altijd in het westen, in Karnu. De tanen zouden vanzelfsprekend met hun buit teruggaan in die richting. Als Wolfram had geweten hoe bang de tanen voor water zijn, zou hij geen tijd hebben verdaan met zoeken langs de oevers van de rivier. Maar hij wist dat niet, en daarom ging hij ervan uit dat ze per boot waren overgestoken. Ranessa en hij waren dagenlang bezig langzaam langs de oevers heen en weer te vliegen, op zoek naar de resten van een kampvuur. Ze vonden er verschillende,

maar elke keer dat hij een visioen opriep, zag hij alleen gezelschappen dwergen.
Ranessa vond het zoeken stomvervelend. Ze klaagde overdag en pruilde 's nachts. Ze dreigde om het uur dat ze terug zou gaan naar het klooster, met of zonder Wolfram.
In de derde nacht, na weer een dag zoeken die niets had opgeleverd, zaten Ranessa en hij bij hun eigen vuur.
'Ik wil met je praten,' zei ze opeens. 'We hebben weer een hele dag verspild met op en neer vliegen langs deze ellendige rivier, en ik heb er schoon genoeg van.'
'Je had je drakengedaante niet hoeven afleggen om dat tegen me te zeggen,' zei Wolfram terwijl hij in het vuur porde. 'Waarom neem je eigenlijk de moeite?'
'Omdat we ruzie gaan maken,' zei Ranessa, en haar donkere ogen glinsterden.
Wolfram snoof. 'We maken altijd ruzie, meisje! Daar hoef je toch je mensengedaante niet voor aan te nemen?'
'Toch wel,' zei Ranessa uit de hoogte, 'want draken maken geen ruzie met jouw soort. Dat is beneden hun waardigheid.'
Wolfram zuchtte. 'Ik neem aan dat ik niet zal kunnen slapen tot jij gezegd hebt wat je wilt zeggen.'
'Nee,' zei Ranessa.
'Goed dan, meisje. Vooruit met de geit.'
'Drie dagen geleden had je nog nooit van dat dwergenmeisje gehoord,' zei Ranessa. 'Niemand maakte zich druk over haar voordat dit gebeurd was. Ik zie niet in waarom jij je nu opeens druk over haar moet maken. Trouwens, er was ook niemand die zich druk maakte over die ellendige Steen.'
'En dat is precies de reden waarom ik dit doe,' zei Wolfram.
Mompelend sprak hij het rituele gebed uit over het vuur voor de nacht, en begon de kooltjes af te dekken.
'Wat is de reden?'
'Wat je net zei. Dat niemand zich druk maakte over haar.' Wolfram stond op en veegde zijn handen af. Hij keek naar Ranessa, keek haar strak aan. 'Juist jij zou dat moeten begrijpen.'
Hij liep weg naar zijn dekenrol. Toen hij zich in zijn deken wikkelde, zag hij dat ze daar nog steeds naar hem stond te kijken.

Wolfram doezelde weg met een warm gevoel. Eindelijk had hij eens het laatste woord gehad.

De volgende morgen was Ranessa verdwenen.
Wolfram zocht het terrein rondom hun kampplek af, maar Ranessa was nergens te bekennen, in welke gedaante ook – van een mens of van een draak. Hij hield zichzelf voor dat ze op jacht was gegaan; haar drakengedaante vergde een reusachtige hoeveelheid vlees, en ze ging vaak weg om op herten of berggeiten te jagen. Als ze in een goede stemming was, bracht ze weleens een bout mee die hij kon roosteren.
Maar er bleef een gedachte knagen: dat ze ditmaal haar dreigement had uitgevoerd. Hij had haar de vorige avond zo boos gemaakt dat ze zonder hem was weggegaan. Hij zwierf langs de oever van de rivier en vroeg zich somber af wat hij zou doen. Met haar erbij was de zoektocht nog net niet hopeloos geweest. Zonder haar...
'Toch ga ik ermee door,' zei Wolfram tegen zijn spiegelbeeld dat trillend in het water aan zijn voeten stond. 'Ik heb me ertoe verbonden. Het zal misschien jaren duren. De rest van mijn leven...' Hij glimlachte spijtig. 'Dan word ik net zo iemand als heer Gustav met zijn krankzinnige queeste. Straks gaan ze nog liederen over míj zingen.'
Er gleed een schaduw over hem heen, de schaduw van brede vleugels. Wolfram keek blij en opgelucht omhoog. Ranessa vloog boven hem en draaide kleine kringen.
'Je zoekt op de verkeerde plek!' riep ze hem toe. 'De tanen zijn van hieruit naar het noorden gereisd. Ver naar het noorden. Bij Nieuw Vinnengael zijn ze de Arven overgestoken.'
Wolframs mond viel open. 'Hoe weet je dat?'
'Wat?' Ranessa boog haar kop omlaag. 'Ik kan je niet verstaan.'
'Hoe weet je dat?' brulde hij.
'O,' zei ze. 'Ik heb het gevraagd.'
'Wat heb je gevraagd?' wilde Wolfram weten. 'En aan wie?' Hij zwaaide met zijn armen om de uitgestrekte, lege wildernis aan te duiden. 'Er is hier niemand om iets aan te vragen!'
Ranessa mompelde iets.

'Wat zei je?' riep hij.
'Als je het per se weten wilt, ik heb het aan een meeuw gevraagd.'
'Kom naar beneden!' riep Wolfram terwijl hij naar de grond wees. 'Zo raak ik mijn stem kwijt!'
Ranessa cirkelde langzaam omlaag. Toen ze een geschikte landingsplek had gevonden, streek ze neer op de door de zon verwarmde rotsen.
'Ik dacht dat je zei dat je het aan een meeuw had gevraagd,' zei Wolfram, die naar haar toe kwam om bij haar snuit te gaan staan.
'Dat is ook zo,' zei Ranessa. 'Ik heb aan een meeuw gevraagd of hij soms tanen had gezien, en hij vertelde me er alles over. Het is al maandenlang het gesprek van de dag in de vogelgemeenschap,' zei ze er minachtend bij. 'Die beesten hebben zo weinig aan hun kleine koppies.'
'Ik wist niet dat je met meeuwen kon praten,' zei Wolfram verbaasd.
'Nou, dat kan ik,' zei Ranessa. Ze leek niet van zins het uit te leggen.
'Is dat iets wat alle draken kunnen?'
'Dat zal wel. Zeg, moeten we niet vertrekken, nu we weten welke kant ze zijn opgegaan?'
'Wacht even,' zei Wolfram. 'Wil je zeggen dat al die tijd dat we her en der hebben rondgevlogen, op zoek naar het spoor van die tanen, jij het alleen maar aan een voorbijkomende vogel had hoeven vragen?'
Ranessa staarde recht voor zich uit.
'Meisje,' zei Wolfram wanhopig, 'waarom heb je dat dan niet gedaan?'
Ranessa keek langs haar neus op hem neer. 'Met vogels praten is zo vreselijk... pecwae-achtig.'
'Pecwae-achtig?'
'Ja, pecwae-achtig. Kom je nou nog?' vroeg ze geprikkeld.
'Ik kom,' zei Wolfram. Hij klom op haar rug en zorgde wel dat ze niet merkte dat hij grinnikte.

De reis van het orkenschip dat Shadamehr en zijn gezelschap vervoerde, was idyllisch, een reis met stralende zonneschijn, frisse winden en schuimend water. Het schip voer snel, dankzij het opmerkelijk goede weer en de magische talenten van Quai-ghai, de scheepssjamaan, en Griffith, de scheepspassagier. De eerste gebruikte haar magie om de wateren te kalmeren. De tweede gebruikte zijn magie om de winden op te roepen. Het schip reisde snel door de Zee van Sagquanno, rondde veilig de Kaap der Slechte Voortekenen en bereikte de Zee van Orkas in recordtijd.

Kapitein Kal-Gah was onder de indruk. Hij had zich nooit gerealiseerd hoe nuttig een elf die met Luchtmagie werkte, kon zijn. De kapitein nam Griffith apart en bood hem een vaste baan aan als Tweede Scheepssjamaan. Griffith zei dat hij dit eervolle aanbod zeer waardeerde, maar dat hij toch moest weigeren. 'Omdat de Wyred mijn opleiding hebben betaald,' legde hij uit, 'zien ze niet graag dat ik mijn magische vaardigheden aan een ander verkoop.'

Kapitein Kal-Gah begreep het. Hij bood aan de Wyred een klein aandeel in de winst te geven, als dat hen gelukkig zou maken. Griffith zei dat hij bang was dat dat niet zou werken.

Toch gaf kapitein Kal-Gah zijn idee niet op. Orken zijn lange tijd bevooroordeeld geweest met betrekking tot de magie van andere rassen; ze vonden dat een orkensjamaan die andere magie gebruikt dan de magie van het water, niet veel beter is dan een verrader. Kapitein Kal-Gah begon te vinden dat dit een kleingeestige houding was van zijn volk, en hij gaf de geschokte Quai-ghai te verstaan dat ze haar horizon zou moeten gaan verruimen.

Terwijl Griffith de tijd doorbracht met Quai-ghai, die bezweringen met Watermagie leerde, kon Damra zich voor het eerst in haar leven ontspannen. Tot rust gebracht door de schoonheid van de zee en de wetenschap dat ze van de wereld was afgesneden en dat niemand eisen aan haar kon stellen, bracht ze haar dagen door met rustig, spiritueel mediteren en nadenken. 's Nachts vond ze troost in de armen van haar echtgenoot.

Shadamehr gebruikte de reis om zijn kennis van de zeilkunst te vergroten. Hij was al bekend met navigatie; dat had hij op een vorige reis geleerd. Nu wilde hij zoveel mogelijk leren over het schip. Hij klom in het want en daalde af in het ruim. Zijn handpalmen raakten ontveld toen hij langs een touw naar beneden gleed, en hij brak bijna zijn nek bij een val van een ra. Gelukkig kwam hij in het water terecht. De orken konden hem er nog uit vissen. Hij kwam druipnat aan boord en beweerde lachend dat hij lekker had gezwommen.

De orken, die zagen dat hij echt leergierig was, gaven hem graag les. Ze zeiden dat hij bofte, want sinds hij aan boord was, hadden ze nog niet één ongunstig voorteken gehad.

Shadamehr had niet het gevoel dat hij bofte; hij was ook niet tevreden. Om de een of andere onverklaarbare reden was Alise niet gelukkig, en hij begreep niet waarom. Hij deed zijn uiterste best om de volmaakte minnaar te spelen, maar romantische woorden leverden sarcastische antwoorden op, en bij zijn smachtende blikken sloeg zij haar ogen ten hemel. Nu eens deed ze bits en scherp, dan weer was ze zwijgzaam en onbereikbaar. Soms betrapte hij haar erop dat ze naar hem zat te kijken met een treurige uitdrukking op haar gezicht, waarin ook iets van teleurstelling lag.

'Ik begrijp niets van vrouwen,' zei Shadamehr klaaglijk tegen Griffith. 'Ik probeer zo te zijn als ze wil dat ik ben, en toch moet ze niets van me hebben.'

'Doe je dat?' antwoordde Griffith. 'Of probeer je zo te zijn als jij wilt dat zij wil dat je bent?'

Shadamehr dacht somber dat hij ook nooit iets van elfen zou begrijpen, en wijdde zich maar weer aan het want.

Het schip verliet de Zee van Orkas en zette koers naar het noorden, om de Zeestraat in te varen. Op een dag – twee dagen nadat de orken Shadamehr uit zee hadden opgevist – stond hij aan de reling te oefenen met de sextant, toen Alise naar hem toe kwam en naast hem ging staan.

Ze had hem steeds gemeden, alsof hij de gewoonte van de orken had overgenomen zich in te smeren met vistraan, en hij was verrast haar te zien, verrast en blij.

'En, waar zijn we?' vroeg ze.

'Volgens mijn berekeningen ergens ten noorden van Tromek,' antwoordde Shadamehr vrolijk.

Alise keek hem verbaasd aan, en hij zag de schim van een lachje om haar lippen spelen. Maar het lachje was snel verdwenen, en ze keek weer uit over de zee.

'Je doet hard je best om je te amuseren,' merkte ze op. 'Zo hard dat je bijna je domme nek hebt gebroken.'

'Nu we het daar toch over hebben,' antwoordde Shadamehr, 'jij doet hard je best om je níét te amuseren. Alise, we moeten hierover tot klaarheid komen...'

Ze keek uit over de golven waarop het zonlicht schitterde. 'Ik heb er klaarheid over. Ik wil niet dat je van me houdt. Ik wil dat alles weer wordt zoals het vroeger tussen ons was. Alsof er niets gebeurd was.'

'Ik denk niet dat dat mogelijk is, Alise,' zei Shadamehr.

Ze keek hem een tijdlang uitdagend aan. Toen zuchtte ze. 'Nee, dat zal wel niet.'

'Je bent bang,' zei hij plotseling.

Ze reageerde stekelig. 'Niet waar.'

'Welles!' antwoordde hij spottend. Toen hij zag dat ze een kleur kreeg, zei hij erbij: 'Je bent bang dat als we geliefden zijn, we geen vrienden kunnen zijn. Dat we dan kwijtraken wat we samen hebben.'

'Nou,' zei ze uitdagend tegen hem. 'Dat zijn we toch ook kwijt?'

'Nee, ik...' Shadamehr zweeg. Hij bleef met open mond staan. Want, bij de goden, ze waren het werkelijk kwijt.

Ze liep weg en liet hem bij de reling op het achterschip staan, waar hij zonder iets te zien naar de golven en naar hun schuimende kielzog staarde.

De opgewekte stemming van de passagiers verdween als sneeuw voor de zon toen de *Kli'Sha* de zeestraat invoer die de orken kenden als de Gezegende Straat. Om Krammes te bereiken, moesten de orken langs het eiland varen waarop de Sa'Gra-berg stond, hun heilige berg die nu in handen was van de verfoeide Karnuanen. Als het enigszins kon, vermeden de orken het deze kant op te varen. Niet dat ze bang waren om aangevallen te worden. De Karnuanen waren krijgers te land en ze wisten wel beter dan de orken op zee te bevechten, waar de laatsten altijd in het voordeel zouden zijn. De orken vonden het onverdraaglijk de toppen van hun vereerde berg te zien en zich voor te stellen dat de menselijke ontheiligers daar door de zalen van hun tempels liepen.

De uitkijkposten van de orken signaleerden een paar schepen die de Karnuaanse vlag voerden, maar die maakten rechtsomkeert zodra ze de wimpel van de orken zagen en voeren weg, uitgejouwd en uitgedaagd door de orkenbemanning.

De Sa'Gra-berg kwam in zicht, met de rookpluim die vanaf zijn besneeuwde top woei. De kapitein gaf het bevel 'alle hens aan dek'. De orken stelden zich op langs de reling en klommen in het want. Ze namen hun muts af en staarden verlangend naar de berg. Quai-ghai, hun sjamaan, reciteerde met diepe, plechtige stem een orkengebed.

Hoewel Damra de woorden van het gebed niet kon verstaan, hoorde ze toch het verdriet en de smart in de stem van de sjamaan, en ze zag die ook weerspiegeld op de gezichten van de orken. Het gebed eindigde in een felle, krachtige schreeuw. De orken schudden hun vuist in de richting van hun berg, en hun stemmen mengden zich met de stem van hun sjamaan in een donderend gebrul.

'Ze zweren dat ze terug zullen komen,' zei kapitein Kal-Gah, die als tolk optrad. 'En op die dag zal de Gezegende Straat rood gekleurd worden door Karnuaans bloed.'

'Gezien jullie boosheid,' zei Griffith, 'verbaast het me dat jullie nog niet geprobeerd hebben je berg terug te krijgen.'
'De kapitein der kapiteins is verstandig,' zei Kal-Gah. 'Wij zijn dappere krijgers aan boord van onze schepen, maar hopeloze klunzen op de wal.' Plotseling grijnsde hij. 'Ik ben een ork, dus ik kan dat zeggen, hoewel ik u de keel van oor tot oor zou doorsnijden als u het zei.'
Kal-Gah gaf Shadamehr een mep op zijn rug; door de klap vloog hij het halve dek over.
'We hebben gehoord,' zei Kal-Gah met meer ernst, 'dat de kapitein een geheim orkenleger bijeen heeft gebracht in Harkon. Ze wachten op de gunstige voortekenen om de aanval te beginnen.'
'Is dat waar?' vroeg Alise geïnteresseerd.
'Waar of niet, het houdt de Karnuanen 's nachts uit de slaap,' zei de kapitein. Hij tuurde naar de berg achter hen, klein geworden aan de horizon, en zijn glimlach verstrakte tot een grimmige streep. 'We zullen terugkomen. Eens zal die dag komen.'
De elfen en mensen gebruikten hun maaltijd in hun hut, weg van de orken, voornamelijk omdat de aanblik en de reuk van orkenvoedsel hun te bar was. Die nacht hadden de orken een grote inktvis gevangen, en ze verheugden zich op een groots feestmaal.
Alleen al de gedachte dat kronkelende, slijmerige schepsel op te eten was genoeg om Damra's eetlust te bederven, en ze at maar een paar hapjes van haar eten, dat toch al niet zo geweldig was. Het schip had bij een van de steden langs de kust afgemeerd om voorraden in te slaan, zodat de elfen het menu van harde scheepsbeschuit en kaas konden aanvullen met noten en gedroogde vruchten. Na dagen achtereen niets anders gegeten te hebben, dacht Damra dat als ze nooit van haar leven meer een vijg zou zien, het nog niet lang genoeg zou zijn.
Om de maaltijd wat smaak te geven, praatte het viertal over de politieke situatie van de orken.
'Ik kan me niet voorstellen hoe het zou zijn als je een plek kwijtraakte die je zo lief was, die je zo vereerde,' zei Alise. 'Als je zou weten dat mensen die er niets om geven waarschijnlijk lelijke

woorden op de muren schrijven in de tempel waar jouw god woont.'

'En waar ze de slachtoffers van hun offerfeesten in het binnenste van de heilige berg gooien,' zei Shadamehr opgewekt.

'Doen ze dat dan?' vroeg Damra verbaasd.

'Ik ben bang van wel. De orken beschouwen het zelfs als een grote eer om aan de god van de berg te worden gegeven. Daarom zijn de meeste slachtoffers die geofferd worden orken, die vermoedelijk denken dat een sprong in de gesmolten lava hen in de hemel brengt.'

'Maar het is niet goed een leven te nemen, want dat is heilig,' vond Damra.

'Volgens jouw goden, ja. Niet volgens de god van de orken. Wil jij soms jouw overtuiging aan de orken opleggen? Dat is namelijk precies wat de Karnuanen deden. Dat was hun excuus om de heilige berg te bezetten. Ze beweerden dat het offeren van levende wezens de goden onwelgevallig was.'

'Dat is het ook,' zei Damra.

'En het afslachten van duizenden orken en nog eens duizenden tot slaaf maken is de goden níét onwelgevallig?' vroeg Shadamehr, met een knipoog naar Griffith.

'Moedig hem niet aan, Damra,' zei Alise. 'Mijn heer Shadamehr zal zeggen dat de oceaan droog is en dat de zon midden in de nacht schijnt, als je hem de kans geeft.'

'Maar toch...' begon Damra.

Ze werd onderbroken door de komst van een van de scheepsjongens, de zoon van kapitein Kal-Gah, die op deze reis was meegenomen om het vak te leren.

'Heer,' zei de jongen, die zijn hoofd door de deur naar binnen stak. 'De sjamaan zegt dat u meteen moet komen. Ze is bezig aan haar dagelijkse gesprek met het water, en het lijkt erop dat iemand probeert met u in contact te komen.'

'Mag ik meekomen, heer?' vroeg Griffith gretig. 'Ik heb deze bezwering nog nooit zien uitvoeren. Tenzij u denkt dat deze boodschap misschien alleen voor u bestemd is.'

'Nee, nee,' zei Shadamehr vrolijk. 'Ik heb geen geheimen. Als Quai-ghai geen bezwaar heeft tegen jouw aanwezigheid, vind ik

het best. Dames? Willen jullie ook mee? Alleen, haar hut is klein en ik denk dat we er met z'n allen amper in zouden passen.'
Alise zei dat ze naar bed ging, en Damra wilde mediteren. Griffith en Shadamehr zouden het zonder hen moeten stellen.
'Ik durf te wedden dat het me niet zal aanstaan wat ik zo dadelijk zal horen,' voorspelde Shadamehr somber terwijl ze de scheepsjongen benedendeks volgden naar de hut van Quai-ghai.
'Hoe komt u daarbij?'
'Omdat niemand veel moeite zal doen om je goed nieuws te brengen, terwijl mensen zich het vuur uit de sloffen lopen om je vervelende dingen te berichten.'
De scheepsjongen legde zijn vinger op zijn lippen toen ze Quaighais hut naderden. Hij klopte niet op de deur, maar duwde die voorzichtig open om de twee mannen binnen te laten. Ze glipten geluidloos naar binnen en deden hun best om de concentratie van de sjamaan niet te verstoren.
Quai-ghai zat aan een tafel voor een grote kom, die gemaakt was van een reusachtige quahogschaal. In de kom golfde zeewater zacht mee met de beweging van het schip. Quai-ghai praatte tegen het water; ze stelde vragen en kreeg antwoorden. Ze hield haar hoofd schuin om te luisteren en gaf dan antwoord.
'Schitterend!' verzuchtte Griffith zacht, terwijl hij tegenover de tafel ging zitten. 'Hebt u dit weleens eerder gezien?'
Shadamehr schudde zijn hoofd. Quai-ghai wierp hun een geërgerde blik toe, en Griffith ging fluisterend verder.
'Door middel van deze magie kan zij rechtstreeks met een andere sjamaan communiceren. Het enige dat ervoor nodig is, is dat ze allebei een kom met water hebben en de juiste toverformule kennen. Wyred die toestemming hebben om watermagie te bestuderen, vinden deze bezwering van grote waarde voor snelle communicatie over grote afstanden.'
'Dat kan ik me voorstellen,' zei Shadamehr geboeid.
'De twee mensen moeten een bepaald tijdstip afspreken waarop ze beiden aanwezig zijn,' vervolgde Griffith. 'Volgens Quaighai kiezen bijna alle orkensjamanen zonsondergang als het tijdstip waarop ze op hun post zullen zijn teneinde berichten te ontvangen of uit te zenden.'

Quai-ghai hief haar hoofd op. 'De betovering is afgelopen. Jullie hoeven niet meer te fluisteren. Kent u iemand die Rigiswald heet?'
'Een eigenwijze oude baas? Slechtgehumeurd, maar elegant gekleed?'
'Ik heb hem niet gezíén,' zei Quai-ghai met waardigheid. Ze fronste haar voorhoofd naar de baron. 'Dit is een ernstige zaak.'
'Neem me niet kwalijk,' zei Shadamehr deemoedig. 'Gaat u alstublieft verder.'
'Deze Rigiswald heeft een sjamaan ingehuurd om via mij contact met u te leggen. De sjamaan probeert dat al een week, en vandaag is het hem eindelijk gelukt mij te spreken. Deze Rigiswald zegt dat ik u moet zeggen dat Dagnarus, Heer van de Leegte, nu koning van Vinnengael is.'
'Dat nieuws is ongetwijfeld met vreugde ontvangen,' zei Shadamehr droogjes.
'Deze Rigiswald zegt dat ik u moet zeggen dat Dagnarus de steun van het volk heeft, want hij heeft de slag tegen het tanenleger aangevoerd, en hij heeft ze in de pan gehakt.'
'Het tanenleger dat hij zelf had meegebracht?' zei Shadamehr, terwijl hij een wenkbrauw optrok. 'Dat was mooi van hem. En verder?'
'Deze Rigiswald zegt dat ik u moet vertellen dat Dagnarus al zijn baronnen heeft bevolen naar Nieuw Vinnengael te komen om hem eer te bewijzen en hem trouw te zweren. Als ze weigeren, vervallen hun eigendommen aan de kroon. Volgens deze Rigiswald,' vervolgde Quai-ghai, met een zachtere klank in haar stem, 'heeft de koning uw landerijen, uw kasteel en al uw bronnen van inkomsten in beslag genomen. Deze Rigiswald waarschuwt u dat u in gevaar bent als u teruggaat. Uw kasteel is niet het enige dat u zult verliezen.'
'Juist,' zei Shadamehr zacht. Hij kon voelen dat Griffith naar hem keek, maar hij wilde zijn blik niet beantwoorden. Hij staarde zonder iets te zien naar de kom met water. 'Verder nog iets?'
'Er is onderweg een moordaanslag gepleegd op deze Rigiswald, maar die heeft hij overleefd, en hij zal Alise en u treffen in Krammes.'

'Taaie ouwe rakker,' zei Shadamehr met een glimlach. 'Een moordenaar moet van goeden huize komen om Rigiswald eronder te krijgen. Nog meer opgewekt nieuws? Staat het einde van de wereld voor de deur?'
'Nee, dat was alles,' zei Quai-ghai. 'Is er nog iets wat u tegen deze persoon wilt zeggen?'
'Dat hij goed op zichzelf moet passen,' zei Shadamehr. 'En dat we hem in Krammes zullen zien.'
'Zo, zo,' zei hij tegen Griffith, nadat ze Quai-ghai hadden bedankt en haar hadden achtergelaten, 'het ziet ernaar uit dat ik geen duit meer bezit.'
'Dat vind ik erg naar voor u, heer,' zei Griffith.
Shadamehr liet een scheef lachje zien. '"Zo gewonnen, zo geronnen", zoals de Dunkargaanse dief zei toen ze zijn hoofd afhakten. Maar toch, ik was op mijn kasteel gesteld, ook al kon het er in de winter flink tochten.'
'Wat gaat u nu doen?' vroeg Griffith zich af.
'Het lijkt me zo dat ik het moet zien terug te krijgen.'
'Maar, heer,' riep Griffith ontzet. 'Dagnarus is koning van Vinnengael, hij beschikt over duizenden manschappen, en hij is ook...'
'Heer van de Leegte, met Vrykyls en vraatzuchtige tanen en Leegtetovenaars die klaarstaan om al zijn grillen uit te voeren? Ja, dat weet ik. Maar ik heb mijn gezondheid. Dat moet toch gewicht in de schaal leggen.'
'Ik begrijp niet hoe u hier grappen over kunt maken, heer.'
Griffith kon zich geen ergere ramp voorstellen. Verbannen te worden was het ergste lot dat een elf kon treffen. De dood was verre te verkiezen.
'Het is óf grappen maken, of gaan zitten snikken om nooit meer op te houden,' zei Shadamehr. 'En van snikken krijg ik altijd een gezwollen neus. Maak je niet ongerust. Ik bedenk wel iets. Dat doe ik altijd.'
Shadamehr legde zijn hand op de schouder van de elf. 'Zet je maar schrap, beste vriend. Nu komt het moeilijkste pas.'
'Wat dan?'
'Het aan Alise vertellen. Je zult voor vannacht geen wind hoeven

op te roepen, Griffith,' voorspelde Shadamehr. 'De kracht van haar woede zal ons zo snel vooruit stuwen dat we van geluk mogen spreken als we morgenochtend niet in Myanmin zijn beland.'

De kracht van Alises woede stuwde hen niet helemaal vooruit naar de Nimoreaanse kust, maar het kwam er in de buurt. Ze was razend op Dagnarus en op de idioten van Nieuw Vinnengael die zich door zijn verraad hadden laten beetnemen, en ze was al even razend op Shadamehr omdat hij het rampzalige nieuws met zoveel schijnbare kalmte had opgenomen.
'Lieve kind,' zei hij in antwoord op een van haar tirades, 'zou je je beter voelen als ik me verhing aan een ra?'
'Ja,' antwoordde ze bits. 'Dan zou je tenminste iets ondernemen. Je hebt deze morgen zitten vissen.'
'Aangezien we vastzitten op een schip midden in de Gezegende Straat, weet ik echt niet wat ik zou kunnen ondernemen, behalve ons avondeten vangen.'
'Je zou plannen kunnen maken,' zei Alise met een woest gebaar. 'Beslissen wat je moet doen, waar je heen moet...'
Hij leunde achterover tegen de reling en keek haar aan met een koele, onuitstaanbare glimlach.
'O, jij ellendeling!' Ze balde haar hand tot een vuist en stompte tegen zijn arm.
'Au!' zei Shadamehr geschrokken. 'Waar was die voor?'
'Om die zelfgenoegzame grijns van je gezicht te krijgen. Je wist dat dit zou gebeuren,' zei ze beschuldigend. 'Je wist dat het zou gebeuren, en je hebt het niet tegen mij gezegd. Je wist het nog voor we uit het kasteel vertrokken waren...'
'Ik wou dat ik kon beweren dat ik van tevoren wist dat ik verbannen zou worden, van mijn landerijen en titels zou worden beroofd en als doelwit voor moordenaars zou worden aangewezen, maar ik vrees dat ik dat niet kan, lieve schat.'
'Huh!' zei ze. 'Je hebt Krammes als bestemming gekozen omdat dat vanuit Nieuw Vinnengael aan de andere kant van het continent ligt en omdat je vrienden hebt onder de officieren van de Keizerlijke Cavalerieschool. Vrienden die je kunt aantrekken om je te helpen je kasteel terug te nemen...'

Shadamehr rolde zijn mouw omhoog. 'Kijk eens hier. Zie je die blauwe plek? Die heb jij gemaakt. Ik ben gemakkelijk te kwetsen, hoor.'
'Je hebt altijd gezegd dat de best opgeleide officieren ter wereld van die school komen,' vervolgde Alise. 'Zij zullen niet bereid zijn Dagnarus te volgen, en de mensen van Krammes ook niet. We vormen een leger en trekken op naar Nieuw Vinnengael. Je hebt de Verheven Steen. Je zult natuurlijk een Domeinheer moeten worden, maar ik weet zeker dat de goden een oogje dicht zullen knijpen voor je karakterfouten en dat ze je tijdens de Transfiguratie niet knapperig bruin zullen bakken...'
'Hoe groot schat je die kans precies?' viel Shadamehr haar in de rede. 'Dat ze me niet knapperig bruin zullen bakken?'
'O, zeventig tegen dertig,' zei Alise.
'Zeventig voor wat en dertig voor wat?'
'Zeventig dat ze je zullen bakken.'
'Niet zo gunstig,' vond hij.
'Ik zie echt niet dat je meer kunt verwachten.'
'Je zult vast wel gelijk hebben.'
'Je zou altijd iets kunnen doen om je kans te vergroten,' zei Alise.
'Denk je dat dat mogelijk is?'
Alise stond op het punt een geestig antwoord te geven. Maar toen ze aandachtig naar hem keek, zag ze ervan af. 'Shadamehr, ik geloof waarachtig dat het je ernst is!'
'Ik denk er soms over na,' zei hij. 'Over Bashae, die zijn leven gaf om de Steen te beschermen. En waartoe? Alleen om hem aan mij te geven. Wat doe ik er voor nuttigs mee? Helemaal niets. Ik weet niet wat ik moet doen,' voegde hij er machteloos aan toe. 'Moet ik de Raad bijeenroepen, zoals Damra wil? Of moet ik de Steen naar Oud Vinnengael brengen, zoals Gareth me opdroeg in het visioen?'
Hij wendde zich af en staarde somber uit over de zee.
'Je weet toch wel dat ik een grapje maakte, hè?' Alise legde haar hand op zijn arm en masseerde de plek waar ze hem had gestompt. 'Ik denk niet dat er op deze wereld een man is die beter geschikt is om een Domeinheer te zijn. De goden zouden

gek zijn als ze niet onmiddellijk toehapten.'
'Dat is het nou juist,' zei Shadamehr. 'De goden. Mijn leven lang heb ik mijn eigen lot in handen gehad. Ik heb misschien hier en daar dingen verknald, maar als dat gebeurde, kon ik alleen mezelf de schuld ervan geven. Me in handen te geven van het noodlot, of een lotsbestemming of hoe je het maar wilt noemen – dat vind ik nou juist zo'n angstig idee, Alise.'
'Volgens mij is het niet helemaal zo,' zei ze.
'Wat bedoel je?' Hij draaide zich naar haar om; hij wilde graag weten wat ze dacht.
Shadamehr stond afgetekend tegen een achtergrond van blauwe golven, hier en daar bekroond met wit schuim. Zeevogels scheerden over de toppen van de golven om vis te zoeken, of omdat ze het een mooi avontuur vonden door het schuim te vliegen. De wind liet zijn lange haren bewegen. Zijn gezicht was gebruind door de zon, en daardoor waren zijn ogen zo blauw als de oceaan. De lach die gewoonlijk in zijn ogen danste, als zonlicht glinsterend op water, was weg. Alise, die begreep dat hij zijn hart voor haar opende en zijn angst en twijfel blootlegde, dacht lang na voor ze antwoordde en probeerde uit te leggen wat voor haar het onverklaarbare was.
'Er bestaat een betovering die sommige Aardemagiërs leren,' zei ze, en haar woorden kwamen langzaam omdat ze ze stuk voor stuk woog in haar geest, om er zeker van te zijn dat elk woord het woord was dat ze wilde. 'Een betovering die wij kennen als Aarden Doder. Daarmee kunnen we een grote massa stenen laten ontstaan, en die opdragen te doen wat we zeggen. De Doder heeft geen geest. Hij heeft geen eigen wil. Hij denkt niet na over wat hij doet. De magiër moet dit geval goed beheersen, want het kan hem net zo goed doden als zijn vijanden.'
Alise keek Shadamehr in de ogen. 'De goden willen geen Aarden Doder. De goden willen mannen en vrouwen die zelfstandig kunnen denken, die beslissingen nemen en die beslissingen uitvoeren. Soms zullen die beslissingen verkeerd zijn, maar daar hebben de goden begrip voor. Ik geloof niet dat degenen die Domeinheren worden in hun handelen bestuurd worden door de goden. Ik geloof dat ze zelfstandig handelen. Volgens mij is dat-

gene wat Domeinheren zo bijzonder maakt, dat zij de kans krijgen om in de geest van de goden te kijken. Misschien niet ver. Misschien zien ze maar een glimp. Maar zelfs die glimp helpt hen te beoordelen wat ze moeten doen.'
'Of misschien,' zei Shadamehr nadenkend, 'krijgen Domeinheren de kans in zichzelf te kijken.'
'Misschien is dat hetzelfde,' zei Alise.
Hij stak zijn hand uit en streek de rode krullen naar achteren die de wind voor haar gezicht blies. 'We kunnen nooit terug naar wat we vroeger waren, Alise,' zei hij.
'Dat weet ik,' antwoordde ze.
'Waar gaan we dan van hieruit naar toe?'
Ze lachte hem toe en kuste hem op de wang. 'Naar Krammes, mijn heer,' zei ze.

De stad Krammes was van meet af aan hun reisdoel geweest, en nu ze naderbij kwamen, straalden hun verwachtingen van deze stad even helder als de bakenvuren die de orken elke avond aanlegden om als wegwijzer te dienen voor de schepen die de verraderlijke ondiepten van de Gezegende Straat bevoeren. Toen ze op zee waren, had de tijd als het ware stilgestaan, maar nu zwaaide de slinger weer, was het tikken hervat.

Shadamehr wilde graag zien of er al Domeinheren waren aangekomen, die door Ulaf waren gewaarschuwd. Dan zou hij de verantwoordelijkheid voor de Verheven Steen eindelijk aan hen kunnen overdragen. En hij verheugde zich erop met prins Mikael te spreken, die over de stad regeerde, en met de officieren van de Keizerlijke Cavalerieschool, om erachter te komen wat zij van hun nieuwe koning, Dagnarus, vonden. Alise verheugde zich erop dat ze Ulaf en hun vrienden weer zou zien. Damra en Griffith hoopten nieuws uit hun vaderland te horen, maar waren ook bang voor wat ze zouden horen. Kapitein Kal-Gah had lading die in Krammes moest worden verkocht. De bemanning smakte met de lippen wanneer ze aan de bierhuizen dachten. Iedereen verheugde zich op vers voedsel en vers water, en op vaste grond onder de voeten.

Er waren altijd wel orkenschepen te vinden in dit deel van de wereld, zo dicht bij hun eigen land, en daarom was het geen verrassing toen de uitkijkposten 'zeil in zicht' riepen.

Er verscheen een orkenschip aan de noordelijke horizon. Het schip kwam hen niet tegemoet varen, maar draaide bij en wacht-

te tot zij genaderd waren. Toen ze elkaar konden beschreeuwen, brulden de orken elkaar over het water mededelingen toe. Nadat dit enkele ogenblikken had geduurd, gaf kapitein Kal-Gah, met een grimmige uitdrukking op zijn gezicht, opdracht een boot neer te laten om hem naar het andere schip te brengen.
'Dit bevalt me niet,' zei Shadamehr met een ernstig gezicht. 'Er is iets niet in orde.'
'Wat het ook mag zijn, ik hoop dat het ons niet zal verhinderen naar Krammes te gaan,' zei Damra. 'Ik kan geen gedroogde vijg meer zíén, laat staan eten. Ik krijg ze niet meer door mijn keel.'
Het viertal hing over de reling. Ze keken naar het andere schip en wachtten bezorgd op de terugkeer van de boot van de kapitein. Griffith ondervroeg Quai-ghai, maar die wist niet meer dan zij. De voortekenen, zei ze, waren die morgen bijzonder gunstig geweest. Griffith vatte dat op als een hoopvol teken, tot Shadamehr hem erop wees dat gunstige voortekenen voor orken niet noodzakelijk gunstige voortekenen voor mensen en elfen hoefden te zijn.
Kapitein Kal-Gah keerde terug naar zijn schip en kwam aan boord, begeleid door getoeter op een schelp. Hij blafte scherpe bevelen waardoor de bemanning haastig aan het werk ging, en wenkte vervolgens zijn passagiers naar zijn hut.
'We varen niet naar Krammes,' kondigde hij aan.
'Waarom niet?' vroeg Shadamehr, en de anderen staarden de kapitein somber aan. 'Wat is er dan aan de hand?'
'De stad wordt aangevallen,' antwoordde de kapitein.
Alise slaakte een zucht. 'Dagnarus! Ik wist het!'
'Nee,' zei de kapitein, en een grijns spleet zijn gezicht in tweeën. Hij sloeg zichzelf op de borst. 'Orken!'
'Orken vallen Krammes aan?' herhaalde Shadamehr verbijsterd.
'De kapitein der kapiteins is hier,' zei kapitein Kal-Gah trots. 'Met haar hele vloot. Op dit moment belegeren ze de stad.'
'Maar... waarom?' vroeg Alise verbaasd. 'De orken zijn niet in oorlog met de Vinnengaelezen. Of wel soms?'
'Nu wel,' zei kapitein Kal-Gah op felle toon. 'De Kapitein is al heel lang boos op de Vinnengaelezen omdat ze de Karnuanen hebben geholpen onze berg te bezetten. De Kapitein heeft de

vloot bijeen laten komen, en nu belegeren ze Krammes.'
'De Vinnengaelezen hebben de Karnuanen helemaal niet geholpen,' protesteerde Alise verontwaardigd. 'Niet vrijwillig. Onze vloot is misleid.'
'Dat beweert u,' zei kapitein Kal-Gah met een knipoog.
'Maar het is waar...' begon Alise.
Shadamehr pakte haar hand en kneep er even in.
'Kunt u ons er dichter bij brengen?' vroeg hij. 'Zodat we de strijd zouden kunnen zien?'
'Ja, dat zal wel lukken,' zei Kal-Gah. Hij klaarde helemaal op bij het idee. 'Het is vast een schitterend gezicht. Ik verwacht dat de halve stad inmiddels in lichterlaaie staat.'
Hij ging terug aan dek om bevelen te schreeuwen. De vier vrienden gingen terug naar hun hut, waar ze elkaar in stomme ontzetting aanstaarden.
'Dit klopt van geen kanten,' zei Shadamehr nadenkend.
'Het zijn orken,' zei Damra, alsof dat alles verklaarde. 'Ze hebben het vermoedelijk in de ingewanden van de vis van vanmorgen gelezen.'
'Orken zijn misschien bijgelovig, maar ze zijn niet dom,' zei Shadamehr. 'Ze hebben een reden voor alles wat ze doen, en ik herhaal: dit klopt niet. Het was stom van ons om ons door de Karnuanen beet te laten nemen, zodat ze ons schip konden stelen. Maar dat is lang geleden gebeurd. Waarom zijn de orken toen niet in de aanval gegaan? Waarom besluiten ze nu opeens Krammes aan te vallen? Tenzij...'
Hij zweeg even, en zei toen zacht: 'Misschien hebben ze er toch een reden voor.'
'Dagnarus,' zei Alise.
'Onze nieuwe koning,' zei Shadamehr bevestigend. 'Hij heeft zich met de orken verenigd. Dan klopt het natuurlijk precies. Hij grijpt de macht in oostelijk Vinnengael en de orken veroveren westelijk Vinnengael voor hem. Ze vallen Krammes aan vanaf de zee. Hij houdt tanenlegers gereed om van de landzijde binnen te vallen.'
'Toch zie ik daar een moeilijkheid,' wierp Griffith tegen. 'De orken moeten niets hebben van Leegtemagie.'

‘Ze hebben waarschijnlijk geen idee dat Dagnarus iets met Leegtemagie van doen heeft,’ merkte Alise op. ‘Die Vrykyl wist jullie allemaal wijs te maken dat hij een menselijk kind was. Als Heer van de Leegte is het voor Dagnarus natuurlijk nog veel gemakkelijker om zijn verbond met de Leegte te verbloemen.’
‘Alise heeft gelijk,’ zei Shadamehr. ‘Het enige dat Dagnarus zou moeten doen, is de kapitein der kapiteins beloven dat hij haar zal helpen haar heilige berg terug te winnen, dan zouden de orken maar al te graag meewerken. Vooral als dat betekende dat ze een kans kregen om zich daarbij op Vinnengaelezen te wreken.’
‘Maar hij is niet van plan zijn belofte te houden,’ zei Damra.
‘Misschien toch wel,’ zei Shadamehr. ‘Dagnarus zou er best iets in kunnen zien de heilige berg van de Karnuanen af te nemen. Maar niet om hem daarna aan de orken te geven.’
‘Waarom zou hij die berg dan willen?’ vroeg Alise. ‘Het eiland zal wel een zekere strategische waarde hebben, denk ik, maar...’
‘Ik weet het al. Omdat het gerucht gaat dat het orkendeel van de Verheven Steen daar verborgen is,’ zei Griffith.
‘Precies,’ antwoordde Shadamehr.
‘De orken zouden eerder sterven dan hem vertellen waar hij hem kan vinden,’ zei Damra.
‘Hij is Heer van de Leegte,’ zei Griffith somber. ‘De dood vormt voor hem geen hindernis. Hij kan hun lijken de waarheid ontfutselen.’
Het viertal keek elkaar ontsteld aan.
‘Heel goed. Nu hebben we dit allemaal uitgevogeld, maar wat moeten we doen om hem tegen te houden?’ vroeg Damra. ‘Ik neem aan dat we zouden kunnen proberen om met die kapitein der kapiteins te praten, maar waarom zou ze ons geloven?’
‘Vanwege mijn eerlijke oogopslag en mijn knappe gezicht?’ zei Shadamehr.
Alise snoof verachtelijk. ‘Wat echt zou helpen is een ongunstig voorteken. Iets wat de orken zo bang zou maken dat ze uit Krammes wegvluchten.’ Ze wierp Shadamehr een vernietigende blik toe. ‘Daar zou jij nog wel nut kunnen hebben.’
‘Een ongunstig voorteken,’ herhaalde Shadamehr. Hij keek

schattend naar Griffith. 'Dat zou iets opzienbarenders moeten zijn dan visseningewanden.'
'Ik denk dat dat wel geregeld kan worden,' antwoordde Griffith met een glimlach.
'Dit bevalt me helemaal niet,' zei Damra met gefronst voorhoofd. 'Het betekent dat we ingrijpen in het werk van de goden.'
'Neem nog een vijgje,' zei Shadamehr, en hij hield haar een mand met gedroogde zuidvruchten voor.

Het schip van kapitein Kal-Gah voegde zich bij de orkenvloot; vanaf deze schepen werd om beurten brandende gelei naar de stad Krammes geworpen. Kapitein Kal-Gah had overdreven toen hij zei dat de stad al in lichterlaaie zou staan. De orken waren nog maar net met hun bombardement begonnen. De stad brandde nog niet, hoewel men rook kon zien opstijgen van een aantal gebouwen langs de kade.
De geschiedenis van Krammes vormde een bewijs voor de oude zegswijze dat de een zijn dood de ander zijn brood is. Tweehonderd jaar geleden was Krammes het weeskind dat om kruimels bedelde bij de tafel van de welvarende stad die inmiddels bekendstond als Oud Vinnengael. Krammes lag ten zuiden van Vinnengael, aan de mond van de zeearm die naar het Ildurelmeer en naar de stad zelf leidde. De Vinnengaelezen hadden bij Krammes een fort gebouwd dat die zeearm moest bewaken. Rond het fort was een handelspost gegroeid, maar die had moeite zich te handhaven. Van de schepen die op weg waren naar de winstgevende markten van Oud Vinnengael waren er maar weinig die de kleinere, armere markten van Krammes wilden aandoen.
Met de val van Oud Vinnengael veranderde de fortuin van Krammes haast van de ene dag op de andere. Overlevenden van de ramp vluchtten stroomafwaarts naar Krammes; ze vergrootten het bevolkingsaantal en brachten de rijkdommen mee die ze hadden weten te redden. Krammes bleef groeien en nu, tweehonderd jaar later, was het een welvarende stad, die in grootte en belangrijkheid alleen werd overtroffen door Nieuw Vinnen-

gael. De markten trokken grote aantallen klanten. Buitenlandse handelaars vestigden zich in de stad. Nimranen met hun zwarte huidskleur gingen op voet van gelijkheid om met Dunkarganen, die een olijfkleurige huid hadden, en met Vinnengaelezen, die blank van huid waren. Elfenkooplieden reisden naar Krammes via de handelsroute die vanuit Dainmorae naar het zuiden liep. Op de markten waren vaak wapens te vinden die door dwergen waren gemaakt; deze werden door de orken vanuit de dwergenlanden naar het oosten gebracht, of soms ook door dwergenhandelaars.

Het fort dat de ingang van de zeearm bewaakte, stond op een hoge landtong die uitzicht bood op de Gezegende Straat. Het fort was in de loop van de jaren steeds verder versterkt, want Krammes stond altijd argwanend tegenover haar Karnuaanse buren; dit was een van de redenen om de Keizerlijke Cavalerieschool te stichten. Het fort was uitgerust met de nieuwste snufjes op het gebied van wapentechnologie, en de orken ontdekten tot hun ongenoegen dat daar ook hun eigen specialiteit bij hoorde: gelatinedynamiet. Het fort kon enorme keien uitwerpen die door zeilen heen scheurden en gaten maakten in de waterdichte schotten, of roodgloeiend metaal wegslingeren waardoor de dekken en het want van een schip in brand vlogen.

Uit vrees voor de wapens van het fort konden de orkenschepen Krammes niet zo dicht naderen als ze zouden willen. Zo kwam het dat de orken de stad zelf weinig schade toebrachten, hoewel de belegering wel een vernietigende uitwerking zou hebben op de economie van de stad. Zolang de haven geblokkeerd werd door orkenschepen durfde geen ander schip er binnen te varen. Tenminste, dat was de redenering van kapitein Kal-Gah, die hij aan Shadamehr uiteenzette terwijl ze in de richting van de strijd voeren. Shadamehr stemde met deze visie in. Hij zei niets over zijn vermoeden dat er mogelijk uit het oosten een tanenleger aankwam.

‘Als de orken overreed kunnen worden zich terug te trekken,’ zei Shadamehr tegen zijn kameraden, ‘kan ik de stad binnengaan, de prins opzoeken en hem op dat gevaar attent maken. En daar kan dat ongunstige voorteken van jou een rol bij spe-

len. We moeten iets doen waardoor de orken zich terugtrekken.'
'U zult ervoor moeten zorgen dat Quai-ghai me niet ziet,' waarschuwde Griffith. 'Zij zou meteen in de gaten hebben dat ik een betovering oproep, en dat zou rampzalig zijn. Kapitein Kal-Gah mag dan wel uw vriend zijn, baron, maar voor orken zijn voortekenen een ernstige zaak, en als ze zouden ontdekken dat wij er een in elkaar zetten, zouden ze ons doden.'
'Je zou de betovering in de hut kunnen oproepen,' opperde Shadamehr. 'Of moet je daarvoor aan dek zijn?'
'De betovering die ik in gedachten heb, kan ik vanuit de hut oproepen, als ik maar een gezichtslijn heb.'
'Gelukkig wordt iedereen als het goed is afgeleid door het gevecht,' zei Shadamehr. 'We zullen ervoor zorgen dat ze afgeleid blijven. Als iemand naar jou vraagt, Griffith, zullen we zeggen dat je onwel bent.'
'En dat ik mijn eigen geneesmethode heb,' zei Griffith snel en nadrukkelijk. 'Ik heb er geen behoefte aan dat Quai-ghai me hier beneden komt insmeren met vistraan, en op trommels komt slaan.'
'Daar kan ik mee instemmen. Vooral wat betreft die vistraan. Wanneer ga je...'
Een orkenscheepsjongen bonsde op de deur en duwde hem tegelijkertijd open, zodat ze allemaal schuldbewust opkeken. Gelukkig was de jongen te opgewonden om het te merken. 'De kapitein zegt dat de strijd nu in zicht is, baron.' De jongen grijnsde en stond te springen van opwinding. 'Er zijn vlammen en rook en zo te zien.'
'Schitterend!' zei Shadamehr van harte. 'We komen dadelijk boven.'
Alise en hij beklommen de trap naar het dek, en lieten Damra en Griffith beneden achter. Damra ging bij de deur op de uitkijk staan. Griffith ging erbarmelijk liggen kreunen in zijn bed. Shadamehr wees Quai-ghais aanbod van bloedzuigers en gestoofde viskoppen vriendelijk van de hand. Gelukkig wilde Quai-ghai graag naar de strijd kijken, zodat ze er niet op stond de zieke elf hulp te verlenen. Shadamehr en Alise namen elk een plaats in vanwaar ze de gang van zaken konden zien, terwijl ze

ook de trap die naar hun hut leidde in het oog konden houden. Volgens Kal-Gah was de strijd in een impasse geraakt waarbij geen van beide partijen een voordeel kon behalen op de ander. Eén orkenschip stond in brand. De bemanning was ijverig bezig het vuur te blussen en was nog niet genoodzaakt het schip te verlaten. Er steeg rook op uit het havengebied van Krammes, maar dat waren slechts een paar dunne pluimpjes. De orken konden niet dichterbij komen om de eigenlijke stad aan te vallen. De Krammerianen konden niet uitvaren om de orken te verdrijven. Daarom bestookten ze elkaar uit alle macht en slingerden grote bollen gelatinedynamiet door de lucht, alsmede alles wat verder nog schade kon aanrichten.

Maar intussen, dacht Shadamehr, konden de manschappen van Dagnarus natuurlijk steeds dichterbij komen.

'Hou eens op met dat zenuwachtige gedoe!' riep Alise hem toe. 'En kijk niet de hele tijd naar die trap. Op die manier zal het zeker worden opgemerkt.'

'Waarom doet hij er zo lang over?' vroeg Shadamehr ongeduldig. 'Ik...'

'Kijk!' fluisterde Alise opgewonden terwijl ze aan zijn mouw trok.

De orkenmatrozen die posities in het want innamen, schreeuwden naar het dek; sommige wezen naar de zee. Alle ogen gingen die kant op, zodat hun aandacht niet meer op de strijd gericht was.

De zee was op deze dag betrekkelijk kalm; er stond een flauw briesje dat de vlag nauwelijks deed rimpelen. Hierdoor was wat ze nu te zien kregen des te vreemder. Het leek in Shadamehrs verbaasde ogen alsof het zeewater op één plek plotseling omhoogkwam, niet in de vorm van een golf, maar in een grote cirkel die een rookgrijze tint had. Een lange, gebogen tentakel van grijs kwam kronkelend uit de donker geworden hemel en gleed sierlijk draaiend over het oppervlak van het schuimende water.

'Een waterhoos!' zuchtte Alise.

'Bij de goden!' zei Shadamehr zacht. 'Ik heb nog nooit een waterhoos gezien.'

Naar hun geschreeuw te oordelen, hadden de orken wel eerder

waterhozen gezien en wisten ze dat die onberekenbaar en soms dodelijk waren, als een schip in hun wervelend geweld terechtkwam. Een ongunstiger voorteken was niet denkbaar. Quai-ghai schreeuwde zo hard ze kon. Haar gebrul viel samen met de bevelen van de kapitein om het anker te lichten en zeil bij te zetten. Zijn bevelen en het geschreeuw van de sjamaan werden herhaald op elk orkenschip van de vloot.

De waterhoos gleed over de golven van de zee zodat het water omhoogkolkte waar hij kwam, en wolken zeeschuim en druppels opspatten. De hoos bewoog langzaam in de richting van de vloot; hij was nog te ver om een bedreiging te vormen voor een van de schepen, maar was voor iedereen duidelijk zichtbaar.

Sjamanen aan boord van het schip van de kapitein der kapiteins gebruikten hun magische vermogens om bevelen te schreeuwen die over het water heen alle schepen van de slagorde bereikten.

'Ze krijgen bevel de aanval af te breken,' zei Shadamehr voldaan.

De waterhoos bleef kronkelend over de zee bewegen. Verscheidene schepen voeren al weg.

'Je beseft toch wel,' zei Alise plotseling, 'dat ons schip tegelijk met de andere het hazenpad zal kiezen. Hoe denk je Krammes binnen te komen wanneer we zevenhonderdvijftig kilometer verderop zijn?'

'Verdorie!' vloekte Shadamehr. 'Daar heb ik helemaal niet aan gedacht. En mijn plan was nog wel zo geniaal! Vreemd dat ik dit foutje niet heb onderkend. Kapitein? Waar is die verrekte kapitein nou weer?'

Shadamehr rende met grote sprongen over het dek; hij botste tegen de rennende matrozen op, die verontschuldigingen mompelden en hem opzij duwden. Alise schudde haar hoofd, en glimlachte en zuchtte tegelijkertijd.

Een donderende kreet kwam over het water aanrollen en sloeg tegen het schip. De matroos die verantwoordelijk was voor de communicatie van schip tot schip, beantwoordde dit met zijn eigen magisch versterkte 'ahoi' en draaide zich om zodat hij verslag kon uitbrengen aan Kal-Gah, net toen Shadamehr van de andere kant aan kwam rennen.

'Kapitein!' zei de matroos terwijl hij salueerde. 'We hebben be-

vel om bij te draaien. De Kapitein wil met ons spreken.'
(Het woord 'Kapitein' is hetzelfde voor een scheepskapitein en de grote kapitein der kapiteins, de leidster van het orkenvolk. Het verschil wordt aangegeven door de manier waarop deze titel wordt uitgesproken.) Kapitein Kal-Gah wierp Shadamehr een snelle blik toe.
'Dat is een grote eer,' zei Shadamehr opgelucht. Blijkbaar zouden ze nog niet meteen bij Krammes weggaan. 'Ja toch?' vroeg hij, toen hij zag dat de kapitein niet overmatig enthousiast leek te zijn.
Kal-Gah gromde. 'Verzamel uw vrienden en ga naar onderen. Zorg dat ze jullie niet zien.'
Hij begon zo snel bevelen te schreeuwen dat zijn woorden samenklonterden op zijn tong.
'Dat lijkt me een verstandig idee,' zei Shadamehr.
Hij haalde Alise op en haastte zich terug naar hun hut, waar hij Griffith in bed aantrof. Nu deed hij niet alsof. Hij was uitgeput na het oproepen van de betovering.
'Opmerkelijk, Griffith!' zei Shadamehr en hij liep naar hem toe om hem de hand te schudden. 'Iedereen schrok zich een hoedje, ook ik. De orkenvloot vlucht alle kanten op.'
'Met één uitzondering,' zei Alise op onheilspellende toon.
De elf richtte zich op een elleboog op. 'Wat is er misgegaan? Had iemand argwaan?'
'Voor zover ík kon zien niet,' zei Shadamehr.
Alise sloeg haar ogen ten hemel.
'Wat gebeurt er dan?' wilde Damra weten. 'Waarom al die drukte?'
'We draaien bij. De kapitein der kapiteins wil onze kapitein spreken,' zei Shadamehr.
'Wat betekent dat?'
'Dat weet ik nog niet. Het leek Kal-Gah beter dat wij ons niet vertonen.'
'Misschien vermoedt zij dat ons voorteken nep was,' zei Griffith somber.
'Als dat zo was, zou ze de andere schepen van de vloot niet hebben laten wegvaren.'

'Weet ze eigenlijk wel dat er mensen en elfen aan boord zijn?' vroeg Damra.
'Kal-Gah heeft wel even met zijn collega-kapitein aan boord van dat andere schip gebabbeld toen we hier net waren aangekomen,' zei Shadamehr. 'Misschien heeft hij het feit dat hij passagiers vervoerde geheimgehouden...'
Er werd op hun deur geklopt.
'De complimenten van de kapitein, en u wordt aan dek verwacht,' zei de scheepsjongen.
'Maar misschien ook niet,' gaf Shadamehr toe.

'Ik heb met de kapitein der kapiteins gesproken. Ze wil jullie zien,' zei Kal-Gah. 'Ze stuurt een boot om jullie naar haar schip te brengen.'
'Hebt u haar verteld dat wij aan boord zijn?' vroeg Damra.
'Uiteraard,' zei Kal-Gah schouderophalend. 'Zij is de Kapitein.'
Het viertal keek elkaar aan.
'Dit bevalt me niet,' zei Alise. 'Stel dat ze met Dagnarus onder één hoedje speelt? Misschien weet ze alles over ons, en weet ze ook wat we bij ons hebben!'
'Ik geloof niet dat we veel keus hebben,' zei Shadamehr zacht.
Als om dit te bevestigen, zagen ze dat de orken aan boord van het schip van de Kapitein een boot in het water neerlieten.
'We zouden kunnen weigeren om te gaan,' vond Griffith. 'Kal-Gah mag ons wel.'
'Kal-Gah zou mij zo lief kunnen hebben alsof ik zijn broer was, maar als de Kapitein hem opdroeg mij de keel af te snijden, zou hij meteen zijn mes gaan slijpen.'
'Een maar al te toepasselijk beeld,' zei Alise.
'Het spijt me, maar ik kon zo gauw geen beter beeld bedenken. Niet één ork zou het wagen de kapitein der kapiteins ongehoorzaam te zijn,' zei Shadamehr beslist. 'Volgens mij hebben we de keus tussen twee kwaden: óf we klimmen in dat bootje, of we proberen zwemmend in Krammes te komen.'
De boot stootte tegen de zijkant van het schip. Op bevel van Kal-Gah rolde de bemanning een touwladder uit.
'En de Verheven Steen?' vroeg Damra zacht in de elfentaal.

'Neemt u die mee of laat u hem hier?'
'Ik neem hem natuurlijk mee,' zei Shadamehr. 'Ik vertrouw Kal-Gah, maar orken hebben hun eigen moraal die soms niet overeenstemt met de onze. En jij?' vroeg hij aan Damra.
'Ik heb mijn deel van de Steen altijd bij me,' antwoordde ze met een glimlach. 'Veilig verborgen.'
'Dat is het mijne ook,' zei Shadamehr. 'Ergens weggestopt tussen de plooien van tijd en ruimte, volgens Bashae.'
Kal-Gah kwam naar hen toe. 'De boot is hier. Jullie mogen de Kapitein niet laten wachten.'
'We willen haar graag leren kennen, maar ik moet even terug naar de hut om iets te halen. Een... een geschenk voor de grote Kapitein,' zei Shadamehr.
Kapitein Kal-Gah trok al een boos gezicht vanwege het uitstel, maar zijn gezicht klaarde weer op toen hij hoorde dat het om een geschenk ging.
'Een goed idee,' zei hij.
'Tja, wat zal ik haar nou geven?' mompelde Shadamehr terwijl hij de trap af klepperde die naar beneden ging. Hij raapte de knapzak op en pakte een van Alises met parels bezette haarkammen; hij wilde hem er al in gooien toen hij onder in de knapzak iets zag glinsteren.
'De ring met de amethist van heer Gustav,' zei hij terwijl hij hem te voorschijn haalde. 'De ring die Bashae aan zijn liefste moest brengen. Ik hoop dat u het niet erg vindt, heer,' zei Shadamehr op eerbiedige toon tegen de geest van de dappere ridder, 'maar uw liefste zal boomlang blijken te zijn en slagtanden hebben. Ik was bijna vergeten dat die ring in de knapzak zat.'
Hij hield de amethist op in het verflauwende licht. De zon glansde diep in het paarse hart.
'O nee, daar komt niets van in!' zei Alise die met een sprong in hun hut belandde. Ze griste haar kam weg en stak hem uitdagend in haar haar. 'Ik weet hoe jouw geest werkt. Zodra Damra me vertelde wat je van plan was, wist ik al dat je mijn paarlen kam aan die ork ging geven.'
'Ik word ten onrechte beschuldigd,' zei Shadamehr gekwetst. 'Ik ga dit aan de Kapitein geven.' Hij hield de ring omhoog.

'Die zal haar niet passen,' zei Alise. 'Behalve misschien door haar neus.'
'Toch denk ik dat ze hem mooi zal vinden. Ik meen me te herinneren dat orken waarde hechten aan de amethist, omdat ze denken dat die hen beschermt tegen de bedwelmende uitwerking van sterkedrank.' Hij deed de ring terug in de knapzak.
'Ze kan hem natuurlijk ook aan een ketting om haar hals dragen,' zei Alise.
'Een uitstekend idee, lieve. Daarom heb ik je graag in mijn buurt.' Hij kuste haar op de wang, snel, voor ze hem kon ontwijken. 'Daarom, en omdat ik van je rode haar hou.'
'En van mijn paarlen kam,' zei ze terwijl ze hem wegduwde. 'Ulaf heeft deze kam helemaal uit Nimra meegebracht, en die ga jij echt niet aan de een of andere ork geven.'
'Toch is het altijd beter iets te hebben om op terug te vallen,' mompelde Shadamehr binnensmonds.
'Ik hoorde heus wel wat je zei!' zei Alise.

Damra staarde naar de touwladder die langs de zijwand van het schip bungelde en vroeg zich af hoe ze ooit langs dat breekbaar uitziende geval naar beneden moest komen, vooral omdat het schip op en neer deinde op de golven terwijl het bootje tegen de romp stootte. Tot haar opluchting ontdekte ze dat zij en de anderen naar beneden zouden gaan in iets wat de 'landrottenstoel' werd genoemd, een constructie die veel weg had van een schommel aan touwen.
Toch beleefde ze weinig plezier aan de afdaling. De landrottenstoel draaide rond in de wind. De boot was ver onder haar, en de orken die klaarstonden om haar op te vangen, lachten en gniffelden en maakten grove grappen ten koste van haar. Maar ze wisten wel van wanten. Zodra de stoel binnen hun bereik was, grepen ze haar, hesen haar uit de stoel en gooiden haar in de boot, waar ze snakkend naar adem bleef liggen en naar de golven staarde die klein leken vanaf het schip, maar als bergen zo hoog leken nu ze zich ertussen bevond.
Als tweede kwam Alise en daarna Griffith, over wie de orken zich erg vrolijk maakten omdat hij omlaag kwam met zijn ogen

stijf dichtgeknepen. Maar hij trok zich niets aan van hun hoongelach. Shadamehr was de laatste.
'Haal die landrottenstoel maar weg,' zei hij met waardigheid, en voor Kal-Gah hem kon voorhouden dat hij beter verstandig kon zijn, verdween Shadamehr over de reling en klom langs het touw naar beneden.
Viel langs het touw naar beneden, dat leek er meer op. Het lukte hem een paar meter naar beneden te komen, maar toen kwam er opeens een golf opzetten die tegen de romp sloeg, Shadamehr doordrenkte en hem zijn greep op het touw deed verliezen. Hij tuimelde ruggelings in de armen van de orkenmatrozen, die hun hoofd schudden, hun ogen ten hemel sloegen en hem gauw op een zitplaats neerzetten. Ze begonnen terug te roeien naar het schip van de Kapitein.
'Moet je je nou echt altijd belachelijk maken?' vroeg Alise.
'Ik dacht dat ik indruk op hen zou maken met mijn zeemanschap,' zei Shadamehr klaaglijk.
'Je hebt in elk geval indruk op hen gemaakt. Shadamehr,' zei ze op een andere toon. 'Wat doet Kal-Gah nu?'
Kal-Gah had bij de reling staan kijken terwijl ze wegvoeren. Nu, na een golf, draaide hij zich om en begon bevelen te schreeuwen. Matrozen klommen snel in het want, begonnen de zeilen uit te rollen en uit te schudden zodat ze de wind zouden vangen.
'Hij vertrekt,' zei Shadamehr.

De grote kapitein der kapiteins was in haar vijftigste levensjaar. Met haar grove bouw en haar staalgrijze haar dat ze in een lange vlecht droeg, leek het alsof ze deel uitmaakte van de zee waarop ze haar leven had doorgebracht. Haar ogen hadden de kleur van de golven op een grauwe wintermorgen. Ze liep deinend, zoals de golven naar de kust deinden. Om haar hals droeg ze een ketting van schelpen en haaientanden. Aan haar oorlellen hingen gouden oorringen. Ze was net zo gekleed als alle andere orkenzeelieden, in een leren broek en een losvallend hemd met lange mouwen dat in de wind opbolde als een zeil. Ze had blote voeten en blote armen. Elk stukje huid dat zichtbaar was, was bedekt met tatoeages van dolfijnen en zeemeeuwen, walvissen en zeesterren.

Van het tochtje in de kleine boot – tegen golven opglijden en in een golfdal duiken – waren de elfenmagen van streek geraakt. Damra en Griffith werden allebei weer zeeziek, en ze konden nauwelijks op hun benen staan toen ze moeizaam uit de landrottenstoel opstonden.

'Het is weer tijd voor mijn welbekende charme,' zei Shadamehr terwijl hij in zijn handen wreef.

'Ja, die heeft tot nu toe geweldig gewerkt,' zei Alise scherp. 'Als ik me goed herinner, ben je in de afgelopen paar weken geslagen, gestoken en overboord gegooid.'

'Ik ben overboord gevállen,' zei Shadamehr op waardige toon.

'U kunt misschien proberen erachter te komen of we hier als gast of als gevangene zijn,' stelde Griffith voor. Hij was bleek,

maar kalm. Nu hij uit dat kleine bootje was, voelde hij zich meer op zijn gemak.
'Je wilt het antwoord misschien niet weten,' zei Shadamehr. 'Sst, daar komt ze aan.'
De kapitein der kapiteins kwam met grote stappen over het dek naar hen toe, zonder plichtplegingen. Ze stak met kop en schouders boven hen uit en keek langs haar neus op hen neer. Haar gezicht had een strenge uitdrukking, en de harde, grijze glinstering in haar ogen droeg er niet toe bij dat haar gasten zich op hun gemak voelden.
'Baron Shadamehr, om u te dienen,' zei hij met een buiging. 'Het is een grote eer, de kapitein der kapiteins te ontmoeten.'
De Kapitein nam hem van onder tot boven op en gromde. Dat gevoel was kennelijk niet wederzijds.
'Kapitein Kal-Gah heeft me van jou verteld,' zei ze. Ze keek even naar de elfen. 'En van die daar.'
'Ik heb het genoegen u voor te stellen: Damra van Gwyenoc,' zei Shadamehr. 'Haar echtgenoot, Griffith. En dit is Alise.'
De Kapitein nam hen elk om beurten op, met een lange, doordringende blik.
'Jij bent een tovenaar,' zei ze tegen Griffith.
'Ik heb de eer lid van de Wyred te zijn,' antwoordde hij.
De Kapitein verplaatste de grijze glinstering naar Alise. 'En jij ook.'
'Ik heb enige kennis van de Aardemagie,' antwoordde Alise.
De Kapitein keek van Alise naar Shadamehr en weer naar Alise. 'Ben jij zijn vrouw?'
'Nee, dat ben ik niet,' zei Alise op ijzige toon.
'Heel verstandig van je,' zei de Kapitein.
Haar stem was laag, maar wel melodieus, niet schel, zoals de stemmen van sommige orken. Ze sprak de Taal der Oudsten vloeiend, met een vaag accent dat Shadamehr herkende als Nimraans. Volgens Kal-Gah was de kapitein der kapiteins opgegroeid op een schip dat de handelsroutes tussen Nimra en de orkengebieden bevoer. Verder had Kal-Gah weinig informatie gegeven, behalve het feit dat de Kapitein weduwe was en volwassen kinderen had die nu met eigen schepen voeren. Ze was

al vijfentwintig jaar kapitein der kapiteins. Ze was voor de orken een heldin, die twee Karnuaanse schepen tot zinken had gebracht en er nog drie had veroverd.
'Nu ik iedereen aan u heb voorgesteld,' zei Shadamehr, 'heb ik dit voor u meegebracht ter ere van onze kennismaking.'
Hij bood de Kapitein de ring met de amethist aan.
Ze nam de ring aan – in haar enorme hand leek die zo klein als het doopringetje van een kind –, hield hem in het licht en keek naar de fonkeling.
'Een gunstig voorteken,' zei ze, en stopte de ring in haar omvangrijke boezem.
'Graag gedaan,' zei Shadamehr. 'Wat ik me afvroeg: zou u ons kunnen vertellen waarom kapitein Kal-Gah zo plotseling is vertrokken...'
'Hij is weggegaan vanwege het ongunstige voorteken,' zei de Kapitein fronsend. 'De waterhoos.'
'O,' zei Shadamehr slecht op zijn gemak. 'Juist ja.'
De ogen van de Kapitein vernauwden zich. 'De voortekenen waren gunstig tot jullie bij ons kwamen. Jullie hebben een ongunstig voorteken meegebracht. Hoe komt dat?'
'Eh, nee, dat ziet u verkeerd,' wierp Shadamehr tegen. 'Ik heb het ongunstige voorteken niet meegebracht. Mijn voortekenen zijn allemaal gunstig, dat ziet u wel aan deze ring. U zou het aan Kal-Gah kunnen vragen. Nou ja, dat kan niet, want hij is vertrokken. Maar ik heb de hele reis geen enkel ongunstig voorteken gehad. En mijn vrienden ook niet. Het geluk is met ons. Met ons allemaal.'
'Misschien kan ik een reden geven voor het ongunstige voorteken,' kwam Griffith soepel tussenbeide. Nu hij op het dek van het schip stond, dat veel meer houvast bood dan dat kleine bootje, begonnen Damra en hij zich beter te voelen. 'Het lijkt mij dat dat gekomen is omdat de goden u proberen te vertellen dat u het verkeerde volk aanvalt. Uw aanval zou niet op Krammes gericht moeten zijn. U bent niet in oorlog met Vinnengael. U bent in oorlog met Karnu.'
'We zouden graag de strijd met de Karnuanen aanbinden,' gromde de Kapitein. 'Als die zonen-van-wezels ons maar op

open zee wilden bevechten, in een strijd van schip tegen schip en van man tegen man. Maar dat ongedierte verschuilt zich achter de muren van hun forten ver in het binnenland, zodat we dagenlang moeten lopen om hen te bereiken, en dan voeren ze geen eerlijke en eerbare veldslag, maar vormen vierkanten en colonnes, waarmee ze her en der marcheren om vervolgens uit alle richtingen op ons af te komen. Wij kunnen niet vechten op het land.'

De Kapitein knikte in de richting van de stad Krammes, waar nog steeds sliertjes rook te zien waren die in de lucht opstegen. 'Ik heb gehoord dat een paar van de beste generaals van heel Loerem in Krammes zitten. Hoe noemen ze dat geval – een paardenschool?'

'De Keizerlijke Cavalerieschool,' zei Shadamehr. 'Maar "paardenschool" geeft het aardig weer.'

De Kapitein keek hem woest aan. 'Ik was van plan hun te vragen ons te helpen, ons te leren hoe we onze vijand te land moeten bevechten. Wat we moeten doen tegen die colonnes piekeniers, en die hordes boogschutters en paarden. Wij voeren oorlog tegen mensen, en niet tegen paarden, maar toch krijgen we met paarden te maken.'

Ze stak haar onderste slagtanden – waaraan scherpe punten waren gevijld – over haar bovenlip en knikte weer in de richting van Krammes. 'Zoals ik zei, wilde ik hun om hulp vragen, en toen kwamen jullie met jullie ongunstige voortekenen.'

'Maar,' zei Alise niet-begrijpend, 'u vroeg niet om hulp. U viel hen aan. Stak gebouwen in brand.'

'Ja?' zei de Kapitein. 'Nou en?'

'Je gaat iemand aan wie je een gunst wilt vragen niet in elkaar slaan...' begon Shadamehr. Zijn stem stierf weg toen hij besefte dat dit nu juist een gewoonte van de orken kon zijn.

'Dan heb ik een vraag voor u, baron.' De Kapitein porde met haar wijsvinger in Shadamehrs borst. 'Als ik hinkend bij hun fantastische paardenschool aankwam en hun mijn wonden liet zien, en als ik dan de paardenleraren zou smeken om me te helpen, wat zouden ze dan zeggen?'

'Nou...' begon Shadamehr.

'"Gewonde ork,"' zouden ze medelijdend zeggen. '"Je bloedt op ons vloerkleed. Ga alsjeblieft weg."'

'Ik denk niet...'

'Ik kom bij hen met een vurig zwaard in mijn hand,' zei de Kapitein met een woest snuifgeluid. 'Ik wil dat ze zeggen: "Die orken zijn vechters! Ze zijn het waard om van ons les te krijgen." En dan komen jullie aanzetten,' gromde ze, 'en verpesten het.'

'Zou ik even met mijn collega's mogen overleggen?' vroeg Shadamehr. 'En dit aan hen uitleggen? Ze spreken geen orks.'

De Kapitein zwaaide met haar hand en liep een paar passen weg.

'Er zit op een vreemde manier wel iets in wat ze zegt,' zei Damra.

'Als je dat gelooft,' zei Griffith sceptisch.

'Ik zou echt niet weten hoe iemand zo'n leugen zou kunnen verzinnen,' zei Shadamehr zuchtend. Hij krabde op zijn hoofd. 'Ik heb alles misschien behoorlijk in de war gestuurd.'

'Maak je geen zorgen, lieve,' zei Alise op sussende toon. 'Het is niet voor het eerst dat je dat gedaan hebt, en vast ook niet voor het laatst.'

'Goed zo, vrouw!' riep Shadamehr joviaal terwijl hij zijn arm om haar heen legde en haar tegen zich aan drukte. 'Dat is een hele troost! Maar ik denk dat ik er iets op weet. Kapitein,' riep hij luid. 'Ik ken heel wat officieren op de... eh... paardenschool, en ik denk dat ik hen wel kan overhalen om u te helpen. U en ik zouden onder witte vlag aan land kunnen gaan om met hen te praten. Om uit te leggen hoe het zit met dat vurige zwaard en zo.'

De Kapitein nam hem onderzoekend op. 'Denk je dat ze naar je zouden luisteren?'

'Ik heb in de loop van de tijd heel wat geld aan de school geschonken,' zei Shadamehr. 'Ik denk dat ze misschien wel naar me zouden luisteren. En naar de grote kapitein der kapiteins, natuurlijk.'

'Mmf,' zei de kapitein, terwijl ze haar onderlip naar binnen zoog. 'Ik zal erover nadenken.'

Ze vouwde haar armen voor haar forse boezem en boog haar hoofd achterover. 'Kapitein Kal-Gah zei dat hij jullie naar Krammes bracht. Wat had jíj daar te zoeken?'

'Een zeereis,' zei Shadamehr onmiddellijk. 'Goed voor onze gezondheid.'
Tot zijn verbazing begon de Kapitein bulderend te lachen.
'Dat zei Kal-Gah ook al,' zei ze, en lachend liep ze weg.

De orken brachten het viertal naar hun hut benedendeks, die in alle opzichten leek op hun hut aan boord van Kal-Gahs schip: vier kleine kooien in de wanden; een tafel waarop wat uitgedroogd brood was gelegd, alsmede een plak kaas, een kom water en verscheidene mokken.
'Wat zou Kal-Gah haar volgens jou echt over ons verteld hebben?' vroeg Damra.
'Kal-Gah is een trouwe vriend, maar een ork is in de eerste plaats trouw aan de Kapitein. We kunnen er gerust van uitgaan dat hij haar alles heeft verteld wat hij weet,' zei Shadamehr. 'Dus onder andere ook dat hij Alise en mij halfdood en besmet met Leegte heeft gevonden in de riolen van Nieuw Vinnengael. Wil iemand kaas? Ik geloof dat het geitenkaas is.'
'En hij heeft haar waarschijnlijk ook alles verteld wat er in het paleis is gebeurd,' merkte Alise op. Ze stond tegen de deur geleund en keek telkens naar buiten om er zeker van te zijn dat niemand hen afluisterde. 'Sommige van de orken aan boord van het schip waren bij ons in het paleis. De komst van Damra – een elf – die reisde in gezelschap van een pecwae en een Trevinici was daar het gesprek van de dag.'
'En we hebben nooit een geheim gemaakt van het feit dat Damra een Domeinheer is,' zei Griffith, terwijl hij een blik wisselde met zijn vrouw.
'Een onnozele hals zou nog kunnen concluderen dat Bashae iets van waarde in zijn knapzak had,' zei Shadamehr. Hij gooide de knapzak op het bed en liet zichzelf erop neervallen. 'Iets wat zo kostbaar is dat een Domeinheer het bewaakte. En hoewel orken hun eigen manier van denken hebben, zijn het geen onnozele halzen. Ik vertrouw die Kapitein niet.' Hij keek even naar Damra. 'Hebben orken tegenwoordig nog Domeinheren? Ik weet dat ze ze vroeger hadden, jaren geleden.'
'Als ze ze hebben, heb ik er nog nooit een ontmoet. Na de val

van de Sa'Gra-berg kwamen ze niet meer op de vergaderingen van de Raad. De ellende begon toen ze de Domeinheren vroegen hen te helpen bij het terugveroveren van hun berg, en de Domeinheren dat weigerden.'

'Waarom dachten ze dat die hen zouden helpen?' vroeg Shadamehr, terwijl hij zich op een elleboog oprichtte.

'Omdat het orkendeel van de Verheven Steen zich op de Sa'Graberg bevindt,' antwoordde Damra.

'Juist.' Shadamehr keek ernstig.

'Het schijnt dat de Steen veilig is, en goed verborgen,' zei Damra. 'Tenminste, dat hebben de orken tegen de Raad gezegd.'

'Maar toch weigerden ze te helpen,' zei Alise.

'We hadden een goede reden om te weigeren,' verklaarde Damra. 'Het is de plicht van een Domeinheer te proberen vrede te brengen tussen de verschillende rassen, en niet om mee te gaan doen met een oorlog van het ene ras tegen het andere. We hebben geprobeerd dat aan de orken uit te leggen, maar daar zijn we niet ver mee gekomen. Hun Domeinheren stapten op, en ze zijn daarna niet meer teruggekomen.

Intussen doet Dagnarus al het mogelijke om de vier delen van de Verheven Steen te vinden. Zijn Vrykyls zijn geïnfiltreerd in de regeringen van andere rassen. Ik zie geen reden waarom het bij de orken anders zou zijn. Hetgeen ons weer terugbrengt bij onze oorspronkelijke theorie, dat hij heeft aangeboden hen te helpen de Sa'Gra-berg terug te veroveren, in ruil voor een aanval op Krammes vanaf de zee, zodat de stad daarmee bezig is terwijl hij over land komt aanmarcheren.'

'Ik moet toegeven dat dat logischer lijkt dan dat ze de mensen van Krammes met de ene hand een bloedneus slaan, terwijl ze hun de andere hand toesteken ter begroeting,' zei Griffith.

'Maar toch,' vond Shadamehr, 'zit daarin ook een prachtig soort logica.'

'Maar wat doen we nu?'

'We kunnen niets doen,' zei Shadamehr. Hij ging weer liggen op het bed en liet zijn hoofd op zijn armen rusten. 'We moeten de twee Verheven Stenen veilig bewaren tot het ons lukt in Krammes te komen...'

'Griffith,' zei Alise plotseling, 'heb jij geen zin om je gezicht te wassen?'
'Zit er vuil op?' vroeg Griffith verschrikt. 'Waar dan?'
'Ja, het ziet er smerig uit. Ga je gezicht maar wassen in die kom water,' zei Alise dringend terwijl ze ernaar wees. 'Die fijne, verfrissende *kom water*...'
'Ah!' riep Griffith. 'Bedankt voor de aanwijzing.'
Hij pakte de kom en smeet hem op de vloer. De kom brak in stukken. Water klotste over zijn schoenen en over de rand van zijn gewaad.
Shadamehr ging op het bed rechtop zitten en keek hem met grote ogen aan. 'Is dat een gewoonte van je, het serviesgoed kapot te smijten?'
Griffith besteedde geen aandacht aan hem.
'Ik ben daar al eens in gevlogen toen ik studeerde,' zei hij verbitterd. 'Ik moest een week lang van alleen water leven om die les te leren. Nu blijkt dat een week niet lang genoeg was.'
'Kan iemand me soms uitleggen...' zei Shadamehr.
Alise bukte zich en raapte een scherf van de kom op. 'Herinner je je dat Rigiswald je een bericht stuurde? Toen keek Quai-ghai in een kom met water, en zo hoorde ze...'
'Precies wat die andere ork tegen haar zei,' maakte Shadamehr haar zin af. Hij kwam naar de scherven kijken. 'Heel goed van jou, Alise, al had je er wat eerder aan kunnen denken.'
'Dit ziet er best onschuldig uit,' zei Damra die voorzichtig een van de scherven opraapte. 'Misschien laten we ons door onze angsten opjutten. Kun je erachter komen of ze deze kom gebruikten om ons af te luisteren?'
'Nu niet meer,' zei Griffith. 'De betovering is opgeheven.'
'Wat doen we nu?' vroeg Alise.
Shadamehr schudde zijn hoofd. 'We kunnen niet veel doen. We hebben over de Verheven Stenen gepraat, en misschien van alles verklapt. Dat kunnen we niet meer ongedaan maken. Weet je wel zeker dat jij degene was die de waterhoos heeft opgeroepen, Griffith?'
'Ja, hoezo?' vroeg hij verschrikt.
'Ik wou het even nagaan,' zei Shadamehr, en hij voegde er som-

ber aan toe: 'Ik weet niet wat jij doet, maar dit is de laatste keer dat ik me met ongunstige voortekenen heb bemoeid.'
Ze hadden in hun hut een kleine patrijspoort. De zonsondergang was spectaculair; de ondergaande zon spreidde een baan van gloeiend paars en oranje over het oppervlak van het blauwgouden water, maar geen van de vier was in de stemming om ervan te genieten. Griffith veegde de scherven van de gebroken kom bij elkaar en legde ze op een stapel op tafel; hij bereidde zich erop voor zijn spijt te betuigen als de orken vroegen wat ermee gebeurd was.
Dat deden de orken niet. De orken kwamen hen niet storen. De elfen lagen op hun bed en probeerden vergeefs te slapen. Shadamehr ijsbeerde (in gebukte houding) rusteloos door de hut, luisterde naar het kraken van het schip en naar de scheepsgeluiden van rennende voeten, klapperende zeilen, en de gescandeerde kreten die elk onderdeel van het leven aan boord van een schip begeleiden. Alise zat en keek naar hem.
'Ze varen tenminste niet weg,' zei Shadamehr terwijl hij uit de patrijspoort tuurde.
'Dat is zo,' zei Griffith. 'Ze hebben het anker niet gelicht.'
'Dat is niet direct een hoopvol teken,' zei Alise. 'Als jouw theorie klopt, kan het zijn dat de Kapitein wacht tot het tanenleger verschijnt.'
'Je hebt gelijk,' zei Shadamehr somber. 'Dat was ik even vergeten.'
Er klonk een luide klop op de deur, waarna een grote ork zijn kaalgeschoren en getatoeëerde hoofd naar binnen stak. 'De Kapitein zegt dat ze jullie aan tafel wil hebben.'
'Toch niet als hoofdgerecht?' vroeg Shadamehr.
'Naah,' zei de ork grijnzend. 'We hebben inktvis!'
Bij die mededeling liet Damra, die al was opgestaan, zich weer neervallen. 'Nee, dank u. Ik heb geen honger.'
De grijns van de ork was meteen verdwenen. 'Jij komt aan tafel,' zei hij. 'Jullie komen allemaal aan tafel. De Kapitein beveelt het.'
'Je krijgt tenminste geen vijgen,' zei Shadamehr in haar oor terwijl ze de hut uit liepen.

Het verblijf van de Kapitein was gesitueerd in de voorsteven van het schip en het zag er naar orkenmaatstaven schitterend uit. Een groot raam bood een fantastisch uitzicht op de zee. De tafel, gemaakt van een brede, houten plank die op schragen rustte, bood plaats aan tien orken of veertien mensen. Aan de wand hing een reusachtige kaart van het continent Loerem met alle zeeën die eromheen lagen. Een tweede kaart – kleiner en meer gedetailleerd, van de Gezegende Straat, de zeearm, Krammes en Oud Vinnengael – lag uitgespreid op een bureau, waar hij op zijn plaats werd gehouden door diverse navigatie-instrumenten. Shadamehr was zo geïnteresseerd in de kaarten dat hij moest worden overgehaald om zijn plaats aan tafel in te nemen.

De kapitein der kapiteins zat aan het hoofd van de tafel, met haar gasten aan weerskanten naast elkaar. Er zaten nog twee andere officieren aan tafel. De overige aanwezigen waren sjamanen.

Het eten was bereid naar ieders smaak, zowel die van de orken als die van de mensen en elfen; de eersten kregen gebakken inktvis en vissoep, de elfen een paarse soep. De orken dronken bier. De Kapitein had wijn voor de mensen en de elfen, een traktatie die ze niet hadden geproefd sinds ze uit Nieuw Vinnengael weg waren. Orken drinken geen wijn, want zij vinden het een drank die alleen geschikt is voor zeer jonge kinderen, die bovendien nog ziek moeten zijn.

Shadamehr nam de grote beker die de orken voor hem inschonken aan. Hij proefde de wijn en liet hem op zijn tong rollen. Het was de koppige, kruidige rode wijn uit het zuiden van Dunkar, en hij smaakte heerlijk, vooral na wekenlang muf water uit vaten gedronken te hebben. Hij aarzelde even voor hij dronk, om alles te overdenken. Hij dacht dat hij nu wist hoe de situatie was. Met een glimlach bracht hij de beker naar zijn lippen en dronk van de gekruide wijn. Hij dronk de hele beker leeg en vroeg om meer.

Naarmate er meer wijn vloeide, liep het gesprek vlotter. De Kapitein sprak over de politieke toestand in de wereld. Shadamehr was onder de indruk van haar kennis. Hij had het gevoel dat sommige dingen die ze zei, niet helemaal in de haak waren, maar de wijn was te goed om die te bederven door tegen haar in te gaan. Ze wist alles over Dagnarus. Shadamehr probeerde er een idee van te krijgen hoe de Kapitein tegenover Dagnarus stond, maar ze gaf zich niet bloot, met één uitzondering.

'Als de orken tweehonderd jaar geleden hun gang hadden mogen gaan,' zei de Kapitein terwijl ze een homp brood afscheurde en die gebruikte om het restant van haar soep mee op te soppen, 'zouden jullie mensen nu geen last van Dagnarus hebben.'

'Wat bedoelt u?' vroeg Shadamehr beleefd. Hij voelde dat er een verhaal aankwam.

'Toen koning Tamaros de Verheven Steen kreeg, nodigde hij de vertegenwoordigers van de vier rassen uit om erin te delen. Hij hield een grootscheepse plechtigheid. Onze kapitein der kapiteins werd er ook voor uitgenodigd. Hij wist niet of hij moest gaan of niet, want de voortekenen waren erg ongunstig. Zijn sjamaan verzekerde de Kapitein dat de ongunstige voortekenen voor de mensen golden, niet voor de orken, en dus ging de Kapitein erheen. Tijdens de plechtigheid kwam het allerongunstigste voorteken voor de mensen. Het jonge prinsje, Dagnarus, moest een van de stukken van de Verheven Steen aan zijn broer Helmos geven. Toen hij de steen aan zijn broer overhandigde, gleed de steen weg en sneed Helmos tot bloedens toe.'

De orken zwegen – plechtig en ernstig bij het aanhoren van zo'n verschrikkelijk teken van de goden.

'Koning Tamaros ging door met de plechtigheid,' vervolgde de Kapitein. 'Hij kon niet veel anders, denk ik. De kapitein der kapiteins en de sjamaan wachtten, om getuige te zijn van het doden van het prinsje, want nu er bloed had gevloeid tussen twee broers mocht Dagnarus natuurlijk niet blijven leven. Maar er gebeurde niets, behalve een feest. De Kapitein wilde erg graag terug naar zijn schip, en daarom vroeg hij aan koning Tamaros wanneer hij van plan was de prins te doden, en sprak de hoop uit dat dit voor hoog water zou gebeuren. Hij bood zelfs aan het zelf te doen, als het daardoor vlugger zou gaan. Stel je de ontsteltenis van de Kapitein voor toen hij Tamaros hoorde zeggen dat hij niet van plan was Dagnarus te doden. Dat het maar "een ongeluk" was geweest, meer niet.'

De sjamanen schudden hun hoofd over de misdadige domheid van de mensen.

De Kapitein kauwde krachtig op haar brood. 'Er had bloed gevloeid tussen twee broers. Het was voor ons geen verrassing toen er oorlog uitbrak. Als Tamaros naar de orken had geluisterd, zou zijn koninkrijk nu niet aan puin liggen.'
'Dit vraagt om een nieuw glas wijn,' zei Shadamehr. 'Begin over iets anders,' beval hij binnensmonds.
'Is het waar, Kapitein,' zei Griffith, 'dat u orkensjamanen hebt die alle vormen van elementaire magie beheersen?'
De Kapitein knikte. 'Dat is waar.'
'De meeste orken vinden alle magie behalve Watermagie waardeloos. Toch hebt u orken die Vuurmagie en Aardemagie beoefenen.'
'En Leegtemagie,' zei de Kapitein.
'Warempel,' zei Griffith slecht op zijn gemak. 'Leegtemagie? Maar jullie orken verachten de Leegte.'
'Sommige orken verachten elfen,' zei de Kapitein. 'Sommige elfen verachten orken. Toch zijn jullie hier. De Leegte is het middelpunt van de grote levenscirkel. Zonder niets kan er niet iets zijn. De Leegte heeft zijn nut,' zei ze op zelfgenoegzame toon. 'Net als elfen. Naar het schijnt.'
'Nog wat wijn graag,' zei Griffith.
Shadamehr schonk de robijnrode wijn in voor zichzelf en zijn vrienden. Hij hief zijn glas om op de kapitein der kapiteins te drinken. Terwijl hij van de wijn dronk, luisterde hij naar de scheepsbel die het wisselen van de wacht aankondigde. Hij keek naar Alise, wier rode haar als vuur gloeide in het licht van een olielamp die boven hun hoofd hing. De lamp zwaaide met het schommelen van het schip...
De lamp zwaaide rond en rond...
De muren draaiden rond en rond...
Een kreet en een klap.
Alise op de vloer. Damra op de vloer.
Griffith stond, stak zijn handen uit...
Griffith op de vloer.
Rond en rond. In een cirkel.
In het midden was de Leegte.

Alise werd wakker met de ergste hoofdpijn die ze ooit in haar leven had gehad. Het was een gevoel alsof haar hoofd was volgestopt met stenen, waarvan de scherpe, rafelige randen haar pijnlijk staken wanneer ze probeerde te bewegen. Ze zou dan ook niet bewogen hebben als ze de keus had gehad. Ze zou veel liever stil zijn blijven liggen tot de dood haar meenam, wat volgens haar wel snel zou gebeuren. Maar onder de pijn en de misselijkheid knaagde een besef van gevaar, dat haar noopte haar ogen open te doen en te proberen haar hoofd op te heffen van het kussen.

Ze kreunde en ging weer liggen. Fel zonlicht dat door een raam naar binnen stroomde, schoot als een pijl naar de achterkant van haar hoofd. Terwijl ze daar lag en probeerde te begrijpen wat er niet klopte, had ze het opeens door.

Het bed bewoog niet.

Met een pijnlijk vertrokken gezicht schermde ze haar ogen af met haar hand en keek rond in de kamer. De voorwerpen binnen haar gezichtsveld zweefden rond, en pas nadat ze zich uit alle macht had geconcentreerd, lukte het haar de voorwerpen te laten ophouden met wiebelen en kronkelen. Haar vermoedens werden bevestigd. Het raam was een echt raam, geen patrijspoort. Ze lag in een kamer met witgekalkte muren en verder niet veel, behalve primitieve bedden en één stoel.

Een bejaarde man zat op de stoel naast haar bed. Zijn baard was geknipt en glad. Hij droeg een habijt van fraai kamgaren en hij keek haar uitdrukkingsloos aan.

'Rigiswald...' zei Alise half versuft. Ze probeerde rechtop te gaan zitten.
'Rustig aan,' raadde Rigiswald haar aan. 'Je hebt een zware nacht gehad. En je dag zal niet veel beter worden, vrees ik.'
Van angst werd haar hoofd opeens helder.
'Shadamehr!' zei Alise moeizaam. Het viel niet mee haar gezwollen tong te gebruiken. Ze keek om zich heen in de kamer, maar zag hem niet. 'Waar is hij? Wat heeft...'
'Niet hier,' zei Rigiswald. 'Hij en de elfen-Domeinheer zijn allebei weg.'
'En Griffith?'
'Die is hier. Hij ligt in de kamer hiernaast zijn roes uit te slapen.'
Alise keek naar zichzelf – haar rode haar in vieze pieken, haar jurk verfomfaaid en vuil.
'Waar zijn we?' vroeg ze suffig. 'Dit is niet het schip...'
'Nee,' zei Rigiswald. 'Je bent in Krammes. In een herberg. De Vrolijke Pimpelaar.'
Alise ging rechtop zitten. 'Waar is Shadamehr?' wilde ze nu echt weten.
'Ik geloof, lieve,' zei Rigiswald, 'dat de orken hem en die elfenvrouw hebben. Ik ben even haar naam kwijt.'
'Damra,' zei Alise. Ze stond op, wankelde over de vloer en greep het raamkozijn om zich steun te verschaffen. Ze staarde naar de zee buiten. Ze staarde tot haar ogen pijn deden en de tranen over haar gezicht stroomden.
'Het schip... Het schip van de Kapitein...'
'Weg,' zei Rigiswald monter. 'Weggevaren. Je kunt maar beter weer in bed gaan liggen. Voor je omvalt.'
Alise draaide zich om, maar ze ging niet terug naar haar bed. 'Vertel me wat er gebeurd is. Hoe hebt u me gevonden? Ons gevonden?' verbeterde ze zichzelf, want ze dacht aan Griffith.
'Ik heb op jullie gelet,' antwoordde Rigiswald. 'Volgens het bericht van de ork naderde het schip Krammes. Ik heb vrienden onder de orken hier en liet bekend worden dat ik het op prijs zou stellen te vernemen wanneer mijn vrienden waren aangekomen. Ik gaf hun een beschrijving van jou en Shadamehr.

Gisteravond, tegen middernacht, kwam een ork bij mijn kamer aankloppen. Hij zei dat ik onmiddellijk mee moest komen. Dat een van de personen naar wie ik had gevraagd, in moeilijkheden was. Hij bracht me hierheen, naar dit etablissement. Weet je zeker dat je niet wilt gaan zitten?'

'Ik voel me beter als ik sta. Ik sta toch, hè?'

Rigiswald knikte.

'Dat hoopte ik al. Ik wou dat de vloer niet zo bewoog,' zei Alise.

'Je hebt nog last van je zeebenen,' zei Rigiswald. 'Toen ik hier aankwam, trof ik vier orkenmatrozen aan. Een ervan had jou over zijn schouder hangen. Een ander droeg de elf. Ze hadden het aan de stok met de eigenaar van deze tent die zichzelf een "herberg" noemt. De orken zeiden dat er afgesproken was dat ze jou en de elf hier een nacht konden achterlaten. Er was al geld voor betaald, begreep ik.

De eigenaar zei dat het geld niet genoeg was. Dat hij een fatsoenlijke zaak dreef en niets te maken wilde hebben met "dronken sloeries". Ik moet er wel even bij zeggen dat de orken een sjaal om het hoofd van je vriend Griffith hadden gebonden. Als zijn oren verborgen zijn, ziet hij eruit als een tamelijk aantrekkelijke vrouw.'

'O goden!' kreunde Alise. Ze deed een zwakke poging haar haar uit haar gezicht te strijken, maar gaf het op. 'Ik word wakker met een gevoel alsof er een kar over me heen is gereden en ze me voor dood in een steeg hebben laten liggen, en dan zie ik u hier, Griffith is als vrouw gekleed, en Shadamehr is weg.'

Haar stem trilde. 'Ik denk dat ik toch maar ga zitten,' zei ze en ze wankelde terug naar het bed. 'Wat gebeurde er toen? Hebt u de orken gevraagd hoe het zat?'

'Zeker. Ze beweerden dat ze jullie beiden in een kroeg aan de kade hadden ontmoet. Dat jullie het met z'n allen "heel gezellig" hadden gehad tot jij en je vriend van je stokje gingen door te veel drank. Ze kregen opdracht jullie hierheen te brengen. Ik vroeg van wie ze die opdracht kregen, wie dat geld had betaald, en ga zo maar door. Als antwoord gaven ze me dit, en ze zeiden dat ik het aan jou moest geven.'

Rigiswald stak zijn hand in een leren buidel en haalde er een ring uit die hij haar toestak. De amethist blonk in het zonlicht. Alise nam hem met bevende vingers aan.
'Zeiden ze verder nog iets?' vroeg ze.
'Ze zeiden dat de ring van "Shadamehrs vrouw" was.' Rigiswald glimlachte even.
Een traan gleed over Alises wang naar beneden.
'Dat is ook zo,' zei ze zacht, tegen zichzelf. 'Het is echt zo.'
Ze sloot haar hand stijf om de ring.
'Waar denkt u dat de orken hen heen hebben gebracht? Naar...' Ze slikte en probeerde de woorden langs de brok in haar keel te persen. 'Naar Dagnarus?'
'Ik weet het niet,' zei Rigiswald ernstig. 'Maar ik vrees van wel. Ze hadden immers beiden een deel van de Verheven Steen bij zich.' Hij klopte op haar hand. 'Toch moeten we goede hoop houden. Het is niet allemaal zo somber als het lijkt. De boodschap die ze jou stuurden over de ring klinkt niet alsof hij afkomstig is van iemand met boosaardige bedoelingen.'
Alise duwde weer tegen haar haar. 'Ik weet het niet. Ze wisten dat wij de Verheven Stenen bij ons hadden. De orken wisten wie de Stenen bewaarden, en die twee hebben ze gehouden. Welke reden zouden ze daar anders voor hebben dan hen aan Dagnarus uit te leveren?'
Ze zuchtte en bleef even zwijgend zitten met de ring in haar hand.
'Hebt u nog iets van Ulaf gehoord? Wanneer verwacht u hem en de anderen?'
'Ik heb niets gehoord,' antwoordde Rigiswald. 'En ik heb ook geen idee wanneer hij zal komen. Hij zou onderweg bij verschillende Domeinheren langsgaan.'
'Die zijn zeker nog niet in Krammes verschenen?'
'Nee,' zei Rigiswald kortaf. 'Dat verwacht ik ook niet. Ik betwijfel of hij er ook maar één in leven heeft aangetroffen. Daar hebben Dagnarus en zijn Vrykyls waarschijnlijk wel voor gezorgd.'
'Wat doen we dan nu?' vroeg Alise.
'We brengen jou en de elf over naar een andere herberg,' zei Ri-

giswald, terwijl hij met een afkeurende blik in de kamer rondkeek.
'En daarna?' Ondanks alles moest Alise glimlachen. Sommige dingen in het leven bleven tenminste hetzelfde.
'Ik ben van plan mijn boek uit te lezen,' zei Rigiswald onverstoorbaar. 'Jij bent degene die energie heeft. Het is waarschijnlijk het beste als je in de haven rondhangt om te zien wat je bij de orken te weten kunt komen. Ze zullen je niets vertellen, maar dan heb je tenminste het gevoel dat je iets nuttigs doet.'
'Bedankt,' zei Alise droogjes. Ze drukte haar hand tegen haar bonzende hoofd. 'Ik kan gewoon niet geloven dat we ons door hen een bedwelmend middel hebben laten toedienen. We hadden het moeten weten. Het was overduidelijk. De orken dronken niet van de wijn. Alleen dat had al een aanwijzing voor ons moeten zijn dat er iets loos was.'
'Soms houden we onszelf voor de gek,' zei Rigiswald met nadruk.
Alise keek hem ontsteld aan. 'Zegt u dat Shadamehr wist dat er iets in de wijn zat en dat hij het liet gebeuren? Maar waarom dan?'
Rigiswald antwoordde niet. Hij keek haar aandachtig aan. 'Denk aan de boodschap, lieve.'
'O nee!' riep Alise. 'Dat zou hij nooit doen. Dat... dat...'
'Hij wist toch waar hij heen moest?'
'Onzin! Dat kan hij nooit allemaal van tevoren bedacht hebben,' zei Alise met een hoofdbeweging, waar ze meteen spijt van had.
'Hij wist waar hij heen moest. Hij wist dat hij alleen verantwoordelijk was voor de Steen. Hij moet er redelijk zeker van zijn geweest dat er geen Domeinheren naar Krammes zouden komen. En hij wist dat jij in gevaar zou zijn als je met hem meeging. En hij wist ook dat als hij probeerde jou ertoe te brengen hem alleen te laten gaan...'
'Hij wist, hij wist, hij wist,' zei Alise ongeduldig. 'Hij weet niets. Hij kent me niet zo goed als hij denkt me te kennen. Hij had niet het recht om me weg te sturen. Ik haat hem,' zei ze terwijl ze rechtop ging zitten en haar ogen droogde. 'Ik haat hem met

elke vezel van mijn wezen. Ik heb hem gehaat vanaf het moment dat ik hem heb ontmoet. Ik heb hem in het verleden gehaat en ik ben van plan hem in de toekomst te haten. Hij is de meest irritante man in het universum.'

Ze hield de ring met de amethist stijf vast, heel stijf.

'En nu,' zei ze, 'ga ik Griffith wakker maken, en samen gaan we uitzoeken wat er gebeurd is... wat er gebeurd is...'

Ze stond op, althans ze probeerde het. De kamer kantelde. De vloer gleed onder haar voeten uit. Hoewel ze echt van plan was naar de deur te lopen, belandde Alise met haar gezicht in het kussen. Ze kermde zacht. 'O Shadamehr, hoe kon je je nou door orken laten ontvoeren.'

'Ik ben hier wanneer je straks wakker wordt,' zei Rigiswald, terwijl hij een volgend boek uit zijn leren tas te voorschijn haalde.

'Zeg tegen Shadamehr... wanneer u hem ziet... dat ik hem haat,' mompelde Alise terwijl ze haar ogen sloot.

'Dat zal ik doen,' zei Rigiswald.

De kapitein der kapiteins zat achter in de sloep met haar hand aan het roer en hield de boot die langzaam en geruisloos over de zeearm voortbewoog op koers. De riemen van de boot waren met lappen omwikkeld. De zes orkenmatrozen die de boot roeiden, zorgden ervoor dat de riemen geluidloos in het water kwamen, zodat hun aanwezigheid niet zou worden opgemerkt. De orken roeiden in het donker en gleden langs het fort dat hun zo'n hinder had bezorgd tijdens hun bombardement op Krammes.

De Kapitein maakte zich er nauwelijks zorgen over dat ze ontdekt zouden worden. De voortekenen waren deze nacht uitzonderlijk gunstig geweest, zoals ze al de hele week waren geweest. Die erbarmelijke poging van de elf om een vals voorteken te creëren telde ze niet mee. De Kapitein grinnikte elke keer dat ze aan de waterhoos dacht, die zich gevormd had bij een helderblauwe hemel zonder ook maar één wolkje. Dat had een stomme vogel nog kunnen doorzien!

De voortekenen van vannacht hadden dit wolkendek voorspeld dat de maan en de sterren aan het gezicht onttrok en dat de re-

gen beloofde die de geluiden van een boot die onder de neus van de mensen door bewoog onhoorbaar maakte.
En de regen kwam inderdaad, in vlagen over het water dansend. Een ork stond bij de voorsteven en staarde in het donker, om uit te kijken naar hindernissen in de zeearm. De Kapitein verwachtte geen hindernissen. De orken hadden deze zeearm eeuwenlang met hun grote schepen bevaren. Ze hadden elke draaikolk, elk verraderlijk punt in kaart gebracht. De orken roeiden met gemak. Ze hadden er plezier in en zongen binnensmonds hun roeilied, dat ze anders altijd luidkeels uitbrulden. De sjamaan van de Kapitein zat niet ver bij haar vandaan. Aan zijn voeten lagen twee tamelijk grote hopen, met zeil bedekt om hen warm en droog te houden.
Een van de hopen begon luid te snurken. De sjamaan wierp een geschrokken blik naar de Kapitein.
'Draai hem op zijn buik,' zei de Kapitein.
De sjamaan deed het, met het gevolg dat het snurken ophield.
'Zelfs nu hij bewusteloos is, blijft hij die knapzak vasthouden,' zei de sjamaan bewonderend.
'Ja,' zei de Kapitein.
'Heeft hij daar de Verheven Steen in verborgen?' vroeg de sjamaan.
'Inderdaad,' zei de Kapitein.
'En die andere?'
'Zij is een Domeinheer. Bij haar wordt hij beschermd door haar harnas.'
De sjamaan knikte dat hij het begreep.
'Hoe lang zullen ze blijven slapen?' vroeg de Kapitein.
'Zo lang als u wilt, Kapitein,' antwoordde de sjamaan. 'Al wat ik moet doen is de betovering opnieuw over hen uitspreken.'
'Mooi.' De Kapitein gromde. 'Laat hen lang slapen. Ze zullen hun rust nodig hebben... als we er straks zijn.' De sjamaan knikte, en de rest van de nacht ging in stilte voorbij terwijl de boot ongezien door de zeearm noordwaarts gleed.

Mardurar lag in het Illanofgebergte, ongeveer zevenhonderdvijftig kilometer ten noordoosten van Krammes (in drakenvlucht). Het was een mijnstadje, dat niet alleen bekend was vanwege zijn goud- en zilvermijnen, maar ook om de felle onafhankelijkheid van zijn inwoners. 'Onafhankelijk', zo beschouwden de Mardurs zichzelf. Anderen hadden een ander woord voor hen: 'bandieten'.

De mijnen waren eigendom van de kroon en werden gedreven door bestuurders die door de kroon werden aangesteld. Een stationering in Mardurar had één groot voordeel – degene die toezicht hield op het uit de berg verwijderen van grote rijkdommen, kon daar zelf heel wel bij varen. Een stationering in Mardurar had ook een groot nadeel – het was in Mardurar.

Het eerste probleem dat de verwende koninklijke ambtenaar uit het zonnige klimaat van Nieuw Vinnengael tegenkwam, was het weer. Het was er ongelooflijk koud, en de sneeuw was nog erger. De sneeuw begon in de herfst te vallen, hield gedurende een korte tijd op tijdens de drie zonnige zomermaanden, en begon dan weer. De inboorlingen stoorden zich niet in het minst aan sneeuw of koude. Aardemagiërs hielden de bergpassen open, zodat de rijkdom uit de mijnen het hele jaar van de berg af vloeide. De inboorlingen bonden latten aan hun voeten en gleden van de berghelling af, of ze spanden een stel honden of elanden voor een slede en lieten zich zo voorttrekken. De koninklijke ambtenaar zat rillend in zijn blokhut en kon het maar niet warm krijgen.

In Mardurar woonde een groot aantal magiërs, veel meer dan in andere steden van vergelijkbare grootte. De meeste mijnwerkers waren Aardemagiërs, die hun kunst gebruikten om het erts uit de berg te halen. Men zou kunnen denken dat een groot aantal magiërs de stad een verfijnde, elegante uitstraling zou geven. Daar zou men zich in vergissen. Deze magiërs waren niet de geleerde boekenwurmen van de Tempel. De meeste mijnwerkers konden niet lezen of schrijven. De meesten hadden hun kunst van hun ouders geleerd, die het weer van hun ouders hadden geleerd, en zo verder, generaties terug. De toverformules die ze gebruikten, werden vaak gezongen of gescandeerd terwijl de mijnwerkers bezig waren met hun dagelijkse taak: de berg te dwingen haar rijkdom af te staan. De magiërs van Mardurar waren groot en ruig, ze leefden zwaar en dronken veel, ze gingen graag op de vuist en waren grof gebekt. Ze beschouwden zichzelf als de heersers van Mardurar, en wee degenen die er anders over dachten.
Een groep die er anders over dacht, waren de soldaten van het koninklijke leger. Zij waren in de stad gestationeerd om ervoor te zorgen dat de rijkdom uit de bergen daadwerkelijk de berg af kwam en niet in de zakken van corrupte ambtenaren of bandietenleiders verdween. De soldaten van het Bastion van Mardurar, die door de mijnwerkers verachtelijk de Bastionklootzakken werden genoemd, waren even stoer als de mijnwerkers en waren even snel en bedreven met hun vuisten.
Deze twee groepen droegen elkaar een gezonde haat toe, maar ook tegen wil en dank een zeker respect. Er vonden dagelijks gevechten plaats. Maar altijd wanneer er in de mijnen een tunnel was ingestort, werkten soldaten en mijnwerkers zij aan zij om de ongelukkige slachtoffers uit te graven. Zoals te verwachten was, bestond de tweede grote groep Aardemagiërs in Mardurar uit genezers.
Mardurar was ook beroemd vanwege het Meffeldkruispunt.
Het Meffeldkruispunt dat ongeveer vijftien kilometer buiten de stad lag op de oostelijke helling van het Illanofgebergte, was de kruising van twee belangrijke wegen. De ene weg ging naar het westen over de beroemde Meffeldpas en was in die tijd de eni-

ge weg door het Illanofgebergte, dat het land Vinnengael in tweeën deelde. De andere weg ging naar de stad Mardurar. Het kruispunt was een bekende ontmoetingsplek, ondanks het feit dat iedereen wist dat er op kruispunten een vloek rustte (of misschien juist daarom).

Aardemagiërs zorgden ervoor dat beide wegen de hele winter begaanbaar bleven. Ze gebruikten hun magie om reusachtige stenen schepsels te creëren die bekendstonden als Aarden Doders. Deze geestloze, zes meter hoge monsters, bezielde massa's steen, werden volledig beheerst door de Aardemagiërs. Op hun bevel rolden de Aarden Doders met donderend geweld de weg af, waarbij hun reusachtige 'armen' de sneeuw in grote wolken naar links en rechts wegwierpen terwijl hun 'voeten', gevormd door grote keien, de weg glad aanstampten. De magiërs moesten hun magische schepsels goed in bedwang houden, want de Doders droegen hun naam niet voor niets en konden rampen aanrichten wanneer ze op drift raakten; dan verpletterden en vertrapten ze elk levend wezen dat ze te pakken konden krijgen.

Op de dag dat Ulaf met zijn gezelschap in Mardurar aankwam, waren de wegen net vrijgemaakt; de pasgevallen sneeuw was platgedrukt en opzij geduwd. Nu zijn diensten niet meer nodig waren, was de Aarden Doder weer een onschuldige hoop stenen en keien in de buurt van het kruispunt, in afwachting van het moment dat hij weer tot leven zou worden gewekt na het volgende pak sneeuw.

De stenen leken op een reusachtige cairn en vormden voor nieuwkomers een opvallend en soms angstig schouwspel, vooral omdat ze zo dicht bij het kruispunt stonden. Hoewel de koninklijke ambtenaren van Mardurar stellig volhielden dat er op dit belangrijke kruispunt nooit een ongelukkige zelfmoordenaar was begraven, waren er maar weinig mensen die dat geloofden.

Ulaf en zijn gezelschap kwamen laat in de middag bij het kruispunt aan. Het sneeuwde een beetje, zodat de paarden met hun oren bewogen en met hun ogen knipperden wanneer ze door de koude vlokken werden getroffen. Het zou niet lang blijven sneeuwen. De wolken waren dun. Soms brak de zon er zelfs even

doorheen, zodat de sneeuwvlokken fonkelden en de ogen verblindden.
Bij het kruispunt hield Ulaf zijn paard in.
'Jullie rijden verder naar Mardurar,' luidde zijn opdracht. 'Jullie zullen kamers vinden in de Hamer en Tang. Ik breng eerst Jessan en de Grootmoeder weg, dan kom ik naar jullie toe.'
De anderen vertrokken op de weg naar Mardurar; hun gedachten waren bij het warme vuur en de gekruide wijn waar de Hamer en Tang beroemd om was. Ulaf wendde zich naar zijn gezelschap.
'Hier scheiden onze wegen zich, Jessan. Die weg' – Ulaf wees – 'gaat langs de westelijke berghelling naar beneden, naar de vlakte. Zodra je uit de bergen bent, moet je de richting van de zonsondergang aanhouden, dan zul je uiteindelijk in Karnu aankomen. Voorzie je nog problemen bij je reis door Karnuaans gebied?'
Jessan schudde zijn hoofd. 'Velen van mijn volk doen dienst in het Karnuaanse leger. De Trevinici zijn gerespecteerd en worden zeer gewaardeerd. Niet één Karnuaan zou zo dom zijn om mij aan te vallen.' Hij keek achter zich naar de Grootmoeder. 'Of degenen aan te vallen die onder mijn bescherming staan.'
'Niet één Karnuaan misschien,' zei Ulaf ernstig. 'Maar wie weet of Karnu zijn eigen gebied nog beheerst? We hebben verhalen gehoord dat de tanen hebben geprobeerd Karnu aan te vallen en te veroveren. Het is best mogelijk dat ze daar inmiddels in geslaagd zijn.'
Vervolgens drong Ulaf er bij Jessan op aan, met hem en zijn mannen verder te reizen, ook al wist hij dat het vergeefse moeite was. Het verbaasde hem dan ook niet dat de jonge Trevinici weigerde. Jessan was evenals Grootmoeder pecwae vastbesloten terug te gaan naar zijn eigen land. Ongeacht het feit dat het een lange reis zou zijn – misschien een jaar of meer – of dat ze door gevaarlijk gebied zouden reizen. Ze waren gewond naar lichaam en ziel en verlangden beiden naar de genezende krachten van thuis.
'Goed dan, maar neem tenminste dit van me aan, als je beslist wilt gaan. Ik heb een primitieve kaart getekend.' Ulaf gaf hem een vierkante lap leer. Jessan rolde hem uit en legde hem over

de hals van zijn paard. 'Je moet niet te ver naar het noorden reizen. Dan kom je in het gebied van de elfen terecht, en dat zou niet verstandig zijn.'
Jessan knikte. Hij had voldoende ervaring met het elfengebied om te weten dat hij daar niet wilde zijn. Hierop gaf Ulaf adviezen over de beste routes en hoe je plaatsen moest vermijden waar misschien gevochten werd. Hoewel hij liever zo snel mogelijk op weg wilde gaan, dwong Jessan zichzelf om goed op te letten. Er bestaan op deze wereld verschillende soorten krijgers, had Jessan gemerkt. Ze hoeven niet allemaal met een speer te zwaaien en op de vijand af te stormen om hun moed of hun waarde te bewijzen. Tijdens deze reis had hij respect gekregen voor Ulaf, en hij was de man dankbaar voor zijn raadgevingen.
'Ik zou wel met je mee willen reizen naar de pas,' zei Ulaf nog terwijl hij hem de opgerolde kaart gaf. 'Maar ik wil een paar dagen in Mardurar blijven om het laatste nieuws te horen en om mijn voorraden aan te vullen bij de Tempel der Magiërs.'
'Dan nemen we nu afscheid van elkaar,' zei Jessan. 'Ik wens je veel succes. Doe de baron de groeten van mij. Ik denk vaak aan hem, omdat hij de Verheven Steen bij zich heeft. Hij is degene die echt in gevaar is. Ik hoop dat het hem goed gaat.'
'Het zal hem goed gaan,' zei de Grootmoeder. 'Hij is een van de gunstelingen van de goden. Hoewel...'
De Grootmoeder maakte haar gedachte niet af. Ze draaide haar hoofd om achterom te kijken naar de weg waarover ze waren komen aanrijden. Ze hief de nieuwe stok met agaten ogen, die ze net had gesneden, op in de lucht en draaide hem alle kanten op, zodat de ogen goed konden kijken.
'Kwaad,' zei ze plotseling. 'Het komt deze kant op.' Ze schudde met de stok. 'Nu ben je tenminste zo verstandig om me van tevoren te waarschuwen.'
Ulaf keek de weg af. Hij kon niets zien of horen, maar dat betekende niets. Het geluid van hoefslagen werd natuurlijk gedempt door de sneeuw.
'Een Vrykyl?'
De Grootmoeder haalde haar schouders op. 'Ik weet het niet. Misschien.'

'Is het mogelijk dat die Vrykyl ons nog steeds volgt?' vroeg Jessan geschrokken.
'Dat denk ik niet,' zei Ulaf. 'Je hebt het bloedmes en de Verheven Steen niet meer, dus dat lijkt me niet mogelijk. Toch zou het beter zijn om na te gaan wat het is. Rij jij vast vooruit met de Grootmoeder. Dan wacht ik hier om te kijken wie eraan komt. Als het iets vervelends is, kom ik achter jullie aan om het te melden.'
'Akkoord,' zei Jessan opgelucht. Dit zou hun een lang en moeizaam afscheid besparen. 'We kunnen maar beter opschieten.' Hij wuifde met zijn hand terwijl de Grootmoeder en hij verder reden.
Ulaf wendde het hoofd van zijn paard en liet het dier tussen de stenen van de omgevallen Aarden Doder door stappen in de richting van een dennenbos dat achter de stapel stenen oprees. Op een plek tussen de bomen maakte hij zijn paard vast, gebood het dier stil te zijn en sloop vervolgens te voet terug naar de stapel stenen. Ulaf hurkte neer achter de stenen en koos een plaats uit waar hij door de openingen tussen de stenen door kon kijken.
Jessan en de Grootmoeder reden omhoog over de weg, achter elkaar op het paard gezeten. Het paard trok een draagbaar waarop het lichaam van Bashae lag, omwikkeld met zijn zachte omhulsel. De baar sleepte over de weg en liet een duidelijk spoor achter, dat niet gemakkelijk over het hoofd kon worden gezien.
Ulaf wachtte een hele tijd, zo lang dat zijn voeten gevoelloos begonnen te worden van de kou. Hij begon er spijt van te krijgen dat hij een stok had geloofd. Maar toen het begon te schemeren, kwam er een eenzame ruiter in zicht. De ruiter was zoals de meeste reizigers dik ingepakt in een mantel met kap. Als het een Vrykyl was, zou het wezen in vermomming reizen, en daarom lette Ulaf niet zo op de persoon die op het paard zat. Hij was meer geïnteresseerd in het tuig van het paard, want zoiets had hij nog nooit gezien. Vooral de sjabrak was heel bijzonder, rood met een goudkleurig versierde rand die op vlammen leek.
Ulaf zou er alles onder verwed hebben dat de sjabrak magische

eigenschappen bezat. De mantel van de ruiter was bevlekt met de modder en natte sneeuw van de weg. De sjabrak was zo keurig schoon alsof hij diezelfde dag was gemaakt.
Als de ruiter Jessan volgde, zou hij op het kruispunt stilhouden om het spoor te bekijken en te proberen vast te stellen welke weg de Trevinici had genomen.
De ruiter bleef inderdaad stilstaan, maar hij keek niet naar het spoor. Hij draaide zich om in het zadel en keek speurend in de omringende bossen, zo aandachtig dat Ulaf zich tegen de stenen drukte en probeerde geluidloos te ademen.
De ruiter vond blijkbaar niet wat hij zocht, want hij bleef midden op het kruispunt op zijn paard zitten. Het was duidelijk dat hij op iemand wachtte.
Nu zijn nieuwsgierigheid geprikkeld was, bewoog Ulaf zijn tenen in zijn laarzen in een poging het bloed weer te laten doorstromen, en hij ging zitten om ook te wachten. Hij hoopte dat de ontmoeting gauw zou plaatsvinden; anders moest hij straks op ijsblokken naar huis lopen. Op dit soort momenten wenste hij dat hij als Vuurmagiër geboren was.
De ruiter leek net zo ongeduldig als Ulaf, want op het moment dat de zon wegzakte achter de berg begon hij rusteloos in het zadel heen en weer te schuiven. Gelukkig werden noch het geduld van de ruiter, noch de bevroren tenen van Ulaf te lang op de proef gesteld. Hij kon horen dat er een tweede ruiter aan kwam galopperen. De ruiter liet zijn paard van de weg af gaan en koos een positie in de schaduw vanwaar hij de vreemdeling kon zien.
Toen de vreemde het midden van het kruispunt bereikte, liet hij zijn paard stilhouden en keek om zich heen. Hij kreeg de ruiter naast de weg in het oog en zei luid: 'Een mooie avond om te reizen, nietwaar, heer? Helder en fris.'
Omdat het juist bewolkt was, vermoedde Ulaf dat deze woorden een gecodeerde begroeting vormden. Zijn vermoeden werd bevestigd toen de eerste ruiter uit de schaduwen te voorschijn kwam.
'Ben jij dat, Klendist?' zei een diepe stem.
'Ben jij het, Shakur?'

Shakur! Bij die naam liep een rilling over Ulafs rug. Shakur was de oudste van alle Vrykyls en de krachtigste. Als er in de gelederen van de Vrykyls zoiets was als een commandant, zou dat Shakur zijn. Ulaf vergat zijn bevroren voeten.
'Heb je orders voor me?' vroeg Klendist.
'Je moet zo snel mogelijk naar Oud Vinnengael, en daar moet je op de komst van heer Dagnarus wachten. Je moet daar over veertien dagen zijn.'
'Veertien dagen! Ben je nou helemaal...'
Shakur gaf hem een foedraal met een perkamentrol erin. 'Hier heb je de lokatie van een zwerfportaal. Dat zal de tijdsduur van je rit naar Oud Vinnengael bekorten. Zijne Hoogheid wil dat je daar zo gauw mogelijk bent, dus ik stel voor dat je onmiddellijk vertrekt.'
'Oud Vinnengael,' sprak Klendist op sombere toon. 'Wat wil Zijne Hoogheid dat we in dat vervloekte oord gaan doen?'
'Dat zul je te zijner tijd wel merken. Je hebt je orders...'
'Niet zo snel, Shakur,' zei Klendist, met een scherpe klank in zijn stem. 'Mijn mannen en ik hebben niet aangemonsterd om naar Oud Vinnengael te gaan.'
'Wat is er, Klendist?' zei Shakur smalend. 'Bang voor spoken?'
'Spoken zijn wel het minste waar ik mee zit,' zei Klendist koeltjes. 'Ik heb er ooit over gedacht een zaakje in Oud Vinnengael te gaan doen. De schatten van een koninkrijk liggen daar begraven. Ik heb wat onderzoek gedaan en besloot toen dat het de moeite niet waard was. Er wonen daar bijvoorbeeld baken. Honderden baken. Ik ben niet van plan naar Oud Vinnengael te gaan, of er zelfs maar in de buurt te komen, voor ik meer weet over wat ik geacht word daar te gaan doen.'
Shakur gaf niet meteen antwoord. Misschien vroeg hij Dagnarus om orders, of misschien probeerde hij Klendist door lang wachten te ontmoedigen. Als dat zo was, lukte het niet. Klendist bleef bij zijn standpunt. Het was nacht geworden. Het tweetal tekende zich als zwarte vlekken af tegen de witte achtergrond van de pas gevallen sneeuw. Ulaf probeerde zijn vingers te verwarmen door erop te ademen.
Eindelijk zei Shakur weer iets. 'Zijne Hoogheid zegt dat het niet

nodig is dat je Oud Vinnengael binnengaat. Er zijn vier Domeinheren op weg naar de verwoeste stad. Hij wil dat jij ze grijpt voor ze hun bestemming bereiken.'
'Domeinheren?' Klendist lachte. 'Ik wist niet dat er nog Domeinheren bestonden! Waarom wil hij ze pakken?'
'Hij wil hen niet,' zei Shakur. 'Hij wil wat ze bij zich hebben.'
'Wat is dat dan?'
'Iets wat ze van Zijne Hoogheid gestolen hebben. Ga niet te ver, Klendist.'
Klendist hoorde de waarschuwende klank in Shakurs strenge stem en besloot blijkbaar dat hij alles gehoord had wat hij weten wilde.
'Goed, dan gaan we naar Oud Vinnengael om die Domeinheren te zoeken. Hoe weten we dat ze er allemaal tegelijkertijd zullen aankomen?'
'De Leegte is met ons. Ze zullen er zijn.'
Klendist haalde zijn schouders op. 'Als jij het zegt. Maken we hen dood?'
'Nee, je neemt hen levend gevangen en laat ze leven. Zijne Hoogheid wil hen ondervragen,' zei Shakur.
'Vangen is lastiger dan doden,' zei Klendist nadenkend. 'Ik verwacht een passende beloning.'
'Je hebt in het verleden geen reden tot klagen gehad,' antwoordde Shakur.
'Zeg het gewoon tegen hem, wil je? Nou, hoe zien die Domeinheren eruit?'
'De Leegte zal je bij hen brengen.'
'Het is net alsof ik water uit een steen moet persen, als ik informatie van jou probeer te krijgen,' zei Klendist geërgerd. 'We staan aan dezelfde kant, hoor. Trouwens, nu ik het er toch over heb, hoe zit het met de gigs? Wat doen die hier?'
'De wat?' Shakur wist kennelijk niet waar hij het over had.
'De gigs. De tanen.' Klendist maakte een gebaar met zijn gehandschoende hand. 'We hebben hier in de bergen een groep tanen gezien. Die sluipen door de bossen aan de noordkant.'
'O ja?' Shakur draaide zijn hoofd in die richting, alsof hij door het donker en de dennen heen kon kijken. 'Hoeveel?'

‘Een kleine groep, zo te zien,’ zei Klendist. ‘Misschien een jachtgezelschap.’
‘Zagen ze jou ook?’
Klendist snoof beledigd. ‘Alsof ze dat zouden kunnen. Dus ze zijn hier niet door Zijne Hoogheid heen gestuurd?’
‘Nee,’ zei Shakur na een kort zwijgen, ‘hij heeft ze niet gestuurd.’
‘Wil je dat wij ze doden?’ bood Klendist aan. ‘Dat zal niet veel tijd kosten. We kunnen het doen voor we morgenochtend vertrekken.’
‘Jij gaat nu vertrekken, Klendist,’ zei Shakur koeltjes. ‘Roep je mannen bijeen. Er valt geen tijd te verliezen. Wat die tanen betreft, die zijn onbelangrijk. Je hebt je orders.’
Shakur wendde het hoofd van zijn paard en reed weg zodat de hoeven van het paard brokken bevroren aarde opwierpen. Hij reed naar het noorden.
‘Onbelangrijk, hè?’ Klendist grinnikte. Toen maakte hij een grommend geluid. ‘En wij moeten de hele nacht doorrijden, nadat we al bijna de hele dag in het zadel hebben gezeten. De jongens zullen niet blij zijn. Maar goed, wanneer ons uiteindelijk een beloning van Zijne Hoogheid wacht...’
Klendist stopte het foedraal met de perkamentrol voorzichtig onder de voorkant van zijn tuniek en wendde het hoofd van zijn paard om in de richting waaruit hij was gekomen.
Ulaf duwde zich van de stenen af en strompelde op zijn halfbevroren voeten naar de plek waar hij zijn paard had achtergelaten. Het was vreselijk pijnlijk toen het bloed weer begon te stromen, en hij onderdrukte een kreunend geluid. Hij had even nodig om te besluiten wat hij ging doen, maar dat duurde slechts kort. Hij besteeg zijn paard en reed weg, achter Jessan aan.
Ulaf maakte zich geen zorgen over het vinden van de Trevinici. Hij ging ervan uit dat Jessan hém zou vinden, en dat was ook zo. Ulaf had vanaf het kruispunt ongeveer zeveneneenhalve kilometer naar het westen gereden, toen Jessan uit het donkere bos te voorschijn kwam en voor hem stond. Ulaf liet zijn paard stilhouden.
[illegible] bewolking was nu helemaal verdwenen. De nacht werd ver[illegible] door een driekwart maan die op de sneeuw blonk. De spar-

ren wierpen geheimzinnige maanschaduwen in strepen over de weg.
'Het was inderdaad een Vrykyl,' meldde Ulaf terwijl hij zich over de nek van zijn paard boog. 'Maar hij volgt u niet. Die griezel was hier voor een ontmoeting met een huurlingenkapitein, een man die Klendist heette. Die komt binnenkort met zijn mannen deze kant op. Ze gaan naar een zwerfportaal. Ik zal ze volgen om de plaats van de ingang van dat Portaal te weten te komen. U moet terugrijden over de weg naar Mardurar en Shadamehrs mensen waarschuwen. Zeg dat ze achter mij aan moeten komen. Ik zal op hen wachten bij het Portaal. U moet wel opschieten. Maak de baar los en laat hem hier langs de weg staan. De Grootmoeder kan hier bij Bashaes lichaam blijven terwijl u weg bent.'
'Wat is er aan de hand?' vroeg Jessan. 'Wat heb je gehoord?'
'De baron en Damra lopen in een val. Ik moet proberen hen te vinden om hen te waarschuwen.' Ulaf glimlachte grimmig. 'Die Vrykyl zei dat de Leegte hen hielp. Maar het was niet de Leegte die mij op tijd bij dat kruispunt bracht zodat ik kon horen wat ze voor plannen maakten...'
Een steen trof Ulaf tegen de borst met zoveel kracht dat hij achterwaarts van zijn paard werd gegooid. Hij droeg een dik, leren vest en een zware schapenvachtjas, anders had de klap hem een hartstilstand kunnen bezorgen. Nu lag hij versuft op de weg; hij kon zich niet bewegen of reageren toen twee gestalten, donker tegen de maanverlichte hemel, zich over hem heen bogen.
Lippen gingen uiteen in een dierlijke grijns. Scherpe tanden blonken in het maanlicht. Een vuist trof zijn kaak, en Ulaf werd slap.
De Grootmoeder krijste waarschuwend. Jessan greep het gevest van zijn zwaard, maar voordat hij zijn wapen kon trekken, pakten sterke handen hem beet en drukten zijn armen tegen zijn lichaam. Een dierlijk gezicht doemde voor hem op en keek hem grijnzend aan.
Jessan bonkte met zijn hoofd tegen het voorhoofd van de taan. De taan liet hem los en duikelde achterover. Jessan trok zijn zwaard en draaide zich om naar zijn aanvallers. Het gekrijs va de Grootmoeder hield meteen op. Twee tanen stonden teg over hem, gebogen in een defensieve houding. Beiden keken

Jessan in afwachting van wat hij zou gaan doen. Hij zwaaide met zijn zwaard en wilde naar voren springen.

Een slag trof hem van achteren. Zijn hersenen leken uit elkaar te barsten van pijn, maar hij verzette zich ertegen en bleef staan. Hij probeerde zich om te draaien om deze nieuwe dreiging af te wenden, maar er kwam weer een klap, en Jessan zakte ineen op de sneeuw.

De tanen stonden op hem neer te kijken, en hoewel hij het zelf nooit zou weten, gaven ze hem een groot compliment.

'Sterk voedsel,' zei er een.

De leider van de kleine groep tanen was Tash-ket, een taanverkenner wiens prestaties hem al tot een legende hadden gemaakt bij zijn volk. Maar geen van die prestaties was hiermee te vergelijken. Hij had een continent doorkruist waar het wemelde van vijanden; hij had een vreemde stad in een vreemd land weten te vinden, was ongezien die stad binnengegaan en was er vertrokken met de buit waarvoor hij was uitgestuurd.
Met de andere verkenners had hij de weg gevonden met behulp van een uitstekende landkaart, die Dagnarus had geleverd, al wist hij dat niet. De tanen hadden ook met tegenzin gebruik gemaakt van de hulp van een halftaan die Kralt heette. De tanen zouden zich er nooit toe verlaagd hebben in het gezelschap van een halftaan te reizen, maar Derl had het hun bevolen, en gezegd dat Kralt hun van nut zou zijn. Kralt, die uiterlijk meer van een mens had dan de meeste halftanen, had zijn waarde bewezen. Hij kon zich zo goed vermommen dat hij mensensteden binnen kon komen en daar informatie kon verzamelen.
Nadat ze de 'bliksemsteen' hadden gestolen waarvoor K'let hen naar de dwergen had gestuurd, reisden Tash-ket en zijn troep door Vinnengael terug naar het afgesproken punt, de stad Mardurar, waar ze K'let weer zouden treffen. De tanen waren er als eersten aangekomen. Tash-ket was al een paar weken hier, met de opdracht zich gedeisd te houden en niets te doen waardoor hij zijn aanwezigheid zou verraden. Tash-ket gehoorzaamde aa
die opdracht – tot op zekere hoogte.
De taanverkenner is een uniek individu. Hij wordt door d

zam voor de stam uit gestuurd om te zoeken naar wild, vijanden en geschikte plaatsen om een kamp op te slaan, hij leidt een geïsoleerd en eenzaam leven en wordt geacht zelfstandig te denken en te handelen. Zo ontwikkelt hij vaak een mate van onafhankelijkheid die gewoonlijk bij de meeste tanen niet wordt aangetroffen.

Tash-ket vereerde K'let en gehoorzaamde zijn bevelen, voor zover een verkenner ooit bevelen gehoorzaamt. Hij volgde de bevelen op waarmee hij het eens was en legde die waar hij het niet mee eens was naast zich neer. Hij zat al weken vast in deze godenvergeten wildernis, overgeleverd aan de natte, koude troep die uit de hemel neerviel en de grond met wit bedekte. Hierdoor ging Tash-ket zich vervelen, en ook had hij honger. Door deze twee dingen werd hij gedreven om het bevel zich gedeisd te houden te negeren.

Bij hun aankomst in de bossen van Mardurar hadden Tash-ket en zijn troep gemerkt dat hier bijna geen wilde dieren zaten. Ze kwamen af en toe wel een hert, een konijn of een geit tegen, maar de tanen vonden dat soort dieren zwak voedsel. Tash-ket moest sterk voedsel hebben; dat had hij nodig om het trage bloed weer door zijn aderen rond te pompen en het vuur terug te brengen in zijn buik en in zijn hart. En zijn kameraden hadden net zo goed sterk voedsel nodig als hij.

Tash-ket zag er geen kwaad in, een klein gezelschap mensen aan te vallen om zijn eetlust te stillen. Zijn aanval was goed opgezet. Zijn medeverkenners en hij sloegen in de nacht toe, wanneer er niemand in de buurt zou zijn. Toen ze hun prooi eenmaal hadden geveld – van wie er een goed kon vechten, wat buitengewoon bevredigend was – sleepten de tanen hen ver van de weg af, zodat hun resten niet ontdekt zouden worden.

Tash-ket was tevreden over het resultaat van hun jacht. Een van de mensen was sterker gebleken dan Tash-ket in het land van de xkes had verwacht te vinden. Tash-ket maakte aanspraak op het hart van deze mens. De overige xkes zouden goed genoeg zijn voor zijn kameraden. Het magere oude vrouwmens kon als voedsel dienen voor de halftaan. Tash-ket verheugde zich op het spelen van de xkes, om hun kracht verder te beproeven. Kralt was ertegen dat ze gemarteld zouden worden; hij zei dat ze meteen gedood moesten worden omdat hun geschreeuw door anderen gehoord zou kunnen worden, en dat was tegen K'lets bevelen. Tash-ket besteedde geen aandacht aan de woorden van een slaaf.

Wat het dwergenkind betrof, daar maakte Tash-ket zich geen zorgen over. De tanen gaven haar te eten wat er van hun maaltijden overbleef, wat vaak niet veel was. Kralt had geleerd met het kind te communiceren, en soms ging hij een stadje binnen om mensenvoedsel te stelen dat hij aan haar kon geven. Kralt was degene die erop stond dat ze haar in leven hielden. Zij had een zekere macht over wat ze inmiddels de bliksemsteen noemden. Ze kon het ding aanraken zonder dat haar iets overkwam, en dat konden zij niet. Tash-ket ging er niet tegen in. Zolang hij niets met de steen of met het kind te maken had, maakte het hem niet uit wat Kralt deed.

Tash-ket ging bij het vuur zitten en sleep zijn mes; zijn maag knorde verwachtingsvol.

Ulaf kwam bij bewustzijn en ontdekte dat hij op de grond zat; hij was met touwen om zijn armen en zijn borst aan een boom gebonden. Naast hem zat Jessan ook tegen een boom. Hij was ongeveer net zo met touw omwonden, maar ook zijn polsen waren gebonden. Ulafs polsen waren vrij en het lukte hem met zijn armen onder de touwen te wriemelen tot hij met zijn vingers bij de grond kon.

Jessan was nog buiten bewustzijn. Zijn hoofd hing voorover op zijn borst. Zijn gezicht was helemaal bebloed.

De Grootmoeder lag op haar zij tussen Ulaf en Jessan. Zij was niet vastgebonden aan een boom, maar was op de grond neergekwakt. Haar handen en voeten waren gebonden, maar de tanen schenen niet erg bang te zijn dat ze zou ontsnappen; ze keken zelfs nauwelijks naar haar. De Grootmoeder was bij bewustzijn en haar heldere, donkere ogen blonken in het licht van het vuur. Ze keek niet naar Jessan of naar Ulaf. Haar blik was gevestigd op iets aan de andere kant van het tanenkamp.

'Tanen,' herhaalde Ulaf nog half versuft bij zichzelf. 'We zijn door tanen gevangengenomen.'
Hij herinnerde zich dat Klendist tegen Shakur had gezegd dat er tanen in de buurt waren. Ulaf had niet zoveel aandacht besteed aan dat gedeelte van het gesprek, een feit dat hij nu betreurde.
Zijn hoofd deed verschrikkelijk pijn. Hij moest helder kunnen denken, en dat ging niet door de pijn. Ulaf krabde met zijn nagels een beetje aarde van de grond en gebruikte dat om een genezende betovering over zichzelf af te roepen. Hij wilde er ook heel graag een afroepen over Jessan, die ernstig gewond leek te zijn, maar voor de betovering was het nodig dat hij zijn patiënt kon aanraken.
De tanen letten nauwelijks op hun gevangenen; ze wierpen alleen af en toe een hongerige blik op hen. Ze zaten om hun vuur heen te lachen en te praten. Een van de tanen was bezig een mes te slijpen.
'Grootmoeder!' fluisterde Ulaf.
Ze hoorde hem niet.
'Grootmoeder!' fluisterde Ulaf weer, dringender, terwijl hij de tanen in het oog hield. Hij stootte haar even aan met zijn voet.
De Grootmoeder draaide zich zo dat ze hem aan kon kijken.
'Jessan is er slecht aan toe,' zei Ulaf zacht. 'Er moet iets aan hem gedaan worden.'
De Grootmoeder schudde haar hoofd.
'Zijn wonden zijn de verwondingen van een krijger,' zei ze. 'Hij zou boos zijn als ik die wegnam.'
'Beter boos dan dood,' zei Ulaf grimmig. 'Ik heb hem nodig in een waakzame en wakkere toestand, Grootmoeder, en daar moet u voor zorgen. Ik kan niet dicht genoeg bij hem komen om hem aan te raken.'
'Hij heeft Bashae wel een keer toegestaan de pijn van zijn gewonde hand weg te nemen,' zei de Grootmoeder. Ze nam een besluit. 'Goed dan.'
[illegible]e kronkelde en wurmde haar tengere lichaam naar Jessan toe.
[illegible]ar rok, met de rinkelende belletjes en klikkende stenen eraan [illegible]kte wat geluid, en een van de tanen keek hun kant op. Hij

zei iets tegen de anderen, en ze maakten allemaal joelende geluiden en grijnsden breed. Ze vonden het geworstel van hun gevangenen blijkbaar grappig. Het lukte de Grootmoeder Jessans voet met haar hand aan te raken.
'Het zal niet helemaal goed lukken,' zei ze. 'Ik kan niet bij mijn genezende stenen.'
'Het zal voldoende zijn,' zei Ulaf en hij hoopte dat hij gelijk had.
De Grootmoeder sloot haar ogen en begon woorden te mompelen in het Twithil, de pecwae-taal die leek op het schrille gekwetter van vogels.
Ulaf keek aandachtig naar Jessan. De ademhaling van de jongeman werd gemakkelijker en soepeler. Er kwam weer wat kleur op zijn gezicht. Hij hield op met kreunen en zijn oogleden trillden. Hij sloeg zijn ogen op en keek versuft om zich heen.
'Ik heb de littekens laten zitten,' zei de Grootmoeder geruststellend, en vervolgens keek ze weer gespannen naar wat het ook was dat haar aandacht had getrokken.
'Wat is er, Grootmoeder?' vroeg Ulaf terwijl hij ook in die richting tuurde. 'Waar kijkt u toch naar?'
En toen zag hij het. Ulaf slaakte een zucht.
Op enige afstand van het vuur zat een kind, leek het. Eerst dacht hij dat het misschien het kind van een van de tanen was, maar bij nader inzien was dat niet het geval. Ulaf kon niet meteen zien tot welk ras het kind behoorde, want het was zo dik ingepakt dat hij de gelaatstrekken niet goed kon onderscheiden. Het was ongelooflijk maar waar, om de hals van het kind hing een oogverblindende, stralende edelsteen.
Het licht van het vuur viel op de edelsteen en transformeerde die in ontelbaar veel glinsterende vonken die straalden in alle kleuren van de regenboog. Het was zo mooi dat Ulaf zich afvroeg of hij met blindheid geslagen was dat hij dit niet meteen had opgemerkt. De steen was groot – zo groot als zijn vuist – en hij was op een ongewone manier geslepen. De edelsteen was driehoekig en had gladde zijden, alsof hij van een groter geheel was afgesneden...
Nu slaakte Ulaf weer een zucht, ditmaal zo luid dat de aandac[illegible]
van een taan werd getrokken. Die stond op en keek hem d[illegible]

gend aan. Ulaf deed maar gauw of hij moest hoesten. De taan ging weer zitten.
'Zo'n steen heb ik nog nooit gezien,' zei de Grootmoeder, en haar stem was zacht van ontzag. 'Die moet een zeer krachtige magie bevatten.'
'Dat is ook zo,' zei Ulaf zacht, want nu begreep hij wat het kind om de hals droeg. 'Het is de Verheven Steen.'
De Grootmoeder draaide zich om en staarde hem met grote ogen aan. 'Dezelfde als de steen die Bashae bij zich had? Weet je dat zeker?'
'Ik herken de edelsteen van de plaatjes die ik in de oude boeken heb gezien. Maar van wie hij is, wat hij hier doet en hoe hij in het bezit van een kind is gekomen, op die vragen kan ik geen antwoord geven. Misschien kan ik met het kind praten.'
De tanen besteedden geen aandacht aan het kind. In hun opwinding over hun gevangenen leken ze haar helemaal vergeten te zijn. Ze zat daar helemaal alleen. Ulaf probeerde het met een lachje. Kinderen waren meestal erg op hem gesteld.
Het kind stond op en deed voorzichtig een stap in zijn richting. Toen zag hij dat er een touw om haar nek was gebonden, alsof ze een hond was. Het andere uiteinde van het touw was aan een boom vastgemaakt.
Het kind was toch wat dichter bij het vuur gekomen, zodat Ulaf haar nu duidelijk kon zien. Door haar kleine postuur had hij haar voor een kind van een jaar of zes gehouden. Maar nu hij haar gezicht zag, besefte hij dat hij zich had vergist. Dit kind was zeker twee keer zo oud. Door haar donkere huidskleur, haar donkere haar en haar platte neus wist hij dat het een dwergenkind was. Hij wenkte haar weer, maar het kind keek hem met donkere, lege ogen aan en kwam niet dichterbij.
Ulaf herinnerde zich dat hij had gelezen dat het dwergendeel van de Verheven Steen door kinderen werd bewaakt. Kinderen van Dunner werden ze genoemd. Dat kon het antwoord zijn op een deel van dit raadsel. Hij wilde ook heel graag de antwoorden p de rest te weten komen, maar de kans dat dat zou gebeuren k hem erg klein. Het zag ernaar uit dat hij zou eindigen als naamste ingrediënt in een taanse stoofschotel.

'Wat is er gebeurd?' Jessans stem was zwak, maar zijn woorden waren duidelijk en samenhangend. 'Waar zijn we?'
Ulaf draaide zijn lichaam zodat hij naar hem kon kijken. 'Hoe voelt u zich?'
'Uitstekend,' antwoordde Jessan. Een grimas van pijn was in tegenspraak met zijn woorden. 'Wie zijn die beesten die als mensen lopen? Wat is er aan de hand?'
'Dat zijn tanen,' zei Ulaf. 'Schepsels van de Leegte.'
'Wat gaan ze met ons doen?'
'Ik heb zo het vermoeden dat ze ons gaan opeten.'
Jessan zette grote ogen op van ontsteltenis. De Grootmoeder knipperde met haar ogen en knorde.
'Tanen zijn dol op mensenvlees,' legde Ulaf uit.
'Geen beestmens zal mij opeten!' De armspieren van Jessan zwollen op. Hij probeerde los te breken uit de touwen die hem bonden.
De tanen, die hoorden dat er iets gaande was, sprongen op. Ze gingen om Jessan heen staan en bekeken hem belangstellend. Ze maakten gebaren en grijnsden; het leek wel of ze hem aanspoorden.
'Daag ze uit!' zei Ulaf vlug. 'Probeer ze zo gek te krijgen dat ze u lossnijden.'
'Snijd deze touwen door!' riep Jessan, terwijl hij zich inspande om zijn banden te verbreken. 'Vecht tegen me van man tegen man, stelletje lafaards!'
Hierop zei een van de beestmensen, die er anders uitzag dan de overige, een taan met bijna menselijke trekken, iets tegen de andere tanen. Ze joelden van pret.
'Tash-ket is niet van plan met een slaaf te vechten,' zei de menselijk uitziende taan in de Taal der Oudsten, die hij vloeiend sprak. 'Maar hij zal je de eer gunnen zijn buik te vullen.'
Jessan grauwde en verzette zich uit alle macht tegen de touwen. De tanen jouwden hem uit en porden hem met scherpe stokken. Ulaf had een betovering in gedachten, een betovering die hij de 'Enkelbijter' noemde. Daarmee zou de aarde onder hun voeten gaan bewegen, zodat ze met hun volle gewicht neer zouden vallen en misschien een been zouden breken of zelfs het bewustzijn

zouden verliezen. Als ze Jessan losmaakten, kon Ulaf zijn betovering gebruiken om een paar tanen uit te schakelen, zodat Jessan een kans kreeg om de rest te overmeesteren.
Helaas trapten de tanen er niet in. De taan die zijn mes had zitten slijpen, deed een stap naar Jessan toe. Te oordelen aan de blikkering in zijn ogen was het niet zijn bedoeling het mes te gebruiken om de touwen door te snijden. Jessan schopte naar hem met zijn benen. Ulaf was ten einde raad. Hoewel hij niet wist wat het zou uithalen, maar omdat hij dacht dat hij toch iets moest doen, maakte Ulaf zich gereed om zijn betovering af te roepen.
Toen begon de Grootmoeder te zingen.
De vacht van de taan zat vol littekens; er leken edelstenen onder zijn huid te zijn aangebracht. Het littekenweefsel was gedeeltelijk over de stenen heen gegroeid, zodat er wonderlijk uitziende bobbels waren ontstaan, maar van de edelstenen was nog genoeg zichtbaar om het licht van het vuur te vangen. Ulaf vroeg zich juist af waar die edelstenen voor dienden – het leek een vreemde manier om juwelen te dragen – toen een van de edelstenen in de arm van de taan uit zijn vel barstte en op de grond viel.
De taan knorde verbaasd. Hij liet zijn mes zakken en staarde naar de bloedende snee in zijn arm. De Grootmoeder ging door met zingen, en haar lied werd luider en krachtiger. De taan staarde nog even naar de gevallen steen, maar haalde toen zijn schouders op en hief het blinkende mes op, precies boven Jessans hart.
Er barstten weer twee edelstenen uit zijn huid; de ene viel uit zijn voorhoofd en de andere knalde uit zijn borst. De taan brulde van woede en draaide zich om naar de andere tanen. Hij verloor nog eens twee edelstenen, ditmaal uit zijn linkerarm.
De taan zei iets met luide stem en maakte een gebaar naar zichzelf, alsof hij wilde weten wat er met hem gebeurde.
Zijn medetanen schudden hun hoofd en deinsden terug terwijl ze hem argwanend opnamen. Een van hen hief zijn wapen en richtte het op hem.
Er floepte weer een edelsteen uit het been van de taan. Woedend keek hij naar zijn gevangenen. Zijn blik ging van Ulaf naar Jessan en ten slotte naar de Grootmoeder die met haar schrille stem

zat te zingen. De taan wierp zijn mes naar de Grootmoeder. Jessan stiet een brullend geluid uit en worstelde machteloos tegen zijn banden. Ulaf begon met het oproepen van zijn betovering, maar hij had pas enkele woorden uitgesproken toen er een onheilspellende duisternis over zijn geest kwam waardoor hij de toverformule opeens totaal was vergeten.

Het licht van het vuur verdween. Het maanlicht viel weg. Het licht van de sterren, het licht van de wereld werd gedoofd en vervangen door een eindeloze, lege nacht. Het zingen van de Grootmoeder werd heel zacht. De grauwende woede van de taan stierf weg.

De duisternis was volkomen, maar toch kon Ulaf er iemand in zien. Een zwart harnas glansde donker iriserend, als een kraaienvleugel.

'Kyl-sarnz!' riepen de tanen. 'Kyl-sarnz.'

'Een Vrykyl!' hijgde Jessan. Zijn stem stokte in zijn keel.

Shakur, dacht Ulaf, en hij zakte tegen de boom aan. En ik dacht nog wel dat er andere machten tegen de Leegte in het geweer waren. Hij komt natuurlijk op de Verheven Steen af.

Hij wilde naar het dwergenkind kijken, maar dat was niet meer op de plek waar hij haar het laatst had gezien.

'Ze is hier,' zei de Grootmoeder zacht, en ze liet zien dat het kind naast haar gehurkt zat. 'Ze is bij mij. Ze is naar me toe gekomen toen ik zong.'

'Jullie hebben de Verheven Steen,' zei de Vrykyl, en zijn holle stem galmde alsof hij uit een diepe, lege put kwam. 'Jullie god, Dagnarus, zal tevreden zijn. Jij daar, slaaf. Vertaal mijn woorden.'

De halftaan deed wat hem gezegd was en vertaalde Shakurs woorden voor de tanen in hun taal.

De tanen keken elkaar aan. De taan die zijn stenen was kwijtgeraakt gaf een bevel. Hij zei iets tegen Shakur en beduidde de halftaan dit te vertalen.

'Mijn meester, Tash-ket, zegt dat ik tegen de Kyl-sarnz moet zeggen dat Dagnarus niet onze god is. Dagnarus is een bedrieger die de tanen naar de ondergang zal voeren. Wij dienen K'let. Wij dienen de oude goden.'

'En K'let zegt dat jullie hem goed dienen,' zei een taan die het kamp kwam binnenlopen.
Deze taan zag er anders uit dan de andere. Hij was ouder, veel ouder, en zijn vel was wit en glansde griezelig in het donker. Hij sprak de taal van de tanen, maar zijn stem was even koud, hard en leeg als die van Shakur. De halftaan vertaalde de woorden.
'K'let zegt dat wij beloond zullen worden. K'let zegt dat jij oud en zwak bent, Shakur, en dat er geen eer te behalen valt aan een gevecht met jou. Hij verzoekt je, terug te kruipen naar je meester...'
Shakur gromde verachtelijk en draaide zich om naar K'let. De Leegte groeide en dijde uit, de donkerte ervan was immens en alles verslindend. Ulaf voelde dat hij begon af te glijden naar het niets. Hij voelde een aanraking op zijn arm, en een barse fluisterstem in zijn oor bracht hem terug in de wereld.
'Niet bewegen,' hoorde hij fluisteren, kietelend in zijn oor. Hij hoorde en voelde dat een mes in de touwen zaagde. 'Houd je gereed.'
'Waarvoor?' vroeg Ulaf zacht.
'Om te vechten, als je daar zin in hebt,' antwoordde de fluisterstem. 'Om te vluchten als je niet wilt vechten.'
Ulaf trok zijn handen uit de touwen met langzame, voorzichtige bewegingen om niet de aandacht van de tanen te trekken. Hij wierp een blik achterom en zag een dwerg met een mes in zijn hand door het donker sluipen, nu op weg naar Jessan.
'Het is goed jou weer te zien, jongen,' zei de dwerg terwijl hij de touwen doorsneed.
'Wolfram?' Jessan probeerde zich om te draaien om hem te zien.
'Blijf naar voren kijken, suffe Trevinici!' siste Wolfram geërgerd. 'Ga me niet verraden.'
Jessan deed wat hem gezegd was. Hij keek even naar Ulaf om te zien of die dit kon verklaren.
Ulaf schudde zijn hoofd. Hij concentreerde zich weer op zijn toverformule. Hij wist niet wat de dwerg van plan was, maar hij was er klaar voor.
Wolfram durfde niet te proberen bij de Grootmoeder en het kind te komen, want die zaten daar open en bloot. Hij bleef wach-

ten tussen de bomen in hun buurt en hield hen nauwgezet in het oog.
'Dwerg!' fluisterde Ulaf dringend. 'Met hoeveel ben je?'
'Nog één,' zei Wolfram.
De moed zonk Ulaf in de schoenen. Hij had gehoopt op een heel leger, en zelfs dat was misschien nog niet genoeg om twee Vrykyls tegen te houden, die nu nog tegenover elkaar stonden.
'Bedreig me niet met Dagnarus, Shakur,' hoorde hij K'let zeggen. 'Hij kan me niets doen. En dat zou jou iets moeten zeggen, Shakur. Jij zou ook vrij van hem kunnen zijn, zoals ik vrij ben. Doe maar niet alsof je niet van die dag hebt gedroomd. Ik ken je gedachten, Shakur. Ik heb ze gevoeld door het bloedmes. Ik weet hoe je hem haat...'
Een verblindend licht spleet de duisternis van de Leegte. De Vrykyls, de tanen en de gevangenen staarden verbaasd omhoog en zagen de toppen van de sparren plotseling vlamvatten. Het vuur kwam van glinsterende, rode schubben af. De reusachtige vleugels van een draak wakkerden de vlammen aan. Haar twee donkere ogen keken dreigend op hen neer. Het licht van het vuur blonk op haar scherpe slagtanden en fonkelde in haar manen.
Ulaf ving heel even een glimp op van iets dat langs hem rende. Hij dacht dat het Wolfram was, maar als dat zo was, was het Wolfram gehuld in blinkend zilver.
Hij pakte de Grootmoeder en het dwergenkind beet. Hij raapte hen op van de grond en nam hen onder zijn beide armen, draaide zich om en rende terug in de schaduwen van de bomen.
Ulaf begon aan zijn betovering. Jessan wierp zijn touwen af en rende voorwaarts om te gaan vechten.
Tash-ket was de eerste die zich van de schrik herstelde. Hij greep een speer en mikte ermee op de wegrennende dwerg. Ulaf sprak zijn toverformule uit. De grond kwam omhoog onder Tash-kets voeten. Hij gooide zijn speer, maar kon niet meer goed mikken zodat de speer met een boog in het donker verdween. De taan verloor zijn evenwicht en Jessan sprong op zijn rug. Hij greep het hoofd van de taan bij het haar vast en rukte het achterover, zodat de nek brak.
Het lichaam van Tash-ket werd slap.

Een andere taan, die een met een steen verzwaarde knots zwaaide, sprong op Jessan toe. Hij probeerde snel weg te komen, maar gleed uit. De taan hief de knots boven hem op.
Een vuurstoot van de draak veranderde de taan in een brandende fakkel. Gruwelijk krijsend rende hij in paniek weg, het bos in. Hij liet een spoor van vlammen achter, en het duurde niet lang voor zijn gekrijs ophield.
Jessan rende uit de rook weg. Zijn lichaam glom van het zweet en was bevlekt met strepen roet en bloed.
'Waar zijn de Vrykyls?' vroeg hij gespannen. Hij zwaaide met een taanwapen dat hij had opgeraapt. 'Heb je ze gezien? Waar zijn ze heen gegaan?'
Ulaf schudde zijn hoofd. Hij hoestte en bedekte zijn mond met zijn mouw. Zijn ogen brandden en prikten. Hij tuurde achterom naar de brandende bomen, in de duisternis die nog dieper werd door het licht van het magische vuur van de draak. Er lagen lichamen van tanen op de grond, maar van de Vrykyls was geen spoor te bekennen.
'Ik weet het niet,' zei Ulaf.

Met de hulp van zeemeeuwen en diverse andere vogels en dieren hadden Wolfram en Ranessa het spoor gevonden van de tanen die de Verheven Steen vanuit Saumel door Vinnengael hadden meegevoerd en uiteindelijk hadden ze hen ingehaald in de omgeving van de stad Mardurar.

Ranessa vond dat ze erop af moesten stormen en de hele troep tegelijk doden. Wolfram had haar kortaf toegevoegd dat het niet de bedoeling was dat ze iederéén doodden. Ze moesten rekening houden met de veiligheid van het dwergenkind. Hij had het tanenkamp verkend in de hoop een tijdstip te vinden waarop ze allemaal sliepen, zodat hij binnen kon sluipen en zich met het kind uit de voeten kon maken. Maar de tanen zorgden er altijd voor dat alle wachten op hun post waren, en een taan die de wacht had viel nooit in slaap.

Hij had geprobeerd een manier te bedenken om het kind te redden, maar de tanen hielden haar en de Verheven Steen dag en nacht in de gaten. Ondanks het feit dat hij een Domeinheer was en over magische vermogens en een wonderbaarlijk harnas beschikte, dacht hij er niet over de tanen in z'n eentje aan te vallen. De goden zegenen het wapen wel, maar ze kunnen de hand die het hanteert niet sturen, en Wolfram had nooit een opleiding als krijger ontvangen. Hij had slechts een rudimentaire kennis van de gevechtskunst, net genoeg om zich bij een knokpartij te kunnen redden. Hij hoefde maar naar de tanen te kijken en hun kracht en hun vaardigheid met hun wapens te zien – want ze oefenden elke dag – om te weten dat het hem nooit zou

lukken tegen de hele troep te vechten. Hij kon altijd Ranessa op hen loslaten, maar als hij dat deed, was het niet zeker dat er iemand levend van af zou komen, ook hijzelf niet.
Hij had gepiekerd en zich kwaad gemaakt. Hij was net gaan slapen nadat hij weer een ontmoedigende dag had besteed aan het bespieden van de tanen, toen hij plotseling recht overeind ging zitten, omdat hij zeker wist dat hij iemand iets tegen hem hoorde zeggen.
'Ga naar het tanenkamp!'
Wolfram keek even naar Ranessa. Hij had het raadzaam gevonden dat ze haar menselijke gedaante aanhield, om de tanen en de bevolking van Mardurar er niet op attent te maken dat er een draak in de buurt rondhing. Ze had zich in een berenvacht gewikkeld en sliep vast.
'Ik heb het waarschijnlijk gedroomd,' hield hij zichzelf voor.
Hij probeerde weer te gaan slapen, maar hij kon de woorden nog steeds duidelijk horen. Hij stond op, liep naar Ranessa toe en maakte haar wakker, wat ze hem niet in dank afnam.
'Je bent een idioot,' zei ze, maar ze ging wel met hem mee naar het kamp.
Ze slopen in de schaduwen tussen de bomen door.
'Ze hebben gevangenen!' zei Wolfram. Hij had het gevoel dat die Trevinici hem bekend voorkwam. Hij tuurde met toegeknepen ogen tegen het licht van het vuur en slaakte toen een korte uitroep.
Ranessa gaf hem een stomp tegen zijn arm. 'Stil toch! Straks horen ze je nog!'
'Kijk! Kijk daar!' zei hij tegen Ranessa terwijl hij haar zelfs beetpakte en heen en weer schudde om zijn verbazing te benadrukken. 'Die man, die Trevinici. Haal je haar voor je ogen weg en zeg tegen me dat ik het me niet verbeeld.'
'Ik geloof wel dat ik hem ken,' zei ze, maar er klonk toch twijfel in haar stem.
'Het is Jessan!' siste Wolfram, geschokt. 'Je eigen neefje.'
'Mijn neefje.' Het bleef even stil, toen zei ze zacht: 'Ik was hem vergeten. Ze lijken allemaal zo ver weg. Wat zou hij hier doen, vraag ik me af?'

'Dat doet er nu even niet toe. Dit is onze kans,' zei Wolfram in zijn handen wrijvend. 'Ik ren erheen en snijd hun touwen door...'
'Heb je in je plan ook rekening gehouden met Vrykyls?' vroeg Ranessa, met een harde klank in haar stem. 'Want er is er net een het kamp binnen komen lopen. Nee, wacht. Nu zijn er twee Vrykyls. Eén ervan is vermomd als taan, maar ik kan door hem heen kijken.'
Dat kon Wolfram ook, nu ze hem erop wees. Hij had al op een goede afloop gehoopt, maar nu kon hij zich wel voorover in een hoop sneeuw storten en gaan liggen huilen.
'Het kan ons lukken,' zei Ranessa. Ze keek hem aan en glimlachte. 'Het kan jou lukken. Jij bent een Domeinheer. En ik ben een draak.'
Voor hij er iets tegen in kon brengen, was ze weggerend in het donker. Wolfram pakte zijn mes en sloop het kamp binnen. Hij sneed de Vinnengaelees en Jessan los en sloop daarna stilletjes terug in de schaduwen om op een kans te wachten het kind te redden.
Hij hoorde Ranessa boven in het donker rondcirkelen. Hij had haar geluiden inmiddels leren kennen, het slaan van haar vleugels in de koude, windstille lucht. Hij hoorde haar diep inademen en vervolgens met een suizend geluid uitademen.
De boomtoppen vatten vlam. Wolfram pakte zijn medaillon beet en sprak een gebed uit, en het zilveren harnas van de Domeinheer gleed geruststellend om zijn lichaam. Wolfram rende het tanenkamp in. Hij pakte de Grootmoeder en Fenella. Zonder aandacht te besteden aan het verontwaardigde krijsen van de Grootmoeder en haar gejammer over een stok of zoiets, stopte Wolfram de pecwae onder zijn ene arm en Fenella onder de andere arm, en rende het bos in.

Wolfram hoorde het gebrul van de draak en het geknetter van de brandende bomen, het schreeuwen van een stervende taan en Jessans strijdkreet. Wolfram negeerde het allemaal en bleef rennen.

De maan, die helder op de sneeuw scheen, verlichtte hun weg. Wolfram was niet gewend met een zware last te rennen en hij begon moe te worden, terwijl zijn greep op de pecwae en het kind minder vast werd. Hij had net besloten dat ze ver genoeg van het kamp af waren om veilig te zijn, toen hij plotseling blind werd, zo blind alsof zijn ogen waren uitgestoken. En hij was niet alleen blind, maar ook doof en stom en hij kon zijn ledematen niet meer gebruiken. Hij kon niets zien omdat hij geen ogen had. Hij kon niet rennen omdat hij geen voeten had. Hij had geen handen om mee te vechten of iets vast te houden, zelfs zijn leven niet. Hij deed zijn uiterste best om het vast te pakken, maar zijn vingers gleden weg en hij voelde dat hij in een eindeloze leegte viel.

Een hand pakte hem beet. Een in zilver gehandschoende hand. De hand trok hem terug uit de Leegte. Stralend in haar blinkende harnas stond Gilda voor hem. Ze hief haar schild op en in het licht daarvan keek Wolfram op en zag de Vrykyl. Het schepsel was geharnast in de Leegte en droeg een helm die zo gemaakt was dat hij precies op de lelijke tanen leek die ze hadden gevolgd.

Gilda stond bij haar gevallen broer en hield haar schild zo dat het hen beiden beschermde. De Vrykyl trok een vreemd uitziend

wapen, een reusachtig zwaard met een gekartelde rand. Zwaaiend met het zwaard sprong hij op haar toe.
De kling sloeg tegen het schild. De Vrykyl gaf een grauwende kreet en liet zijn wapen vallen. Hij deinsde achteruit en wrong zijn handen. Hij raapte het zwaard op en keek haar woedend aan, keek woedend naar het schild.
Wolfram vond houvast voor zijn handen. Hij klampte zich aan het leven vast en trok zichzelf over de gapende kloof van de Leegte heen. Hij krabbelde overeind en ging naast zijn zus staan.
Het leek erop dat de Vrykyl een manier probeerde te bedenken om langs dit stralende hemelwezen te komen. Hij hief zijn zwaard en deed opnieuw een uitval. Hij sloeg niet met zijn zwaard tegen het schild. Hij stompte ertegen met zijn hand en stootte het weg. Hij wilde Wolfram een slag toebrengen.
'Smerig schepsel van de Leegte!' riep Ranessa uit het donker. 'Die dwerg is van mij! Je zult hem geen kwaad doen!'
De draak ademde een enorme klodder vlammen uit. Ze greep de vuurbol in haar klauw en slingerde de laaiende massa naar de Vrykyl.
Het vuur kroop over het zwarte harnas van de Leegte. K'let nam de laaiende massa ongedeerd in zich op; hij zoog de vlammen in de Leegte, waar ze flakkerend uitgingen. De taan-Vrykyl lichtte zijn helm op en keek verbaasd omhoog naar de draak.
'Jouw soort komt niet voor in de wereld van de tanen,' riep hij, hoewel ze hem geen van beiden konden verstaan. 'Ik zou hier graag blijven om een gevecht met je aan te gaan, waaraan zowel voor jou als voor mij eer te behalen valt. Maar ik moet je aanbod om te vechten afwijzen. Er is hier ergens een vazal van mij, en het zou echt iets voor Shakur zijn om me van achteren aan te vallen.'
K'let keek nog eens naar de dwerg en het stralende hemelwezen dat hem beschermde.
'En wat de Verheven Steen betreft, die zal ik vinden, want ik weet waar hij is.'
K'let glipte zelf in de Leegte. Hij werd het duister, werd zelf leegte.
'Waar is hij gebleven?' vroeg Wolfram terwijl hij zijn hoofd

draaide om hem te zoeken. 'Ik kan hem niet vinden. Is hij achter ons?'
'De Vrykyl is voorlopig weg,' antwoordde Gilda. 'Maar zolang de Verheven Steen in de wereld is, blijft hij als dreiging aanwezig. Wolfram, jij moet de Steen naar Oud Vinnengael brengen.'
'Naar Oud Vinnengael?' herhaalde Wolfram verbluft. 'Waarom? Nee, ga niet weg, Gilda! Vertel het me!'
'Wolfram!'
Hij opende zijn ogen.
Ranessa, in mensengedaante, zat geknield naast hem.
'Wolfram! Word wakker! Heb je pijn?' Ze begon met haar vuisten op hem te beuken, blijkbaar met de bedoeling hem te helpen bij te komen.
'Als ik geen pijn had, heb ik die nu wel,' zei Wolfram terwijl hij haar hand wegduwde. Hij ging rechtop zitten. 'Waar is Gilda? Waar is ze heen gegaan? Ik moet haar iets vragen. Gilda?' riep hij. 'Gilda, ik begrijp het niet.'
Het maanlicht scheen tussen de sparren door naar beneden. Het dwergenkind, Fenella, zat vlakbij, hand in hand met Grootmoeder pecwae. De Verheven Steen blonk stralend in het bleke, koude licht.
'Dunner,' zei Fenella. 'Ik ben blij dat u me hebt gevonden.'
Ze bracht haar handen omhoog, nam de ketting met de Verheven Steen van haar hals en hield die hem voor.
'Ik heb hem voor u bewaard, Dunner,' zei ze verlegen.
Wolfram veegde vlug langs zijn ogen en schraapte zijn keel. Hij aarzelde heel even, toen nam hij de Verheven Steen aan het snoer van gevlochten paardenhaar van het kind aan en hield hem stevig vast.
'Ik ben Dunner niet,' zei hij pijnlijk getroffen. 'Ik heet Wolfram. Ik probeer in Dunners voetspoor te volgen, maar het lukt me niet erg. Maar ik zal dit van je aannemen, en ik dank je omdat je er zo goed op hebt gepast. Dunner zou trots op je zijn.'
Fenella glimlachte blij. Ze kwam niet naar hem toe, maar bleef bij Grootmoeder pecwae zitten.
De Grootmoeder keek Wolfram argwanend met gefronst voor-

hoofd aan. Ze stak een benige vinger uit en porde tegen zijn harnas.
'Heb je dat gestolen?' wilde ze weten.
'Ga je me niet bedanken, Wolfram?' vroeg Ranessa met schelle stem. 'Ik heb je gered van die Vrykyl. Het is trouwens al de tweede keer dat ik dat heb moeten doen.'
'Ranessa,' zei Grootmoeder pecwae. 'Ik zie dat je jezelf hebt gevonden.'
Ranessa had al een brutaal antwoord klaar, maar toen ze de oude vrouw in de ogen keek, bedacht ze zich.
'Ik heb mijn huid afgelegd,' zei ze verward.
'Mooi,' zei de Grootmoeder. 'Ik heb altijd geweten dat hij je te nauw was.'
Wolfram keek neer op de Verheven Steen in zijn handen, hoe die het maanlicht verstrooide.
'Er komt iemand aan,' waarschuwde Ranessa.
Wolfram stond op. Hij stelde zich voor Fenella en de Grootmoeder op tegenover het duister.

Het duister nam de vorm aan van de Vinnengaelees en Jessan. Wolfram slaakte een diepe zucht.
'De Vrykyl kan nog in de buurt zijn,' zei Ulaf. 'We kunnen beter zo snel mogelijk weggaan. We zijn allemaal in gevaar...'
'Tante Ranessa?' riep Jessan stomverbaasd. 'Bent u dat? Wat doet u hier?'
'Hallo, Neef,' sprak Ranessa koeltjes. 'Heb je een cadeautje voor me meegebracht?'
Wolfram staarde in de Verheven Steen, in de heldere, zuivere, schone kern ervan. Hij hing de Steen om zijn nek. De Steen versmolt met het zilveren harnas en verdween. Maar hij wist dat de Steen bij hem was. Hij kon het gewicht ervan voelen drukken op zijn ziel.
Gilda stond naast hem.
'Oud Vinnengael,' zei ze.
Wolfram knikte.

Ze namen de raad van Ulaf ter harte en gingen het bos uit. Ze kwamen terug op de weg, maar ontdekten daar dat hun paarden ervandoor waren gegaan en nergens te bekennen waren. De baar met Bashaes lichaam lag langs de kant van de weg. Jessan zei dat hij was losgeraakt toen de paarden op hol sloegen, maar de Grootmoeder zei nee, de goden hadden hem vastgehouden. Aan de weg was – door de omgewoelde aarde en de modderige sneeuw – te zien dat hier een grote groep ruiters was langsgekomen.

'Klendist. Ze zijn hier al geweest,' zei Ulaf somber. Hij trapte met zijn laars tegen een hoop vuile sneeuw. 'Verdorie, wie zei nou dat de Leegte hier niet werkte?'
'Dat heb je volgens mij zelf gezegd,' zei Jessan met een glimlach. 'Maar ze hebben een spoor achtergelaten dat een blinde reus nog zou kunnen volgen. Hun sporen zullen je naar het Portaal leiden.'
'Als het klopt wat ik over die Klendist heb gehoord, zal hij ervoor zorgen dat zijn spoor niet te vinden is,' was Ulafs norse reactie. 'Maar goed, het is het enige dat we nog kunnen doen.' Hij keek om zich heen en raakte nog meer uit zijn humeur. 'Ik moet zeker lopen, want onze paarden zijn nergens te bekennen.'
'Ze zijn geschrokken van de tanen, maar ze zijn niet ver weg gelopen,' zei de Grootmoeder. Ze bracht haar vingers naar haar lippen en floot schel. Toen riep ze met luide stem iets in het Twithil.
'Wat zegt ze?' vroeg Ulaf.
'Ze heeft tegen de paarden gezegd dat het gevaar weg is en dat het veilig is om terug te komen,' antwoordde Jessan.
'En werkt dat ook?'
Jessan wees.
De paarden kwamen uit beide richtingen over de weg aandraven. Ze liepen regelrecht naar Grootmoeder pecwae, duwden met hun neus tegen haar aan en knabbelden speels aan haar haar.
Zodra zijn paard er was, steeg Ulaf op en draaide om zodat hij in de richting van het kruispunt kon wegrijden.
Jessan greep de teugel. 'Je bent niet in een toestand om te rijden, vriend. Je bent nu al half bevroren.'
'Ik heb weinig keus,' zei Ulaf. 'Ik moet Klendist zien te vinden en kijken waar hij dat extra Portaal binnengaat. Dat is de enige manier om baron Shadamehr op tijd te bereiken om hem te waarschuwen dat hij misschien in een val loopt als hij de Verheven Steen naar Oud Vinnengael brengt.'
'Huh?' Wolfram keek geschrokken op. 'Wat zei je daar over een val?'
'Ik heb een van de Vrykyls, degene die Shakur genoemd wordt,

met een huurling van Dagnarus horen praten,' legde Ulaf uit. 'Hij zei dat de Domeinheren die de delen van de Verheven Steen dragen, opdracht kregen ze naar Oud Vinnengael te brengen. Volgens Shakur lopen ze dan in een val die Dagnarus voor hen heeft opgezet.' Een gedachte kwam bij Ulaf op. Hij nam de dwerg met plotselinge belangstelling op. 'Waarom vraag je dat?'

'Zomaar,' zei Wolfram. Hij stak zijn handen in zijn zakken en draaide zich om.

Ulaf keek bezorgd naar hem, maar hij had haast. Hij kon niet blijven om er langer over te praten. De dwerg zou hem waarschijnlijk toch niets vertellen.

'Mogen de goden jullie vergezellen,' zei Ulaf.

Zijn zegen gold hun allemaal, maar zijn blik bleef het langst op Wolfram rusten, die zonder blikken of blozen terugkeek.

Ulaf schopte in de flanken van zijn paard en galoppeerde de weg af.

Wolfram keek hem na en beet op zijn lip.

'We moeten gaan,' zei Jessan. 'Het voelt niet lekker op deze plek.'

'De Leegte is heel sterk,' zei Ranessa instemmend. 'Waar ga je heen, Neef?' vroeg ze uit de hoogte.

'Naar huis,' zei Jessan kortaf. Hij merkte dat hij niet naar haar kon kijken. Het leek precies te kloppen dat ze eigenlijk een draak was. Ze hadden altijd geweten dat er iets niet in de haak was met haar als mens. Toch kon hij het nog maar moeilijk begrijpen.

'De terugweg naar het Trevinici-gebied is lang en gevaarlijk,' zei Ranessa. 'Ik weet het. Ik heb die weg samen met de dwerg gereden.'

Ze schudde het haar uit haar gezicht en begon een verklaring af te leggen. 'Ik zal jou, Neef, en de Grootmoeder en het lichaam van Bashae terugbrengen naar het gebied van de Trevinici.'

Jessan keek eerst verschrikt, toen ontzet. 'Nee, Tante...'

'We gaan ermee akkoord,' sprak de Grootmoeder. 'Het is een goed plan.'

'Grootmoeder,' zei Jessan. 'U begrijpt het niet.'

'Ik begrijp het wel,' zei de Grootmoeder geprikkeld. 'Ik ben oud.

Ik ben niet dom. Ze is een draak, en ze zal ons vliegend naar huis terugbrengen. Dat huis is misschien niet waar het was toen we er weggingen,' voegde ze eraan toe terwijl ze hem met een schittering in haar ogen aankeek. 'Heb je daar wel aan gedacht? Stel dat de stam is opgebroken en verhuisd? Hoe moeten we hen dan vinden? Het zou veel gemakkelijker zijn als we vleugels hadden. Zij' – de Grootmoeder wees naar Ranessa – 'geeft ons vleugels.
Ik ben de stok kwijt, Jessan,' zei de Grootmoeder met een trilling in haar stem. 'Ik moest hem achterlaten. Ik heb nu geen mogelijkheid om het kwaad te zien. We kunnen beter met Ranessa meegaan. Ze wil dit voor je doen. Ze wil dat alles goed komt.'
'Ranessa is een goede ziel, jongeman,' voegde Wolfram eraan toe. 'Je kunt haar je leven toevertrouwen. Dat heb ik ook gedaan, en ik heb daar geen spijt van gekregen.'
'Je wilt toch graag naar huis, Jessan?' drong de Grootmoeder zacht aan.
'Ja,' zei Jessan. 'Meer dan wat ook wil ik naar huis.'
'Goed dan,' zei Ranessa. 'We praten er niet meer over. Jessan, jij en de Grootmoeder...'
'En Fenella,' kwam de Grootmoeder. 'Zij gaat met ons mee.'
'Geen sprake van,' zei Wolfram beslist. 'Fenella is een dwerg. Zij hoort bij haar volk.'
'Hoe reist ze daar dan naar toe? Breng jij haar soms?'
Wolfram zat in het nauw. Hij krabde in verwarring over zijn kin. Hij kon Fenella niet naar Oud Vinnengael brengen. En hij kon het kind ook moeilijk helemaal terugdragen naar Saumel.
'Ik wilde alleen... Nou ja, ik dacht dat ik haar misschien...'
'Was haar volk goed voor haar?' vroeg de Grootmoeder.
Fenella hield de hand van de Grootmoeder stijf vast, met haar donkere ogen op Wolfram gevestigd. Hij dacht aan de schrijn, die nu leeg was. Hij dacht aan de Kinderen van Dunner en aan het kind dat niemand had gemist. Hij dacht terug aan twee andere kinderen, Gilda en hijzelf, die alleen op de wereld waren behalve dat ze elkaar hadden.
'Jij mag het zeggen, Fenella,' zei Wolfram. 'Waar wil je naar toe, kind? Wil je teruggaan naar je eigen land? Of zou je wel bij de

Grootmoeder en haar volk willen wonen?'
'Ga jij terug naar Saumel, Wolfram?' vroeg Fenella. 'En komt de Verheven Steen terug?'
'Dat weet ik niet, Fenella,' zei Wolfram eerlijk tegen haar. 'Daar kan ik geen antwoord op geven.'
'Ik zou later graag een Domeinheer willen worden,' zei Fenella. 'Maar tot die tijd geloof ik dat ik graag met de Grootmoeder mee wil. Ik kan toch altijd teruggaan naar huis?'
'Ja,' zei Wolfram. 'Je kunt altijd teruggaan naar huis.'

Ze namen Bashaes lichaam in zijn zachte cocon van de baar af. Jessan, de Grootmoeder en Fenella begonnen het lichaam gereed te maken voor de verdere reis.
Wolfram keek een tijdlang toe. Het was voor hem tijd om te vertrekken, maar hij had opeens weinig zin om te gaan. Het was lang geleden dat hij alleen had gereisd.
Hij liep naar Ranessa toe, die naar de sterren stond te turen alsof ze popelde om daar tussen rond te vliegen.
'Ik mis je, meisje,' zei hij. 'Ik wou dat je met mij meeging.'
'Ik heb een verplichting.' Ze keek even naar Jessan. 'Ze zijn goed voor me geweest. Ik heb niet veel gedaan om dat te verdienen.'
'Dat was niet jouw schuld.'
Ranessa glimlachte flauwtjes. 'Zelfs als draak had ik aardiger kunnen zijn, denk ik. Maar ja' – ze haalde haar schouders op – 'gedane zaken nemen geen keer. Ik zal hen naar hun land brengen en hen helpen hun volk te vinden. Het is het minste dat ik kan doen.'
'Waar ga je daarna heen?' vroeg Wolfram, met pijn in zijn hart.
'Ik moet een tijdlang alleen zijn,' antwoordde Ranessa. 'Misschien lange tijd. Draken zijn solitaire wezens, Wolfram.'
'Dwergen zijn dat ook,' antwoordde hij. 'Sommige dwergen tenminste.'
'Kom me dan een keer opzoeken,' zei Ranessa met een plotselinge, stralende glimlach. 'Dan zijn we samen solitair.'
'Dat zal ik doen,' beloofde hij.
Ranessa bukte zich en gaf Wolfram een vlugge, harde kus op zijn wang, een kus die brandde als vuur. Ze draaide zich van

hem weg, spreidde haar armen en wierp haar hoofd achterover. Een uitdrukking van vreugde kwam over haar gezicht, en het gezicht van de draak, de vleugels van de draak en het lichaam van de draak glansden in het maanlicht.
'Schiet op, Neef!' zei ze bevelend. 'We hebben niet veel maanlicht meer.'
Jessan begon de cocon van de pecwae aan de piekerige manen van de draak vast te snoeren.
'Ik vind het naar dat Bashae dood is,' zei Wolfram.
'Hij is als een held gestorven,' zei Jessan. 'Niet veel pecwaes kunnen dat zeggen.'
Nee, dacht Wolfram. En ik betwijfel of er veel pecwaes zijn die dat zouden willen. Maar hij bleef beleefd zwijgen.
'Mijn mensen zullen goed voor het dwergenkind zorgen,' zei Jessan, en zacht voegde hij eraan toe: 'Ik zal erop toezien dat ze niet door pecwaes wordt grootgebracht.'
'Dank je,' zei Wolfram met een verstolen glimlach. 'Het was goed je terug te zien, Jessan. Of misschien moet ik je niet zo noemen? Heb je je volwassen naam al gevonden?'
'Het is aan de ouderen om daarover te beslissen,' zei Jessan. 'Maar ja, ik heb hem gevonden.' Hij zweeg even en zei toen somber: 'Hij was niet wat ik had verwacht.'
'Dat is nooit zo,' zei Wolfram.
Jessan knikte. Hij tilde de Grootmoeder op de rug van de draak en hees Fenella omhoog zodat ze naast haar kwam te zitten. Hij klom op de draak en nam plaats tussen de vleugels.
Jessan legde zijn ene sterke arm beschermend om de Grootmoeder en Fenella heen en greep met de andere hand de manen van de draak. 'We zijn zover...' Hij zweeg, keek nog eens naar de dwerg en glimlachte spijtig. 'We zijn zover, Tante Ranessa.'
De draak spreidde haar vleugels, zette zich af met haar krachtige achterpoten en sprong op in de lucht.
'Dag, Wolfram!' riep Ranessa terwijl ze opsteeg naar de sterren.
'Dag, meisje,' zei Wolfram zacht.

DEEL
III

Shadamehr had het gevoel dat hij weer een kind was dat in zijn bedje in slaap werd gewiegd. Dat zou prettig zijn geweest, alleen goot zijn moeder voortdurend koud water onder in zijn wieg, water dat de hele tijd heen en weer klotste. En alsof dat nog niet vervelend genoeg was, bedekte ze hem met een deken die van vissen was gemaakt.

Hij deed herhaalde pogingen wakker te worden om zich te beklagen over deze onheuse behandeling, en soms lukte dat ook. Dan werd hij net lang genoeg wakker om water te kunnen drinken dat naar vis smaakte, vis te eten die naar vis smaakte, en wanneer hij dan begon te denken dat hij wakker genoeg was om orde op zaken te stellen, zonk hij weer weg in de slaap in die natte wieg.

Shadamehr had geen idee hoe lang dit zo doorging. De dag ging wazig over in nacht en weer in dag. Zijn slaap was droomloos en vredig, afgezien van dat klotsende water en die vissige lucht. Niemand deed hem iets. Ze deden juist alles om hem te beschermen. Net als zijn moeder. Desondanks voelde hij van binnen verzet groeien, en op een dag, toen hij uit de wieg was opgehesen en aan land was gedragen, staarde Shadamehr naar een beker water die ze hem in de hand duwde en gooide hem weg.

'Nee,' zei hij met dikke tong. 'Ik neem dit niet langer.'

De woorden die hij uitbracht, klonken alsof ze met pap vermengd waren, maar de orken verstonden ze blijkbaar wel, want een van hen rende weg om het te melden. De Kapitein verscheen.

Ze kwam bij hem staan en keek dreigend op hem neer. Shadamehr probeerde goed wakker te worden en keek naar haar op. Ze leek op te zwellen in zijn blikveld, toen kleiner te worden en weer op te zwellen, en hij knipperde een paar keer met zijn ogen tot ze een vaste vorm aannam.

'Waddisser aandehand?' vroeg hij. Zijn tong voelde alsof hij in de verkeerde mond zat.

'Je hebt zes dagen geslapen. Hoe voel je je?' vroeg de Kapitein.

Hij dacht even over haar vraag na. 'Uitgerust,' antwoordde hij.

De Kapitein begon hartelijk te lachen.

De boot was aan land getrokken op de oever van een brede, traag stromende rivier, waar wilgen dorre, gele blaadjes in het water lieten vallen. Eén ork hield de wacht bij de boot. Andere orken waren aan het vissen, of bereidden vis. Het was koud weer. De winterzon scheen boven hen en weerspiegelde dansend in het water. Damra lag naast hem, vast in slaap.

'Is alles goed met Damra?' vroeg Shadamehr.

'Ze is in orde,' zei de Kapitein. 'Ze slaapt, dat is alles. We hebben haar eten gegeven en water laten drinken. Maak je niet ongerust.'

Shadamehr probeerde zijn vermoeide brein op te schudden, probeerde zichzelf te dwingen tot denken. Damra was hier, maar anderen niet. Er begon een herinnering terug te komen.

'Alise en Griffith,' zei hij. 'Zijn ze ergens waar het veilig is?'

'Je vrouw met haar vurige haar, en die elf die voortekenen maakt? Die heb ik achtergelaten.' De Kapitein grinnikte. 'Ik heb op deze reis geen behoefte aan ongunstige voortekenen.'

Shadamehrs gezicht vertrok pijnlijk. 'U wist de waarheid over dat voorteken?'

'Natuurlijk!' De Kapitein zei het op verachtelijke toon. 'Een sjamaan die een voorteken van de goden niet kan onderscheiden van een voorteken dat door een elf is gemaakt, zou niet zo'n beste sjamaan zijn.'

'Waarom reageerde u er dan op?' vroeg Shadamehr. 'Waarom gaf u de schepen opdracht om te vertrekken?'

'Dat strookte beter met mijn plannen,' zei de Kapitein.

Een van de orken riep iets. De Kapitein zwaaide met haar hand.

‘We moeten gaan.’ Ze wees naar de vis. ‘Eet je eten op. Anders zul je verzwakken. Zelfs als je slaapt, heeft je lichaam voeding nodig.’
‘Waar gaan we heen?’ vroeg Shadamehr.
Hij hoorde ritmisch gezang en begon slaperig te worden. Ze riepen een betovering over hem af. Hij vocht ertegen, maar tevergeefs.
De Kapitein nam het eten uit zijn slappe handen. Het laatste wat hij hoorde, waren de woorden van de Kapitein.
‘Je weet waar we heen gaan,’ zei ze.

Weer die gedwongen slaap, de vislucht, het water dat om hem heen klotste in de boot, waar hij onder een lap met olie ingesmeerd zeildoek op de bodem lag. Weer de tijd die voorbijging, die langs hem gleed als het water van de rivier, het wakker worden, het niet begrijpen en het eten, dat steeds eindigde met het geluid van gezongen spreuken. De Kapitein sprak niet meer tegen hem, en de andere orken staarden hem met een uitgestreken gezicht aan wanneer hij antwoorden eiste.
Toen hield de beweging van de boot op. Sterke handen pakten hem beet. Een gespierde ork nam hem over zijn schouder. Toen Shadamehr goed lag, legde de ork zijn reusachtige arm om Shadamehrs benen en droeg hem weg alsof hij een weerspannig kind was dat naar bed werd gedragen.
Omdat hij met zijn hoofd en armen over de rug van de ork hing, kon Shadamehr niets anders zien dan de orken achter hem. Zijn hoofd was nog beneveld door slaap, en hij raakte weer even buiten bewustzijn. Maar de volgende keer dat hij wakker werd, werd hij goed wakker, en was het afschuwelijke gevoel dat iemand zijn hoofd had volgestopt met ganzendons weg.
Hij ging rechtop zitten. Zijn handen en voeten waren stevig gebonden, maar verder leek hij in goede conditie te zijn.
‘Hè hè, dat werd tijd,’ kwam een lage stem uit het donker, in de Taal der Oudsten. ‘Ik heb er schoon genoeg van naar dat gesnurk van jou te luisteren.’
‘Ik snurk niet,’ antwoordde Shadamehr met waardigheid. Toen zei hij: ‘Ik vraag me af waarom we altijd ontkennen dat we snur-

ken. Je zou haast denken dat het een soort vreselijke ziekte was, zoals de pest.'
'Wat maakt het uit?' zei de stem geërgerd. 'Wie ben jij trouwens?'
Shadamehr antwoordde niet meteen, want een steen porde hinderlijk in zijn achterwerk. Hij verschoof zijn lichaam tot het in een wat meer comfortabele houding zat en keek om zich heen. Voor zover hij kon zien, bevond hij zich in een grot. Er viel zonlicht naar binnen door een grote opening op een pas of tien afstand. Buiten kon hij snelstromend water horen neervallen – een heel ander geluid dan het zachte kabbelen van de kalm stromende rivier.
Hij hoorde iemand kreunen en zuchten, draaide zich met enige moeite om en zag dat Damra naast hem lag. Ze was net als hij aan handen en voeten gebonden.
'Dit is heel merkwaardig,' zei Shadamehr. 'Haar magische harnas had haar moeten beschermen. Vreemd. Heel vreemd.'
Hij probeerde met zijn handen te wiebelen. De knopen zaten stevig vast, dus haalde hij zijn schouders maar op. Voorlopig viel er niet aan weglopen te denken.
'Ik zei... wie ben jij?' herhaalde de stem strijdlustig.
'Ben jij een gevangene?' vroeg Shadamehr.
'Nee, ik ben hier voor mijn gezondheid!' snauwde de stem.
Toen Shadamehrs ogen zich hadden aangepast, kon hij uiteindelijk een kleine, gedrongen figuur onderscheiden, die met touw om armen en benen was vastgebonden en met zijn rug tegen de rotswand zat. Shadamehr kon het gezicht niet zien, behalve een paar ogen dat blonk van verontwaardiging.
'Je bent een dwerg!' zei Shadamehr.
'Wat heeft dat ermee te maken?' wilde de dwerg weten.
'Hoor eens, ik zal je zeggen hoe ik heet. Ik heet Shadamehr. Vroeger was ik baron Shadamehr, maar nu ben ik Shadamehr zonder land en zonder duiten. Ik zou je wel een hand willen geven, maar ik ben op het ogenblik een beetje onthand.'
'Ik heb van jou gehoord,' zei de dwerg.
'Goede berichten, mag ik hopen?'
'Dat probeer ik me te herinneren.' Het werd even stil, toen zei

de dwerg half onwillig: 'Wolfram is de naam.'
'Bij alle goden!' riep Shadamehr verbaasd. 'Ik heb ook van jou gehoord!'
Er klikte iets in Shadamehrs hoofd, als in het mechaniek van een waterklok. Het was maar een druppel van een gedachte, maar genoeg om het mechaniek in werking te zetten. Hij had het gevoel dat er ook bij Wolfram iets had geklikt, want hij werd iets minder wantrouwig.
'Ken jij een Vinnengaelees die Ulaf heet?'
'Ken jij een Trevinici die Jessan heet en een pecwae die Bashae heet?'
Damra kwam rechtop zitten en staarde in stomme verbazing naar de touwen die haar bonden. 'Wat is er gebeurd?'
'Dat vroeg ik me ook al af,' zei Shadamehr. 'Je magische harnas had je moeten beschermen.'
'Welk magisch harnas?' vroeg Wolfram argwanend.
'Wie is dat?' vroeg Damra al even argwanend.
'Nu we toch bezig zijn, wie ben jij?'
'Damra, dit is Wolfram, die volgens Bashae bij heer Gustav was toen hij stierf. Wolfram, dit is Damra, degene aan wie Bashae de Steen had willen geven. Het lijkt erop dat de cirkel rond is,' zei Shadamehr. 'Ik weet hoe wij hier zijn gekomen, Wolfram. De orken hebben ons hier gebracht. En jij, hoe kom jij hier? Hebben de orken jou ook gebracht?'
Wolfram aarzelde nog een tijdje, maar uiteindelijk kwam zijn verhaal er toch uit.
'Dus jij bent Shakur tegen het lijf gelopen. Je reist wel in chic gezelschap, Wolfram,' zei Shadamehr.
'En je mag van geluk spreken dat je nog leeft en dat je ziel nog heel is,' zei Damra.
'Je vriend, Ulaf, zoekt je, baron. Hij had een boodschap voor je.'
'Daar komen we straks wel op terug. Wanneer is dit allemaal gebeurd?' vroeg Shadamehr.
'Niet lang geleden,' zei de dwerg ontwijkend.
'Als we zijn waar ik denk dat we zijn,' zei Shadamehr, 'is Mardurar hier een heel eind vandaan.'

'Als je het per se weten wilt, er is een extra Portaal bij de Mefeldpas,' zei Wolfram. 'Daar heb ik gebruik van gemaakt. Ik heb namelijk haast. Ik heb een landhuis in het noorden geërfd...'
'Van heer Gustav,' zei Damra.
'Het doet er niet toe van wie,' gromde Wolfram. 'Ik was op weg naar mijn landhuis. Ik kwam het Portaal uit en voor ik het wist, doemt er voor me een levende schaduw op. Vervolgens valt de zon uit de lucht en geeft me zo'n dreun op mijn kanis dat ik van mijn stokje ga. En dat had niet mogen gebeuren, omdat...' Hij zweeg en sloeg zijn hand voor zijn mond.
'Omdat...' spoorde Shadamehr hem aan.
Wolfram bleef zwijgen.
'Omdat je magische harnas je had moeten beschermen,' zei Shadamehr. 'Zoals dat van Damra háár had moeten beschermen.'
'Welk magisch harnas?' gromde Wolfram. 'Ik weet niet waar je het over hebt.'
'Ik ook niet, vrees ik,' zei Damra.
'Hij is een Domeinheer,' zei Shadamehr. 'Hij heeft het dwergendeel van de Verheven Steen. En hij is niet op weg naar zijn landhuis. Hij is op weg naar Oud Vinnengael.'
Wolframs mond viel zo ver open dat ze zijn kin bijna op de vloer van de grot hoorden klappen.
'Ho eens even,' zei hij argwanend. 'Hoe weet je dit allemaal?'
'Omdat ik het mensendeel van de Verheven Steen bij me heb,' zei Shadamehr. 'En Damra van Gwyenoc heeft het elfendeel bij zich. En als ik me niet heel erg vergis,' voegde hij eraan toe terwijl de kapitein der kapiteins de grot binnenkwam, 'is het vierde deel van de Steen ook bij ons.'
De kapitein der kapiteins stak haar hand onder haar hemd en het leren, met bont gevoerde jak dat ze eroverheen droeg, en haalde een zilveren ketting te voorschijn waaraan een edelsteen hing, met gladde zijden en driehoekig van vorm.
'U zei tegen ons dat de Verheven Steen in de Sa'Gra-berg was,' zei Damra.
'Dat heb ik gelogen.' De Kapitein haalde haar schouders op. 'Maar toen ik dat zei, was het voor de tweede keer volle maan in die maand.'

'Een leugen die verteld wordt bij de tweede volle maan in dezelfde maand telt niet als leugen,' legde Shadamehr uit.
'Bovendien,' vervolgde de Kapitein, en haar stem kreeg een harde klank, 'was er een reden voor die onwaarheid. We ontdekten dat een boosaardig schepsel, een schepsel dat wij een Zielensteler noemen, onze Verheven Steen te pakken probeert te krijgen. Hij denkt dat hij in de Sa'Gra-berg is. Hij zoekt hem daar. Niet hier.' Ze stopte de steen terug op haar borst.
'Wat is een Zielensteler?' vroeg Wolfram bevreemd.
'Een Vrykyl,' zei Shadamehr. Het mentale waterrad draaide nu met grote snelheid. 'Dagnarus heeft een van zijn Vrykyls in de gedaante van een ork uitgestuurd om hun Steen te stelen.'
'Maar waarom moest u ons betoveren, vastbinden en gevangennemen?' vroeg Damra. 'Waarom zijn we naar deze grot gebracht?'
'Ik weet het antwoord!' riep Shadamehr, die van opwinding heen en weer wiebelde, tevreden over zichzelf als de eerste de beste brave schooljongen. 'U moest ons bedwelmen om ons weg te krijgen van Alise en Griffith. Een heel slim idee. Zover had ik het al door. Voor het betoveren had ik wat meer tijd nodig, maar daar ben ik nu ook uit. U moest ons betoverd houden omdat degene die hier achter zit, bang was dat we zouden proberen te ontsnappen voor hij bij ons kon zijn om het ons uit te leggen. Klopt het tot nu toe?'
De Kapitein knikte. Ze riep twee orken en droeg hun op de banden van de gevangenen los te maken.
'U moest ons vastgebonden in de grot houden,' zei Shadamehr, terwijl hij een pijnlijk gezicht trok en met zijn vingers bewoog om het bloed in zijn handen te laten terugstromen, 'omdat u bang was dat we in onze halfbedwelmde toestand naar buiten zouden lopen en in het Orkenravijn zouden vallen, want daar zijn we nu. Klopt het?'
'We moesten de boot vastleggen,' zei de Kapitein.
'Natuurlijk moest dat!' zei Shadamehr. 'En dat betekende dat u ons alleen moest achterlaten. En u pakte onze vriend Wolfram hier zo ruw aan omdat degene die hier achter zit, wil dat de vier dragers van de Verheven Steen deze reis gezamenlijk maken. Heb ik weer gelijk?'

'Maar de dwerg zei dat hij werd tegengehouden door een "levende schaduw",' zei Damra, 'en dat hij op zijn hoofd werd geslagen door "de zon die uit de lucht viel".'
'Dat was ook zo,' zei Wolfram, nog steeds boos.
'Ik denk dat ik daar ook het antwoord op heb,' zei Shadamehr. 'Daar is die zon van jou.'
Hij wees naar de orkenkapitein.
Ze reageerde door een medaillon te pakken dat aan dezelfde ketting hing als de Verheven Steen. Er vloeide een zilveren harnas over haar lichaam. Een zilveren helm, in de vorm van een uit de golven opspringende dolfijn, prijkte op haar hoofd. Zoals ze daar in de opening van de grot in het zonlicht stond, leek de orken-Domeinheer veel op de zon die op de aarde is afgedaald.
'En hier is die schaduw waar je het over had,' zei Shadamehr.
Een elf, geheel in het zwart gehuld, kwam geluidloos de grot binnen. Hij ging naast de ork staan en maakte een buiging naar de groep.
'Silwyth,' zei Damra, die het eindelijk begreep.
'Op een nacht,' zei de Kapitein, 'toen ik een middag was gaan vissen in mijn bootje, werd ik overvallen door een vreemde slaperigheid. Ik droomde dat er een mens naar me toe kwam. Hij zei dat hij Gareth heette, en dat ik het orkendeel van de Verheven Steen naar Oud Vinnengael moest brengen. De tijd was gekomen dat zij die de eed hadden gebroken, de belofte die ze lang geleden hadden afgelegd alsnog gestand deden.
Toen ik wakker werd, ging ik terug aan land. Ik riep de sjamanen bijeen en vertelde hun wat ik had gedroomd. Ik vroeg hun de voortekenen te schouwen om te zien of ik aan de opdracht van deze mens moest voldoen. Er gebeurde iets vreemds. Niemand had ooit zoiets gezien. De voortekenen waren gunstig én ongunstig – beide tegelijkertijd.
Wat betekende dat? Wat moest ik doen? Wie kon het verklaren? Mijn sjamanen probeerden het.' De Kapitein maakte een verachtelijk gebaar. 'Degenen die een gunstig voorteken zagen, zeiden dat ik moest gaan, anders zou alles verloren zijn. Degenen die een ongunstig voorteken zagen, zeiden dat ik niet moest

gaan, want als ik ging, zou alles verloren zijn. De sjamanen raakten zelfs slaags over de kwestie.
Mijn overgrootvader was de kapitein der kapiteins die de Verheven Steen van koning Tamaros had ontvangen. Hij was degene die de eed verbrak. De orken kregen het daarna moeilijk. Mijn overgrootvader raakte ervan overtuigd dat hij ons ongeluk had gebracht omdat hij de eed had verbroken. Onze heilige berg is ons afgenomen. Duizenden van ons volk leven in slavernij. Het is tijd om aan de eed te voldoen en de Steen terug te brengen. Dat dacht ik. Maar wat te denken van de ongunstige voortekenen?
Ik wist niet wat ik moest doen, en daarom ging ik weer het water op in mijn bootje, in de hoop dat die mens weer in mijn droom zou verschijnen. Terwijl ik wachtte tot ik in slaap zou vallen, doodde ik de tijd met vissen. Ik ving niets. Dat was heel vreemd, want ik heb altijd geluk als ik ga vissen. Ik begon te vrezen dat de goden mij de rug hadden toegekeerd. Ik gooide nog één keer mijn net uit en die keer ving ik wel iets.'
De Kapitein wees. Ze wees naar Silwyth. 'Ik ving een elf.'
'Ik geloof dit niet,' mompelde Damra. 'Zelfs niet van hem.'
'Maar begrijp je dan niet hoe slim dit is?' mompelde Shadamehr.
'O ja, hij is ontzettend slim,' kaatste Damra terug.
'Hij komt voor in de verhalen van Dunner,' zei Wolfram die zich in het gesprek mengde. 'Silwyth de Slang, noemde Dunner hem. Hij beweerde dat deze Silwyth degene was die de jonge prins in het ongeluk lokte.'
'Hij let op ons,' waarschuwde Damra. 'Kijk naar de uitdrukking op zijn gezicht. Zelfgenoegzaam, alsof hij alles weet. Alsof hij alles heeft kunnen horen wat we over hem zeiden.'
Het was moeilijk om een uitdrukking te onderscheiden tussen de groeven van de tijd die kriskras over de leerachtige huid van de elf liepen. Zijn donkere ogen waren op hen gericht, en ze glinsterden, misschien zelfgenoegzaam, misschien omdat hij het grappig vond, misschien zelfs van boosaardigheid. Het was moeilijk te zeggen.
'Vertrouw je hem nog altijd niet?' vroeg Shadamehr.
'Ik weet het niet,' antwoordde Damra verontrust. 'Ik weet het domweg niet.'

De Kapitein staakte haar verhaal, keek hen verbolgen aan, wachtte tot ze hun mond hielden.
'Neem ons niet kwalijk,' zei Shadamehr onderdanig. 'We wilden u niet in de rede vallen. Gaat u alstublieft verder.'
'De elf kwam in mijn net naar boven, druipnat,' vervolgde de Kapitein. 'Hij zei dat de goden hem hadden gestuurd en dat hij een boodschap had over de Verheven Steen. Ik vertelde hem van de twee tegenstrijdige voortekenen, en hij kon ze verklaren.'
'Natuurlijk kon hij dat,' zei Damra.
Shadamehr stootte haar aan om te beduiden dat ze stil moest zijn.
'De voortekenen betekenden dat het zowel goed als slecht voor de orken zou zijn als de Verheven Steen naar Oud Vinnengael werd gebracht. Maar dat het goede zwaarder woog dan het slechte. En dat klopte,' voegde de Kapitein eraan toe. 'De sjamaan met het gunstige voorteken was beter dan de sjamaan met het ongunstige voorteken. Ik besloot de Steen naar Oud Vinnengael te brengen en de eed van mijn overgrootvader gestand te doen.
De elf zei dat ik er over de Donkere Rivier heen moest reizen. Dat wilde ik ook doen, maar dat addergebroed in Krammes weigerde mijn schip doortocht te verlenen...'
'En daarom viel u die stad aan!' zei Shadamehr.
'Dat heb ik inderdaad gedaan,' zei de Kapitein, en haar gezicht klaarde op bij de herinnering aan die strijd. 'Toen kwam Kal-Gah me vertellen dat hij passagiers had, dat het mensen en elfen waren, op de vlucht voor die heer Dagnarus in Nieuw Vinnengael. De elf had me verteld dat mensen, elfen en dwergen dezelfde reis zouden maken, en dat het verstandig zou zijn om samen te reizen. Toen ik gehoord had wat Kal-Gah te zeggen had, heb ik de voortekenen geraadpleegd, en die waren gunstig. Ik ontdekte dat jullie de dragers van de Verheven Steen waren, en ik besloot jullie mee te nemen.
Ik wist niets van die dwerg,' zei de Kapitein met een knikje naar Wolfram. 'Vanmorgen kwam de elf bij me om te zeggen dat hij mijn hulp nodig had om het laatste deel van de Verheven Steen erbij te krijgen. Hij zei dat dit deel in het bezit was van een dwer-

gen-Domeinheer, en dat alleen een andere Domeinheer hem kon overreden. Zo ben je hier terechtgekomen, dwerg.'
Wolfram wreef over de bult op zijn hoofd. 'Noemt u dat overreden, iemand een klap op zijn kop geven?'
'Ik had geen tijd voor een uitgebreid gesprek,' zei de Kapitein onverstoorbaar. 'De razende rivier kwam eraan.'
Wolfram gromde en wreef eerst over zijn hoofd en toen over zijn kin. Zijn blik ging taxerend langs de groep. Buiten de grot was het geluid te horen van wat de orken de 'razende rivier' noemden, die door de kloof donderde.
'Ik heb de razende rivier een keer gezien,' zei Shadamehr. 'Een prachtig gezicht. Behalve als je een boot bent die er per ongeluk middenin zit. Het water kolkt en bruist terwijl de rivier door de kloof in de zee stort. Maar twee keer per dag valt de razernij stil, wanneer het water van de vloed de stroom neutraliseert. Op dat moment is de rivier bevaarbaar. Hetgeen betekent dat we hier niet weg kunnen tot het water weer rustig is,' zei Shadamehr. 'Wat denkt iedereen ervan?'
'Dat Griffith bij me zou moeten zijn,' zei Damra op verwijtende toon.
'Hij is geen Domeinheer,' zei Silwyth kalm. 'Oud Vinnengael zou voor hem de dood betekenen.'
Damra keek naar hem. Toen keek ze even naar Shadamehr. En wendde haar ogen af.
Shadamehr had voor de verandering geen weerwoord.
Er viel een ongemakkelijke stilte. Toen zei Wolfram iets, zo zacht dat ze hem nauwelijks boven het watergeweld uit konden horen.
'Je Vinnengaelese vriend zei dat het een val was.'
'Wat?' vroeg Shadamehr terwijl zijn hoofd met een ruk omhoogkwam. 'Mijn vriend? Bedoel je Ulaf?'
'Daarom wilde hij je zoeken,' zei Wolfram. 'Hij zei dat hij de Vrykyl met een huurling had horen praten. Die Vrykyl zei dat Dagnarus een val opzet voor de dragers van de Verheven Steen, een val in Oud Vinnengael.'
'En toch was je op weg daarheen,' zei Shadamehr.
'Degene die me opdroeg de Steen naar Oud Vinnengael te bren

gen, zou me nooit in een val laten lopen,' zei Wolfram beslist.
'Maar toch is het een val,' zei Silwyth. 'Een val in een val in een val. De jager bindt de geit vast om de leeuw te lokken. De leeuw besluipt de jager. De hongerige draak ziet ze alle drie.'
'Waarom krijg ik nu het gevoel dat wij de geit zijn?' zei Shadamehr binnensmonds.
'Was je van plan ons dit te vertellen?' wilde Damra weten.
'Jij wist het al, Damra van Gwyenoc,' zei Silwyth. 'Je had mij niet nodig om het je te vertellen.'
Buiten begon het geraas van het kolkende water minder luid te worden.
De Kapitein luisterde en stond op. 'De razende rivier is bijna uitgeraasd. We moeten gaan voor hij weer begint. Degenen die naar Oud Vinnengael gaan, verzamelen zich bij de oever.'
Ze liep de grot uit en begon bevelen te brullen naar haar bemanning.
Wolfram stond op en wierp de anderen een uitdagende blik toe. 'Ik ga. Al moet ik alleen gaan, ik ga.'
Hij beende de grot uit.
Damra stond op.
'Ik ga ook,' zei ze. 'Je hebt gelijk, Silwyth. Ik heb altijd geweten dat het een val was. Zingt de minstreel niet over de ontrouwe geliefde: "Zij heeft mijn vertrouwen, die ik nooit heb vertrouwd?"'
'Mogen de Vader en de Moeder je vergezellen, Damra van Gwyenoc,' zei Silwyth.
'Ik zou graag dezelfde bede voor jou uitspreken, Silwyth van het Huis Kinnoth,' zei Damra ernstig, 'maar ik weet niet of dat een zegen of een vloek zou zijn.'
Ze liep de grot uit.
'Ik ga ook,' zei Shadamehr. Hij sloeg zich op de knieën en stond op. 'Ik heb toch niets beters te doen...'
Hij zweeg en zette grote ogen op. Een ogenblik eerder zat Silwyth nog kalm op een grote kei. Nu stond hij voor de ingang van de grot en hield zijn staf horizontaal voor zich, zodat hij Shadamehr de weg versperde.
'Hé, zeg. Wat heeft dit te betekenen?' vroeg Shadamehr speels.

'U mag niet gaan, baron Shadamehr,' zei Silwyth. 'U bent geen Domeinheer.'

'O, in naam der...' Shadamehr slikte de rest in. Hij keek vol ergernis naar de elf. 'Ik heb het mensendeel van de Verheven Steen bij me. Wie moet er dan gaan, als ik niet ga?'

Silwyth schudde zijn hoofd. 'U hebt niet de goedkeuring van de goden. U bent niet in het bezit van het gezegende harnas. Zonder dat zult u niet bestand zijn tegen de gevaren van Oud Vinnengael. U zult sterven, en daarmee zal de mislukking van de opdracht verzekerd zijn.'

'En wat word ik dan geacht te doen? Moet ik terugrijden naar Nieuw Vinnengael en Dagnarus vragen me te benoemen tot Domeinheer? Moet ik dat doen vóór of nadat hij me laat vermoorden? Ik ben tot hier gekomen in mijn leven zonder hulp van de zegen van de goden,' vervolgde Shadamehr. Hij begon boos te worden. 'Ik heb met baken gevochten en met draken, met trollen en reuzen, klobbers en blauwwortels en Leegtegebroed, en ik heb ze allemaal verslagen...'

'Allemaal op één na,' zei Silwyth.

'En wat is die ene dan?' zei Shadamehr uitdagend.

'U kent uw vijand,' zei Silwyth. 'U bent vele malen tegen hem in het strijdperk getreden, en hij heeft u altijd verslagen.'

Shadamehr keek hem woest aan; zijn speels-spottende houding was verdwenen.

'Denk aan uw kameraden,' zei Silwyth, terwijl hij achteromkeek naar de andere Domeinheren. 'Zij zullen alles doen wat ze kunnen om u te beschermen, maar tegen een hoge prijs voor henzelf en de opdracht.'

'Ik wil hun hulp niet,' zei Shadamehr kortaf. 'Die heb ik niet nodig.'

Silwyth glimlachte. 'Uw vijand is hier nu, als u zin hebt om tegen hem te vechten.'

'De Leegte mag je halen!' zei Shadamehr.

Hij stootte de staf van de elf opzij en beende de grot uit.

Nadat hij de grot uit was gekomen, keek Shadamehr niet naar de Domeinheren. Hij keerde hun de rug toe om over de keien en rotsblokken te klimmen die onder aan de steile afgrond lagen waar de Donkere Rivier doorheen stroomde.

'Hij is een goed mens met een goed hart,' zei Damra tegen Silwyth, die allebei naar Shadamehr keken terwijl hij tussen de rotsen door glibberde en struikelde. 'Ik heb hem ooit verweten dat hij geweigerd had een Domeinheer te worden. Ik dacht dat hij een lafaard was, of misschien iemand die ons belachelijk wilde maken. Nu heb ik hem leren kennen en begrijp ik zijn redenen daarvoor.'

'Hij begrijpt zijn redenen zelf niet eens,' wierp Silwyth tegen, zijn ogen gericht op de eenzame figuur. 'En er zijn op deze wereld niet zoveel mannen met een goede inborst dat ik er een wil verliezen omdat ik niet geprobeerd heb hem te redden.'

'Denk je echt dat hij het af zou leggen?' vroeg Damra.

'Ik weet dat hij het af zou leggen, Damra van Gwyenoc,' antwoordde Silwyth.

'Ik heb heel wat geruchten gehoord over de gevaren die in Oud Vinnengael te vinden zijn. Maar meer dan dat zijn het niet – geruchten. Ben jij er geweest?'

'Ik ben er geweest,' zei Silwyth.

'En je hebt het overleefd,' antwoordde ze koeltjes. 'Terwijl je toch geen Domeinheer bent.'

'Ik heb het overleefd omdat ik hen kende,' zei Silwyth zacht. 'En ij kenden mij.'

'Wie kenden jou?' vroeg Damra verwonderd.
'De doden,' antwoordde Silwyth.
Damra voelde zich koud worden en staarde hem aan. 'Leegtemagie?'
'Er doen allerlei soorten magische verschijnselen de ronde in de puinhopen van die vroeger zo trotse stad,' zei Silwyth. 'Je moet erop voorbereid zijn, anders sleuren ze je mee in de dood of erger. De zegen van de goden is je reddingsboei; die houdt je drijvende.'
'Ga je met ons mee?' vroeg ze opeens.
'Ik zal jullie daar treffen,' antwoordde Silwyth. 'Ik ben verontrust door wat die dwerg zei over een val. Ik moet eerst kijken wat Shakur in de zin heeft. Daarom zeg ik vaarwel, Damra van Gwyenoc, tot we elkaar weerzien.'
'Zeg me nog dit, Silwyth,' zei Damra terwijl ze hem tegenhield. 'Als we de vier delen van de Verheven Steen in het Portaal der Goden samenbrengen, is het dan afgelopen? Zal ons thuisland veilig zijn?'
'Vraag dat maar aan de orken,' zei Silwyth met een sluw lachje. 'Zij hebben de voortekenen gezien.'
Damra draaide zich om en keek naar de rivieroever, waar de orken bij de boot verzameld waren. Ze waren druk in gesprek; sommige maakten gebaren stroomopwaarts, andere schudden hun hoofd en wezen terug naar beneden.
'Silwyth...' Damra draaide zich weer om, maar zag dat hij weg was.
Ze begon zonder veel animo te zoeken. Ze verwachtte eigenlijk niet dat ze hem zou vinden tussen de wildernis van rotsblokken en de dwergboompjes die een hachelijk houvast vonden in de wanden van het ravijn. Ze dacht aan zijn onheilspellende waarschuwingen, aan het gevaar dat haar volk bedreigde. De somberheid van haar donkere overpeinzingen dreigde haar terneer te slaan. Van beneden kwamen de stemmen van de orken, die ruzie hadden gekregen. Boven haar zat Shadamehr in z'n eentje op een groot, uitstekend rotsblok; hij gooide steentjes langs de rotswand naar beneden.
Damra begon te klimmen.

'Heb je soms behoefte aan gezelschap?' vroeg Damra.
Shadamehr keek naar haar op met half dichtgeknepen ogen, die hij afschermde tegen de laagstaande zon. 'Als je met gezelschap jouw gezelschap bedoelt, zou ik daar zeker blij mee zijn.' Hij gooide een handvol kiezelsteentjes langs de rotswand naar beneden, en keek ze na terwijl ze kletterend tussen de stenen door stuiterden. 'Ik bevind me tot nu toe in afschuwelijk gezelschap.'
'Van wie dan?' vroeg Damra met een glimlach.
Hij schoof opzij om plaats voor haar te maken. Ze ging naast hem zitten, raapte een handvol kiezelsteentjes op en begon die een voor een naar het water beneden te gooien.
'Mijn vijand,' zei hij met een spijtig lachje. 'De vijand die ik niet kan verslaan.'
Hij smeet de steentjes vloekend weg en ging met gebogen hoofd zitten met zijn ellebogen op zijn knieën.
'Alise is bijna doodgegaan toen ze probeerde mijn leven te redden nadat de Vrykyl me had gestoken,' zei hij. Zijn stem klonk gedempt. 'Wist je dat?'
'Nee,' zei Damra. 'Daar heeft geen van jullie beiden ooit iets over gezegd.'
'Ik zou er nu ook niet over begonnen zijn,' zei Shadamehr met een huivering waardoor de haartjes op zijn armen rechtop gingen staan, 'behalve dat het iets te maken heeft met waar ik over zit na te denken. Toen ik weer bij bewustzijn kwam, zag ik haar halfdood naast me liggen. Haar gezicht en haar lichaam zaten onder de vieze zweren van de Leegte. Ze had mij gered – mij onwaardig beest – en ik kon niets doen om haar te redden. Zoals ik ook niets kon doen om Bashae te redden. Ik zei toen tegen mezelf dat ze allebei nog geleefd zouden hebben als ik een Domeinheer was geweest. Dan zou dit allemaal niet gebeurd zijn.'
'Het is dwaasheid om zo te denken,' zei Damra ernstig. 'Als je de weg van een Domeinheer had gekozen, weet toch niemand waar die je heen zou hebben gebracht? Misschien ver van de plaats waar je nodig was.'
'Misschien,' zei Shadamehr, maar er klonk twijfel in zijn stem. 'Maar goed, dat dacht ik toen – dat ik een Domeinheer had moe-

ten zijn. Ik dacht dat ik die kans had gemist. Ik had er spijt van, zeker, maar...'
'Maar...' zei Damra, om hem zacht aan te sporen.
'Maar blijkbaar niet genoeg.' Hij keek haar niet aan. Hij staarde met gefronst voorhoofd neer op zijn schoenen.
'Waarom zeg je dat?'
'Omdat me nu weer een kans wordt geboden.'
'En...'
'En die grijp ik niet aan.' Shadamehr zuchtte en trok een vies gezicht. 'Ik stink naar vis.'
'We stinken allemaal naar vis,' zei Damra.
'Ik dacht erover een duik in de rivier te nemen. Zin om mee te gaan?'
'Maar waarom word je geen Domeinheer?' vroeg Damra. 'Je hebt me daar al eerder redenen voor gegeven, maar dat zijn redenen die je bedacht had om jezelf voor de gek te houden.'
'Wat ben je toch scherpzinnig,' zei Shadamehr bewonderend. 'Silwyth en jij allebei. Ik wist niet dat ik redenen verzon. Dat ontdekte ik pas een paar minuten geleden. En jij blijkt het de hele tijd geweten te hebben.'
'Wat was je conclusie nu?'
'Erg mooi is het niet,' waarschuwde hij.
'Ik denk dat ik er wel tegen kan,' zei ze met een glimlach.
Hij wachtte even, en haalde toen diep adem, alsof hij op het punt stond in de rivier beneden te springen. Hij blies de adem langzaam uit en zei toen: 'Ik houd er niet van "dank je wel" te moeten zeggen.'
Damra keek hem bevreemd aan. 'Ik geloof niet dat ik het begrijp.'
'Het is heel eenvoudig,' zei hij schouder ophalend. 'Ik word geacht "dank u wel, goden" te zeggen, elke keer dat ze ingrijpen om mijn hachje te redden. Nou, dat weiger ik. Ik wil niet dat ze zich met mijn leven bemoeien. Ik heb mijn eigen lot in handen, en hoewel ik toegeef dat ik er nogal een zootje van heb gemaakt, is het mijn eigen zootje. Ik heb het gemaakt; ik ben degene die het moet opruimen. Het is niet het zootje van iemand anders, als je begrijpt wat ik bedoel.

En er is nog iets,' zei hij met een frons, doodernstig. 'Als ik ergens in een steeg door een boef word aangevallen, wil ik niet opeens van top tot teen in een chic harnas gehuld worden, zodat ik eruitzie als de Heer van de Zilveren Theepotten. Ik wil zelf met dat schoelje afrekenen – in een gevecht van man tegen man, van mens tegen mens, of van mens tegen ork, of dwerg, of elf. Ik wil de controle over mijn leven niet uit handen geven,' besloot hij op besliste toon. 'En ik wil mijn menszijn niet verliezen.'

'Ik begrijp het,' zei Damra koeltjes.

'O, verrek!' Hij vloekte, plotseling overmand door schuldgevoel. 'Ik bedoelde niet dat jij de controle over je leven kwijt bent. Jij hebt een goede verstandhouding met jouw goden. Ik niet met mijn goden.'

Hij pakte haar hand en drukte hem tegen zijn lippen. Hij hield haar vingers stevig vast en keek Damra gespannen aan.

'Ik ben de drager van de Verheven Steen. Ik ben misschien niet als drager uitgekozen, maar ik heb de last geaccepteerd en ik zal hem trouw tot het eind toe blijven dragen, zoals ik Bashae heb beloofd. Wat ik aan moed, hersens, vaardigheid en geluk heb, staat allemaal tot jouw beschikking. Ik kan niet meer zijn dan wat ik ben, maar ik wijd alles wat ik ben – mijn leven en mijn eer – aan jou en aan de anderen en aan de heilige zaak die ons samenbrengt.'

Hij kuste nogmaals haar hand en stond toen op.

'Ik denk dat ik nu die duik ga nemen.' Hij begon zijn weg te zoeken tussen de rotsen.

Damra's oog viel op iets glinsterends. Ze raapte iets op tussen de steentjes die hij had weggegooid.

'Shadamehr,' zei ze. 'Ik geloof dat je iets hebt laten vallen.'

Hij kwam terug. 'Wat dan?'

Toen zag hij wat het was. Hij verstijfde en raakte het niet aan.

'En dit heb ik ook gevonden,' zei Damra. 'Ik denk dat het erbij hoort.' Ze hield een reepje papier omhoog. 'Er staat iets op geschreven.'

Ze las de woorden op, die in de Taal der Oudsten waren geteld.

'Heer van het Zoeken.'
Shadamehr stak langzaam zijn hand uit en pakte het heilige medaillon van een Domeinheer van haar aan. 'Ik begrijp het niet. Hoe zit het dan met de Transfiguratie – in steen veranderen, sterven om opnieuw geboren te worden...'
'Je bent toch gestorven,' zei Damra vriendelijk. 'Dat heb je me net verteld. Alise heeft je teruggehaald.'
'Alise... niet de goden.'
'Wat zijn de goden anders dan liefde?'
Shadamehr staarde langdurig besluiteloos naar het medaillon. Toen haalde hij met een zucht zijn schouders op en stopte het medaillon in een zak van zijn broek.
'Heer van het Zoeken,' zei hij spijtig. 'Dat zal wel beter zijn dan Heer van de Zilveren Theepotten. Dank je wel, Damra. Heel erg bedankt.'
'Zie je wel?' zei Damra. 'Dat was toch niet zo moeilijk?'

Toen hij bij de anderen op de oever aankwam, liet Shadamehr hun zwijgend en zonder commentaar het gezegende medaillon zien dat hem kenmerkte als Domeinheer. Wolfram krabde aan zijn kin en zijn wenkbrauwen gingen op en neer. De Kapitein gromde, alsof ze dit de hele tijd al had verwacht, en ging ermee door haar bemanning uit te foeteren voor de een of andere nalatigheid in verband met de boot.
'Voel je je nu anders?' vroeg Damra.
'Nee,' zei hij kortweg. Hij probeerde het medaillon om zijn nek te hangen. Zijn vingers prutsten aan de gesp. 'Ik krijg dit verrekte ding niet dicht!'
'Laat mij maar,' zei Damra. Haar eigen medaillon had geen gesp. De goden hadden het eigenhandig om haar hals bevestigd.
De Heer van het Zoeken. Zijn weg zou nooit gemakkelijk zijn, maar dat was zijn keuze geweest.
'Ziezo,' zei ze, terwijl ze op de ketting klopte.
'Het kriebelt,' mompelde hij.
'Je went er wel aan.'
Hij zei niets, maar sloeg zijn ogen ten hemel.
'Wil je dit even voor me vasthouden.'
Hij gaf haar de knapzak en sprong van de rotsen in de rivier; hij kwam neer met een plons die alle anderen op de oever nat spatte. Hij kwam weer boven, proestend en blazend en water-
append.
orken grijnsden. Wolfram snoof misprijzend. Hij moest niet
van water hebben, of het nu was om in te baden of om te
n.

'Is het koud?' riep Damra.
'Ja,' zei Shadamehr. Hij klappertandde en zijn lippen kleurden blauwig.
Hij dook onder, kwam snuivend boven en kroop uit het water op de oever. Hij schudde zich uitvoerig uit, als een hond. Wolfram deinsde meesmuilend terug en veegde water van zijn hemd.
'Mensen,' mompelde de kapitein der kapiteins. 'Ze zijn allemaal krankzinnig. Geen wonder dat de voortekenen slecht waren.' Ze gebaarde naar de boot. 'Stap in.'
Een van de orken, die nog steeds grijnsde, gaf Shadamehr een deken aan waarmee hij zich af kon drogen. De anderen klommen in de boot. De orkenroeiers namen hun plaatsen in. De Kapitein kwam als laatste in de boot en ging aan het roer zitten.
Damra gaf Shadamehr de knapzak terug. Hij nam hem aan en stak zijn arm door de riemen. Hij merkte dat de zak anders aanvoelde. Zwaarder dan gewoonlijk. Omdat hij Damra ervan verdacht dat ze een grap met hem uithaalde, maakte Shadamehr de zak open in de verwachting dat er een steen in zou zitten.
Het zonlicht blonk op de kristalgladde zijvlakken van de Verheven Steen.
Shadamehr staarde verbaasd naar de fonkelende edelsteen.
'Misschien voel ik me toch een beetje anders,' zei hij zacht. Hij haalde de steen uit de zak en hield hem omhoog in het licht.
De edelsteen was prachtig, heel bijzonder. De steen woog zwaar in Shadamehrs handen, veel zwaarder dan hij op grond van zijn afmetingen zou moeten zijn. De randen waren scherp, zodat hij ze niet goed durfde aan te raken, uit vrees dat hij zich eraan zou snijden. De zijvlakken waren glad, zodat hij het prettig vond met zijn vingers eroverheen te gaan. De steen voelde koud aan, maar werd warmer terwijl hij hem vasthield.
Hij zocht naar zijn spiegelbeeld in het kristallijne oppervlak, maar kon zichzelf niet zien. Toch leek het alsof hij de ogen van miljoenen kon zien. Als hij de steen de ene kant op draaide, kon hij door het heldere kristal rotsen, water en wolken zien, en de flakkerende vlammen van hun vuur, en dat alles werd vergroot, zodat het dichtbij leek. Als hij de steen de andere kant op draaide, vloeide alles door elkaar tot een mengeling van grijze, groe

ne, blauwe en oranje tinten. Hij begon iets te begrijpen van het mysterie van de steen en van de wonderbaarlijke aard ervan, en hij voelde ontzag en nederigheid bij de gedachte dat dit kostbare juweel in zijn handen was gekomen.
Het was alsof hij een schilfertje van de geest van de goden vasthield.
'Zijn ze allemaal net zo mooi als deze?' vroeg hij. 'Zou ik ze mogen zien?'
Een voor een haalden de anderen hun deel van de Verheven Steen te voorschijn en hielden het blinkend omhoog in het zonlicht. Aan de uitdrukking op hun gezicht zag hij dat ze allemaal dezelfde verwondering en hetzelfde ontzag voelden.
'Ik heb een idee,' zei Shadamehr plotseling, opgewonden en opgetogen. 'Laten we proberen de vier stukken aan elkaar te voegen!'
De uitdrukking op de gezichten veranderde. Er kwam opeens een donkere schaduw over van argwaan en voorzichtigheid.
'En wie zou hem dan mogen dragen?' wilde Wolfram weten. 'Jij zeker.'
Shadamehr was uit het veld geslagen. 'O, dat weet ik niet. Daar heb ik echt niet over nagedacht. Ik denk...'
'Niemand gaat mijn deel van de Steen dragen,' zei Wolfram en zijn wenkbrauwen trokken zich samen.
'Ik... ik zou niemand met het mijne willen belasten,' zei Damra en haar wangen kleurden rood.
'Ik draag het orkendeel,' zei de Kapitein. 'En niemand anders.'
'Ik begrijp het,' zei Shadamehr zacht. Hij liet de Verheven Steen onder in de magische knapzak vallen. Hij verdween uit het gezicht. Hij voelde zich geruster nu de steen verborgen was, maar zijn opgetogen stemming was weg. Hij was plotseling moe en terneergeslagen.
Iedereen in de boot was zo gaan zitten dat niemand dicht bij een ander zat. Ze begonnen aan de reis stroomopwaarts naar Oud Vinnengael.
Shadamehr zat alleen en staarde in het donkere water. Hij vroeg zich af of koning Tamaros ook de leegte had gezien die de kern van de Steen vormde.

En als dat zo was, waarom had hij die dan niet aan stukken geslagen?

Silwyth dacht aan de Domeinheren terwijl de avond viel. Hij vroeg zich af waar ze waren. Hij vroeg zich af of Shadamehr de goden had geaccepteerd en omgekeerd – of de goden Shadamehr hadden geaccepteerd.
De gedachten van Silwyth gingen van Shadamehr naar Shakur en vandaar naar Dagnarus. Hij vroeg zich af wat voor plan de Heer van de Leegte beraamde. De bende huurlingen waarover de dwerg had gesproken was iets nieuws. Met hen had Silwyth geen rekening gehouden. Zouden ze zijn plannen doorkruisen? Hij moest meer over hen te weten zien te komen.
Silwyth maakte geen geluid bij het lopen. Hij liep blootsvoets; zijn voetzolen waren zo hard en soepel als het beste schoenenleer.
Hij had zo lang in de wildernis geleefd, ervan geleefd en temidden ervan gewoond, dat hij er deel van uitmaakte. De dieren verroerden zich niet wanneer hij voorbijkwam. De herten gingen door met grazen. De konijnen sliepen. De eekhoorns hielden hem voor een boom. De slang gleed over zijn voet. De vos repte zich voorbij naar vossendoelen zonder hem een blik te gunnen.
Silwyth had bij het Portaal tekenen gezien dat er een grote groep ruiters in de buurt was geweest. Doordat hij bezig was geweest met de Kapitein en Wolfram had hij geen tijd gehad om op onderzoek uit te gaan. Zijn plan was terug te gaan naar het Portaal, daar het spoor van Klendist op te zoeken en hem te volgen. Ze waren allemaal op weg naar dezelfde plek – Oud Vinnengael, waar hij de Domeinheren zou treffen. Zij zouden iemand nodig hebben die hen als gids door de ruïnes kon leiden, iemand die de gevaren kende. Om te beginnen zou hij die Klendist aanpakken.
Silwyth kwam bij een ondiepe beek die tussen de bomen doo
stroomde. De beek was lui, nam alle tijd. Het water murme
zacht in zichzelf terwijl het over stenen huppelde en onder
gen door gleed, het had zijn golfjes versierd met de dode

jes van de winter. Silwyth wilde juist de luie beek oversteken toen hij merkte dat een plotselinge, vreemde loomheid zich van hem meester maakte.
Hij plofte neer op een bemoste boomstronk. Hij kon niet meer lopen, zo zwak was hij opeens. Hij had weleens eerder zulke aanvallen gehad, maar nog nooit zo hevig. Hij wist onmiddellijk wat er aan de hand was.
Hij ging sterven.
Silwyth dacht aan alles wat hij nog moest doen, alles wat nog niet gedaan was, wat onafgemaakt bleef.
'Laat me leven,' bad hij tot de Vader en de Moeder. 'Nog iets langer.'
'Leg je last neer,' was het antwoord. 'Anderen zullen hem oppakken. Zo gaat het met alles.'
Met een zucht liet hij hem los.
Hij zat op de boomstronk en keek naar het water, met vlekken van zonlicht en schaduw. Hij zag zichzelf als het zoveelste bruine, verdorde blaadje, dat op het rimpelende oppervlak viel en werd weggevoerd naar de eindeloze zee.
Nu de last van hem af was, bracht de loomheid een vredig gevoel mee. Hij was niet bang. Hij wachtte geduldig op de dood, zoals een minnaar op zijn geliefde wacht. Het lied van de beek en de warmte van de zon maakten hem slaperig. Zijn hoofd viel voorover op zijn borst. Hij dommelde weg in de slaap die het laatste geschenk van de Vader en Moeder is, toen er een schaduw over hem heen viel, een koude, lege schaduw.
De schaduw, het gevaar, wekte hem en haalde hem terug.
Silwyth deed zijn ogen open.
'Vrouwe Valura.'
Ze stond voor hem in haar vrouwengedaante; mooi, jong, met een blanke, wasbleke huid als de bloemblaadjes van de gardenia, haar mond rood als kornalijn, haar lichaam ongeëvenaard in vorm en gratie. De ogen, de lege ogen, staarden op hem neer.
...s u wraak wilt, vrouwe,' zei Silwyth, 'komt u te laat. Ik ben ...ende.'
...naar!' Ze spuwde het woord uit. Haar lippen werden sma-

lend opgetrokken. ‘Heb je ooit iets anders gedaan dan liegen? Je bent niet in staat de waarheid te spreken.’
‘Ik heb nooit tegen u gelogen, vrouwe Valura,’ zei Silwyth.
Ze kwam dichterbij en nam hem argwanend op. Hij had haar al eerder bedrogen, hij had haar bedrogen, gekwetst en vernederd. Ze vertrouwde hem niet en zou hem nooit vertrouwen, tot ze zijn koud wordende lichaam in haar armen hield en zijn ziel de Leegte in zoog.
Silwyth verroerde zich niet. In zijn ogen zag ze wat ze er altijd zag: medelijden. Wanneer hij dood was, zou ze die ogen eruit krabben.
Valura stak haar hand in haar boezemkleed en haalde het bloedmes te voorschijn, het mes dat van haar eigen bot was gemaakt.
‘Je probeert mijn heer te dwarsbomen,’ zei ze.
‘Ik heb mijn best gedaan,’ antwoordde Silwyth.
‘Waarom?’ wilde ze weten.
‘U weet waarom, vrouwe Valura.’ Hij keek naar haar op, keek in de lege ogen. Ooit, lang geleden, had hij een heerlijke tuin in die ogen gezien.
‘Dagnarus houdt van mij!’ riep ze.
‘Hij haat u. Hij verafschuwt u. Hij heeft u afgedankt. Hij heeft u weggestuurd. Hij wil u niet in zijn buurt hebben...’
Ze greep het benen mes vast. Haar vingers klemden zich eromheen en lieten het toen weer los. ‘Later zal hij me weer bij zich willen hebben. Wanneer ik hem gered heb van het gevaar waarin hij verkeert. Wanneer ik hem datgene geef waarnaar hij al zo lang op zoek is. Hij zal van me houden. Dat zal gebeuren! En jij zult er getuige van zijn. Want ik zal je lichaam en je ziel meenemen!’
Ze stak het mes in Silwyths borst. In haar woede stootte ze onbeheerst toe, zodat ze haar doel miste. Het mes drong niet door tot zijn hart.
Woedend rukte ze het eruit en hield het omhoog om weer toe te stoten.
Silwyth zag zijn eigen bloed glinsteren op het mes. Hij zag d zijn bloed op de witte japon van de vrouwe was gespat.
‘U mag mijn lichaam stelen,’ zei hij. ‘Maar mijn ziel kunt

in bezit nemen. Die heb ik aan de Vader gegeven... en aan de Moeder...'

Valura stak opnieuw. Nu had ze goed gemikt. Ze stak hem in het hart.

Haar gedaante veranderde. Valura verdween. In haar plaats stond Silwyth.

Zijn lijk bleef op de boomstronk zitten, voorovergezakt, terwijl er bloed vloeide uit de twee wonden in zijn borst. Valura gaf een schop tegen het lijk zodat het opzij in de beek viel. Ze bleef er telkens weer tegenaan schoppen, fel, tot ze haar woede ten slotte had uitgeleefd.

'Vervloekt jij!' zei ze met Silwyths lippen. 'Weg met jou, naar de Leegte!'

Maar dat gebeurde niet. Hij was ontkomen aan het lot dat hij verdiende. Zijn lichaam lag in de beek. Het stromende water werd rood gekleurd door zijn bloed. Zijn dode gezicht staarde omhoog naar haar. In zijn ogen was medelijden.

Ze had zijn gezicht genomen. Zijn ziel was haar ontsnapt.

Valura had een man gestoken die al dood was.

Op bevel van K'let reisden de tanen naar het oosten. Ze vorderden snel, hun sterke benen vraten terrein. Het was hun niet bekend wat hun bestemming was.

Dat K'let hier een doel mee had, daar twijfelde niemand aan. Tanen deden nooit iets zonder doel. Geen ogenblik werd ooit lichtzinnig verspild. Zelfs op de zeldzame momenten dat de tanen een dag van ontspanning was vergund, bestond hun sport eruit de vechtkunst van hun krijgers te verbeteren, de vechtkunst die essentieel was voor hun overleving.

Raaf bleef zijn stam van halftanen aanvoeren, maar deze taak bleek buitengewoon moeilijk te zijn. Hoewel K'let had gedecreteerd dat de tanen de halftanen als stamgenoten accepteerden, kon zelfs de vereerde Kyl-sarnz de tanen niet dwingen de halftanen met respect te behandelen. Ze werden gemeden en getreiterd.

K'let had bevolen dat de halftanen met de hoofdmacht van het tanenleger mee moesten lopen, zodat ze beschermd konden worden. Dit betekende dat de halftanen naar de achterhoede van de colonne werden verwezen, waar ze het stof van de honderden tanen die hun voorgingen moesten inademen. De tanen kregen de eerste keus bij het zoeken van een kampeerplek. De halftanen kregen het slechtste stuk. De laatste tijd hadden de tanen de gewoonte 's nachts invallen te doen in het kamp van de halftanen; daarbij stalen ze hun voedsel, sneden ze met messen in hun tenten en maakten alles kapot wat ze vonden.

Raaf protesteerde bij Dag-ruk en de andere nizams tegen d

behandeling. Ze lachten hem uit en bespotten hem. Wat verwachtte hij dan? Die ellendige halftanen konden niet voor zichzelf zorgen, konden niet voor zichzelf denken. Zelfs K'let wist dat. Daarom had hij juist bevolen dat ze in de buurt van hun beschermers moesten blijven tijdens de mars. Halftanen waren alleen geschikt om aan de wensen van hun meesters te voldoen.
Raaf besefte algauw dat hij nooit iets zou veranderen aan de mentaliteit van de tanen. Alleen de halftanen konden dat doen.
Raaf werkte met de halftanen, leerde hun wapens te gebruiken, leerde hun zelfstandig te denken en zichzelf te respecteren. Het laatste, het belangrijkste, bleek het moeilijkst. Elke keer dat een taan hun kamp binnenliep, krompen de halftanen in elkaar en deden kruiperig tegen hem. Wanneer Raaf hen daarvoor berispte, krompen ze in elkaar en deden kruiperig tegen hem.
Raaf oefende geduld. Hij had in zijn tijd bij de Dunkarganen met nieuwe rekruten gewerkt, en hij wist dat het tijd zou kosten om hun zelfrespect te leren. Gelukkig was het taanse bloed in elk van de halftanen onmiskenbaar aanwezig. Ze waren krijgers in hart en nieren. En hoewel hun half menselijke lichamen niet de fysieke kracht en het uithoudingsvermogen van de tanen hadden, bleken ze sneller en leniger. De halftanen konden met de dag beter met hun wapens omgaan, en naarmate ze vertrouwen kregen in hun vaardigheid, begonnen ze ook vertrouwen in zichzelf te krijgen. Raaf hoopte alleen dat ze daarmee klaar waren voor ze door een of andere taan werden vermoord.
Gevolg gevend aan K'lets bevelen, zetten de tanen hun reis voort in noordelijke richting. Hun bestemming had inmiddels een naam: Krul-um-drelt, hetgeen 'Stad der Geesten' betekende. Een van de halftanen vertelde Raaf dat de mensen deze stad Oud Vinnengael noemden.
Raaf zette grote ogen op toen hij dat hoorde. De ruïnes van de stad Oud Vinnengael hadden een slechte reputatie, niet alleen bij zijn eigen volk, maar bij alle volken die hij ooit was tegengekomen.
'Stad der Geesten,' mompelde Raaf bij zichzelf. 'K'let hoort daar cht thuis. Maar van de rest weet ik het niet.'
probeerde er meer over te weten te komen waarom ze naar

Oud Vinnengael reisden. Hij sprak Dag-ruk erover aan, maar als ze het al wist, wilde ze het niet tegen hem zeggen. Ze liep nu openlijk rond met de sjamaan, R'lt, en had bekendgemaakt dat ze hem als levensgezel zou nemen. Dag-ruk behandelde Raaf maar een klein beetje beter dan ze een halftaan zou behandelen, en verwaardigde zich alleen tegen hem te spreken als ze daar zin in had. Raaf verdubbelde zijn inspanningen om de halftanen te leren vechten.

De tanen waren geen dagmars meer van Oud Vinnengael verwijderd toen ze bevel kregen halt te houden en hun kamp op te slaan. K'let was al enige tijd niet in het kamp aanwezig geweest; hij was vertrokken op een geheimzinnige missie. De opdracht werd gegeven door Derl, die het bevel voerde tijdens K'lets afwezigheid. De tanen moesten hier kamperen om op K'lets terugkeer te wachten.

Raaf benutte de onderbreking van hun mars om met zijn halftanen te werken. Hij was tevreden over hun vorderingen. Ze begonnen het hoofd opgeheven te houden en recht voor zich uit te kijken, in plaats van naar de grond te staren. Hij was zo tevreden over hun vooruitgang in de vechtkunsten dat hij op deze dag naar Dag-ruk toe ging.

'Dur-zor,' zei Raaf, 'zeg tegen Dag-ruk dat ik voorstel een wedstrijd tussen onze twee stammen te houden.'

Dag-ruk barstte in lachen uit. Ze wendde zich naar de twee taankrijgers die erbij stonden en vertelde hun wat Raaf had voorgesteld. De tanen loeiden en grijnsden.

'Weigert ze het?' vroeg Raaf.

'Natuurlijk weigert ze het, Raaf,' zei Dur-zor. 'Er is voor een taan geen eer aan te behalen om tegen een slaaf te vechten.'

'Maar de halftanen zijn geen slaven. Nu niet meer. K'let heeft hun de vrijheid gegeven.'

Dur-zor leek zich ongemakkelijk te voelen.

'Wat is er?' vroeg Raaf.

'De tanen zien het anders, Raaf,' zei Dur-zor. Ze keek hem sme
kend aan. 'Ik wilde je de waarheid niet vertellen. Je was zo
met wat je aan het doen was.'

'Zeg het,' zei Raaf bars.

'De tanen geloven dat K'let jou alle halftanen heeft gegeven als jouw persoonlijke slaven.'
Raaf keek haar verbijsterd aan. 'Wel alle...' Hij hield verbluft op en zei toen: 'Vertel hun hoe het werkelijk is, Dur-zor. Zeg tegen hen dat de halftanen niet mijn slaven zijn, net zomin als jij mijn slavin bent. Zeg hun dat de halftanen... eh, dat ze...' – hij zocht naar een geschikt woord – 'mijn broeders zijn.'
'Meen je dat, Raaf?' Dur-zors ogen glansden van blijdschap.
'Natuurlijk meen ik het. Wat denk je dat ik al die weken aan het doen ben? Een slavenleger opleiden voor mijn persoonlijke bescherming?'
'Nee, Raaf, natuurlijk niet,' zei Dur-zor vlug. 'Ik zal het tegen Dag-ruk zeggen.'
Maar de nizam was niet onder de indruk. Haar lippen krulden smalend omlaag en ze zei iets wat Raaf niet kon verstaan. Toen liep ze weg. Toen Raaf Dur-zor vroeg het te vertalen, wilde Dur-zor alleen zeggen dat Dag-ruk niet eens over een wedstrijd wilde nadenken.
Terwijl ze langzaam terugliepen naar het kamp van hun stam, was Raaf stil en in gedachten verzonken. Dur-zor had die uitdrukking op zijn gezicht inmiddels wel leren kennen.
'Raaf, wat ben je van plan?' vroeg ze angstig.
Hij keek haar aan en glimlachte. 'Ben ik echt zo'n open boek?'
'Ik begrijp niet wat je bedoelt, Raaf.'
'Kun je echt mijn gedachten lezen? Zoals je een boek leest?'
'O ja, Raaf,' zei Dur-zor. Maar toen ze zijn blik zag, zei ze: 'Was dat het verkeerde antwoord?'
Hij lachte spijtig. 'We vinden het allemaal prettig om als een mysterie over te komen. Dat doe ik blijkbaar niet. Wat ik van plan ben?' Zijn stem kreeg een grimmige klank. 'We zullen onze wedstrijd houden, of Dag-ruk dat nu wil of niet.'
Dur-zor zuchtte diep, maar zorgde er wel voor dat Raaf het niet hoorde.
Terug in het kamp riep Raaf zijn halftanen bijeen.
[illegible] ben bij Dag-ruk geweest om te vragen of de taankrijgers een [illegible]trijd met ons wilden aangaan,' kondigde Raaf aan.
[illegible]este halftanen leken er wel zin in te hebben. Sommige

leken van het idee te schrikken. Andere leken misselijk te worden.
'Het antwoord was nee. Dat niet alleen, maar hun "nee" was een belediging.'
Het deed hem goed een flikkering van boosheid te zien in de ogen van de meeste halftanen, en hij hoorde er ook een paar grommen. Enkele waren enorm opgelucht, maar dat was natuurlijk te verwachten.
'We zullen hun dat "nee" door de strot duwen!' vervolgde Raaf, en verscheidene halftanen grijnsden en schudden met hun speer. 'Tugi, jij, Gar-dra en Mok gaan met mij op jacht. We gaan het grootste beest dat we kunnen vinden omleggen en slepen dat terug naar het kamp. Wanneer we dat hebben, maken we er een mooi spektakel van. We laten in de taankampen bekend worden dat we sterk voedsel hebben voor de maaltijd van morgenavond. Dan zullen ze in ons kamp komen om het te stelen. Wij verstoppen ons in onze tenten, en wanneer ze dan ons kamp binnenkomen, zullen we ze een lesje leren.'
De halftanen begonnen te grijnzen. Eentje begon zelfs joelend te juichen, maar hield daarmee op toen Raaf hem met gefronst voorhoofd aankeek. Er waren er maar een paar die bang leken te zijn. Raaf hield in gedachten wie dat waren. Hij zou ervoor zorgen dat zij een taak kregen toebedeeld waarmee ze niemand in de weg liepen en waarmee ze geen gevaar liepen. Over het algemeen was hij tevreden over hun reactie. De halftanen wilden zich graag bewijzen. Ze dachten er niet meer over in elkaar te krimpen en onderdanig te doen.
Raaf verzamelde zijn jachtgezelschap en vertrok, om een wild zwijn te zoeken dat in de omgeving gesignaleerd was. Dur-zor bleef in het kamp en zette de lessen met de wapens voort voor degenen die het nog niet helemaal onder de knie hadden. De lessen werden begeleid door beledigingen en gelach toen een paar taankrijgers ernaar kwamen kijken. Taankinderen gooiden met stenen. Dur-zor knarsetandde, maar ging hardnekkig door met lesgeven.
De halftanen doodden het wilde zwijn. Ze keerden terug naar het kamp, haalden het beest leeg en hingen het vlees hoog in e

boom om er het bloed uit te laten lopen. Ze verspreidden bij de tanen het bericht dat er morgen bij de halftanen een feestmaal gehouden zou worden. Met sterk voedsel.
Terug in hun eigen kamp oefenden de halftanen met hun wapens en wachtten popelend tot de zon onder zou gaan.

Klendist en zijn leger bereikten Oud Vinnengael ongeveer tegelijkertijd met de tanen, hoewel geen van beide partijen zich vooralsnog bewust was van de andere. Klendist kwam uit het oosten aanrijden en sloeg zijn kamp op ten zuiden van de verwoeste stad, op ongeveer vijftien kilometer afstand. Het kamp van de tanen lag ongeveer dertig kilometer naar het westen. Op de ochtend dat Raaf aan Dag-ruk ging vragen of ze een wedstrijd wilde houden, vormde Klendist verkennersgroepen, die hij uitstuurde om het terrein te verkennen. Hij droeg zijn mannen op speciaal uit te kijken naar kleine groepen, bijvoorbeeld de groep Domeinheren.
De verkenners vertrokken. Klendist bleef in het kamp om op Shakur te wachten.
De dag ging voorbij zonder dat de Vrykyl verscheen.
Het wachten verveelde Klendist mateloos. Hij had eigenlijk geen idee wanneer hij Shakur kon verwachten, en de gedachte viel hem in dat hij hier misschien dagenlang vast zou zitten zonder dat er iets gebeurde, tenzij ze door een gelukkig toeval die Domeinheren tegen het lijf liepen.
De verkenners kwamen bij zonsondergang terug om verslag uit te brengen, en ongeveer om dezelfde tijd kwam Shakur het kamp binnenrijden. Hij wenkte Klendist met een gebiedend gebaar om naast hem te komen rijden.
'Ik zie dat je verkenners terug zijn. Wat hebben ze aangetroffen?' wilde Shakur weten toen ze alleen waren.
'Een groep baken heeft zich gevestigd buiten de ruïnes van Oud Vinnengael,' meldde Klendist. 'Mijn mannen hebben vijftien van die monsters geteld, maar in de stad kunnen er nog meer zijn.'
Shakur nam hem van opzij op. 'Dat zal voor jou niets uitmaken, Klendist. Jij hoeft de stad niet binnen te gaan. Behalve als je niet slaagt in je opdracht.'

'We zullen slagen.'
'Mooi. En verder?'
'Geen spoor van die Domeinheren...' begon Klendist.
'Nee, daarvoor is het nog aan de vroege kant.'
'Maar dit is een uitgestrekt gebied. Er zijn meer manieren om in die ruïnes te komen dan er gaten zijn in een Dunkargaanse kaas,' zei Klendist. 'Al had ik vijfhonderd man, dan zouden we ze nog niet allemaal kunnen dekken.'
'Je zult geen vijfhonderd man nodig hebben. Je zult er waarschijnlijk niet eens vijf nodig hebben. De Domeinheren hebben een gids die hen regelrecht naar jou toe zal brengen.'
'Ah, dat is beter,' zei Klendist. 'Wie is die gids? We moeten hem niet per ongeluk doden.'
'Jouw soort vormt geen gevaar voor Valura,' antwoordde Shakur koeltjes. 'En het is niet de bedoeling dat je wie dan ook doodt.'
'Sorry, mijn fout. Maar het zijn wel Domeinheren, Shakur. Machtige krijgers die de zegen van de goden hebben. Misschien hebben we geen keus...'
Shakurs gehelmde hoofd boog zich dicht naar hem over.
Klendist was een woesteling, met de brute moed van een woesteling, maar ondanks zichzelf voelde hij iets krampen in zijn buik toen hij in de lege ogen keek en een vleugje opsnoof van het verrotte vlees onder dat zwarte harnas.
'Je hebt wel een keus, Klendist,' siste Shakur. Hij haalde het bloedmes te voorschijn en hield het hem voor. 'Dit is je keus.'
Het mes was vergeeld van ouderdom en vertoonde roodbruine vlekken van het bloed van degenen wier levens het had genomen.
'Ik begrijp wat je bedoelt, Shakur,' zei Klendist hees. 'Doe dat vervloekte ding weg.'
'Zorg maar dat je het echt begrijpt,' zei Shakur terwijl hij het mes terugstak in de schede. 'De Domeinheren moeten levend gevangen genomen worden.'
Klendist gromde ontevreden. Zijn paard bewoog rusteloos. 'Ik heb hierover nagedacht. Het zal niet gemakkelijk zijn hen gevangen te nemen.'
'Je hebt oorlogstovenaars die zo'n klus best aankunnen, en Va-

lura zal er zijn om je te helpen.' Het geduld van Shakur begon op te raken. 'Bij de Leegte, Klendist, het zijn er maar vier! Jullie zijn met tweehonderd man. Zo nodig kunnen jullie met z'n allen over hen heen gaan liggen.'
'En wat doen we wanneer we hen dan hebben?' ging Klendist onverstoorbaar door. 'Het zal lastig zijn hen te bewaken. Ik wil die verantwoordelijkheid niet op me nemen.'
'Die zul je ook niet lang hebben, daar kun je gerust op zijn,' zei Shakur. 'Zijne Excellentie wil hen graag zien. Zodra je hen hebt gevangen, zal Zijne Excellentie hen komen ophalen.'
'En ons betalen?'
'En jullie betalen.'
'Heel goed,' zei Klendist. 'We zullen wachten tot we bericht van je krijgen. Maar ik zou nog iets willen weten, Shakur, gewoon omdat ik daar benieuwd naar ben. Wat ga jij doen, terwijl wij met die Domeinheren bezig zijn?'
'Er is hier ergens nog een Vrykyl, een Vrykyl die voor mijn heer veel gevaarlijker is dan twaalf Domeinheren. Ik heb opdracht om die rebel aan te pakken.'
Klendist floot zacht. 'Is die zo sterk? Mag ik misschien weten wie hij is of hoe hij eruitziet? Ik zou hem niet graag tegen het lijf lopen.'
'Als dat gebeurde, zou het niets meer uitmaken,' zei Shakur. 'Want tegen de tijd dat je het doorkreeg, zou je al dood zijn.'
De Vrykyl wendde het hoofd van zijn paard en galoppeerde weg. Klendist keek hem kwaad na. Hij bleef kijken tot hij er zeker van was dat Shakur weg was. Klendist geloofde dat verhaal over een Vrykyl-rebel niet. Shakur voerde iets in zijn schild.
'Iets waar hij zelf voordeel van zal hebben,' mompelde Klendist. 'Wat een onzin, dat hij tegen de een of andere dodelijke vijand moet optreden. Alsof er een vijand zou bestaan die een Vrykyl niet aankan. Nou ja, wie die rebel ook is, mijn zegen heeft hij. Ik zou het geen ramp vinden als dat vervloekte Leegtemonster een toontje lager moest zingen.'
Toen hij terugkwam in het kamp, trof Klendist zijn mannen in opgewonden toestand aan. De laatste patrouille was teruggekomen met goed nieuws.

'Hebben jullie de Domeinheren gevonden?' vroeg Klendist terwijl hij zich uit het zadel zwaaide.
'Nee, heer, die niet,' zei de verkenner verachtelijk. Een brede grijns spleet zijn gezicht. 'Iets beters, heer. We hebben gigs gevonden.'
'Tanen?' zei Klendist belangstellend. 'Waar? Hoeveel?'
'Er waren zo te zien verscheidene stammen van die duivels, heer. Ze hebben hun kamp ongeveer dertig kilometer hiervandaan, die kant op.'
Hij wees naar het westen, waar de vormen van golvende heuvels zich aftekenden tegen de schemerlucht.
'Hoeveel, schat je?'
'Niet erg veel, heer. We zouden ze kunnen pakken.'
'Ons idee was dat we ze 's nachts zouden kunnen aanvallen, heer,' zei een ander. 'Dan zijn ze er niet op bedacht.'
'Gigs houden er niet van bij nacht te vechten, heer,' hielp een verkenner hem herinneren.
'Ze houden er misschien niet van, maar ze kunnen het verdomd goed,' zei Klendist. 'Zag het ernaar uit dat ze problemen verwachtten?'
'Nee, heer,' zei de verkenner. 'Ze hadden wachten geplaatst, maar niet meer dan normaal. Het zal makkelijk zat zijn om die hun mond te laten houden.' Hij haalde zijn vinger over zijn keel.
'We hebben samen met de gigs geleefd, kapitein,' zei er een. 'We hebben maandenlang hun stank en hun vuiligheid verdragen. Nu is het tijd om eens wat terug te doen. We kennen hun gewoonten. We weten waar we de tent van hun opperhoofd kunnen vinden en we weten waar de hoge pieten van de krijgers slapen. We kunnen het kamp in sluipen en hen bij verrassing overvallen.'
'We kunnen ze allemaal afmaken, heer. Om ervoor te zorgen dat hun kleine gigjes niet uitgroeien tot grote.'
'Tegen de tijd dat ze wakker worden, merken ze dat onze speren in hun buik steken. Wat zegt u ervan, kapitein?'
Klendist kwam in de verleiding. Ja, hij werkte voor Shakur, maar de Vrykyl had zelf gezegd dat het nog dagen kon duren voor hun doelwit aankwam. Na maanden achtereen in de nabijheid

van de tanen te hebben geleefd, was Klendist hen net zo erg gaan haten als zijn mannen. Hij haatte hun stank, haatte hun kleine kraaloogjes, haatte hun hooghartige houding. Hij dacht aan wat ze met de mensen deden die ze gevangennamen – het martelen, het verkrachten, en afslachten, en daarna... Ja, wat de tanen daarna deden, daar kon hij helemaal niet aan denken.
'Zadel jullie paarden,' beval Klendist, en daarna moest hij schreeuwen om boven het gejuich uit te komen. 'Probeer ze niet allemaal te doden. Laten we er een paar houden om nog wat lol aan te beleven. Het kan best dat we hier nog een hele tijd moeten blijven.' Lachend reden de huurlingen weg in de nacht; ze namen enkele leren zakken met wijn mee om de rit wat minder saai te maken en om hun bloed op te warmen voor de komende slachtpartij.

De nacht werd donkerder. Raaf zat ineengedoken in zijn tent, met zijn blik gericht op de tentdeur. Dur-zor zat geknield achter hem met haar kep-ker in de handen. De andere halftanen hadden zich verscholen in hun tenten, en keken, en wachtten. Raaf had hun een oude truc van de Trevinici geleerd, die ze gebruikten wanneer er 's nachts werd gevochten. Ze hadden hun gezicht en hun lichaam met modder ingesmeerd, zodat ze één werden met de duisternis.
Laag aan de hemel stond een halvemaan. Het sterrenlicht was helder. Kort na middernacht zag Raaf de forse gestalten van zes taankrijgers het kamp in komen. Ze namen niet eens de moeite om stil binnen te sluipen, maar kwamen lachend en grinnikend aanlopen. De tanen banjerden achteloos door het kamp van de halftanen, schopten droogrekken omver en lieten kookpotten wegrollen. Een taan haakte met zijn teen achter een tentpaal zodat de tent half in elkaar zakte. De taan grinnikte.
Raaf hield zijn adem in; hij hoopte dat de bewoner van die tent – Gar-dra, een van de meer strijdlustige halftanen – de val niet voortijdig zou doen dichtklappen. Raaf hoorde een grommend geluid en een gemompelde vloek uit de tent komen, maar Gardra bleef binnen. De tanen hoorden het niet eens. Hun blik was gericht op het zwijnenvlees dat aan de tak van een naburige

boom hing, om te voorkomen dat het door coyotes en wolven werd aangevreten. De tanen smakten met de lippen en hadden het erover hoe goed het avondmaal hun zou smaken.
'Slaven verdienen zulk sterk voedsel niet,' zei er een luid.
'Het verbaast me dat de slaven zo'n woest beest hebben kunnen vangen,' zei een ander. 'Het dier was waarschijnlijk oud en zwak; dan is het niet geschikt als feestmaal voor een krijger.'
'Dan geven we het maar aan de kinderen,' zei een derde, en ze brulden allemaal van het lachen.
De tanen gingen op weg naar de boom die een eindje buiten het kamp stond. In hun hoogmoed vonden ze het niet nodig om achter zich te kijken. Met zachte tred sloop Raaf zijn tent uit. Een handgebaar en de halftanen kwamen achter hem aan sluipen. Gar-dra kwam uit zijn vernielde tent te voorschijn; zijn gezicht was verwrongen van woede, zijn ogen blikkerden. De halftanen hadden de beledigingen aan hun adres gehoord. Zelfs de meest zachtzinnigen waren boos geworden.
Ze waren zo boos dat Raaf zich zorgen begon te maken. Alle halftanen hadden een wapen bij zich. Hij wilde de tanen laten zien dat de halftanen konden vechten, dat ze goed konden vechten, maar hij wilde niet dat er tanen werden gedood, en hij was bang dat de geprikkelde halftanen in de stemming waarin ze nu verkeerden, een schedel in zouden kunnen slaan, of iemand de nek zouden breken.
Het was nu te laat om hen tegen te houden. De halftanen hadden hun vroegere meesters, die alleen oog hadden voor het zwijnenvlees, bijna ingehaald. Iets, een ritseling in het gras, of het instinct van een krijger, maakte dat een van de tanen onraad bespeurde. Hij keek achterom. Voor hij een waarschuwing kon laten horen, sprong Raaf op hem af en bracht hem ten val.
Dur-zor liet een strijdkreet horen. De andere halftanen stemden met haar in en stormden op de tanen af. Vuisten zwaaiden, knotsen kwamen bonzend neer. De lucht was vervuld van grommende, snauwende geluiden en gorgelend gelach van de halftanen. Af en toe werd er een gil gehoord, afkomstig van de tanen.
Raaf stompte met zijn vuist op zijn taan. De krijger lag op de grond, versuft, maar niet bewusteloos. Voor de taan zich kon

herstellen, pakte Raaf de polsen van de taan en bond ze stevig vast met een eind pees. Hij deed hetzelfde met de enkels van de taan. Inmiddels was de taan weer helemaal bij. Vergeefs worstelend tegen zijn banden keek hij Raaf woedend aan.
Raaf keek rond over het strijdtoneel en zag dat het gevecht al voorbij was. De halftanen hadden zich goed geweerd. De zes tanen lagen allemaal vastgebonden op de grond; ze snauwden en hapten en uitten machteloze dreigementen. De halftanen lachten hen uit en porden in hen met hun knots of hun stok. De halftanen waren tevreden over zichzelf, trots op hun prestatie. Raaf was ook tevreden over zichzelf. Hij had zijn mensen zelfvertrouwen gegeven, en hij had de tanen iets gegeven om over na te denken.
'Wees maar niet bang, vrienden,' zei Raaf via Dur-zor tegen de boze tanen, 'we zullen jullie niets doen. We brengen jullie terug naar jullie kamp.'
Hierop werden de tanen zo razend dat het schuim hun op de mond kwam. Door vernederd en in schande te worden teruggesleept naar hun kamp, als gevangenen van hun voormalige slaven, zouden ze het voorwerp van spot en hoon worden. De halftanen bonden touwen om hun borst, om hen daarmee over de grond te kunnen voortslepen. Raaf herinnerde zich dat hijzelf op deze manier was voortgesleept toen de tanen hem gevangen hadden genomen, en hij koesterde zich in de warmte van zijn wraak.
Met hun taangevangenen aan handen en voeten gebonden als varkens die naar de markt worden gebracht, gingen Raaf en zijn halftanen in triomf op weg naar het tanenkamp.

Aangekomen op de top van een van de vele golvende heuvels kon Klendist de kampvuren van de tanen al zien. Zijn mannen waren vol vuur, opgewonden. Ze hadden het lang zonder actie moeten stellen en hadden echt zin in een gevecht. Ze lachten en zwoeren wat ze met de 'gigs' zouden doen wanneer ze hen gepakt hadden.
Ze waren er al zo dichtbij dat ze hier en daar in het kamp een figuur konden zien rondlopen. De meeste tanen lagen in hun tent

te slapen, want het was laat. De verkenners hadden gemeld dat er twee grote kampen waren en een kleiner kamp dat wat verder weg lag. Het leek Klendist het beste om eerst de twee grote kampen aan te vallen en daarna naar het kleine kamp te gaan. De aanblik van de tanen scherpte de vechtlust van de overvallers nog meer. De mannen gaven hun paard de sporen en reden woest op het kamp af, want elke man wilde de eerste zijn die een taan doodde. Klendist reed voorop.
Uit het hoge gras rees een taan op, zowat onder de neus van Klendists paard. De taan stiet een ijzingwekkend gebrul uit dat de nacht doorkliefde en het paard deed steigeren.
Aan alle kanten sprongen nu rondom Klendist tanen op uit het gras, brullend en kermend als duivels van de Leegte in hun laatste marteling. Paarden bokten en steigerden. Verscheidene gingen ervandoor met hun ruiters, die wanhopige pogingen deden om de dieren weer in de hand te krijgen. Tegen de tijd dat Klendist zijn zwaard trok, waren de tanen in het donker weggerend om het kamp te gaan waarschuwen.
Klendist vloekte hartgrondig. De kans op een onverhoedse aanval was verloren gegaan. Maar toch, zo dacht hij, zaten hij en zijn mannen te paard, terwijl de tanen te voet waren. Ze zouden de tanen overvallen voor die de tijd hadden om een georganiseerd verzet te vormen.
'Jonson!' riep hij, toen allen weer bijeen waren. 'Neem jij de helft van de mannen en zet de aanval in op dat grote kamp daar. Ik neem dit hier. We komen straks hier weer bij elkaar!'
Hij galoppeerde weg.

'Nu zullen de tanen ons wel eer moeten bewijzen,' zei Raaf voldaan terwijl ze hun gevangenen voortsleepten naar het kamp van Dag-ruk.
'Ja, óf ze zullen ons doden,' zei Dur-zor. 'Maar het was het wel waard.'
'Ze zullen jullie niet doden,' zei Raaf. 'Dat kunnen ze niet. We hebben van hen gewonnen in een eerlijk gevecht. Nou ja, een bijna eerlijk gevecht.'
'Wij zijn slaven, Raaf,' zei Dur-zor om hem eraan te herinne-

ren. 'En voor hen zullen we altijd slaven blijven – slaven die het gewaagd hebben hun hand op te heffen tegen hun meesters. Daarvoor moeten we sterven.'
'Je meent het echt, hè?' zei Raaf, terwijl hij bleef stilstaan. 'Denken ze allemaal zo? Denken de halftanen dat de tanen hen hierom zullen doden?'
'O, zeker, Raaf,' zei Dur-zor kalm.
Hij keek om naar de halftanen; ze lachten en kletsten vrolijk over hun overwinning.
'En toch hebben ze dit gedaan?' vroeg hij.
'Zoals ik al zei, het zal het waard zijn.'
'Ik zal niet toelaten dat ze...' begon Raaf boos.
Een onaards geluid spleet de lucht. Het geluid kwam van ver weg, en werd weerkaatst tussen de heuvels – gebrul uit vele tanenkelen.
De halftanen verstijfden; ze luisterden. De taangevangenen hielden op met hun vervloekingen en dreigementen. Ze wrongen zich in bochten in hun banden en deden wanhopige pogingen om te zien wat er gebeurde.
'Wat is dat?' vroeg Raaf. Hij had nog nooit iets gehoord wat op dit vreselijke geluid leek.
'Een aanval!' hijgde Dur-zor.
De grond schudde onder hun voeten. Raaf had talloze veldslagen meegemaakt tegen troepen te paard, en hij herkende het geroffel van paardenhoeven. Een troep – een grote troep – mannen te paard kwam op hen af rijden.
Tanen berijden geen paarden. Tanen moeten niets van paarden hebben. Taankrijgers vechten het beste op de grond, ook als de vijand te paard zit. Het hoefgetrappel kwam dichterbij. Kreten en roepen bereikten hen door de stille nachtlucht. Raaf kon ook andere kreten horen, en hij herkende de stemmen als menselijke stemmen.
Zijn hart maakte een duikeling in zijn borst. Plotselinge tranen prikten in zijn ogen. Hij kon zich niet herinneren wanneer hij voor het laatst een menselijke stem had gehoord.
Dit is de verlossing, besefte hij. Dit is de redding. Dit betekent een terugkeer naar mijn eigen land, naar mijn eigen volk.

'Het zijn mensen, Raaf,' zei Dur-zor. Haar gezicht was bleek. Ze kende hem zo goed, ze wist wat hij dacht.
De halftanen keken naar hem; ze vroegen zich af wat ze moesten doen. De taangevangenen keken ook naar hem en schreeuwden dat hij hun de vrijheid moest geven.
'Snijd ze los,' beval Raaf en hij trok zijn mes.
De tanen begonnen al weg te rennen voor de halftanen goed en wel de taaie pezen hadden doorgezaagd. Opeens bleef een van de tanen staan en keek om.
'Bgrt, taan-helarrs,' zei hij hees. Toen draaide hij zich om en rende weg in de richting van de geluiden van het gevecht.
In Dur-zors ogen blonken tranen.
'Blijf je bij ons, Raaf?' vroeg ze.
'Ik blijf bij jullie. Jullie zijn mijn volk,' zei Raaf. 'Wat zei die taan?'
'Hij zei: "Sluit je bij ons aan in de strijd, krijgers,"' zei Dur-zor trots.

Klendist galoppeerde het tanenkamp binnen – het kamp van Dag-ruk, maar dat kon hij niet weten. Hoewel hij in de nabijheid van de tanen had geleefd, wist hij niets over ze. Hij verwachtte bij de tanen te vinden wat hij bij mensen zou vinden die in dezelfde situatie verkeerden – paniek, verwarring, misschien verzet van een enkeling, maar niets dat zijn mannen en hij niet konden hanteren. Zij waren in het voordeel. Zij zaten te paard, ze hadden betere wapens. Zij waren mensen, geen beesten.
Klendist reed met zijn paard dwars over taantenten heen, zodat ze in elkaar vielen en werden vertrapt. Op die manier had hij gehoopt tanen die in de tenten sliepen te verrassen, tanen die verpletterd zouden worden onder de hoeven van zijn paard. Hij werd teleurgesteld. De tenten waren leeg.
Hij fleurde op toen hij een taan met een klein kind in haar armen uit een andere tent weg zag rennen. Klendist zette zijn sporen in de flanken van zijn paard en was in een enkele sprong bij haar. Hij sloeg met één zwaardslag haar hoofd en het hoofd van het kind af. Hij lachte hartelijk. Hij zwaaide met zijn bebloede

zwaard en keek om of zijn mannen dit fraaie kunststukje hadden gezien.
Ze juichten en lachten. Klendist galoppeerde door naar het midden van het kamp, waar de taankrijgers zich waarschijnlijk zouden verzamelen om hun opperhoofd te verdedigen.
Een van de mannen kwam naar hem toe rijden.
'De jongens willen weten wat we doen als we mensenvrouwen vinden,' riep de man.
'Dood ze!' riep Klendist terug. 'Ze dragen taangebroed in hun buik. We bewijzen hun een gunst door hen te doden.'
De man knikte en reed terug om het door te geven.
De halvemaan was inmiddels ondergegaan, maar ze konden profiteren van het overvloedige licht van de sterren. De tanen stonden als één massa bij elkaar. Het licht blonk hier en daar op een wapen. Er waren ook kinderen bij.
Klendist voelde voor het eerst iets van twijfel knagen.
Deze tanen waren geen krijgers. Krijgers zouden niet opgezadeld zijn met de zorg voor kinderen. Hoezeer Klendist de tanen ook verachtte, hij wist dat de krijgers niet weggelopen zouden zijn om hun kinderen te laten omkomen. Maar waar waren ze dan?
Een luid gekrijs vormde het antwoord op zijn vraag. De krijgers waren achter hem, om hem heen, aan alle kanten. Ze kwamen door het donker aanrennen, aanrennen om te doden. Hij had zijn mannen regelrecht in een hinderlaag geleid.
Taankrijgers verschenen uit het niets. Ze hadden hun mond opengesperd in een bloeddorstige grijns en krijsten en brulden als verdoemde zielen die in de Leegte werden getrokken.
Klendist wendde het hoofd van zijn paard; hij rukte het dier zo snel de andere kant op dat het bijna ten val kwam. Hij draaide zich juist op tijd om, om te zien dat een taan een van zijn mannen greep. De taan stak zijn armen omhoog, pakte de man die in het zadel zat van achteren beet en sleurde hem van zijn paard af. De taan stak zijn speer met kracht door het kronkelende lichaam en ging vervolgens te voet achter een volgende ruiter aan.
Het was niets voor Klendist om tegen een grote overmacht te gaan vechten, alleen om eer te behalen of de held uit te hangen.
Hij wist wanneer hij geklopt was. Hij hanteerde zijn zwaard

woest en doeltreffend om de tanen die hem omsingeld hadden te verdrijven.

'Terug!' riep hij, terwijl hij woest naar links en naar rechts uithaalde. 'Terug!'

Hij boog zich over de nek van zijn paard en zette zijn hielen in de flanken van het dier. Het paard, dat al door het dolle heen was door het gekrijs en de geur van bloed, schoot naar voren, midden in de groep tanen; het stootte hen omver en vertrapte hen onder zijn hoeven.

Klendists enige gedachte was te ontkomen aan dit bloedbad. Overal om hem heen zag hij tenten, overal zag hij tanen. Een van zijn mannen riep hem toe wat zijn orders waren, maar hij negeerde hem. Het was nu ieder voor zich.

Enkele van zijn kameraden voegden zich bij hem, en samen probeerden ze zich nu een weg uit deze ring des doods te bevechten door te houwen naar taangezichten die krijsend uit het donker opdoemden.

Klendist zag een opening. Hij ging erop af en eindelijk was hij buiten het kamp, op open terrein. Hij had misschien tien mannen bij zich, van wie de meesten gewond waren. Alleen hij was ongedeerd.

Hij keek even om naar het tanenkamp en zag tot zijn opluchting dat de tanen niet achter hen aan kwamen. Ze hadden het te druk met doden. Hij kon gegil horen, gekreun, en de smeekbeden van zijn mannen om niet achtergelaten te worden.

Hij wist heel goed wat er zou gebeuren met degenen die in handen van de tanen achterbleven. Hij had zelf gezien hoe de tanen hun gevangenen behandelden. Hij had gezien dat de ingewanden uit levende mannen werden gehaald, dat hun armen en benen werden afgehakt.

Klendist gromde en reed door. Hij was niet van plan dat duivelsnest weer binnen te gaan. Niet met tien mannen, van wie sommige rijdende doden waren, naar hun uiterlijk te oordelen. Hij galoppeerde door, op weg naar de afgesproken plek. Misschien was het de andere helft van zijn troep beter vergaan. Hi zou zich bij hen voegen, de troep hergroeperen en dan terugk men om een eind te maken aan deze slijmerige gigs.

'Kapitein! Kijk!' riep een van zijn mannen.

Klendist draaide zich om in het zadel en keek naar het noorden. De grasvlakte werd verlicht door een oranje gloed, die uit de richting van het andere tanenkamp kwam. Klendist glimlachte grimmig en wendde zijn paard in de richting van het vuur in de hoop er tenminste op tijd aan te komen om nog enkele tanen de buik open te rijten voor ze allemaal gedood waren. Een man die naast hem reed, gleed van zijn paard af en viel op de grond, te zwak om in het zadel te blijven zitten. Klendist besteedde er geen aandacht aan en reed door.

Hij was al zo dichtbij dat hij zwarte vormen kon zien die rond de dansende vlammen bewogen, toen er uit het donker een gestalte opdoemde die zijn kant op kwam. Klendist hief zijn zwaard en schoot op de vijand af.

'Kapitein! Ho! Ik ben Jonson!'

Klendist onderbrak zijn doodsteek en rukte krachtig aan de teugels van het paard om het te laten stilhouden.

'Jullie hebben zo te zien pret gehad!' riep hij. Toen was hij zo dichtbij dat hij Jonsons gezicht kon zien.

'Pret, heer?' herhaalde Jonson met een hol klinkende stem. Hij was doodsbleek; zijn ogen waren groot en staarden uit hun kassen. Hij was overdekt met bloed, en de helft van zijn hoofdhaar was weggeschroeid.

'We zijn een wespennest binnengereden! Of erger nog – een nest met Leegtetovenaars! Ik heb nog nooit zoiets gezien, kapitein, en bij de goden, ik hoop nooit meer iets dergelijks te zien. Dick Martle reed naast me, en een van die zwartgerokte duivels kwam te voorschijn en hij... hij...'

De man maakte een verstikt geluid en boog zich opzij om te braken.

'Nou?' zei Klendist grimmig.

'Hij veranderde in een levend lijk. Ter plekke, zoals hij daar in het zadel zat. Ze zogen het leven uit hem weg, alle sappen, het vlees. Ik zag zijn schedel die naar me grijnsde, en toen was er niets van hem over dan een hoop as... Grote goden, heer! Het was afgrijselijk!' Jonson kokhalsde weer.

'Maar wie heeft de boel in brand gestoken? Waren jullie dat niet?'

'Dat deden ze zelf,' zei Jonson huiverend. 'Wie zou ooit gedacht hebben dat de gigs hun eigen kamp in brand zouden steken? Dan hebben ze licht bij het moorden, zeker. Hoort u dat gegil, heer?'
Klendist deed erg zijn best om het niet te horen. 'Ik hoor het.'
'Ze gooien onze mannen in het vuur. Levend. Ze roosteren ze als varkens.'
'Hoeveel man zijn samen met jou ontkomen?'
'Dat weet ik niet, heer,' zei Jonson. 'Ik wilde maar één ding, en dat was wegkomen uit dat hol van de Leegte! Ik ben niet blijven wachten om te zien wat anderen deden.'
Er kwamen intussen meer van zijn mannen aan, alleen op hun paard of in groepjes van twee of drie. Sommigen die hun paard kwijt waren, zaten achterop bij een kameraad. Een snelle telling leerde dat er ongeveer dertig mannen waren. Dertig van de tweehonderd. Hij overdacht wat hem te doen stond.
Hij vond het niet prettig om verslagen te worden. Hij was in de verleiding om met zijn troep terug te rijden naar het tanenkamp, om wraak te nemen. Sommige van zijn mannen waren razend en drongen er bij hem op aan dat te doen. Anderen zaten bevend in het zadel, geschokt en verbijsterd, met witte gezichten ten gevolge van de gruwelen die ze hadden gezien.
Ik kan het er beter bij laten, besloot hij. Shakur zal zo al boos genoeg zijn. Ik heb tenminste nog genoeg mannen over om die Domeinheren te pakken...
Een paard hinnikte, iemand riep iets, maar het was te laat. Gedurende één onbeheerst ogenblik dacht Klendist dat de nacht zelf vorm had aangenomen, want het duister kwam tot leven. Sterke handen grepen hem beet en rukten hem uit het zadel. Klendist kwam zwaar op zijn achterwerk neer. Hij had zijn zwaard laten vallen, maar hij had zijn vuisten en zijn verstand. Hij wist dat lang blijven liggen betekende dat hij voorgoed in het graf zou liggen, dus hij krabbelde overeind. Hij haalde met zijn vuist uit naar het eerste gezicht dat in zijn buurt kwam en voelde het bevredigende gekraak van bot.
De dood was aan alle kanten om hem heen. Hij zag Jonson v
len met ingeslagen schedel. Iets trof hem tegen het hoofd

klap versufte hem, en hij wankelde achteruit en kwam struikelend in sterke armen terecht.
'Ik kan je redden,' zei een stem in zijn oor, een menselijke stem die de Taal der Oudsten sprak. 'Maar dan moet je wel je mond houden en doen wat ik zeg.'
Klendist knikte duizelig.
Een arm, zo sterk als een stalen band, legde zich om zijn borst. Hij voelde een mes tegen zijn keel prikken en daarmee verdween elke gedachte aan verzet tegen de man die hem gevangen had.
'Deze is voor mij,' sprak de mens op barse toon. 'Hij is mijn buit.'
Klendist zag dat zijn aanvallers halftanen waren, de vervloekte nakomelingen van mensen en tanen. Hij was omringd door deze monsterlijke wezens, met hun half menselijke, half dierlijke gezichten en hun half menselijke stemmen. Ze bekeken hem met een brede grijns van vreugde. Hun handen waren donker van het bloed.
'Ik heb er een gedood, Raaf!' zei een halftaan opgewonden. Ze had nauwelijks kleren aan. Haar borsten waren bloot en besmeerd met modder. 'Ik heb hem gedood zoals jij het me hebt geleerd.'
'Ze zijn allemaal dood, Raaf,' zei een ander. 'Zoals jij bevolen hebt.'
'Jullie hebben het prima gedaan,' zei de mens die Klendist vasthield. 'Sleep hun lijken terug naar ons kamp. We hebben de tanen laten zien dat we slimmer konden zijn dan zij. Nu zullen we de tanen laten zien dat we krijgers zijn!'
De halftanen juichten en zwaaiden met hun wapens in de lucht.
'Toch zou het beter zijn geweest als we slaven hadden gemaakt,' zei een van de halftanen. 'Dan zouden de tanen nog meer respect voor ons hebben.'
'Nee!' zei de mens scherp, zodat zijn stem pijn deed aan Klendists oor. 'In ons kamp zullen geen slaven zijn. Jullie eigen moeders waren slavin. Jullie werden gekweld, gemarteld. Wil je dat [illegible]n ander aandoen? Zo ja, dan kun je mijn stam verlaten. Ga [illegible]ar weg. Ik wil je niet hebben.'
[illegible]alftanen lieten het hoofd hangen.

'Het spijt ons, Raaf,' zei een vrouwelijke halftaan, tot inkeer gekomen. 'We dachten er niet bij na. Je hebt natuurlijk gelijk.'
'Wij doden met schone handen,' zei Raaf streng. 'Deze mannen waren gewapend, ze waren gekomen om te vechten en te sterven. Wij kwamen ook om te vechten en te sterven. Dat is oorlog. De dood en de roem zijn het lot van de krijger. Slavernij is dat niet. En het is ook niet het lot van een krijger om als voedsel te dienen waarmee wij onze maag vullen. Wanneer we de lijken aan de tanen hebben getoond, zal ik jullie leren hoe jullie een grafheuvel moeten bouwen voor deze mannen, en hoe jullie de doden kunnen eren.'
Dat ging de halftanen hun verstand te boven. Sommige krabden op hun hoofd, maar niemand protesteerde.
'En die ene die jij daar hebt, Raaf?' vroeg de vrouwelijke halftaan. 'Wat ga je daarmee doen?'
'Hij is hun leider, hun nizam, Dur-zor. Ik ga hem ondervragen.'
De halftanen grinnikten. Ze dachten dat ze wisten wat die mens te wachten stond.
'Mogen we kijken?' vroeg er een gretig.
'Nee. Hij zal vrijer spreken als we met z'n tweeën zijn.'
De halftanen waren teleurgesteld, maar om ze af te leiden zei de mens: 'Jullie mogen de harnassen en de wapens die jullie veroverd hebben, houden. Die vormen de eerlijke buit van een krijger. En we zullen de paarden houden. Ik zal jullie leren paardrijden. Lopen is er niet meer bij. Lopen,' voegde hij er met een grijns aan toe, 'is goed voor tanen. Nu mogen ze óns stof inademen!'
De halftanen juichten weer, maar het gejuich klonk minder uitbundig. Ze waren blij met de wapenrustingen, maar ze keken tersluiks naar de paarden, duidelijk niet enthousiast over het idee dat ze op die grote, sterke dieren moesten leren rijden.
De mens droeg Klendist over aan de vrouwelijke halftaan die hij Dur-zor had genoemd. Uit de manier waarop ze naar hem keek en met hem praatte, kreeg Klendist de weerzinwekkende indruk dat deze halftaan de partner van de mens was. Dat verbaasde hem niet. Deze Raaf was een Trevinici, mensen die zelf niet veel meer dan wilden waren. De halftaan bond Klendist des-

kundig aan handen en voeten en liet hem daarna op zijn buik op de grond liggen. Vanaf de grond kon Klendist zien dat de halftanen de lijken van zijn mannen over de zadels van de paarden gooiden en ze stevig vastbonden. Hierna liet Raaf de halftanen zien hoe ze de paarden aan de teugel mee konden voeren, en hoe ze een onrustig paard konden kalmeren door over de neus te wrijven en het zacht toe te spreken. De halftanen hadden kennelijk iets wat de paarden aansprak, want de dieren reageerden goed op hen. De halftanen begonnen zich meer op hun gemak te voelen.
'Blijf ik bij jou, Raaf?' vroeg Dur-zor.
'Nee, jij gaat terug naar het kamp. Zorg ervoor dat mijn opdrachten worden uitgevoerd,' zei Raaf. 'Jij bent nizam in mijn afwezigheid.'
Een schaduw van angst trok over haar gezicht. Ze keek van hem naar Klendist op de grond.
'Laat dat paard hier voor mij,' zei Raaf en hij wees. 'Dat is jouw paard, hè?' zei hij tegen Klendist, en die knikte.
'Raaf...' zei Dur-zor moeilijk. Ze raakte even zijn arm aan. 'Raaf, wil je...' Ze kon niet verder. De moed begaf haar.
Hij legde zijn hand op haar lelijke gezicht, boog zich en kuste haar op de mond. Klendist dacht dat hij moest overgeven.
'Ga terug, Dur-zor,' zei Raaf. 'Waak over ons volk.'
'Ja, Raaf,' antwoordde ze zacht.
Ze verzamelde de anderen en leidde ze weg. Daarbij keek ze één keer om. Raaf lachte naar haar, en ze lachte voorzichtig terug. Toen keek ze weer voor zich en liep door. Haar volk kwam achter haar aan, met de paarden beladen met hun gruwelijke last aan de teugel.
Raaf keek hen na tot ze uit het gezicht waren, zonder zijn gevangene een blik te gunnen. Klendist had alle tijd om na te denken, en uiteindelijk had hij het allemaal begrepen.
'Je bent nu vrij man, Trevinici,' zei Klendist. 'Snijd deze touwen door, dan zijn we hier weg voor de gigs je ook maar missen. Mijn paard kan ons beiden dragen, in elk geval tot we bij mijn kamp zijn.'
De hemel in het oosten kleurde grijs door het eerste flauwe licht

van de komende dageraad. Raaf hurkte naast Klendist neer en keek hem in het gezicht.
‘Dat was geen list van me,’ zei Raaf. ‘Ik hoor bij hen. Ik verwacht niet van je dat je het begrijpt.’ Hij haalde zijn schouders op. ‘Ik weet niet of ik het zelf wel begrijp. Maar zo is het nu eenmaal.’
Klendist trok een meesmuilend gezicht en vocht tegen zijn banden. ‘Ik had het kunnen weten. Je bent gewoon een vervloekte wilde. Niet beter dan die gigs.’
‘En te oordelen naar de stank die jij afgeeft, ben jij een Vinnengaelese huurling,’ zei Raaf. ‘Wie heeft jou betaald om ons aan te vallen? Wie weet dat wij hier zijn? Het Vinnengaelese leger? Een plaatselijke edelman? Wie?’
‘De gigs zijn vervloekt Leegtegebroed!’ gromde Klendist. ‘Niemand heeft me betaald om hen aan te vallen. Ik heb zelf maandenlang in hun gezelschap moeten leven. Maar ik ben nooit zelf een gig geworden. Ik heb mijn eigen ras niet verraden! Het is de plicht van een mens Loerem van die monsters te bevrijden. Dat is de plicht van elk mens.’ Hij keek Raaf woest aan.
‘Dan zou ik zeggen dat je je plicht niet hebt vervuld,’ zei Raaf grijnzend. ‘Je beweert dus dat je deze overval zelf hebt beraamd? Dan ben je óf een enorme stommeling, óf een listige leugenaar.’
Raaf nam Klendist aandachtig op.
‘Ik geloof je,’ zei Raaf ten slotte. ‘En dat betekent dat je een enorme stommeling bent.’
‘Snijd me los!’ vloekte Klendist. ‘Dan vecht ik tegen je met mijn blote handen.’
‘Ik zal je lossnijden,’ zei Raaf koeltjes. ‘Maar ik ga niet met je vechten. Dat vieze lafaardsbloed van jou zou ik nooit af kunnen wassen.’
Hij kapte de touwen die Klendist bonden. Klendist wreef over zijn polsen en keek om zich heen of hij zijn zwaard zag. Het lag niet ver van hem af.
‘Ik neem je paard mee,’ hoorde hij Raaf zeggen. ‘Een edel dier, veel te edel om zulk tuig als jij te dragen…’
Klendist was met een sprong bij zijn wapen. Zijn hand sloot zich om het gevest. Hij draaide zich om terwijl hij met het zwaard zwaaide.

Raaf dook weg voor de woeste, zwiepende slag. Zijn voet schoot uit en trof Klendist in het kruis, zodat hij dubbelklapte. Klendist viel in de aarde en bleef daar liggen met zijn handen in zijn kruis gedrukt, kronkelend van pijn.
'Ik zou hier niet lang blijven als ik jou was,' zei Raaf. 'Er zullen taanverkenners op patrouille langskomen. Je bent nog niet jarig als ze je vinden.'
'Hier zul je spijt van krijgen,' hijgde Klendist. 'Ik zal je niet vergeten, denk dat maar niet. Er komt een prijs te staan op je hoofd, Trevinici. Elke premiejager van hier tot Dunkarga en terug zal naar je uitkijken, vervloekte gigsneuker dat je bent.'
'Je hebt al veel kostbare tijd verspild,' zei Raaf.
Raaf raapte Klendists zwaard op en zwaaide zich in het zadel van Klendists paard. Met een glimlach en een spottend salueren reed de Trevinici weg en was even later uit het gezicht verdwenen in de heuvels.
Alleen achtergebleven lag Klendist op de met bloed doorweekte grond en overdacht zijn situatie. Hij dacht aan Shakur. Hij dacht aan de taanverkenners. Klendist kwam tot de conclusie dat de raad van de Trevinici verstandig was. Tandenknarsend hees hij zich overeind. Wrijvend over zijn brandende edele delen wankelde hij weg in noordelijke richting.
Klendist moest deze dag ver weg zien te komen. Hij moest niet alleen aan de tanen ontkomen.
Hij moest ook aan Shakur ontkomen.

Tegen het middaguur reed Raaf te paard Dag-ruks kamp binnen. Zijn stam van halftanen volgde hem te voet, met paarden aan de teugel. Het was stil in het tanenkamp, afgezien van het gekerm van de stervende gevangenen die her en der vastgebonden in het hoge gras lagen. De taankrijgers verzamelden zich rondom Raaf, maar ze zeiden niets en deden niets. De krijgers keken naar de lijken die de halftanen meebrachten, keken naar de paarden die de halftanen meevoerden, naar de bebloede wapens die ze droegen. Ze zagen dat de halftanen met geheven hoofd liepen, dat ze trots liepen, zoals een taan zou lopen.

Raaf keurde geen van de taankrijgers een blik waardig. Hij hield zijn ogen gevestigd op Dag-ruks tent.

Ze kwam naar buiten toen Raaf naar haar tent toe reed. Hij steeg af en bleef tegenover haar staan. Dur-zor kwam aansnellen om te tolken. Ze knielde niet voor Dag-ruk, zoals ze vroeger gedaan zou hebben. Ze ging trots naast Raaf staan.

Dag-ruk keek naar de lijken van de mensen. Ze keek naar de halftanen. Toen keek ze eindelijk naar Raaf.

'Deze mensen zijn aan jouw krijgers ontsnapt,' zei Raaf tegen haar. 'Ze waren van plan zich te hergroeperen en je kamp weer aan te vallen. Wij hebben hen tegengehouden.'

Dag-ruks ogen flikkerden. Ze leek niet goed te weten hoe ze moest reageren. Ze kon niet ontkennen dat sommige van de mensen hadden weten te ontkomen, en kon evenmin ontkennen dat de halftanen hen hadden gedood.

Raaf wachtte tot ze iets zou zeggen, en toen het duidelijk

dat ze niets te zeggen had, besteeg hij zijn paard weer. Hij stak zijn hand uit, pakte Dur-zor en trok haar achter zich op het paard.
'Wij gaan nu terug naar ons kamp,' zei hij, 'om onze overwinning te vieren en de doden te rusten te leggen.'
Dag-ruk vond haar stem terug. 'Ze zijn sterk voedsel. Je krijgers zullen vanavond goed eten.'
Raaf begreep dat dit een compliment was, en dat deed hem enorm goed. Maar hij zorgde er wel voor niets daarvan te laten merken.
'Wij zullen eten van het wilde zwijn dat we gisteren hebben gedood,' zei hij. Zijn blik ging naar de zes tanen die hadden geprobeerd het te stelen. 'De doden gaan we begraven.'
'Dat doen tanen nooit,' zei Dag-ruk koel.
'Nee,' zei Raaf, 'maar dat doen halftanen.'

K'let keerde de morgen na de overval terug naar de taankampen. Op zijn weg door het kamp wierp hij een nieuwsgierige blik op de menselijke gevangenen. K'let zei niets en stelde geen vragen tot hij zijn tent had bereikt. Onmiddellijk daarna liet hij Derl ontbieden.
De bejaarde, gerimpelde sjamaan had al naar K'let uitgekeken, en hij reageerde onmiddellijk toen hij werd ontboden. K'let nam zijn meest geliefde gedaante aan, die van de albino-taan die hij tijdens zijn leven was geweest. Hij zag Derl met gefronst voorhoofd binnenkomen, want de sjamaan moest geholpen worden om in de tent te komen en leunde op de sterke schouder van een van zijn helpers.
'Wat hebt u met uzelf gedaan?' wilde K'let weten.
'Ik ben vannacht in de strijd gewond geraakt,' antwoordde Derl met een trotse glinstering in zijn ogen. 'Mijn enkel verstuikt, meer niet.'
'Hij voerde de aanval aan, Kyl-sarnz,' zei de helper. 'Hij heeft velen gedood, voor hij uitgleed over een plas bloed en languit op de grond viel. Gelukkig hebben de krijgers hem gevonden en in veiligheid gebracht.'
'...er een dag moest komen waarop ik in veiligheid moest wor-

den gebracht,' mompelde Derl vertoornd.
'Toch hebben ze daar goed aan gedaan,' zei K'let. 'Ik kan me niet permitteren u te verliezen, mijn vriend. Vooral nu niet. Laat ons alleen, sjamaan. Ik zal voor hem zorgen.'
De sjamaan zette Derl voorzichtig op de vloer neer. De bejaarde taan zag er zo broos en breekbaar uit dat het leek of zijn botten zouden breken als je ze maar even aanraakte. K'let ging hem niet bemoederen, want dat zou hen beiden te schande hebben gemaakt. Hij gaf opdracht sterk voedsel voor Derl te halen, en moedigde hem aan ervan te eten om weer op krachten te komen.
Derl had al heel lang geen trek meer in eten van wat voor soort ook, maar hij at een beetje om zijn gastheer een plezier te doen.
'Wat is hier gebeurd?' vroeg K'let nadat Derl zijn kom had weggeduwd.
'Een overval van een troep mensen,' zei Derl, en meer hoefde er over dat onderwerp niet te worden gezegd. 'Maar uw missie, K'let? Hebt u de Verheven Steen?'
'Nee,' antwoordde K'let.
'Nee?' Derl was teleurgesteld. 'Is Tash-ket er niet in geslaagd zijn opdracht te vervullen?'
'Hij is er wel in geslaagd,' zei K'let. 'Hij heeft de Steen van de gdsk gekregen. Ik had hem kunnen meenemen. Maar ik koos ervoor om dat niet te doen.'
'Maar K'let, uw plan...' Derl wist niet hoe hij het had.
'Mijn plan.' K'let grinnikte. 'Waarom zou ik genoegen nemen met één Steen terwijl ik ze alle vier kan krijgen, met Dagnarus erbij?'
Derl zette grote ogen op van verbazing.
K'let was met zichzelf ingenomen. Hij wilde Derl een mep op zijn knie geven, maar zag ervan af. Hij zou iets kunnen breken. Hij nam er genoegen mee Derl op de borst te tikken.
'U hebt altijd gezegd dat de goden van de tanen met ons zijn, zelfs in dit vreemde land. U hebt gelijk. Ik was op weg naar mi afspraak met Tash-ket om de Steen in handen te krijgen, t ik Shakur tegenkwam. Het schijnt dat Dagnarus heeft on dat Tash-ket de Steen uit mijn naam heeft gestolen. Da

was woedend en hij heeft Shakur op me af gestuurd.'

'Shakur!' Derl spuwde op de grond. 'Hebt u hem naar de Leegte gestuurd waar hij thuishoort?'

'Shakur is een slaaf,' zei K'let minachtend. 'Is er eer te behalen aan het vechten met een slaaf? Zijn meester, die moet ik hebben.'

'En hebt u daar een manier voor gevonden?'

'Inderdaad. De goden brachten me daar op tijd om te horen dat Shakur tegen een van die menselijke padden zei dat Dagnarus een val heeft opgesteld voor de vier Verheven Stenen. Op ditzelfde ogenblik zijn geselecteerde krijgers van alle vier de rassen met de stenen op weg naar Oud Vinnengael. En ook Dagnarus komt daar naar toe. De goden zijn met ons, Derl,' zei K'let en hij knikte. 'De goden zijn met ons.'

'We zullen vannacht dank brengen aan L'K'kald en Lokmirr, want ik zie hier hun hand in,' zei Derl met een wijs knikje. 'Weet u zeker dat die Steen zoveel voor Dagnarus betekent dat hij erop af zal komen?'

'Alles wat hij in dit land heeft gedaan, al het bloed van ons volk dat hij heeft vergoten, was bedoeld om dit ene voorwerp te verkrijgen, deze Steen. Hij zal erop af komen.'

'Die Steen moet een buitengewoon sterke toverkracht hebben,' zei Derl en zijn waterige oogjes blonken begerig. 'Misschien doet u er verkeerd aan ervan af te zien.'

'Bah!' K'let snoof. 'Xkes-magie. Waardeloos. Nee, dan de dolk van de Vrykyls. Dat is Leegtemagie. Daarmee zal ik een leger van Kyl-sarnz creëren. Wanneer we teruggaan naar ons eigen land, zullen we onoverwinnelijk zijn. Niemand kan zich tegen ons verzetten.'

'Wat gaan we nu doen? Wat zijn uw orders?'

'U en de stammen blijven hier en wachten tot Nb'arsk en L'nskt met hun stammen hier zijn. Ik ga verder naar Oud Vinnengael. Wanneer ik terugkom met de Dolk en mijn slaaf, reizen we naar [illegible]et gat-in-de-lucht en keren daar doorheen terug naar ons land.'

[illegible] slaaf!' Derl wreef in zijn gerimpelde handen. 'Ik weet wie [illegible]al zijn...'

[illegible]egon krassend te lachen. 'Eindelijk zal Dagnarus míj dienen voor de verandering. De eeuwigheid zal nog niet lang genoeg duren voor het genot dat het me zal geven, hem voor mij te zien knielen.'

'Maar wie zal uw andere Vrykyl zijn?' vroeg Derl. Hij boog zijn hoofd. 'Ik hoop dat er ooit een dag komt dat u mij die eer zult gunnen, maar ik heb het gevoel dat ik u nu nog van nut kan zijn terwijl ik leef...'

'U niet, vriend,' zei K'let terwijl hij zijn hand op Derls schouder legde. 'Ooit, op een dag, zoals u zegt, maar nu niet. U moet ons terugbrengen naar de goden, terug naar de oude gewoonten.'

'Wie dan?'

K'let stond op. Hij liep naar de ingang van de tent en lichtte de deur op. 'Laat de mens Raaf hier komen. Zeg dat hij voedsel, water en zijn wapen meebrengt. Ik moet een reis maken, en hij zal me vergezellen. Wij gaan naar de Stad der Geesten.'

Dur-zor en de andere halftanen waren opgetogen toen de boodschapper aankwam met het bericht dat K'let Raaf had uitgekozen om hem te vergezellen op zijn geheimzinnige missie naar de Stad der Geesten. Dur-zor kon haar blijdschap nauwelijks verhullen toen ze de boodschap van de taan vertaalde, en de andere halftanen begonnen te joelen en te schreeuwen en Raafs naam te roepen. Het werd zo'n kabaal dat enkele jonge taankrijgers van Dag-ruks stam kwamen aanrennen om te kijken wat er aan de hand was.

Trots vertelde Dur-zor het hun. De jonge krijgers keken Raaf met bewondering en afgunst aan. Sommige raakten hem aan in de hoop dat iets van zijn fortuinlijk lot op hen over zou gaan. Raaf zei datgene waarvan hij wist dat zijn volk het wilde horen. Hij sprak over de grote eer die hem te beurt was gevallen, en daarna ging hij zijn tent binnen om in te pakken wat hij voor de reis nodig zou hebben.

Dur-zor kwam de tent in. 'Raaf, de boodschapper begint ongeduldig te worden – wat is er met je?' Geschrokken greep ze zijn arm vast. Ze staarde hem aan, met een van ontzetting vewrongen gezicht. 'Raaf! Ik was het vergeten! De aanspraak hij op je leven heeft gemaakt... Je mag niet gaan!'

'Ik moet gaan. Dit is een grote eer. Dag-ruk zou elke magische steen onder haar vel geven om deze eer te krijgen.'
Hij glimlachte naar haar en haalde zijn schouders op. 'Ik ben een nizam, Dur-zor, en een van de verantwoordelijkheden van de nizams is, zorg te dragen voor het welzijn van hun stam. Als ik met K'let meega, zullen de halftanen geëerd en geaccepteerd worden door de tanen, zelfs als ik er niet meer bij ben om over hen te waken.' Hij raapte zijn bepakking op. 'Jij bent nizam terwijl ik weg ben.'
Dur-zor stortte zich in zijn armen. 'Ik zal op je wachten. Ik zal hier zijn. We zullen allemaal hier zijn en op je wachten. Ik zal voor je bidden tot de goden. Ik zal bidden tot jouw goden.'
'Dat zou ik heel fijn vinden, Dur-zor,' zei hij.
Toen hij het kamp uitging, juichten de halftanen hun nizam toe, en tot zijn verbazing ging er ook gejuich op in Dag-ruks kamp. Raaf liet het gejuich achter zich, liet alles wat hem dierbaar was achter zich. Toen hij omkeek, zag hij Dur-zor staan temidden van de stam, die nu haar stam was. Ze stak haar hand op en wuifde naar hem. Hij wuifde terug, en keek toen weer voor zich. Hij verwachtte niet dat hij hen ooit terug zou zien, en hij schrok ervan te ontdekken hoeveel pijn hem dat deed.
Hij was ongeveer drie kilometer gevorderd toen de donkere schaduw van reusachtige vleugels over hem heen gleed. Raaf keek naar boven in de kobaltblauwe hemel.
Daar vloog een draak tussen de wolken.
Raaf had zijn hele leven over deze wonderbaarlijke dieren gehoord, maar hij had nooit het voorrecht gehad er een te zien. Hij bleef stilstaan om te kijken, betoverd door de schitterende, dodelijke schoonheid van de draak.
De draak was ver, ver boven hem, maar zelfs op die hoogte kon hij de zon op rode schubben zien blinken, zodat ze vuur schoten. Hij kon de gebogen nek zien, de glinsterende staart, het trage op- en neergaan van de enorme vleugels. De draak was te hoog om hem te zien, behalve misschien als een vlekje op de golvende heuvels.
De draak vloog verder. Raaf keek ernaar tot hij uit het gezicht verdwenen was. Hij zou nooit weten dat hij op dat moment zijn

dwarse zus Ranessa had gezien. Toch wist hij dat de aanblik van de draak hem op een vreemde manier een hart onder de riem had gestoken, dat het hem moed had gegeven.

De mensen van Nieuw Vinnengael troffen voorbereidingen voor het jaarlijkse lentefeest. Ze hadden hard gewerkt om alle sporen van de inval van de tanen te verwijderen; ze hadden beschadigde gebouwen hersteld, de buitenmuren geschrobd om het zwarte, vettige roet weg te krijgen dat uit de hemel neerdaalde nadat er dagenlang lijken waren verbrand. Ze hadden de meeste bloedvlekken van de straten weggespoeld. De gewonden waren inmiddels genezen, hoewel ze de rest van hun leven littekens van de strijd zouden dragen. Weinigen zouden hun littekens tonen of erover opscheppen tegen hun kleinkinderen. Niemand was trots op wat er die dag gedaan was. Iedereen keek uit naar de geurige lentewinden, die de hardnekkige stank van de dood zouden wegblazen, en naar de zachte voorjaarsbuien, waardoor er bloemen zouden bloeien op de van bloed doortrokken aarde. Hoewel het feest pas over een maand zou plaatsvinden, stuurden winkeliers leerlingen naar buiten om de muren te bedekken met een nieuwe laag witkalk. Schilders maakten nieuwe, kleurige uithangborden, of werkten ze bij. Kleermakers waren bij kaarslicht met naald en draad in de weer, want iedere dame moest een nieuwe japon hebben om aan te trekken naar het Lentefestival van Zijne Majesteit.

Van zonsopgang tot de schemering waren de geluiden van hamers en zagen te horen, want timmerlieden waren bezig kramen te bouwen op het feestterrein. Er werden jongetjes in dienst genomen om het terrein duim voor duim af te zoeken en alle stenen en stokken te verwijderen. De herbergiers, taveernehouders

en Hospitaalridders sloegen nieuwe voorraden in, want dit was voor hen allen de drukste tijd van het jaar. Het Lentefestival trok mensen aan uit heel Vinnengael. Er kwamen handelaars naar toe uit Dunkarga, Nimra en Nimorea. Zelfs nu er een burgeroorlog was, werden er elfenkooplieden verwacht uit Tromek, en enkele dwergenkooplieden zouden de tocht vanuit Saumel ondernemen. De haven was nu al bijna verstopt door orkenschepen vol goederen.
Het was nu dan wel grauw en somber weer, regenachtig en koud, maar op het Lentefestival scheen de zon altijd. De mensen luisterden naar de regen die van de dakranden droop; dan deden ze hun ogen dicht en stelden zich warme zonneschijn en lachende kinderen voor.
Het was een goede tijd voor de mensen van Nieuw Vinnengael. Ze waren tevreden over hun nieuwe koning, en daar hadden ze alle reden toe. Dagnarus was dan wel over lijken gegaan om de troon te bemachtigen, over honderden gebroken en verwrongen lijken, maar nu hij er was, waste hij het bloed van zijn handen en deed zijn best om te doen wat volgens hem goed was.
'Eens zullen ze spreken over koning Dagnarus, zaliger nagedachtenis,' zei hij bij zichzelf, terwijl hij voor het portret van zijn vader stond. 'Nou ja, misschien niet "zaliger nagedachtenis", want ik zal niet dood zijn. Ik zal geen nagedachtenis zijn. Ik zal hun levende koning zijn, die hen door de eeuwen heen regeert en Vinnengael eeuwigdurende voorspoed brengt.'
Hij had er lang over gepiekerd hoe hij aan zijn volk het feit zou uitleggen dat hij nooit oud zou worden, nooit zou sterven. Hij kon hun natuurlijk niet de waarheid vertellen, dat hij leefde op levens die door middel van de Dolk van de Vrykyls gestolen waren. Sinds hij koning was, had hij al twee mensen bereid gevonden hun ziel aan de Leegte te geven in ruil voor gunsten van hun koninklijke meester. De gunsten die ze kregen waren niet helemaal de gunsten die ze gewenst hadden. De Dolk van de Vrykyls had beiden aanvaardbare kandidaten gevonden, en nu had Dagnarus twee nieuwe Vrykyls; de ene was een edelman die spioneerde bij zijn Geheime Raad, de andere een Tempelmagiër. Dagnarus besloot zijn volk te vertellen dat de goden hem de eeu-

wige jeugd zouden schenken in ruil voor het veilig terugbrengen van de gezegende Verheven Steen. De Kerk zou dat verschrikkelijk vinden. Hij zou ze maar laten razen en tieren en degenen die te lastig werden het zwijgen opleggen. Hij had mensen die hem steunden, en die zouden voor hem opkomen. Intussen zou het volk zijn jonge, knappe koning zien staan met zijn hand op de heilige Steen, waarvan de vier delen eindelijk verenigd waren, zoals altijd de bedoeling was geweest. Na verloop van tijd zou het rumoer wegsterven. Zijn tegenstanders zouden uitsterven. Degenen die nu in de wieg lagen, zouden oud worden onder zijn koningschap en op hun sterfbed hun kinderen in zijn hoede aanbevelen.

Alles was gereed om de Verheven Steen te ontvangen. Hij had opdracht gegeven een nieuw, marmeren altaar te houwen, om de Steen op te leggen. Iedereen was erg nieuwsgierig waar dit altaar voor zou dienen, maar Dagnarus wilde alleen zeggen dat het bestemd was om het grootste geschenk te dragen dat de goden ooit aan de mensheid hadden gegeven.

Dagnarus was in vergadering met zijn Geheime Raad toen hij de Dolk van de Vrykyls lekker warm voelde worden tegen zijn huid. Hij droeg de dolk altijd bij zich, tussen zijn gordel gestoken onder zijn zijden hemd. De warmte betekende dat een van zijn Vrykyls probeerde contact met hem te krijgen. Dagnarus hoopte en verwachtte dat het Shakur zou zijn, want het laatste bericht dat hij van Gareth had ontvangen gaf aan dat de vier Domeinheren met de Verheven Stenen in de buurt van de ruïnes van Oud Vinnengael waren aangeland.

'Heren,' zei Dagnarus terwijl hij opstond. 'Nee, alstublieft, blijft u zitten. Ik moet u vragen me enkele ogenblikken te excuseren. Het spijt me erg ons gesprek te onderbreken, maar ik moet gebruik maken van het privaat.'

Het lukte Dagnarus zich te ontdoen van hovelingen, bedienden en meelopers die hem altijd op de voet volgden. Hij herinnerde zich Silwyth, die er heel handig in was geweest het koninklijke leven met hovelingen te vullen wanneer er behoefte aan was, en ze weg te jagen wanneer er geen behoefte aan was. De elfen-kamerheer had hem alles geleerd wat hij wist over de intriges van het leven aan het hof. Dagnarus vermoedde dat elfen een aangeboren talent hadden voor dit soort zaken. De kamerheer die hij nu had, was een ezel. Dagnarus nam zich voor contact op te nemen met het Schild en hem te vragen of hij hem een elf kon sturen die deze functie kon vervullen.

Toen hij de koninklijke slaapkamer bereikte, droeg Dagnarus zijn kamerheer op de deur te sluiten; hij beval zijn wachten iedereen de toegang te weigeren. Als ingetogen man die zijn privacy op prijs stelde, had Dagnarus voor zijn persoonlijke behoeften een watercloset laten bouwen. In deze kamer zonder ramen, met zijn stenen muren, stenen vloer en zware deuren, beantwoordde Dagnarus de oproep van de Dolk.

'Er is een probleem, heer,' zei Shakur. 'Klendist is niet aangekomen op de plek die we hadden afgesproken. Ik heb u gewaarschuwd dat hij onbetrouwbaar is...'

'Wat is er met hem gebeurd? Er moet iets gebeurd zijn.'

'Ik heb geen idee, heer. Toen ik naar hun kamp ging, was het leeg. Ze waren er al een paar dagen niet geweest, zo te zien. Ik heb nog een dag gewacht, maar ze zijn niet teruggekomen.'

'En de Domeinheren? De Verheven Steen?'

'Ik heb geen idee,' zei Shakur zuur. 'Ik ben hun spoor kwijt. Het was niet mijn verantwoordelijkheid...'

'Als je prijs stelt op je tong, Shakur, hou je nu op met je gewauwel,' zei Dagnarus.

'Ja, heer.'

'Ik had dit nooit aan mijn ondergeschikten moeten overlaten,' mompelde Dagnarus. 'Maar hoe kon ik weg van mijn verantwoordelijkheden hier? Het heeft beslist nadelen om koning te zijn. Het beperkt je bewegingsvrijheid. Bij de Leegte! Kon ik maar een manier bedenken om mezelf in tweeën te splitsen, om op twee plaatsen tegelijk te zijn.'

'Ja, heer,' zei Shakur. 'Wat zijn uw bevelen?'

'Ik kom me persoonlijk met de situatie bezighouden. Dat had ik meteen al moeten doen.'

'Ja, heer. Trouwens, heer, K'let is aangekomen met een g troep tanen.'

'Als je dacht me met dit nieuws van de wijs te brengen,

is dat je niet gelukt. Ik ken K'lets plan. Die taan is slim, maar hij is niet in staat genuanceerd te denken. Ik zal met hem afrekenen wanneer ik met de Domeinheren klaar ben.'

'Heel goed, heer.'

'Ik zal binnenkort bij je zijn, Shakur,' zei Dagnarus, en het contact werd verbroken.

Gelukkig had hij al iets geregeld voor zijn afwezigheid. Hij had bekend laten worden dat hij gek was op de jacht. De vorige koning had een jachthut in het Illanofgebergte gehad. Dagnarus zou aangeven dat hij er behoefte aan had even bevrijd te zijn van de strenge regels van het hofleven, en op jacht gaan. De draak van de Leegte, een van de vijf draken die op de Drakenberg woonden, wachtte al op Dagnarus' oproep, en zou hem snel naar Oud Vinnengael brengen. Daar aangekomen zou hij op zoek gaan naar de vier Domeinheren, en hij zou ze vinden.

Hij haalde zijn vinger lichtjes langs de scherpe rand van de Dolk van de Vrykyls.

'Waar is Silwyth?' vroeg Shadamehr.

Damra keek om zich heen. 'Ik dacht dat hij jou en de Kapitein met de boot hielp.'

'En ik dacht dat hij met jou vooruit was gegaan om de boel te verkennen,' zei Shadamehr. 'En nu lijkt hij nergens te zijn.'

Op advies van Silwyth hadden de Domeinheren hun boot achtergelaten op een strand, dat op enige afstand lag van de ruïnes van Oud Vinnengael. Ze liepen over een oude weg door de Graankust, een stuk rijk land dat spottend de 'broodmand' van Oud Vinnengael werd genoemd. Zelfs nu waren er nog restanten van boerendorpen te zien. Hoewel de dorpen niet verwoest waren door de magische explosie, waren ze niet ontkomen aan de verwoestingen van de oorlog. Dagnarus' troepen hadden de boerderijen overvallen, het voedsel gestolen, het vee geslacht en alles in brand gestoken wat ze niet hadden kunnen eenemen.

ede grond hier,' zei Shadamehr. Hij bukte zich om een hand-varte aarde op te scheppen, en liet die tussen zijn vingers eglopen.

'Het verbaast me dat er niemand is teruggekomen om dit land te bebouwen,' zei Damra. 'Het ligt ver van de verwoeste stad af. Ze zouden hun producten via de rivier kunnen verschepen.'
'Daar is de reden,' zei Shadamehr en hij wees naar de berm van de weg. 'Bakensporen. Verse.'
'Wat een reusachtige sporen,' zei Damra vol ontzag. 'Ik zou er languit in kunnen liggen.'
'Ja, nare beestjes, die baken. Ik heb in het verleden wel met baken gevochten. Dat was niet erg leuk.'
'Dat lijkt me ook. Maar nu wij hier met die Verheven Stenen rondslepen,' zei Wolfram, die terugkwam van een uitstapje naar het struikgewas, 'komen die grote monsters natuurlijk over ons heen kwijlen.'
'Maak je geen zorgen, Wolfszoon,' zei de Kapitein met haar diepe stem. 'Ze kwijlen pas over je heen nadat ze je aan stukken hebben gescheurd.'
'Wolfrám!' zei de dwerg met nadruk. 'Dat zeg ik nou elke keer tegen u. Het is Wolf-ram.'
De Kapitein grijnsde en haalde haar schouders op, zoals ze altijd grijnsde en haar schouders ophaalde wanneer de dwerg haar verbeterde, wat hij minstens drie keer per dag deed. De ork had voor iedereen een naam verzonnen. Shadamehr was Schaduwman en Damra was Dame Ra. De Kapitein was erg ingenomen met deze namen en hield zich eraan. Alleen de dwerg stoorde zich eraan. Iets aan zijn bijnaam raakte blijkbaar een gevoelige snaar, een feit dat de ork niet ontging. De enige die geen bijnaam van haar had gekregen was Silwyth, en dat was omdat de Kapitein zelden rechtstreeks tegen hem sprak, hoewel ze veel naar hem keek, met een ernstige en bezorgde uitdrukking op haar gezicht.
Ze keek overal waar ze kwamen naar de voortekenen. Terwijl de anderen naar de bakensporen stonden te kijken, ging de Kapitein van het pad af en bewoog krakend dwars door het struikgewas. Ze kwam terug met het kadaver van een eekhoorn. Z mompelde er woorden bij, en stond er vervolgens met opeer klemde lippen naar te kijken.
'Wat komt eruit?' vroeg Shadamehr.

De Kapitein schudde haar hoofd.
'Dat kan ik niet zeggen. Mijn sjamaan is er niet bij,' zei ze.
Ze had de andere orken bij de boot achtergelaten, met de opdracht een halve maancyclus op haar te wachten. Als ze dan nog niet terug was, moesten de orken teruggaan naar hun volk en een nieuwe Kapitein kiezen.
'Misschien interpreteer ik deze voortekenen niet goed.'
'Maar zijn ze gunstig of ongunstig?' hield Shadamehr aan.
De Kapitein gaf hem het kadaver aan, dat krioelde van de maden. 'Kijk zelf maar.'
'Ik kan zien dat de voortekenen voor de eekhoorn niet gunstig waren,' zei Shadamehr met een grimas.
De Kapitein schudde nogmaals haar hoofd.
'Zullen de baken ons aanvallen?' vroeg Damra. 'Ik heb nooit een baak ontmoet, maar ik weet dat ze aangetrokken worden door magische voorwerpen, en zoals Wolfram zegt, hebben we vier van de krachtigste magische voorwerpen van de hele wereld bij ons.'
'Het hangt ervan af waar ze hun nest hebben. Silwyth zei dat hij wist...'
Shadamehr draaide zich om en zag dat Silwyth naast hem stond.
'Verdorie!' Shadamehr deed onwillekeurig een stap naar achteren. 'Wil je me niet zo besluipen? Je hebt mijn leven met tien jaar bekort. Natuurlijk alleen als ik nog tien jaar heb, wat op dit moment twijfelachtig lijkt. Je zou echt een of ander geluid moeten maken, beste kerel,' voegde hij er in ernst aan toe. 'Boer, nies, of wat dan ook. De doden maken nog meer herrie dan jij.'
Silwyth boog en deed een stap naar achteren. 'Het spijt me als ik u heb gehinderd.'
'Nee, nee, het is al goed.' Shadamehr veegde met zijn hemdsmouw over zijn voorhoofd. 'Heb je de bakensporen gezien?'
'Ja, baron. Ik heb ze over ongeveer anderhalve kilometer gevolgd.' Silwyth wees naar het noorden. 'Ze gaan naar het noorden, naar de ruïnes. Het was één baak, waarschijnlijk een ouder exemplaar, aan de afmetingen en diepte van de sporen te zien.'
'Die baak liep regelrecht naar Oud Vinnengael?'
[illegible]twoordde Silwyth. 'Er zijn veel baken in deze streek. De

sporen van deze kwamen samen met verscheidene andere, die allemaal naar het noorden gingen. Mijn vermoeden is dat ze wonen in die steile wanden daar, naar het oosten. Dat is kalksteen, en er zitten talloze grotten in.'

'Waarom zijn ze hier?' vroeg Damra.

'Er was een deel van de stad dat het Mysterium werd genoemd; daar kon je magische artefacten kopen, afkomstig uit heel Loerem. Tussen het puin liggen nog honderden van die artefacten. De baken worden erdoor aangetrokken, ze gaan ernaar op zoek.'

'Hoe ontlopen we ze dan? En wat doen we als we er een tegenkomen?'

'Wegrennen,' zei Shadamehr bondig. 'Nee, ik meen het. Baken zijn reusachtige, bonkige schepsels. Ze lopen betrekkelijk langzaam, en meestal kun je ze wel voor blijven.'

'We gaan niet naar het Mysterium, dus ik vertrouw erop dat we ze niet zullen tegenkomen,' zei Silwyth. 'Maar als we er een ontmoeten, is het advies van de baron verstandig.'

Oud Vinnengael lag pal naar het noorden. Naar het oosten was het goede, vruchtbare oeverland, omgeven door kalkstenen kliffen. In het westen lag het Ildurelmeer. Het water van het meer was diep, diepblauw van kleur, koel en donker in de vroege ochtendzon. De ruïnes van de stad waren nog bedekt met wolken, een feit dat Shadamehr vreemd vond, want het was een warme, droge dag en er stegen geen dampen op van het bewegingloze meer.

'Waar komt die nevel vandaan?' vroeg hij.

'Van de watervallen,' antwoordde Silwyth. 'Vroeger zag je er regenbogen in, maar nu niet meer. Nu is er alleen grijze mist.'

Ze liepen zwijgend verder; ze dachten misschien allebei aan die regenbogen.

'Het was een baak die de Verheven Steen van Dagnarus afnam,' zei Silwyth zacht, haast alsof hij tegen zichzelf praatte.

'Hè?' zei Wolfram scherp. 'Hoe weet je dat?'

'Dat zeggen de legenden van mijn volk,' antwoordde Silwyth terwijl hij de dwerg van opzij een blik toewierp. 'Ik weet n tuurlijk niet zeker of het waar is.'

'Nou, jullie legenden kloppen,' zei de dwerg botweg. 'Ik w

heer Gustav toen hij stierf. Hij had de Verheven Steen gevonden op het kadaver van een dode baak.'
'Kom, Silwyth,' zei Shadamehr. 'Laat ons die legende horen.'
Het gezicht van de elf betrok. Hij leek er spijt van te hebben dat hij iets gezegd had.
'Volgens wat ik gehoord heb, heeft de magische ontploffing die bijna de hele stad verwoestte, het leven van Dagnarus gespaard. Hoe is dat mogelijk, vragen jullie? Alleen de Vader en de Moeder weten het.'
'Of de Leegte,' zei Damra koeltjes.
Silwyth keek even naar haar, maar gaf geen antwoord. Hij ging door met zijn verhaal. 'Toen Dagnarus bij bewustzijn kwam, bevond hij zich in een bosachtig gebied dat hij niet kende. Hij was vreselijk gewond, maar hij leefde nog, en hij had de schat waarvoor hij zoveel had opgeofferd, de schat die hem rechtens toekwam. Hij had de gezegende Verheven Steen bij zich.'
'Die hem rechtens toekwam?' herhaalde Damra. 'Ik dacht dat jij aan onze kant stond, Silwyth.'
'Ik vertel de legende zoals ik haar heb gehoord, Damra van Gwyenoc,' zei Silwyth.
Damra en Shadamehr wisselden een blik.
'Dat klinkt me niet prettig in de oren,' fluisterde Shadamehr met gefronste wenkbrauwen.
'Mij ook niet,' zei Damra. 'Eerlijk gezegd vind ik dat onze Silwyth zich de laatste tijd nogal vreemd gedraagt.'
Silwyth bleef praten, met een zachte, lege stem. 'Dagnarus dankte de goden omdat ze hem de Steen hadden gegeven, en hij zwoer dat hij hun vertrouwen waard zou zijn. Op dat moment kwam er uit het bos een monster van een soort dat hij in dit land nog nooit had gezien – een baak. De baak, aangetrokken door de magische lading van de Verheven Steen, viel Dagnarus aan. Hij vocht met het laatste beetje kracht dat hij nog had, vocht om te behouden wat de goden hem hadden gegeven. Maar hij was te zwak. De baak rukte de Steen uit zijn hand en nam hem mee. agnarus verloor het bewustzijn. Hij was te zwak, te zwaar ge-nd om achter de Steen aan te gaan. Vele lange jaren heeft hij r gezocht, maar tevergeefs.'

Hij keek naar hen op. 'Zo luidt de legende.'
'Vreemd,' zei Damra. 'Ik heb dat verhaal nooit gehoord.'
'Jij bent niet van het Huis van Kinnoth,' was zijn weerwoord. 'We moeten meer vaart maken. We hebben geen tijd te verliezen. Niemand wil na het donker in Oud Vinnengael aangetroffen worden.'
'Waar gaan we heen wanneer we er zijn?' vroeg Shadamehr. 'Naar de tempel? Het paleis? Jouw stamkroeg?'
'Onze bestemming is de Tempel der Magiërs, of wat daarvan over is,' zei Silwyth. 'Het Portaal der Goden.'
'Zullen we daar Dagnarus treffen?' vroeg Shadamehr terloops.
Silwyth bleef onbewogen. De uitdrukking op zijn gezicht veranderde niet, hoewel het moeilijk was een uitdrukking te onderscheiden op die massa rimpels. Silwyths amandelvormige ogen, in de spleetjes van samengetrokken vel, waren altijd overschaduwd. De elf had sinds enige tijd de gewoonte je nooit echt in de ogen te kijken – een gewoonte die Shadamehr intrigeerde. Hij keek in de ogen in de hoop een flikkering van verbazing, ergernis, angst te zien – hij wist niet wat het zou zijn. Wat hij zag, verbaasde hem zo dat hij de vraag bijna vergat.
'Ik weet niet wat u bedoelt,' zei Silwyth, en zijn stem was kalm. Hij had echter net iets te lang geaarzeld.
'Ik... eh... weet zeker dat je het je wel herinnert,' zei Shadamehr, die met moeite zijn tegenwoordigheid van geest terugvond. 'Waar we over praatten in de grot. Dat heer Dagnarus...'
'Hij is nu uw koning,' corrigeerde Silwyth.
'Ik vraag zijn vergiffenis,' zei Shadamehr. 'Dat Zijne Majesteit koning Dagnarus bezig was een val voor ons op te zetten. Dat vertelde Wolfram ons. Hij had een boodschap gekregen van mijn vriend Ulaf. Dat herinner je je toch zeker wel?'
'U moet het een oude man vergeven,' zei Silwyth, 'die vaak vergeetachtig is.' Hij keek veelbetekenend naar de zon, die in het westen begon te dalen. 'We moeten ons haasten. We moeten nog een aantal kilometers afleggen voor het donker wordt. We willen de stad in de ochtenduren binnengaan, en het zal ons de hele dag kosten om ons doel te bereiken. We willen daar niet door het donker worden overvallen.'

'Over vallen gesproken,' zei Shadamehr vrolijk, 'ik vroeg me net af of Dagnarus zijn val in het Portaal voor ons opstelt, of ergens anders.'
'De anderen vinden uw grappenmakerij misschien amusant, baron,' antwoordde Silwyth. 'Ik vrees dat het aan mij niet besteed is. U hebt ieder te horen gekregen dat u de Verheven Steen naar het Portaal der Goden moest brengen. Ik zal u daarheen leiden, of niet als u dat liever hebt.' Hij haalde zijn magere schouders op. 'Als u denkt dat het een val is, ga dan niet.'
Hij boog en liep de weg af. De dwerg kloste achter hem aan, en de Kapitein ging gelijk op lopen met Wolfram. Damra wilde hen volgen, maar Shadamehr pakte haar arm en hield haar tegen.
'Kijk in zijn ogen!' zei Shadamehr zacht.
Damra keek hem met grote ogen aan. 'Wat...?'
'Ik heb al een keer eerder in zulke ogen gekeken. Toen, in het paleis in Vinnengael. Toen ik de jonge koning oppakte.'
'Bedoel je dat Silwyth...'
'Hij is Silwyth niet,' zei Shadamehr grimmig. 'Niet meer. Hij is een Vrykyl.'

De stad Oud Vinnengael, in het jaar één gesticht door Verdic Ildurel, was gebouwd op de oevers van het meer dat later zijn naam zou dragen. Oorspronkelijk gebouwd als vesting, groeide de stad snel, en moest zich opwaarts uitbreiden in de kliffen. In de daaropvolgende jaren bouwden magiërs die bedreven waren in het manipuleren van rotsen en gesteente, paden en trappen die van het ene niveau naar het andere gingen, zodat zowel wagens als voetgangers er toegang toe hadden. Bruggen overspanden de kloven. Orken ontwierpen schitterende hijskranen die goederen die te zwaar waren voor vervoer per wagen, ophesen en lieten zakken. Rijkdom vloeide de stad binnen, per boot vanaf de zee en over land, reizend over de vlakke wegen die door Aardemagiërs aangelegd waren en door het Vinnengaelese leger bewaakt werden.

De stad was al het middelpunt van Loerem toen het tijdens de regering van koning Tamaros door de magische Portalen het middelpunt van het universum werd. De Portalen, vervaardigd door magiërs van alle elementen, strekten zich uit tot in de landen van de andere rassen, zodat elfen, orken en dwergen naar Vinnengael konden komen. Reizen die vroeger maanden of jaren hadden gekost, werden teruggebracht tot dagen en weken. Handelaars van alle rassen kwamen naar Oud Vinnengael. Hoewel ze mensen vaak niet zo zagen zitten, zagen ze de tams wel zitten. Tams waren glinsterende, zilveren munten die ter ere van koning Tamaros van Vinnengael gemaakt waren.

Koning Tamaros, die een wereld voor zich zag waarin alle rassen in vrede konden leven, moedigde alle mensen aan om naar Oud Vinnengael te komen, en hij deed alles wat in zijn macht lag om hun een welkom te bereiden. In die tijd was de stad op het toppunt van haar roem.

Het prachtige paleis van de koning, geplaatst tegen de achtergrond van de zeven watervallen, was een van de wonderen van de bekende wereld, en velen ondernamen de klimtocht langs de steile trappen die van klif naar klif leidden, om zich eraan te vergapen en de gelukkigen die in zoveel pracht mochten wonen te benijden. Hun afgunst zou in medelijden veranderd zijn als ze hadden geweten van de jaloezie, de kwaadaardigheid en het verdriet dat binnen die glanzende muren tussen de glinsterende regenbogen huisde. Niemand kon dat weten, en daarom gingen ze weg met de gedachte dat hun koning groot en wijs was en dat zijn sterke heerschappij, waarvan het kasteel getuigde, nooit zou wankelen.

Tamaros' jongste zoon, Dagnarus, besloot dat hij koning moest worden. Dagnarus wees de goden af; hij was de uitverkorene van de Leegte. Hij werd Heer van de Leegte en kreeg de Dolk van de Vrykyls uitgereikt. Nadat hij door zijn oudere broer, Helmos, uit het koninkrijk was verbannen, keerde Dagnarus een jaar later terug om de troon op te eisen en vuur en dood in de stad te brengen. Met hulp van Gareth, de vriend uit zijn kindertijd die een machtige Leegtetovenaar was geworden, liet Dagnarus de Hamerklauw opdrogen, de rivier die Vinnengael nodig had ter verdediging van haar muren, en hij liet zijn troepen door de rivierbedding marcheren om de stad aan de achterkant binnen te gaan. Onder aanvoering van de Vrykyl, tegen wie weinigen iets konden uitrichten, viel zijn leger de stad aan de voorkant aan. Zijn belegeringstorens wierpen gelatinedynamiet van de orken in de stad, en niet veel later raasde het vuur door de straten van Oud Vinnengael.

Dagnarus' twee doelen waren zich de Verheven Steen toe te eigenen en zichzelf tot koning te maken. Daartoe moest hij zijn oudere broer, Helmos, van de troon stoten. Dagnarus zocht zijn broer in het paleis, maar kon hem niet vinden. Hij besloot dat zijn broer waarschijnlijk naar de goden was gevlucht om hulp te vragen, en dus ging Dagnarus naar het Portaal der Go-

den, dat in de Tempel der Magiërs gesitueerd is.
Volgens de legende troffen Dagnarus en zijn broer Helmos elkaar, en vochten ze om de Steen. De magische krachten die bij die verschrikkelijke strijd werden losgemaakt, zwiepten onbeheerst rond, en braken helemaal los. De knal die daarvan het gevolg was, liet de Tempel en de omringende gebouwen instorten en zond schokgolven door de stad. Gebouwen zakten in elkaar en vielen op de straten, die verstopt waren met vluchtende mensen en vechtende soldaten. Er openden zich barsten in de opritten, waardoor mensen naar beneden vielen. De hoge hijskranen vielen om, en verpletterden velen.
Vinnengael en haar volk werden getroffen door dood en verwoesting. De overlevenden vluchtten. De stad werd overgelaten aan haar geesten.

De Domeinheren en hun boosaardige gids gingen bij zonsopgang de buitenwijken van de stad binnen. Ze stonden op de oever van het meer, waar het hoge water over hun voeten kabbelde. De restanten van wat ooit de drukke haven van die grote stad was geweest, stonden rondom hen af te brokkelen.
Dit gedeelte van de stad was het verst van de knal verwijderd geweest en was niet erg beschadigd door de explosie. Hier was vuur de vijand geweest. De vuren, die door de orkengelei waren begonnen, zetten de houten steigers in de brand, vernietigden de pakhuizen met hun rijke voorraden goederen, lieten de taveernes en bordelen, en de huizen van zeelui en vissers afbranden. De restanten van de steigers waren nog te zien: rijen zwarte vingers van verkoold hout die uitstaken in het meer, als de verkoolde handen van de beklagenswaardige brandslachtoffers, die zich in het koude water hadden gestort in een poging de verschrikkelijke pijn te verzachten. De meesten waren van hun pijn af gekomen door te verdrinken.
'De mensen holden van de hogere niveaus naar het niveau van het meer om aan de vlammen te ontkomen,' zei Silwyth, en hij wees naar de kliffen hoog boven hen. Ze waren nauwelijks zichtbaar door de vreemde, grijze nevel die over de ruïnes heen hing. 'Degenen die struikelden, werden vertrapt onder de voeten van

de panische menigte. Degenen die het meer bereikten, konden nergens heen, want er waren geen boten. Ze zaten in de val op het strand, met het diepe water van het meer voor zich en de branden achter zich.'

De Domeinheren stonden temidden van het puin met een gevoel van verslagenheid. Ze hadden hun hele leven over de verschrikkelijke tragedie van die dag horen spreken, maar het was een legende, een verhaal dat in de schemering werd verteld. Nu stonden ze midden in dat verhaal met de scherpe geur van verbrand hout in hun neus. Het water dat tegen het strand kabbelde, was vuil, vol afval. De grijze nevel van de watervallen sloeg neer op hun huid en maakte alles nat als je het aanraakte, zodat hun kleren klam aanvoelden. De lucht was koud. De zon scheen op het meer, maar kon niet door de waterige mist heen branden, waardoor elk voorwerp misvormd en verwrongen leek. De straten waren verdwenen onder bergen puin die ooit gebouwen waren geweest. De Domeinheren keken geschokt naar dit alles, overdonderd door de ontstellende omvang van de verwoesting. Elk voor zich dacht: hoe vinden we de weg hierdoorheen?

De Kapitein, praktisch en pragmatisch van aard, bracht deze gedachte onder woorden.

'Als de paden die naar de hogere niveaus leiden vernietigd zijn, hoe komen we dan bij de Tempel?'

'Ik zei niet dat de paden vernietigd waren,' antwoordde Silwyth. 'Ik zei dat er barsten in waren gekomen. De paden zijn er nog en kunnen beklommen worden door mensen die er de moed voor hebben.'

'Maar als we kruipend en hakkend onze weg moeten zoeken door al deze rommel, zullen we er dagen – of misschien maanden – voor nodig hebben om onze bestemming te bereiken,' zei Shadamehr.

'En je hebt ons gewaarschuwd dat we hier niet na donker buiten moeten zijn,' zei Wolfram. Hij maakte een gebaar naar het puin, dat in grote hopen was opgestapeld. 'Huh!'

'Toch is er een weg,' zei Silwyth. 'Blijf hier terwijl ik ernaar ga zoeken.'

'Wacht, Silwyth!' zei Shadamehr. 'Ik ga met je mee...'

Silwyth verdween. Wolfram dook de mist in om hem te zoeken, maar kwam alleen terug.
'Hij is verdwenen,' meldde Wolfram. 'Ik ben hem kwijtgeraakt in de mist.'
'Volgens mij is hij van mist gemaakt, die vogel,' zei de Kapitein.
'Of van iets ergers,' zei Damra. Ze keek naar Shadamehr. 'Moeten we het hun niet vertellen?'
'Ons wat vertellen?' wilde Wolfram weten.
'Dat Silwyth niet meer Silwyth is,' zei Shadamehr. 'Wij denken dat de echte Silwyth vermoord is, en dat deze een Vrykyl is.'
Wolfram greep naar zijn zwaard. 'Dan moeten we hem doden.'
'Hoe kom je erbij dat te denken?' vroeg de Kapitein, terwijl ze haar hand op de schouder van de dwerg legde om hem tegen te houden.
'Hij is veranderd,' zei Damra. 'Toen ik hem net had leren kennen, vertrouwde ik hem, ook al vertrouwde ik hem niet. Maar nu...' ze schudde haar hoofd – 'vertrouw ik hem helemaal niet meer.'
'Ik heb hem nooit vertrouwd,' zei Wolfram.
'Ik ben het met Dame Ra eens,' zei de Kapitein. 'Hij is veranderd. Ik vertrouwde de Silwyth die ik in mijn visnet ving. Maar de Silwyth die ons hier heeft gebracht, vertrouw ik niet.'
'De vraag is nu: wat doen we?' vroeg Shadamehr. 'Confronteren we hem hiermee, en riskeren we misschien dat hij zich tegen ons keert?'
'Ja,' zei Wolfram en hij hief zijn zwaard alvast.
'Volgens mij moeten we dat wel doen,' vond Damra ook.
'Nee,' zei de Kapitein. Ze vouwde haar armen voor haar borst. 'We zeggen niets tegen hem.'
'Ik kies partij voor de anderen,' zei Shadamehr. 'Waarom zouden we dit boosaardige wezen verder volgen?'
De Kapitein haalde haar massieve schouders op. 'Ieder van ons heeft opdracht gekregen de Steen naar het Portaal te brengen. Dat moeten we dus doen. Weet iemand van jullie de weg naar het Portaal?'
'Maar de Vrykyl leidt ons hoogstwaarschijnlijk in een val,' betoogde Shadamehr.

'Des te beter,' zei de Kapitein.
'Wacht even!' Shadamehr hief zijn hand op. 'Daar ging u me iets te snel door de bocht. Wilt u het even uitleggen?'
'Als die elf een Vrykyl is, en als de Vrykyl van plan was ons te doden, had hij dat allang kunnen doen,' zei de Kapitein. 'In plaats daarvan belooft de Vrykyl ons naar het Portaal der Goden te brengen. Waarschijnlijk om ons, zoals je zei, Schaduwman, in de val van dat Leegteheerschap te lokken. Maar daarom zal de Vrykyl er wel voor zorgen dat we veilig bij het Portaal aankomen.'
'Teneinde ons te doden zodra we er zijn,' zei Shadamehr.
'Het heeft je brein goed gedaan dat je zoveel vis hebt gegeten, Schaduwman,' zei de Kapitein en ze knikte goedkeurend. 'Zodra we bij het Portaal zijn, keren we ons tegen de Vrykyl en het Leegteheerschap en doen we wat er gedaan moet worden.'
'Ik wou dat ik er zo kalm tegenover kon staan. Maar toch, een gewaarschuwd mens telt voor twee,' zei Shadamehr nadenkend. 'We zijn tenminste op alles voorbereid.' Hij haalde zijn schouders op en schopte tegen een stukje verkoold hout bij zijn voeten. 'Ik zal hier blijven om op onze vriend te wachten. De rest heeft misschien zin om wat rond te gaan kijken, en uit te kijken naar sporen van baken.'

Het gezelschap splitste zich op. Wolfram en de Kapitein gingen de ruïne van een groot gebouw onderzoeken. Damra wandelde langs het strand, dat bezaaid was met uitgebrande scheepsrompen; verwrongen, verroest ijzer en vergane netten. Ze trapte ergens op en toen ze omlaag keek, zag ze dat ze op een schedel was gestapt die half onder het zand lag.
Elfen vereren de dood, want in de dood is de ziel vrij om terug te keren naar de Vader en de Moeder en bij hen te zijn in het wonderbaarlijke, glanzende rijk van de hemel. Gestorven elfen worden met groot respect behandeld en het lichaam wordt verbrand, zodat de ziel de vrijheid krijgt om op de adem van de goden op te stijgen naar de hemelen. Deze schedel leek alles waar zij in geloofde, te loochenen.
Er zijn geen goden, zeiden de lege oogkassen. De dood is de Leegte, en daarachter is niets.

Shadamehr hoorde haar kreet en kwam naar haar toe. Hij pakte haar en trok haar tegen zich aan. Zijn arm om haar heen was sterk, warm en troostrijk.
'Het spijt me dat ik je heb laten schrikken. Het is maar... een schedel. Maar er is hier zoveel van de dood. Zoveel angst en wanhoop.' Damra drukte haar handen tegen haar ogen. 'Het is te afschuwelijk, zo onverdraaglijk treurig.'
'Ik weet het,' zei Shadamehr somber. Hij voelde zich zelf ook terneergeslagen. 'Ik begrijp het.'
'Echt waar?' Ze keek met gefronst voorhoofd naar hem op. 'Ik geloof je niet. Jij neemt nooit iets ernstig.'
'Ik zal je een geheim vertellen,' zei Shadamehr. 'De reden waarom ik lach, is dat ik niet wil klappertanden.'
Hij keek op naar de kliffen die ze zouden moeten beklimmen, naar de ingestorte gebouwen, gebarsten wegen, afbrokkelende trappen. In de verte kon hij het brullen van de watervallen horen, een gebrul dat gedempt werd door de donkere nevels die de stad omhulden.
'En ik zal je nog iets vertellen, Damra,' zei hij somber. 'Van nu af aan wordt het allemaal alleen nog maar erger.'

'Ik hoorde iets!' zei Wolfram. Hij wees naar de ruïne van het gebouw. 'Het kwam van daarbinnen.'
'Ik hoorde het ook,' zei de Kapitein. Ze trok het enorme wapen met de gebogen kling dat ze onder haar brede leren gordel droeg.
'Dit is vroeger misschien een pakhuis geweest,' zei Wolfram, terwijl hij het puin argwanend bekeek.
'Wat het ook geweest mag zijn,' zei de Kapitein, 'dat is het nu niet meer.'
Het tweetal kwam naderbij, met hun ogen strak gericht op het puin.
'Wat hoorde u?' vroeg Wolfram met gedempte stem. 'Hoe klonk het?'
'Alsof er een plank verschoof,' zei de Kapitein. 'Ik zie niets. Jij wel?'
Drie van de vier muren van het pakhuis stonden nog overeind. De muren van baksteen hadden het vuur weerstaan dat andere

gebouwen in de buurt had verwoest. Wel was het dak ingestort, en daarbij had het zowat de hele voorgevel meegenomen. Met zijn zwaard in de hand tuurde Wolfram door de mist in het donker. Hij spitste zijn oren, maar hoorde het geluid niet meer. Hij hoorde geen enkel geluid behalve de snorkende ademhaling van de ork.

'Waarom halen jullie orken niet door je neus adem, zoals wij?' vroeg Wolfram geërgerd. 'Ik kan niets horen terwijl u als een blaasbalg staat te puffen.'

'Onze neuzen zijn kleiner dan onze longen,' zei de Kapitein. 'Op deze manier krijgen we meer lucht binnen.'

Wolfram dacht hierover na. Hij kon geen speld tussen haar redenering krijgen, en hield er dus maar over op. Hij porde in het puin.

Er verschoof een plank. Er bewoog iets, en Wolfram sprong achteruit.

'Daar!' hijgde hij.

'Een rat,' zei de Kapitein, en ze stak haar zwaard walgend in de schede.

'Wat is er aan de hand?' vroeg Shadamehr, die met Damra aan kwam lopen.

'We hoorden een geluid. Bleek een rat te zijn,' zei de Kapitein.

'Misschien was het een rat,' zei Wolfram die nog steeds tussen het puin tuurde. 'Maar misschien ook niet. Volgens mij klonk het als iets groters.'

Hij keek langdurig in de nevelige schaduwen, maar zag niets. Zelfs de rat was gevlucht.

'Slim beestje,' mompelde hij. 'Slimmer dan wij.'

'Silwyth is al een hele tijd weg,' merkte Damra op, huiverend in de koude, donkere lucht. 'Misschien komt hij niet meer terug.'

'Ik zou niet terugkomen, als ik hem was,' zei Wolfram.

'Maar jij bent mij niet, dwerg. Ik ben terug en ik heb een weg door de puinhopen gevonden,' kondigde Silwyth aan terwijl hij uit de mist opdoemde. 'Die weg zal ons naar het eerste pad langs de helling brengen. Van daaraf gaan we klimmen. Ik zal jullie de weg wijzen.'

Hij liep al weg, maar besefte toen dat hij de enige was. Hij keek om.
'Komen jullie nog? Of willen jullie liever op ratten jagen?'
'We hebben er al een gevonden,' zei Shadamehr. 'En één is meer dan genoeg. Loop maar door, Silwyth. We volgen je op de voet.'

Op een wenk van K'let verliet Raaf de nevelige schaduwen van het pakhuis waarin ze hun toevlucht hadden genomen en keek naar buiten om te zien of de dwerg en zijn gezelschap weg waren. De Trevinici was verbaasd geweest de dwerg, Wolfram, te zien – maar Raaf had K'lets scherpe, waarschuwende gesis niet nodig om zich stil te houden. De dwerg was afkomstig uit een andere wereld, een andere tijd. Hij had niets met Raaf te maken, en Raaf wilde niets met hem te maken hebben. Hij had zijn buik vol van dwergen en mensen, orken en elfen. Ze mochten gaan waar ze wilden. Hij ging waar hij wilde.
Deze Stad der Geesten was trouwens helemaal een stad van stilte. Iets roepen in deze geblakerde ruïnes zou even oneerbiedig zijn als schreeuwen in een graftombe.
Het viel Raaf wel op dat K'let niet verbaasd was de dwerg en zijn wonderlijk gevarieerde gezelschap tussen de ruïnes te zien ronddwalen. K'let had hen misschien wel verwacht, had misschien zelfs naar hen uitgekeken, want Raaf en hij hadden de stad dagenlang in de gaten gehouden voor ze er binnengingen. De taan-Vrykyl had Raaf naar de ruïne van het pakhuis gebracht, waar ze in de schaduwen neerhurkten en zagen dat de dwerg met zijn gezelschap in de verwoeste haven aankwam, waar ze even overlegden en vervolgens huns weegs gingen.
Toen hij zeker wist dat ze weer alleen waren, ging Raaf terug naar het pakhuis, waar K'let op hem wachtte.
De Vrykyl was in zijn taangedaante, en dat was de hele reis al zo geweest. Raaf had de indruk dat K'let niet erg gesteld was op zijn zwarte, door de Leegte gemaakte harnas, en daar was Raaf dankbaar om. De Trevinici kon zichzelf bijna wijsmaken dat hij in het gezelschap van een taan was, en niet in dat van een gruwelijke Vrykyl.
Hun gezamenlijke reis was vreemd geweest. K'let kon Raafs taal

niet spreken, maar Raaf had wel het gevoel dat de Vrykyl veel van wat Raaf zei kon verstaan. Raaf kon de taanse taal niet spreken; zijn keel kon de daarbij behorende krakende, ploffende en fluitende geluiden niet maken, maar hij had veel woorden leren verstaan. Zo konden ze min of meer met elkaar communiceren.
'Ze zijn weg,' meldde Raaf.
Hij wilde juist meer zeggen, toen hij de grond onder hun voeten voelde trillen. De halfvergane, zwartgeblakerde balken schudden en beefden.
K'let maakte weer zo'n sisgeluid, waarbij zijn lip werd opgetrokken van zijn tanden. Hij dook terug in de schaduwen en wenkte Raaf hem te volgen.
'Baak!' zei K'let en hij wees.
Een gigantisch schepsel, dat wel zes meter hoog was, stommelde langzaam door de brokkelige straat. Raaf had verhalen over deze monsters gehoord van krijgers die ermee hadden gevochten, maar hij had de verhalen nooit echt geloofd. Tot dit moment.
De enorme kop van de baak met zijn kleine oogjes, die overschaduwd werden door een overhangend voorhoofd, zwaaide onder het lopen heen en weer. De schouders van de baak waren gebogen en afgerond. Over de hele lengte van de ruggengraat staken benige uitsteeksels uit. De kolossale poten deden de grond schudden bij elke stap. De baak bleef stilstaan toen hij in de buurt van het pakhuis was gekomen. Zijn reusachtige kop draaide zich hun kant op; de kleine, doffe ogen keken in hun richting.
K'let maakte een diep, grauwend geluid achter in zijn keel. Raaf hield zich muisstil; hij durfde nauwelijks te ademen. De baak knorde en ging verder, in de richting van de verwoeste stad. Gedurende lange tijd nadat hij voorbij was gekomen, hoorde Raaf houten balken knappen en scheuren, en stenen neerploffen – de baak baande zich een weg door de puinhopen.
K'let snoof de lucht op en scheen tevreden te zijn. Hij ging het pakhuis uit en gebaarde dat Raaf hem moest vergezellen.
Raaf bleef staan waar hij stond en schudde zijn hoofd.
'Je kunt me toch verstaan, K'let? Je hebt lange tijd met mensen

omgegaan, en al kun je onze taal niet spreken, je weet wat ik zeg. Ik wil weten wat we hier in deze vervloekte Stad der Geesten doen.'

Raaf dwong zich om recht in de lege ogen van de Vrykyl te kijken, hoewel het net was of hij in een put van duisternis keek.

K'let deed een stap naar voren en duwde met zijn klauwachtige vinger tegen Raafs borst. Terwijl hij hem aanraakte, kon Raaf door de façade van taanvlees en taanvel heen de levende dood zien – de dierlijke schedel, gehavend door barsten en breuken van oude verwondingen; het gele gebit; de lege oogkassen. Hij rook de stank van verrotting en bederf.

K'let tikte met zijn vinger op Raafs borst. 'Ik heb jou tot nizam gemaakt. In ruil daarvoor beloofde je me je leven.'

Raaf zei niets. Hij staarde in de donkere ogen.

'Het is tijd om je belofte gestand te doen,' zei K'let. Hij fronste zijn voorhoofd en keek hem achterdochtig aan. 'Of ben je gewoon de zoveelste xkes die zijn eed breekt?'

'Ik houd me aan mijn beloften,' zei Raaf.

'Mooi,' zei K'let met een grommend geluid. Hij draaide zich om en liep de donkere mist in.

Raaf bleef nog even staan. Hij dacht aan Dur-zor, hij dacht aan zijn volk.

'Ik houd me aan mijn beloften,' herhaalde hij, en hij volgde K'let.

De Domeinheren raakten het gevoel van tijd kwijt, want het licht van de zon werd weggenomen door de wervelende nevelslierten. Hun route was aanvankelijk gemakkelijk begaanbaar. In de straten op het laagste niveau was de rommel weggehaald, het puin was opzij geveegd, langs de rand van de straat opgehoopt tot wankele stapels, of steegjes in geschoven. Ze verbaasden zich hierover, tot Shadamehr uitlegde hoe dit kon.

'Dit hebben de baken gedaan,' zei hij. 'Ze hebben een weg naar het centrum van de stad vrij gemaakt.'

'Maar ze kunnen niet naar boven,' zei Wolfram, en hij hield zijn hoofd achterover om te proberen door de grijze nevelslierten die voor de hogere niveaus van de stad hingen heen te kijken.

'Volgens Silwyth niet,' zei Shadamehr.

Wolfram legde zijn hand op een reusachtige ijzeren balk, een onderdeel van een van de prachtige hijskranen die de orken hadden gebouwd. De enorme balk, twaalf meter lang en zo zwaar als een huis, was opgepakt en opzij gegooid alsof hij niet meer woog dan een takje.

'Zo'n beest kan deze kraan verplaatsen,' zei Wolfram, 'en dat durft niet naar boven.' Hij schudde somber zijn hoofd, zuchtte en liep door.

Ze liepen door het eerste niveau via de door de baken ontruimde straten, en liepen omhoog naar het tweede niveau, waar het gaan moeilijker werd. Silwyth gaf er de voorkeur aan het centrale gedeelte van de stad, waar vaak baken kwamen, te vermijden, en

daarom konden ze niet langer rekenen op een door de baken vrijgemaakte weg.
Ze klauterden over hopen puin heen, eromheen en soms eronderdoor, en het duurde niet lang of ze waren moe, hadden pijn, waren nat en vuil. Zonder Silwyth als gids zouden ze hopeloos verdwaald zijn, want de nevels werden dichter naarmate ze de watervallen naderden, en algauw konden ze de kliffen boven hen niet meer zien. De gebouwen op het tweede niveau waren beter gebouwd dan die in de haven. Vele hadden zowel het vuur als de explosie overleefd. Deze schildwachten die temidden van het puin stonden met lege ramen en gehavende gezichten hielden zwijgend en eenzaam de wacht bij de doden. Hier en daar was er een uiteindelijk toch omgevallen, en versperde een berg kapotte stenen de weg.
Maar hoewel de verwoesting minder groot was, waren de treurigheid en het verdriet hier groter. Deze huizen hadden ooit gezinderd van leven, en de afwezigheid van dat leven werd benadrukt door de eenvoudige bezittingen van de levenden: stoelen en tafels, kannen en kommen. Een spinnewiel in een hoek naast een open haard. Een ketel op de kachel. Een lappenpop. Een houten zwaard. Dik onder het stof. Onder het spinrag. Heel gebleven. Kapot gegaan. Soms lagen deze voorwerpen in de straten, alsof de eigenaars ze hadden meegenomen in hun haast om aan de verwoesting te ontkomen, maar ze onderweg hadden laten vallen. Misschien omdat ze te zwaar waren. Of te onhan dig. Of misschien beseften de mensen dat dit stukje van hun leven, waaraan ze zich zo wanhopig vastklampten, niets meer betekende, nutteloos was.
'Het lijkt erg oneerlijk,' zei Shadamehr terwijl hij een beker opraapte die de straat op was gerold, 'dat zoiets onnozels als dit nog bestaat, terwijl de handen die het gemaakt hebben, te gronde zijn gegaan. Dan ga je je toch wel iets afvragen, hè? We werken, we doen ons best en we lijden, en alles wat uiteindelijk van ons overblijft is een tinnen beker.'
'Dat is de Leegte, die aan het woord is,' zei Damra zacht.
'Misschien spreekt hij de waarheid,' zei Shadamehr bitter, en hij gooide de beker van zich af.

Er waren lijken op dit niveau, geraamtes die nog op de plek lagen waar ze tweehonderd jaar eerder waren neergevallen. Veel lijken waren van soldaten die in de straten hadden gestreden. Sommige lagen op de keitjes, zij aan zij, en tussen hun gebeente staken pijlschachten of verroeste zwaardklingen. Sommige lagen op een hoop op afbrokkelende stoepjes voor een deur, alsof ze verzwakt door bloedverlies waren gaan zitten om uit te rusten, maar in een slaap waren gevallen waaruit ze niet meer wakker waren geworden. Verscheidene lijken droegen schilden met het embleem van een adellijk huis van de elfen. Zij lagen rondom een afzonderlijk lijk, waarschijnlijk hun commandant.

Er waren ook lijken van gewone burgers. Degenen die te lang hadden gewacht met de vlucht uit hun huis, of die in de gevechten of in de vuurstorm niet verder hadden gekund, door de verstikkende rook bezweken waren of verpletterd onder een instortend gebouw. Op een bepaalde plek zagen ze de resten van een heel gezin liggen: een man, een vrouw, een kind en het kleine skelet van een hond.

Het verdriet en het afgrijzen over deze meelijwekkende taferelen drukte zwaar op hun hart en putte hun ziel uit.

'Ik hoor hun stemmen,' zei Wolfram met een holle klank in zijn stem. 'En ik voel dat ze me aanraken. Ze willen niet dat we hier zijn.'

'Hou op,' zei Shadamehr scherp. 'Zo maken we onszelf alleen maar bang. Ze zijn dood. Ze zijn lang geleden gestorven.'

'Waar hun geest ook mag zijn, die heeft rust,' voegde Damra er zacht aan toe, en ze fluisterde een gebed.

'De elfen hebben geen rust,' zei Silwyth. 'Dat waren verraders, die onteerd stierven. Zij liggen hier onbegraven; hun geest is de toegang tot de gezegende tegenwoordigheid van de Vader en de Moeder ontzegd.'

Voor het eerst sinds Damra Silwyth had leren kennen, liet hij iets van emotie blijken. Toen hij dat zei, dat de 'toegang hun ontzegd' was, klonk in zijn stem verbittering en spijt.

Is de stem die dat zegt die van Silwyth, vroeg Damra zich af. Of de stem van de Vrykyl die hem heeft overgenomen? Of zijn ze

zo nauw verwant dat de levende en de dode als één persoon spreken?
Ze kwam in de verleiding om het te vragen, maar opeens gaf Silwyth een harde trap tegen het lijk van de elf.
'We moeten opschieten,' zei hij en hij ging verder.
Het was omstreeks het middaguur, dat dachten ze tenminste, toen ze een van de paden bereikten die van het tweede niveau naar de bovenkant van de hoge kliffen leidden, waar de schitterende Tempel der Magiërs en het prachtige paleis stonden tegen de achtergrond van de zeven watervallen. Ze konden het gebulder van het water horen, al bleven de watervallen zelf onzichtbaar in de mist.
Het pad was in de rots uitgehouwen door menselijke magiërs, ervaren in de Aardemagie. Het pad ging niet meteen omhoog, want dan zou de helling te steil zijn geweest voor wagens en voetgangers. In plaats daarvan maakte het een flauwe bocht die om de rotswand heen boog.
Op een stralende, zonnige dag in Oud Vinnengael zou het een genoegen zijn geweest om langs dit pad naar boven te wandelen. Je had kunnen uitkijken over de drukke stad die zich beneden uitstrekte, het blauwe meer daarachter, en boven je had je het paleis kunnen zien, met zijn glinsterende torens en dansende regenbogen.
De regenbogen waren grijs geworden, de glinsterende torens waren ingestort. De nevels onttrokken alles aan het zicht behalve het pad zelf, dat glad en slijmerig was, vol gaten en afbrokkelende plekken, en brede, gapende barsten. Alle leden van de groep wisten dat dit pad hen naar hun bestemming bracht.
Wat een vreemd en vreselijk pad om ons naar de goden te brengen, dacht Damra.
Ik wilde dat ik wat touw had meegenomen, dacht Shadamehr. Een paar stukken stevig touw zouden een groot verschil maken.
'Dunner heeft over deze weg gelopen,' zei Wolfram tegen Gilda, wier geest hij in zijn nabijheid voelde. 'Ik treed in zijn voetsporen. Ik mag niets doen om hem te schande te maken.'
De sjamaan had de voortekenen geduid, herinnerde de kapitein der kapiteins zich. De voortekenen waren ongunstig voor de

mensen, maar gunstig voor de orken, dat had de sjamaan tenminste gezegd. Voortekenen liegen niet, maar soms vertellen ze ons niet de hele waarheid.
'Bent u daar, mijn heer?' riep Valura stilzwijgend naar Dagnarus. 'Bent u gereed? Ik breng u het geschenk waarnaar u lang hebt gezocht. Ze volgen me als schapen, vol vertrouwen, zonder iets te vermoeden. Het zal gemakkelijk zijn hen bij verrassing te overvallen. Zeg me dat u hier bent, heer. Zeg me dat u hier bent en op me wacht.'
Er kwam geen antwoord. Alleen het donderend geweld van het neerstortende water van de watervallen.

Het was een lange, moeizame klim; het gesteente was zo glibberig en verraderlijk dat ze hier en daar op handen en voeten moesten kruipen. Hun handen en knieën waren algauw geschaafd en geschramd, hun kleren doorweekt, gescheurd en bedekt met slijm. Ze bleven ver van de rand van het pad, zodat ze niet over de rand zouden vallen als ze zich verstapten. Op een bepaald punt gleed Shadamehr uit en glibberde een heel eind terug over het pad voor hij zich kon tegenhouden. Ergens anders kwamen ze bij een barst in het pad die zo breed was dat Wolfram er met zijn korte beentjes niet overheen kon springen. De Kapitein nam de dwerg op. Met een zwaai van haar machtige armen gooide ze Wolfram over de kloof. Aan de overkant kwam hij met een bons neer op zijn buik, zodat hij even geen adem meer had.
En al klimmend raakten ze in de greep van een gevoel van onheil, grauwer en donkerder dan de nevels.
'Wat zei u?' Wolfram keek om naar de Kapitein.
'Ik? Ik zei niets,' antwoordde de ork. 'Ik heb mijn adem nodig voor belangrijker zaken – ademen bijvoorbeeld.'
'U zei iets,' hield Wolfram vol. 'Ik hoorde u duidelijk iets zeggen.'
De Kapitein schudde haar hoofd en ging door met klauteren.
'Wat is er?' vroeg Shadamehr geschrokken terwijl hij omkeek naar Damra.
'Hoezo?' Ze staarde hem met een nietszeggende uitdrukking aan.

'Je raakte mijn arm aan,' zei hij. 'Ik dacht dat je iets wilde.'
'Ik heb je niet aangeraakt,' zei Damra. Ze klampte zich met beide handen vast aan een steen die uit de rotswand stak. 'Ik durf niet los te laten. Als ik dat deed, zou je me beneden moeten oprapen.'
'Iets raakte me aan,' zei Shadamehr.
'En ik hoorde een stem,' zei Wolfram.
Opeens hoorden ze de stemmen allemaal, ver, onduidelijk, echo's van geroep en gegil van eeuwen terug. Ze voelden de handen, onzichtbare vingers die grepen, vasthielden, duwden. Ze begonnen ook dingen te zien, glimpen van beweging uit hun ooghoeken gezien, die meteen verdwenen wanneer ze echt keken.
'Laat me los,' riep Wolfram, terwijl hij ergens naar uithaalde met zijn vuist.
Hij verloor zijn evenwicht en zou in een spleet zijn geduikeld als de Kapitein hem niet bij zijn broekriem had gegrepen en hem terug had getrokken. Ze waren bijna bij de bovenkant van het klif. Het pad was hier steiler en verraderlijker, want sommige stukken van het pad waren begraven onder steenslag. De nevels werden dichter. Ze konden de grond onder hun voeten niet zien, en ook niets boven hen. Het leek alsof ze in het niets zweefden. Het was moeilijk om te bewegen, om vooruit te komen. Onzichtbare lichamen botsten tegen hen aan, duwden en drongen. Ik houd dit niet veel langer vol, besefte Shadamehr. Hij hapte naar adem en huiverde van de kou; zweetdruppels parelden op zijn voorhoofd en rolden langs zijn nek. Bij elke stap vooruit moest hij twee stappen achteruit. Toen sloeg er iets tegen hem aan, zodat hij struikelde. Hij viel op handen en knieën op de glibberig natgeregende steen. De menigte drong op rondom. Ze voerden hem mee tot over de rand van het klif...
Hou op, smeekte Damra.
Hun stemmen schreeuwden in haar oren, allemaal vol angst of pijn.
Hou op! Ik kan jullie niet helpen! Ze drukte zich tegen de wand en riep hun toe dat ze moesten ophouden.
De Kapitein ploeterde voort, maar toen drukte de onzichtbare

kracht haar tegen de wand van het klif, zodat ze niet weg kon. Stemmen krijsten en brulden, zodat het erop leek dat ze doof en krankzinnig moest worden. Vuisten beukten op haar, voeten trapten haar.
Valura, die in de Leegte liep, kon zien wat de anderen niet zagen. Zij kon de schreeuwende monden en de in paniek opengesperde ogen zien, de rammende vuisten en de bebloede handen. De menigte haalde haar in en voerde haar door de tijd terug naar de nacht die in triomf had moeten eindigen voor haar heer, maar die zo vreselijk verkeerd was afgelopen. Gevangen in de tijd kon Valura niet meer bewegen. Ze vocht en worstelde, maar de eeuwen versperden haar de weg.
'Heer!' riep ze in een stilzwijgende smeekbede. 'De doden houden ons vast. We kunnen de Tempel al zien, maar we kunnen niet bij u komen. Onze weg is versperd. Als u mij niet te hulp komt, kan ik uw opdracht niet uitvoeren!'
Maar als hij al antwoordde, kon ze zijn stem niet horen door de ijzingwekkende kreten van de stervenden.
Gevangen in de onzichtbare vloedgolf van verschrikking kon Wolfram niets zien door de menigte om hem heen, kon hij niets horen door het gekrijs dat in zijn oren gierde.
Ik moet hier weg zien te komen, dacht hij, en paniek beving hem. Ik moet vluchten voor de vlammen en het vallend gesteente en de moordzuchtige soldaten. De dood dringt op. Ik moet de dood ontvluchten en niemand zal me tegenhouden. Dit zijn geen mensen die me de weg versperren. Het zijn beesten die hun eigen leven proberen te redden ten koste van het mijne.
Met een brullend geluid draaide hij zich om en begon terug te rennen langs het pad, maar hij gleed uit en viel. Hij lag op de grond, vloekend en krijsend.
Shadamehr zat op zijn knieën met zijn hand opgeheven in een zwakke poging zich te beschermen. Damra zat ineengedoken in een spleet in de wand, met haar handen op haar oren. De Kapitein vocht tegen onzichtbare vijanden en haalde in razende paniek uit naar het grijze niets.
'Wat is dit dat ons de weg verspert?' riep Shadamehr.
'Geesten,' zei Silwyth. 'Geesten van wanhoop. Geesten van

angst. Geesten van vrees. De geesten worden gevangengehouden door de eigenzinnige magie, en daarom krijsen ze onophoudelijk, proberen ze eeuwig te vluchten, te ontsnappen aan iets waaraan niet te ontsnappen is. Niemand kan hen weerstaan. Ze nemen alles wat op hun weg komt mee in een woeste ren naar een einde dat voor hen slechts een volgend gruwelijk begin is.'

Een koud, bleek licht blonk voor hen op, brandend als ijs op natte huid. De gestalte van een vrouw, gehelmd en geharnast, trad uit de nevelen naar voren.

'Heeft mijn meester u gestuurd?' riep Valura.

'Ik ben gekomen,' zei de koude stem.

'Dat is geen antwoord,' zei Valura.

'Het is het enige antwoord dat je van mij zult krijgen,' was het weerwoord.

'U bent een Domeinheer. Ik zie het aan uw harnas.'

'Dat ben ik inderdaad.'

'Wat bent u dan?' riep Valura. 'Hoe wordt u genoemd?'

'Ik ben de Heer der Geesten.'

De vrouw stond voor hen, gekleed in een wapenrusting die ijl en mooi glansde als maanlicht op een spinnenweb. Haar helm was een masker van haar gezicht, dat de kalme rust van de dood uitstraalde. Ze droeg geen wapen. De doden trekken niet ten strijde, kennen geen angst.

Toen zij begon te spreken, verstomde het gegil, verstomden de krijsende stemmen. Ze hief haar hand, en de duwende, dringende, meppende handen verslapten. De geesten staakten hun verschrikkelijke vlucht, deinsden terug, maakten plaats. Ze bogen voor haar, stonden haar toe te passeren.

De Heer der Geesten.

Ze had de Proeven voor een Domeinheer doorstaan. Ze had de Transfiguratie ondergaan, en had de zegening van het magische harnas ontvangen. Maar hoewel haar geest sterk was, was haar lichaam zwak. Haar hart begaf het, en ze was dood neergevallen voor het altaar.

De Heer der Geesten wenkte de vier Domeinheren, wenkte hen naar voren te komen.

'Ik heb lange tijd naar jullie uitgekeken,' zei de Heer der Gees-

ten. 'En anderen ook. Zij wachten op jullie in het Portaal der Goden.'
'Wie wacht op ons in het Portaal der Goden?' wilde Shadamehr weten. Hij deed geen stap.
'Jullie wachten daar,' zei de Heer der Geesten.
'Ik begrijp het niet,' zei Shadamehr.
'Het is niet de bedoeling dat je het begrijpt.'
'Ik kom,' zei Damra, en ze klemde het medaillon dat ze om haar hals droeg in haar hand.
'Wij komen,' zei Wolfram beslist. 'Gilda en ik samen.'
'Ik kom om de eed te vervullen,' zei de Kapitein. 'En om een eind te maken aan de ongunstige voortekenen.'
Een voor een verdwenen ze. Alleen Shadamehr was er nog. Hij en de Heer der Geesten. Zijn geesten. Geesten van spijt, verloren gegane kansen, oude fouten, mislukkingen.
'Ik zal komen,' zei Shadamehr nederig.
Zo stond alleen nog Valura, in het mom van Silwyth, met de Heer der Geesten op het pad. Het kalme, rustige gelaat van de geheiligde dood keek in de holle ogen van de afzichtelijke, rottende schedel.
'Jij mag niet verder gaan,' zei de Heer der Geesten.
Angst en wanhoop vulden de holte van de Leegte. Maar Valura gaf het nog niet op. Ze zag haar angst onder ogen. Ze zag de Heer der Geesten onder ogen.
'U kunt me niet tegenhouden. Niets kan mij tegenhouden,' zei Valura. 'Mijn heer wil dat ik kom. Ik deed dit allemaal uit liefde voor hem.'
'Een liefde die je heeft onteerd,' antwoordde de Heer der Geesten op strenge toon. 'Een liefde die niets gaf en alles heeft genomen. Een liefde die zich voedde met zichzelf, die zich voedde met jou.'
'Niettemin,' antwoordde Valura terwijl ze recht in het koude, brandende licht keek, 'was het de enige liefde die ik ooit heb gekend.'

Gedurende vele dagen had Raaf naast de levende dood gelopen in de vorm van de taan-Vrykyl. Misschien had de langdurige blootstelling aan die gruwel hem ongevoelig gemaakt voor de vreselijke dingen die hij in de ruïnes van Oud Vinnengael zag. Of misschien hadden zijn jaren op het slagveld hem gehard. Hij voelde een koel medelijden bij het zien van de onschuldigen die gestorven waren, maar een krijger weet dat de god van de oorlog niet de moeite neemt onderscheid te maken tussen degenen die betaald worden om te bloeden en degenen die zonder erg in zijn greep belanden. Raaf voelde helemaal niets toen hij op de lichamen van de niet-begraven soldaten stuitte; hij herhaalde alleen van binnen het gebed van de soldaat, om te vragen dat een dergelijk lot hem bespaard mocht blijven, of, zo niet, dat de god van de oorlog zijn ziel toch zou aanvaarden.

K'let en hij namen een andere route dan de Domeinheren hadden gelopen. K'let en hij namen niet het pad langs het klif. Ze konden de anderen zien die het pad beklommen, en K'let maakte een gebaar om Raaf een stenen trap te wijzen. K'let beklom de trap en Raaf volgde. Hij kende zijn lot niet, maar hij accepteerde het en had er vrede mee.

Hun bestemming was ergens boven op de kliffen waarop de stad was gebouwd. Steeds als ze even stilstonden, keek K'let in die richting. Raaf had geen idee wat daarboven te vinden was. Hij wist weinig of niets over de stad. Hij had verhalen gehoord over de verwoesting ervan, maar hij kon zich geen bijzonderheden herinneren. Belegerde steden zijn niet bijster interessant voor

Trevinici-krijgers. Echte veldslagen worden uitgevochten in weidse, open vlakten, waar legers op elkaar afstormen en met luid wapengekletter op elkaar botsen. Met gelatinedynamiet gooien naar hulpeloze mensen die vastzitten achter muren, dat is niet wat een Trevinici onder oorlog voeren verstaat.
Wat er boven ook mocht zijn, K'let had haast om er te komen. De taan klom snel en energiek omhoog, en gebruikte zowel zijn handen als zijn voeten om over de afbrokkelende trappen te klimmen. Raaf, die niet beschikte over de ondode kracht en het uithoudingsvermogen van de Vrykyl, klom langzamer; hij moest regelmatig stoppen om uit te rusten en op adem te komen. Hij voelde wel dat K'let dan kwaad naar hem keek, en omdat het niet prettig was in de dode ogen van de taan te kijken, dwong Raaf zichzelf hem zo goed mogelijk bij te houden.
Ze waren ongeveer halverwege de bovenkant toen Raaf de aanraking op zijn arm voelde en het gekrijs hoorde. Hij trok zijn mes en keek snel om zich heen. Hij zag niets. Zijn nekharen gingen overeind staan. Trevinici vertellen geen spookverhalen. Daarvoor hebben ze te veel eerbied voor de doden. Raaf was er ook de man niet naar om aan zijn fantasie toe te geven.
'Spinnenwebben,' zei hij bij zichzelf, en hij ging door.
De handen duwden tegen hem, drukten en probeerden hem van de trap af te werken. Hun stemmen tetterden in zijn oren, brulden en gilden zodat hij er bijna doof van werd. Hij probeerde de onzichtbare vijand te negeren en door te gaan met klimmen, maar hij raakte steeds verder achter. Het gevecht putte zijn krachten uit. Hij hapte naar adem. Elk ogenblik was een worsteling. De trap leek eindeloos, de in nevel gehulde bovenkant van het klif hoog boven hem.
Raaf zakte in elkaar, hij kon niet verder. Hij kroop in elkaar op de trap, sloeg naar de onzichtbare vuisten en voeten, vloekend en met zijn armen maaiend.
Een hand sloot zich om zijn arm.
Raaf schrok, huiverde en schreeuwde het uit van angst. De hand was de hand van een Vrykyl, en de aanraking ervan was de aanraking van de Leegte. De hand brandde hem met een gruwelijke kilte die Raaf in het hart trof.

De klauwen van K'let drongen in Raafs vlees. Stroompjes bloed liepen langs Raafs arm. K'let rukte Raaf overeind.
Raaf probeerde zijn arm los te trekken, maar K'lets greep was krachtig en Raaf kon hem niet verbreken.
'Laat me los,' zei Raaf door opeengeklemde tanden tegen het pijnlijke branden van de aanraking van de Vrykyl. 'Ik kan er zelf wel komen.'
K'lets donkere, lege ogen staarden hem aan.
'Ik haal het wel,' herhaalde Raaf. 'De geesten zijn weg.'
K'let staarde hem nog even aan. Toen maakte hij een grommend geluid, liet Raaf los en begon weer te klimmen.
Raaf keek naar zijn arm. Op het vel was een griezelig witte afdruk van een hand te zien. Raaf wreef erover om te proberen er weer wat kleur in te krijgen. Maar hij kon zijn eigen aanraking niet voelen. Het was alsof hij de huid van een dode aanraakte. Maar hij kon zijn handen tenminste nog gebruiken, en dat deed hij dan ook. Hij klom snel verder; de angst gaf hem kracht.
Als er nog geesten in de buurt waren, boezemden ze hem geen angst meer in. Nu niet meer.

De draak van de Leegte cirkelde rond de ruïnes van Vinnengael. Hij was reusachtig, de grootste die ooit op Loerem had rondgelopen, en hij was hier al eens eerder geweest. Toen was de draak neergedaald op de ruïnes van wat eens de trotse stad Vinnengael was geweest, en hij had het lichaam van de monnik van de Drakenberg opgetild uit het puin van de verwoeste Tempel der Magiërs. De monnik was daar gekomen om de geschiedenis vast te leggen, de geschiedenis van hoogmoed en afgunst, verraderlijke ambitie en verblindende trots, hartverscheurend verdriet en edele zelfopoffering, en de draak was erheen gestuurd om de dode monnik naar huis te brengen.

Met zijn zwarte vleugels scheurde de draak de grijze nevels aan flarden en zette zich op de berg van puin, die alles was wat er van de Tempel over was.

De draak van de Leegte was de oudste van zijn soort op Loerem en de enige draak die uitsluitend aan de Leegte was toegewijd. Hoeveel jaren hij geleefd had, zou zelfs hij niet kunnen zeggen, want het voorbijgaan van de seizoenen betekende heel weinig voor hem. Hij was al een bejaarde draak geweest toen koning Tamaros geboren werd. Hij was getuige geweest van de opkomst van Dagnarus als Heer van de Leegte. De draak had de val van Oud Vinnengael gezien, en hij had het lichaam van de monnik uit de verwoeste stad gered zodat de geschiedenis van die gebeurtenis bewaard kon blijven.

De draak nam over het algemeen niet actief deel aan de zaken van de mensen, behalve als een van de vijf wachters van de monniken van de Drakenberg. De draak van de Leegte had weinig op met het mensdom, maar wel vond hij de moeizame worsteling van de mens op zijn kortstondige levensweg een onuitputtelijke bron van amusement, en daarom had hij erin toegestemd een van de draken te worden die degenen bewaakten die dat geworstel vastlegden.

In de loop van de eeuwen had de draak nog een andere worsteling gezien – een eeuwigdurende strijd tussen de goden en de Leegte om de zielen van de mensen. De draak van de Leegte had het tij van de strijd zien opkomen en wegebben, waarbij nu eens de ene kant dicht bij de overwinning kwam en dan weer de andere kant. Het leek hem onwaarschijnlijk dat een van de twee het ooit zou winnen (of behoorde te winnen, zoals de fundamentalistische draken graag verkondigden). Toen keek Dagnarus in de Verheven Steen. Hij zag de Leegte en omhelsde die. Hij eiste de Dolk van de Vrykyls op. De Leegtedraak was benieuwd hoe het verder zou gaan.

Hij voorzag dat Dagnarus' vuur niet zou opvlammen om weer weg te sterven, zoals de vuren van vele anderen vóór hem, die werden uitgedoofd door het vacuüm van de Leegte. Het vuur van Dagnarus had geen lucht nodig. Het voedde zich met zichzelf en had het potentieel om lang en fel te branden. Via hem won de Leegte aan macht, en de draak kon al een tijd voor zich zien waarin de Leegte oppermachtig zou heersen in de wereld.

'De goden stellen hun troepen op,' zei de Leegtedraak waarschuwend tegen Dagnarus, toen deze van zijn rug afklom. 'Ze hebben hun kampioenen gestuurd om u op de proef te stellen.'

Dagnarus lachte. 'De goden dénken maar dat zij ze hebben gestuurd. De kampioenen zijn op mijn verzoek gekomen.'

De Leegtedraak vond dat zorgelijk. 'Vertrouw uw vrienden niet, Heer van de Leegte. En onderschat uw vijanden niet.'

'Ik heb geen vrienden,' antwoordde Dagnarus. 'En mijn vijanden vallen aan mijn voeten. Vandaag zal de Verheven Steen van mij zijn.'

'Schuw de Verheven Steen,' zei de Leegtedraak verachtelijk. 'U hebt hem niet nodig.'

'Ik heb hem niet nodig,' beaamde Dagnarus. 'Maar ik wil hem toch hebben. Vaarwel, Wijze Meester, en dank omdat je me naar mijn bestemming hebt gebracht.'
De draak was zo zwart als de Leegte die de kern van het heelal vormt en waar alle andere elementen omheen draaien. In zijn ogen was het duister dat de sterren omgeeft. Alles wat geboren wordt, zelfs de sterren, moet ooit in dat niets vallen. Daar wachtten de goden met uitgestoken handen om het niets te verzamelen en het terug te werpen in de hemelen, waar het tot zonnen uiteenspatte.
De draak spreidde zijn zwarte vleugels. Het werd nacht over Oud Vinnengael, zodat de nevels alleen te voelen waren, niet te zien. De regenbogen waren al lang geleden verdwenen.
Toch bleef de draak nog even wachten.
'Heer van de Leegte,' riep de draak toen Dagnarus wegliep, 'wat gaat u met de Verheven Steen doen, wanneer hij van u is?'
Dagnarus stond boven op de berg puin die de Tempel der Magiërs was geweest. Het puin was niet stabiel en verschoof onder zijn gewicht. Hij had altijd een katachtig vermogen gehad om op de been te blijven, hoe verraderlijk het pad waarop hij liep ook was, en hij behield zijn evenwicht.
'Ik zal vrede brengen in het rijk,' antwoordde Dagnarus. 'Ik zal een eind maken aan alle oorlogen tussen alle naties. Ik zal een eind maken aan alle conflicten, zodat de mensen overal in welvaart kunnen leven.'
'De droom van uw vader,' zei de draak.
'Ik zal hem verwezenlijken.'
'Toen uw vader de Verheven Steen kreeg, werd hem gezegd dat hij moest oppassen voor de bittere kern,' zei de Leegtedraak.
'Je vergeet,' zei Dagnarus met zijn innemende glimlach, 'dat ik degene was die recht in die bittere kern heeft gekeken.'
'Ik vergeet dat niet,' zei de draak. 'Maar ik denk dat u het bent vergeten.'
De draak spreidde zijn vleugels en werd één met de duisternis.
'Je vergist je,' zei Dagnarus zacht. Boven op de hoop puin staand keek hij om zich heen en zag de vernietiging die zijn hand had aangericht. Hij zag de geesten, die onophoudelijk naar hun on-

dergang snelden. Hij zag de as en het puin, de lijken die in de kapotte straten lagen.
'Het was nooit mijn bedoeling dat dit zou gebeuren,' riep hij naar de goden, terwijl hij probeerde door de wolkende nevels heen te kijken, de hemel te zien. 'Het zou niet gebeurd zijn als u me maar had gegeven wat mij toekwam! Ik zal het geschenk nemen dat u aan mijn vader hebt gegeven, en dan zal ik doen wat u had moeten doen!'

Raaf keek verbaasd toe; hij zag de knappe, rijk geklede man met katachtige gratie en behendigheid glijdend en klauterend zijn weg zoeken door de ruïnes van wat zo te zien een Tempel was geweest.
'Wie is die man?' vroeg Raaf.
'Ko-kutryx,' zei K'let.
'Dagnarus? Jullie god?'
K'lets lip krulde verachtelijk om. 'Ko-kutryx,' herhaalde hij, en hij spuwde op de grond.
Weerspiegeld in de lege ogen van de Vrykyl zag Raaf de figuur van een rijk geklede man, dapper en onbevreesd.
K'let wees naar de man en legde vervolgens zijn vinger op zijn lippen.
Raaf knikte. Het was de bedoeling dat ze deze Ko-kutryx volgden, dat ze gingen waar hij heen ging, zonder geluid te maken of hem te laten merken dat ze hem op het spoor waren.
Dagnarus liep zelfverzekerd op zijn doel af. Óf hij had geen idee dat hij achtervolgd kon worden, óf hij kende geen angst. In elk geval deed hij geen moeite om achter zich te kijken. K'let stond op en beduidde Raaf hetzelfde te doen.
'En die vier Domeinheren?' vroeg Raaf.
K'let grijnsde breed, grinnikte binnensmonds en haalde zijn schouders op.
Dagnarus sloeg een hoek van de gedeeltelijk verwoeste tempel om, een van de weinige gebouwen die nog overeind stonden. K'let en Raaf volgden hem.
De taan kwam snel vooruit over het gebarsten en verbrokkelende plaveisel. Hij gebruikte zijn tenen en de lange gebogen na-

gels daarvan om de gebroken steenplaten te grijpen en er houvast op te krijgen. Raaf moest voorzichtiger zijn, bij elke stap uitkijken dat er geen steen onder zijn voet zou omkantelen, waardoor hij kon uitglijden en zijn enkel verzwikken.
Hij hoefde niet bang te zijn een geluid te maken dat de man die ze volgden zou waarschuwen. Het gebulder van de watervallen was zo luid dat het al moeilijk was om er doorheen te denken. Raaf waagde het even te kijken of hij de watervallen kon zien, maar het zicht werd belemmerd door het invallen van de schemering en door de wolken nevel die omhoogkolkten uit de kloof waar het water in stortte.
'Hier naar binnen!' zei K'let met een gebaar naar de tempel.
Raaf vermoedde dat dit ooit een of ander soort heilige plaats moest zijn geweest, op grond van de vier mandala's die in de marmeren blokken waren gegrift. Dit gedeelte van het gebouw was betrekkelijk ongeschonden gebleven, met slechts een paar barsten in de muren en een gedeeltelijk ingestort dak. Het ontwerp van deze tempel was ongeveer gelijk aan dat van de Tempel der Magiërs in Dunkar, alleen veel en veel groter en veel schitterender.
Raaf voelde zich niet op zijn gemak in tempels. De goden van de Trevinici waren goden van de bomen en de aarde, van de zon, de maan en de sterren. Er waren goden van het leven en goden van dood en oorlog. Zulke goden woonden niet tussen verstikkende muren, werden niet gevangengehouden onder koepelplafonds of opgesloten achter poorten.
Naarmate Raaf dieper in de ruïnes doordrong, werd dat onprettige gevoel sterker. Hij had geen licht. K'let had blijkbaar geen licht nodig, want hij liep zonder een ogenblik te pauzeren door, achter het geluid van Dagnarus' laarzen aan dat hol weergalmde door de lege gangen. Raaf stommelde zo goed en zo kwaad als het ging verder, maar hij botste tegen dingen op en maakte veel lawaai.
K'let gromde en mompelde en siste hem ongeduldig toe dat hij moest proberen hem bij te houden. Raaf deed zijn best, maar op een gegeven moment struikelde hij ergens over en duikelde voorover. Hij stak zijn handen uit om zijn val te breken. Zijn

vingers voelden koude, gladde steen, en hij keek recht in een grijnzende schedel. Raaf besefte dat hij in een graf was gevallen en krabbelde er zo snel als hij kon uit. Hij was er de man niet naar om in voortekenen te geloven, zoals de orken, maar toch vroeg hij zich onwillekeurig met een huivering af of dit niet een speciale betekenis had. Misschien was het graf waar hij in gevallen was, zijn eigen graf.
Tandenknarsend ging Raaf wankelend verder, achter K'let aan.

Twee keer eerder had Dagnarus door de gang gelopen die naar het Portaal der Goden leidde – de eerste keer in de nacht dat hij daar zijn broer had getroffen, en de tweede keer toen hij erheen was gegaan om de Verheven Steen te zoeken – vruchteloos.
De eerste keer had hij het Portaal zonder moeite gevonden. De tweede keer had hij er vele vermoeiende dagen naar gezocht. Het Portaal was geen fraaie ruimte, zoals je misschien zou verwachten, maar een kleine cel van een monnik, die zich bevond in een afgelegen deel van de Tempel, dat niet gemakkelijk te vinden was. Uiteindelijk had hij het gevonden, of het had hem gevonden, een van tweeën. Ditmaal wist hij precies waar hij heen ging. Hij had de route in zijn geheugen geprent.
Hij had er ook aan gedacht een lamp mee te nemen, want het Portaal lag in een gedeelte van de Tempel dat in duisternis gehuld was. Met het licht van de lamp als geleide voor zijn voetstappen, liep Dagnarus door de stille gangen en de lege zalen. Hij bleef één keer staan, toen hij voetstappen hoorde en een schrapend geluid, alsof er iemand gevallen was.
'De Domeinheren,' zei hij met een glimlach bij zichzelf, 'die voortstrompelen in mijn kielzog. Zij brengen me de Verheven Steen, in het Portaal der Goden. Eindelijk gaat mijn droom dan toch in vervulling.'
Hij droeg het zwarte pantser dat het harnas van de Leegte was, en nu verzocht hij de Leegte de bescherming die het bood, weg te nemen. De Domeinheren mochten geharnast, tot de tanden gewapend bij hem komen. Ze zouden hem aantreffen in zijn reismantel en zijn zijden wambuis. Hij was niet bang voor hen. Ze mochten hem aanvallen, hem doorsteken, zijn hoofd afhakken,

hem vergiftigen. Dat en meer mochten ze met hem doen, ze mochten hem dertig keer doden. Hij behoefde elk van hen maar één keer te doden.

Kalm en vol zelfvertrouwen liep Dagnarus verder en hij wist dat hij het Portaal had bereikt toen het licht van zijn lamp het skelet bescheen dat de stoffelijke resten vormde van zijn ranseljongen, Gareth.

Het gebeente lag als een hoop onder aan een muur van een gang die naar het Portaal leidde. De achterkant van de schedel was ingeslagen. Het bloedspoor dat over de muur naar beneden liep, was er nog, duidelijk zichtbaar. De aanblik van het bloed irriteerde Dagnarus, want hierdoor moest hij terugdenken aan de moord op Gareth – een van de dingen waarvan Dagnarus zijn leven lang spijt had gehad. Het was niet nodig geweest Gareth te doden. Het feit dat Dagnarus dat toch had gedaan, in een aanval van jaloezie, betekende dat hij een beoordelingsfout had gemaakt; het kenmerkte hem als kleinzielig, zwak en wraakgierig. Het zien van de bloedvlek bracht te veel herinneringen terug, herinneringen aan Gareth, aan zijn jeugd. Die leidden weer tot herinneringen aan zijn vader, die hem op hun beurt herinnerden aan Helmos. Dagnarus voelde dat hij in een put van herinneringen viel.

'Het eerste dat ik ga doen zodra ik de Verheven Steen heb, is die ellendige vlek wegwassen,' beloofde Dagnarus.

Gareth was gestorven vlak bij de kleine cel die het Portaal der Goden was. Dagnarus probeerde er naar binnen te kijken, maar dat lukte niet. Hij stapte over Gareths karkas heen en hield de lamp omhoog om de ruimte te verlichten.

Het vertrek zag eruit als de cel van een monnik, klein en zonder ramen, stil en kaal, gemeubileerd met een bed, een lessenaar en een stoel. Dagnarus voelde zich hevig teleurgesteld. Dit was niet het vertrek dat hij zich herinnerde.

Hij had een achteloze geest, die details niet goed kon onthouden – met één uitzondering. Hij kon zich de kleinste bijzonderheden herinneren van die laatste ontmoeting met zijn broer Helmos. Hij kon zich alle details van het Portaal der Goden herinneren.

'Een enorme kamer,' zei Dagnarus terwijl hij het licht door de ruimte liet schijnen. 'Zonder muren onder de hemelkoepel. De koepel was leeg, maar toch was de lege ruimte gevuld met licht. Precies in het midden fonkelde de Verheven Steen – een kwart van de Verheven Steen – fel tegen de straling van het licht, zoals de avondster straalt bij zonsondergang.'
Alleen zijn broer stond tussen hem en zijn liefste wens in.
Zijn broer stond daar alleen.
De uitdrukking op Helmos' gezicht was ernstig. Het licht dat in het Portaal straalde, straalde in zijn ogen.
'Dit is allemaal jouw schuld,' zei Dagnarus tegen Helmos. 'Als je me had gegeven wat van mij had moeten zijn, zou dit allemaal niet gebeurd zijn. Nu zal ik het eindelijk in orde maken, maar je zult nooit weten hoeveel ellende dit mij gekost heeft. En daarom zeg ik: vervloekt jij, Helmos. Vevloekt je ziel naar de Leegte, zoals de mijne al zo lang vervloekt is geweest. In al die lege, holle jaren...'
Hij stond daar met de lantaarn in zijn hand en keek in de kleine kamer met vier muren, een plafond en een bed, een stoel, een lessenaar.
'Wanneer ik die vlek wegwerk, zorg ik ook dat dit Portaal verdwijnt,' zwoer Dagnarus. 'Ik heb geen behoefte aan een weg naar de goden. Als de goden tot me willen spreken, kunnen ze naar mij toe komen. Ik maak deze tempel met de grond gelijk, ik doe hetzelfde met het paleis en met alles wat op deze vreselijke plek nog overeind staat. Ik zal hier een nieuwe stad bouwen, mijn eigen stad. Ik zal deze plek van zijn geesten bevrijden.'
Toen Dagnarus een stap naar het Portaal deed, steeg er een bleke, doorschijnende figuur op uit de beenderen op de vloer.
'Mijn prins.' Gareths geest boog, maar toen Dagnarus probeerde langs de verschijning te komen, merkte hij dat hij niet verder kwam.
In de dood zag Gareth er net zo uit als tijdens zijn leven. Hij droeg het zwarte gewaad van een Leegtetovenaar. Zijn gezicht werd ontsierd door de moedervlek die Dagnarus ertoe had gebracht hem de bijnaam 'Vlek' te geven.

'Ik wil naar binnen, Gareth,' zei Dagnarus. 'Ga opzij.'
'Ik houd u niet tegen, Hoogheid,' zei Gareth.
Dagnarus wierp langs de geest een blik in het Portaal. Schouderophalend wendde hij zich af. Wanneer hij de Verheven Steen had, zou hij er binnengaan. Of misschien ook niet. Het zou immers nergens voor nodig zijn?
'Heb je gedaan wat ik heb bevolen? Komen de Domeinheren hierheen? Brengen ze de vier delen van de Verheven Steen mee?'
'Ja, Hoogheid,' antwoordde Gareth.
'Ik ben nu koning,' zei Dagnarus scherp. 'Koning van Nieuw Vinnengael.'
'Ja, Uwe Majesteit,' antwoordde Gareth. 'Neemt u me niet kwalijk. Ik ben nog gewend aan de oude spreektrant.'
'Geeft niet,' mompelde Dagnarus. 'Je mag me noemen zoals je wilt. Dat andere klinkt raar wanneer jij het zegt.'
'Dank u, Hoogheid.'
Dagnarus beende met zijn handen op zijn rug door de smalle gang, en zijn blik ging naar die hinderlijke veeg bloed op de muur.
'Zal het nog lang duren voor ze komen?' vroeg hij terwijl hij zich opeens weer naar Gareth keerde. 'Ik heb wachten nooit prettig gevonden. Jij weet dat.'
'De weg is moeilijk voor hen, heer,' zei Gareth. 'U herinnert zich...'
'Ik herinner me veel te veel naar mijn zin.' Dagnarus staarde met gefronst voorhoofd naar de vlek op de muur. 'Dat spijt me echt, Vlek,' zei hij opeens.
'Wat spijt u, heer?'
'Dit hier.' Dagnarus raakte met de punt van zijn laars het gebeente aan. 'Je hebt me jarenlang trouw gediend. Je hebt geprobeerd me te waarschuwen voor wat er zou gebeuren als ik de goden trotseerde. Misschien had ik naar je moeten luisteren, Gareth. Wat denk jij? Had ik af moeten druipen als een geslagen hondje, met mijn staart tussen mijn benen? Had ik mijn leven moeten slijten in de kleine, benauwde ruimte die de liefdadigheid van mijn broer me bood?'
'Ik weet het niet, Uwe Majesteit,' zei Gareth zacht.

'Ik ook niet, hoewel ik soms...' Dagnarus draaide zijn hoofd opzij. 'Ben jij dat, Shakur?'
De Vrykyl kwam te voorschijn uit de schaduwen van de smalle gang. 'Ik heb geprobeerd met u te spreken, heer...'
'Jij hebt geprobeerd met me te spreken. Valura probeert met me te spreken!' Dagnarus maakte een ongeduldig gebaar. 'Ik kan mezelf nauwelijks horen door al dat gewauwel in mijn hoofd. Nou, nu spreek je met me. Wat wil je?'
'Ik weet intussen wat er met Klendist en zijn troep is gebeurd.'
'Hoe kom je er in leegtesnaam bij dat dat me iets kan schelen?' vroeg Dagnarus ongeduldig.
'Hij is in botsing gekomen met K'let.'
Dagnarus zweeg. Omdat hem niet bevolen werd te zwijgen, ging Shakur door.
'Ik heb u verteld van de taanstammen die in de buurt van Oud Vinnengael hun kamp hebben opgeslagen. Ik weet niet zeker wat er gebeurd is, want er waren geen overlevenden, maar ik vermoed dat Klendist en zijn mannen de tanen hebben gevonden, en dat ze besloten hebben hun kamp te overvallen. Het was heel jammer voor hen dat een van de kampen dat van K'let bleek te zijn.'
'K'let is dus niet ver van hier...' mompelde Dagnarus.
'K'let is heel dichtbij, heer,' zei de taan. 'K'let staat voor u.'
'Eerst Gareth, toen Shakur, nu K'let. Het begint hier vol te worden. Shakur, laat me alleen.'
'Nooit, heer!' protesteerde Shakur.
'Ik zei, laat me alleen. Ga kijken wat die Domeinheren en mijn Verheven Steen ophoudt.'
Shakur wierp een walgende blik op de taan. 'K'let heeft iemand meegenomen, heer. Een menselijke krijger.' Shakur maakte een gebaar naar de schaduwen.
'Ik kan K'let en die mens wel alleen af,' zei Dagnarus. 'Shakur, je hebt je orders.'
Met een nors gezicht beende de Vrykyl weg. Dagnarus zette de lamp op de vloer, bij de dode, uitgestrekte hand van Gareth.
'Kom dichterbij, K'let, zodat ik je kan zien. Tenzij je bang voor me bent.'

'Hoe vaak hebben wij samen gevochten, Ko-kutryx?' vroeg K'let terwijl hij naar voren trad. Hij was nog steeds in de gedaante van een taankrijger, een trotse taankrijger. De littekens van zijn overwinningen vormden vlekken in zijn witte huid. Hij droeg niet het harnas van de Leegte. Hij droeg het harnas dat de tanen in hun eigen land maakten, een harnas van been, vacht en pezen. 'Hebt u bij al die keren ooit meegemaakt dat ik bang was? Was ik bang, zelfs bij mijn laatste gevecht, Ko-kutryx? Schreeuwde ik, vertrok mijn gezicht van angst toen u mij neerstak?'

'Nee, K'let,' antwoordde Dagnarus. 'Dat deed je niet. Van al degenen die me gediend hebben, was jij de beste, de moedigste. We hadden broers kunnen zijn, jij en ik. En daarom heeft je verraad me pijn gedaan, K'let.'

'Mijn verraad!' K'let siste de woorden in het taans. 'En hoe zit het dan met uw verraad, Ko-kutryx? Hoe zit het met de vijfduizend tanen die voor u hebben gestreden en u overwinning na overwinning hebben gebracht? De dood, dat was hun beloning. En hoe zit het met de rest van de tanen die u in dit godenloze land hebt gebracht? Zal ook voor hen de dood hun beloning zijn?'

'Ik heb beloofd...'

K'let wees met de lange klauwnagel aan zijn vinger. 'U hebt veel beloofd, Ko-kutryx! En alles wat we van die belofte hebben gezien, is de dood!'

'Hoor je jezelf wel, K'let?' vroeg Dagnarus minachtend. 'Je jankt als een slaaf! Ik heb de tanen in dit rijke land gebracht. Ik heb de tanen zoveel vrouwvolk gegeven als ze maar wilden, en sterk voedsel. De tanen zijn rijk geworden, ze bezitten slaven, stalen harnassen en wapens. Jullie buiken en jullie waterzakken zijn altijd vol geweest. Jullie kinderen zijn uitgegroeid tot machtige krijgers. Ja, er zijn veel tanen gesneuveld, maar kan een taan een beter lot wensen dan te sneuvelen in de strijd? Wat voor lot wil hij dan?

Je hebt jezelf en je volk een slechte dienst bewezen toen je mij afzwoer, K'let. Ik zou je macht hebben gegeven – als zelfstandig koning. Ik zou de tanen al het land en de slaven hebben gegeven die ze wilden, en sterk voedsel bij elke maaltijd. Dat zou

ik allemaal voor je gedaan hebben, K'let, en meer,' zei Dagnarus. 'Als je me niet had verraden.'
K'let zweeg, hij dacht na.
'Ik wist het niet, Ko-kutryx,' zei K'let ten slotte. 'U hebt gelijk. Het lot van een krijger is de dood. Door de goden genomen te worden...'
'Door één god, K'let,' onderbrak Dagnarus hem. 'Ik ben de god van de tanen.'
'U bent de god van de tanen, Ko-kutryx,' zei K'let. Zijn gebalde vuisten ontspanden zich, zijn vertrokken gezicht werd glad. 'Het spijt me dat ik zo tegen u sprak. Ik ben hier gekomen met de bedoeling uw vergeving te vragen, om weer bij u in de gunst te komen. De boosheid ging er met mijn tong vandoor. Wilt u het mij vergeven?'
'Dat doe ik,' zei Dagnarus. 'En als dat alles is, heb je nu verlof te gaan. Ik zal later orders voor je hebben. Je kunt gaan.'
Hij wendde zich naar Gareth. 'Waar zijn de Domeinheren?' wilde hij weten.
'Ze zullen gauw komen, Uwe Majesteit,' zei de ranseljongen. 'Gauw.'
Dagnarus fronste zijn voorhoofd. 'Als je me wat voorliegt, Gareth...'
'Dat doe ik niet, heer.'
'Ko-kutryx,' zei K'let terwijl hij zich weer naar voren drong. 'Om mijn trouw te bewijzen, heb ik een geschenk voor u meegebracht.'
'Heel goed,' zei Dagnarus, geërgerd en ongeduldig. 'Wat is dat geschenk?'
'Hij daar,' zei K'let.

Raaf stond in de schaduwen van deze vreemde plek en probeerde iets te vatten van wat er allemaal gebeurde. Hij was uitgeput door de lange en vermoeiende klimtocht en in de war door het donker en de doolhof van gangen. Plotseling was hij uit de duisternis in de indrukwekkende aanwezigheid van Dagnarus, Heer van de Leegte, gekomen en Raaf was tot in het diepst van zijn ziel geschokt.

Raaf had over Dagnarus horen vertellen door Dur-zor, die hem vroeger had vereerd, tot Raaf haar over zijn goden had verteld. Hoewel ze zei dat ze in alles geloofde waar hij in geloofde, vermoedde Raaf toch dat Dur-zor haar verering van haar Ko-kutryx nog niet helemaal had opgegeven. Nu hij voor hem stond, begreep Raaf wel waarom dat zo was.

Raaf was een krijger in hart en nieren en hij beoordeelde alle mannen als zodanig. Hij wist meteen dat dit een geboren soldaat, een geboren bevelhebber was. Dagnarus was geen god, maar hij was een man die andere mannen zouden kunnen volgen tot in de Leegte en terug.

Tot in de Leegte. Dat oude gezegde had opeens een nieuwe betekenis voor Raaf. Deze Dagnarus had zijn ziel aan de Leegte gegeven. Hij dankte zijn macht en zijn lange leven aan de Leegte. Deze knappe, sterke, gezag uitstralende man die K'let de baas was en de verschrikkelijke taan-Vrykyl met een vingerknip zijn plaats wees, was Heer van de Leegte.

Raaf deinsde terug in de schaduwen en vroeg zich af: 'Wat doe ik hier?'

Hij had het gesprek tussen Dagnarus en K'let kunnen volgen. De taan sprak taans. Dagnarus sprak de Taal der Oudsten, zijn moedertaal. Zelfs als Raaf het niet had kunnen verstaan, was K'lets woede zo duidelijk dat er geen woorden nodig waren. Raaf bewonderde K'lets vermetelheid, maar dacht dat het niet erg verstandig was om tegen deze Leegteheerser in te gaan. Het verbaasde Raaf enorm dat Dagnarus K'let niet tegen de grond sloeg. De twee schenen hun geschillen bij te leggen. Raaf dacht dat het hiermee afgelopen was, en dat ze weg konden gaan. En dat was maar goed ook.

En toen zei K'let: 'Ik heb een geschenk voor u meegebracht.'

Raaf verstond het taanse woord voor 'geschenk'. Eerst begreep hij niet dat het woord op hem sloeg. Dat ontdekte hij pas toen K'let zijn onderarm greep en er een ruk aan gaf waardoor de arm bijna uit de kom werd getrokken.

K'let sleurde Raaf naar voren tot hij voor Dagnarus stond.

De Heer van de Leegte wierp Raaf een verveelde blik toe. 'Een mooi exemplaar van een Trevinici, K'let, maar op dit moment

heb ik alle barbaren die ik nodig heb.'
'U hebt nog niet alle Vrykyls die u nodig hebt, Ko-kutryx,' zei K'let. 'Deze R'f is een dappere krijger, een uitstekend aanvoerder. Hij is met een groep nutteloze halftanen aan de slag gegaan en heeft ze getransformeerd tot krijgers die even goed en dapper zijn als hijzelf. Ik weet dat u een afkeer hebt van Shakur. Ik weet dat u van mening bent dat hij zijn nut heeft gehad. Dit is een prima vervanger. Aanvaard deze xkes en maak er een Vrykyl van. Ik zal met Shakur afrekenen, als uw bevel zo luidt.'
Dagnarus hield niet van wachten, van onzekerheid. Hij begon boos te worden omdat dit allemaal uitstel was. Als hij iets wilde, wilde hij het wanneer hij het wilde. Het feit dat hij het niet kon krijgen, betekende dat hij de situatie niet volledig in de hand had. K'let hoorde hier niet te zijn, maar was er toch. De Domeinheren waren er juist níét, en het Portaal der Goden was er ook al niet.
'Is er al iets te zien van de Domeinheren, Vlek?' vroeg Dagnarus.
'Heer, u moet geduld hebben...' begon Gareth.
'Ach, hou je mond,' snauwde Dagnarus. Hij nam Raaf, die hem stomverbaasd aanstaarde, nog eens in ogenschouw. Dagnarus moest iets te doen hebben. Hij moest laten zien dat hij de meester was. Hij stak zijn hand onder zijn mantel en haalde de Dolk van de Vrykyls te voorschijn.
De dolk, die de vorm van een draak had – het lemmet was het lichaam, het heft de kop, het dwarsstuk de vleugels – was een voorwerp dat afkeer en afgrijzen inboezemde.
'Je hebt gelijk, K'let.' Dagnarus greep de dolk stevig vast. Het heft had de vreemde gewoonte zich aan te passen aan zijn hand, en het nestelde zich stevig in zijn greep, bijna alsof het leefde. 'Ik heb schoon genoeg van het gejammer van Shakur, zijn brutale optreden. Ik heb een nieuwe bevelhebber van de Vrykyls nodig. Deze man is een soldaat. Waar hebt u gediend, heer?'
Raaf staarde naar de indrukwekkende figuur, en naar de dolk.
'Ik ben kapitein geweest in het Dunkargaanse leger, heer,' wist Raaf uit te brengen.
Hij moest twee pogingen doen om zijn droge mond voldoende

te bevochtigen om de woorden uit te stoten. Hij wist niet wat er precies aan de hand was, maar hij voelde dat er gevaar dreigde. Hij keek snel om zich heen, op zoek naar een ontsnappingsmogelijkheid. Elke Trevinici weet dat er een tijd is om te vechten, en een tijd om te rennen voor je leven. Hier was duidelijk het laatste het geval.

De Heer van de Leegte stond voor hem, met achter zich een doodlopende holte, een soort klein kamertje zonder ramen. Achter hem werd de weg versperd door K'let, en aan weerskanten kon Raaf niet weg vanwege de muren van de gang. Hij keek neer op het lijk van de vermoorde man, en zijn keel kneep zich samen.

'Zie je, Gareth,' hoorde hij Dagnarus zeggen. 'Deze man is gewend te gehoorzamen. Kijk maar. Hij vermoedt dat hij dadelijk zal sterven, maar toch zie je geen paniek, geen gekruip of gesmeek. Hij zoekt naar een ontsnappingsweg. Hij ziet er geen. Zijn hand gaat naar zijn zwaard. Ik heb in mijn jonge jaren met Trevinici gevochten, Raaf. Jouw mensen joegen mijn arme vader de stuipen op het lijf. Geduchte krijgers, jouw soort, allemaal; de vrouwen even sterk en fel als de mannen.

Ik zou het graag eens tegen je opnemen, Raaf, in een gevecht van soldaat tegen soldaat,' besloot Dagnarus, 'maar ik heb er geen tijd voor. Ik verwacht gasten.'

Hij hief de dolk.

'Doe dit niet, Uwe Majesteit,' waarschuwde Gareth. 'Hij is niet van de Leegte!'

'Onzin, Vlek,' zei Dagnarus smalend. 'Deze mens leeft temidden van tanen. Dat zei je toch, K'let?'

'Inderdaad,' zei K'let. 'Hij leeft temidden van tanen, zoals u zelf ook hebt gedaan, Ko-kutryx. R'f heeft zelfs iemand van zijn eigen soort gedood om de tanen te verdedigen.'

'Zie je nou, Gareth? Ik ga u doden, kapitein,' zei Dagnarus. 'Uw dood zal snel en pijnloos zijn. Ik ga u net zo maken als K'let hier, een Vrykyl. Ik hoop alleen dat u verstandiger zult zijn dan K'let, en niet zult proberen tegen mij in te gaan.'

Raaf begreep wat zijn lot zou zijn. Hij zou een drager van het kwaad worden, een gruwel voor de goden. Hij zou vervloekt

worden door elk levend wezen, en vervloekt door de geëerde doden. Zijn ziel kromp in zijn binnenste ineen. Hij werd gegrepen door angst, door blinde paniek. Raaf hijgde en huiverde. Hij keek op en zag de dolk met de drakenkop boven zich hangen.
'Houd hem vast, K'let,' beval Dagnarus. 'Ik moet hem in het hart treffen.'
K'let stak zijn handen uit. Hij greep de Dolk van de Vrykyls en wrikte hem los uit Dagnarus' greep.
Raaf gooide zich opzij en kwam tegen de muur terecht. Hij botste er zo hard tegenaan dat hij bijna van zijn stokje ging. Versuft, zonder precies te weten wat er gebeurd was, gleed hij op de vloer. Naast hem lag het lijk van de vermoorde man. Raaf voelde een vreemd soort verbondenheid met hem. Hij liet zich neervallen naast de ingeslagen schedel en de uitgestoken, benige handen, en bleef even stil en bewegingloos liggen als het lijk zelf.
'Dit keer,' zei Dagnarus, koud van woede, 'zal er geen vergeving voor je zijn, K'let. Ik stuur je ziel naar de Leegte! Geef de dolk terug!'
'Mijn prins,' zei Gareth, en hij ging tussen Dagnarus en K'let in staan zoals hij eens tussen Dagnarus en Helmos had gestaan. 'Laat de dolk gaan. U hebt hem niet nodig. U hebt de Verheven Steen.'
Dagnarus keek in de hemelkoepel, en daar stonden ze: de vier Domeinheren, in hun harnas van zilver, in hun harnas van licht, in hun harnas van de zegen van de goden. Om elke hals hing, rustend tegen elk hart, een kwart van de Verheven Steen, blinkend in het stralende licht, zoals de avondster dooft bij het opkomen van de zon.

De Domeinheren stonden onder de hemelkoepel en keken op naar de sterren en de eindeloze en eeuwige duisternis die de sterren bijeenhield, en ze wisten dat zij enerzijds heel klein waren, en anderzijds heel groot, want ze waren gemaakt van sterren en van duisternis.
Een bejaarde man kwam uit de duisternis en de sterren naar voren. Zijn gezicht was goedhartig, zijn ogen waren wijs. De strenge lijnen van arrogantie en eigenzinnige hoogmoed die vroeger de mond hadden geplooid, waren zachter geworden. Hij was vorstelijk, zoals zijn portretten hem hadden afgebeeld, maar toch brozer, kwetsbaarder. Hij had alle parafernalia van zijn koningschap weggeworpen – de kroon, de mantel, de scepter. Hij had zijn menselijke lichaam afgeworpen. Hij was wat we in het einde en in het begin allemaal zijn: een kind van de goden.
De Domeinheren kenden Tamaros, kenden hem in hun ziel, en ze eerden hem, elk op zijn of haar eigen manier. Hij sprak, en zij antwoordden, maar de woorden waren zo stil als de lege ruimte die tussen de sterren ligt.
'Kapitein der kapiteins,' zei Tamaros, 'Kind van Dunner, Vrouwe Damra en Heer van het Zoeken. Ik zou graag zeggen dat jullie de eed hebben vervuld die ik eens van elke drager van de Verheven Steen gevraagd heb, maar ik weet nu dat de eed die ik vroeg en de eed die jullie voorvaderen hebben afgelegd – sommigen valselijk, sommigen onder dwang, sommigen zonder het echt te begrijpen – dat ik die niet mocht vragen. Zoals ik niet het recht had om de Verheven Steen te geven.'

‘Waarom hebben de goden de Steen dan aan u gegeven?’ vroeg Shadamehr.
‘Dat weet ik niet, Heer van het Zoeken,’ zei Tamaros. ‘Soms denk ik dat het de bedoeling was dat ik hem in het geheim bewaarde, veilig bewaarde, en hem gebruikte om waar en wanneer ik kon kleine verbeteringen te bewerkstelligen. Soms denk ik dat het de bedoeling was dat ik mezelf goed genoeg kende om hem te weigeren.’
‘Toch weet Uwe Majesteit vast wel dat de Kerk zegt dat we in de dood alle antwoorden krijgen.’
Tamaros glimlachte. ‘Zij vergissen zich, Heer van het Zoeken. In de dood krijgen we nog meer vragen voorgeschoteld, zoveel vragen als er sterren zijn. Het is ons voorrecht het universum af te speuren naar antwoorden, en dan zullen wij te weten komen wat de goden weten, dat er evenveel antwoorden zijn als er sterren zijn en dat elk antwoord alleen nog maar meer vragen oproept. De zegen is dat we in de dood geen van beide vrezen – de vragen niet en de antwoorden niet.
Toen de wereld gemaakt werd, vormden de goden schepsels naar hun eigen beeld, om op de wereld te leven, ervoor te zorgen, en voorspoed en welvaart te kennen. Orken, elfen, mensen en dwergen leefden samen in de wereld. Ze bestonden in harmonie zoals de elementen zelf bestaan, lucht en water, aarde en vuur. De volken leefden tevreden van dag tot dag, maar ze kenden geen voorspoed, de wereld kende geen welvaart.
In die wereld leefden twee broers en twee zusters, van elk ras een, ongeveer net als jullie. De goden gaven dit viertal een edelsteen van een dusdanig stralende, oogverblindende schoonheid als geen van hen ooit had gezien. Alle vier wilden ze dit schitterende juweel onmiddellijk voor zichzelf hebben. Het viertal, dat elkaar eerst had liefgehad als broers en zussen, begon erover te ruziën. Hun liefde veranderde in haat, zozeer dat ze elkaar niet meer wilden zien. Elk van de vier besloot heimelijk zich de edelsteen toe te eigenen en de anderen te verlaten, en het juweel te gebruiken om zijn of haar eigen koninkrijk te vestigen. De broers en de zusters kwamen elk in de nacht om de Verheven Steen te stelen – dat dachten ze tenminste. In werkelijkheid nam

elk van hen alleen een deel van de Steen weg. Elk van de vier vertrok naar een ander gedeelte van het rijk. Toen de edelsteen gespleten werd, kwam het binnenste bloot, en daarmee kwamen onenigheid en tweedracht, vijandigheid en haat, verdriet en dood in de wereld.'

De vier Domeinheren konden niet naar Tamaros kijken, en ook niet naar elkaar. Elk van hen wist dat hij of zij deel uitmaakte van het verhaal, en schaamde zich.

'Ja, de edelsteen had een bittere kern,' zei Tamaros, 'maar elk deel van de steen blonk en fonkelde, en er dansten regenbogen in het binnenste. Nu pas konden de vier dit zien, terwijl ze voordien blind waren geweest voor die schoonheid. De dood opende hun de ogen. Ze beseften dat hun tijd kort was, en vonden vreugde in de tijd die ze hadden, waardeerden die tijd. Het verdriet bracht hoop mee. De dood bracht het leven mee.

De goden namen de Verheven Steen terug. Ze hebben hem nadien nog een keer in de wereld gezonden, maar dat is een ander verhaal. Toen vroeg ik erom, en hij werd aan mij gegeven, en of ik goed of fout heb gehandeld, weten alleen de goden. En nu vraag ik aan jullie: wat gaan jullie doen met jullie deel van de Steen.'

'Ik weet het antwoord,' zei Shadamehr. 'Ik geef hem aan mijn broeder.'

Hij stak het deel van de Verheven Steen dat hij in zijn hand hield, naar voren.

'Ik ook,' zei Damra terwijl ze haar deel naar voren stak.

'Ik ook.' 'Ik ook,' zeiden de Kapitein en Wolfram.

In het Portaal der Goden, onder de hemelkoepel, voegden ze de vier delen van de Verheven Steen aaneen. De vier delen vormden een piramide van stralend licht; mooi, fonkelend, oogverblindend, doorglinsterd door ontelbaar veel regenbogen. De Verheven Steen straalde zo helder als de zon, en de Domeinheren trokken elk hun hand terug.

De Verheven Steen viel op de vloer van het Portaal der Goden, de vloer die hard en koud was, en bevlekt met bloed. De Steen viel kapot, brak weer in vier stukken.

'Waarom gebeurde dat nou weer?' wilde Shadamehr weten.

'Omdat jullie de bittere kern vergeten hebben,' zei Dagnarus.

Uitgedost in zijn zwarte harnas, dat in zijn ziel passend was gesmeed voor zijn lichaam, betrad de Heer van de Leegte het Portaal der Goden, met snelle, stevige passen. Zijn hand rustte op het gevest van zijn zwaard. Hij droeg geen helm. Hij zag er ongeveer net zo uit als tweehonderd jaar geleden, toen hij voor het laatst in deze koepel was geweest. Zijn kastanjebruine haar, dat in slordige lokken om zijn gezicht viel, reikte net tot zijn schouders. Zijn knappe gezicht droeg een glimlach; hij was zeker van zijn overwinning.

'Ik dank jullie allen voor je komst,' zei hij. 'En voor het meebrengen van de Verheven Steen. Mijn vriend, Gareth – zijn lijk zien jullie daar op de vloer liggen – heeft zijn taak goed vervuld. Valura, lieve, ik vind je niet aantrekkelijk in die vermomming. De verrader Silwyth is eindelijk dood. Laten we hem doen verdwijnen.'

De buitenkant van Silwyth begon te golven, als een stil wateroppervlak. De golven trokken weg. De gestalte van een Vrykyl, in een zwart harnas gehuld, kwam uit de schaduwen naar voren en ging naast Dagnarus staan.

Toen zag hij zijn vader.

Dagnarus bleef glimlachen, maar zijn ogen waren plotseling waakzaam, op hun hoede.

'Als u bent gekomen om me tegen te houden, vader...'

'Ik zou je tegenhouden als ik dat kon,' zei Tamaros. 'Maar misschien niet om de reden die jij denkt. Ik kan mijn hand niet tegen je opheffen, ik kan je niet aanraken. Mijn sterfelijke lichaam ligt in het graf. Ik kan je niet beïnvloeden, zoon, behalve door mijn gebeden.'

'Daar is het een beetje laat voor, vader,' zei Dagnarus. 'Het enige gebed dat je had moeten bidden, heb je niet gebeden. Het gebed dat ik nooit geboren was.'

Dagnarus bukte zich om de glinsterende stukken van de Verheven Steen op te rapen. Een zwaard sloeg bij zijn hand op de stenen vloer, zodat zijn vingers bijna werden afgehakt. Dagnarus trok snel zijn hand terug en keek op.

'En wie mag jij wel zijn, heer?'

'Ik heet Shadamehr. En mijn hand kan u wel degelijk aanraken.'

Shadamehr had geen harnas. Hij had zijn gewone kleren en zijn reismantel aan, die inmiddels vlekken vertoonde van slijtage, modderspatten en nattigheid. Dagnarus keek van hem naar de drie Domeinheren, wier harnas blonk in het vage licht van de flikkerende sterren, en hij begon te lachen.
'Wat is er aan de hand, baron Shadamehr?' zei Dagnarus. 'Konden de goden geen menselijke Domeinheren vinden om hierheen te komen en mij uit te dagen? Of zijn ze onderweg allemaal doodgegaan omdat ze zo beschimmeld waren?'
'Vreemd genoeg ben ik zelf een Domeinheer,' antwoordde Shadamehr. 'Ja, ik weet het. Het was voor mij ook een verrassing. Ik wilde het niet, hoor. Ik heb er niet om gevraagd. De eer is me als het ware opgedrongen. Maar,' ging hij verder, ernstiger nu, 'aangezien de goden mij hebben gekozen als hun voorvechter, zal ik uit hun naam ingrijpen. De Verheven Steen kan niet uw eigendom zijn. Het is nooit de bedoeling geweest dat hij van u, of van welk mens ook, zou zijn.'
'En jij gaat verhinderen dat ik me hem toeëigen?' zei Dagnarus. Hij trok zijn zwaard. 'Ik moet je wel waarschuwen, baron, dat ik meer levens heb dan de spreekwoordelijke kat. Je zult me meer dan veertig keer moet doden om me tegen te houden.'
'Tja, dan moesten we maar eens beginnen,' zei Shadamehr terwijl hij in de houding ging staan.
Dagnarus keek hem aan, maar hij kon deze wedstrijd niet serieus nemen. Zijn blik werd aangetrokken door de Verheven Steen die glinsterend aan de voeten van zijn vader lag.
Shadamehr keek naar de ogen van zijn tegenstander en zag dat hij afgeleid was. Hij maakte daarvan gebruik om een uitval naar Dagnarus te doen.
De Heer van de Leegte, in het harnas van de Leegte, verplaatste zijn begerige blik niet. Dat was niet nodig. Toen Shadamehrs zwaard het zwarte harnas trof, versplinterde de kling en brak aan stukken. Shadamehr liet het gevest van het zwaard, het enige dat er van het wapen nog over was, vallen en greep naar zijn hand. Zijn handpalm was bedekt met bloed.
Glimlachend reikte Dagnarus omlaag om een kwart van de Verheven Steen op te rapen.

'Hij zal het niet kunnen aanraken,' riep Wolfram hees. 'De goden zullen hem tegenhouden.'
'Nee, dat zullen ze niet doen,' zei Dagnarus. 'Dat kunnen ze niet.'
Dagnarus greep het deel van de Verheven Steen dat Shadamehr had gedragen, en Bashae voor hem, en heer Gustav weer voor hem, en hij staarde vol bewondering naar de edelsteen, en draaide hem nu eens zo, dan weer een andere kant op om hem te zien fonkelen in het sterrenlicht. Toen stopte hij hem onder zijn gordel en wilde het volgende deel pakken.
Wolfram stond boven de Verheven Steen met zijn zwaard in de hand. Zijn tweelingzus, Gilda, stond voor hem, met haar schild geheven om hem te beschermen.
Dagnarus sloeg met zijn zwaard op het schild. Het werd in tweeën gesneden door de klap. Dagnarus doorstak haar met zijn zwaard.
Gilda viel neer; het stralende licht van haar ziel verbleekte. Met een schreeuw van verdriet en woede viel Wolfram Dagnarus aan. De Heer van de Leegte plukte het zwaard van de dwerg uit zijn hand en vermorzelde het in zijn greep. Hij liet de resten op de stervende Gilda vallen.
Dagnarus bukte zich en raapte het tweede deel van de Verheven Steen op.
Damra pakte vlug het elfendeel van de Steen en hield het stevig vast.
'Mijn zwaard is me gegeven door de Goddelijke en het werd gezegend door de Vader en de Moeder,' zei ze, terwijl ze zich onbevreesd tegenover de Heer van de Leegte posteerde. 'Misschien ben ik niet in staat u te doden, maar ik kan de smerige magie die u bij elkaar houdt lang genoeg ontrafelen om terug te pakken wat u gestolen hebt.'
'Ik steel niet,' zei Dagnarus. 'Ik neem terug wat van mij is. En je kunt doen wat je wilt, vrouwe, maar ik zal de Verheven Steen hebben.'
'Heer, ze spreekt de waarheid!' riep Valura. 'Haar wapen is heilig en het zal u kwaad doen! U moet haar niet te na komen.'
'Weg jij, Valura,' zei Dagnarus ongeduldig. 'Ik heb genoeg van je. Val me niet meer lastig.'

Hij maakte een schijnbeweging en deed toen een uitval naar Damra's zwaard in een poging het uit haar hand te slaan.
Damra liet zich niet beetnemen door zijn manoeuvre. Ze verwachtte zijn aanval en wist hem behendig te ontwijken. De glanzende kling die zeven jaar op het altaar van de Vader en de Moeder had gelegen, sneed door het zwarte harnas van de Leegte en doorstak het stof dat eens een kloppend hart was geweest. Maar het harnas was niet Dagnarus' harnas. Het hart was niet zijn hart. Valura had zich voor haar heer geworpen en de voor hem bestemde slag opgevangen. Het gezegende zwaard vulde de Leegte die haar ziel was. Valura slaakte een gesmoorde gil. Haar lichaam kronkelde in doodsnood.
Damra vocht om het zwaard los te trekken, maar Valura sloot haar hand om de kling en hield hem vast, hoewel dat betekende dat ze de verschrikkelijke kling in haar eigen binnenste hield. Met haar andere hand greep ze de Verheven Steen en rukte hem uit Damra's hand.
Het zwarte harnas verdween en onthulde de gruwelijke resten van wat ooit een vrouw was geweest, mooi en levendig. Valura bloedde niet, want het bloed was al lang geleden uit haar getrokken. Haar leerachtige huid spande strak om haar botten. Haar haar, lang en verward, golfde over haar gemummificeerde resten. Valura maakte met veel pijn een beweging; ze stak haar afschuwelijke hand uit naar Dagnarus.
Hij deinsde terug voor de gruwelijke aanraking, en staarde met walging naar het vergane lichaam.
'Dagnarus,' zei Valura. 'Ik sterf...'
'Je bent al dood,' riep hij. 'En bij de goden, ik wou dat ik je nooit naar het leven had teruggehaald. Ik kan je al heel lang niet meer luchten of zien! Ik haat je!'
'Niet mij,' fluisterde ze, een fluistering die zowat het enige was dat nog van haar over was. 'Je haat jezelf.'
Ze verbrokkelde, verschrompelde, verteerde tot as, een hoop as die op de vloer viel. Dagnarus stak zijn hand in het stof van de dode en pikte er het elfendeel van de Verheven Steen uit. De laatste die hem tegemoet trad, was de kapitein der kapiteins.
'Jouw grootvader heeft geprobeerd mijn vader ervan te over-

tuigen dat hij mij moest doden,' zei Dagnarus. 'Hij zag wat geen van de anderen kon zien. Hij zag wat ik zou worden.'
'Het ware beter geweest als hij u toen had gedood,' zei de Kapitein. Ze stond met haar armen gekruist voor haar borst; ze hield de Verheven Steen in haar ene hand, haar zwaard in de andere.
'Er zijn momenten, Kapitein,' zei Dagnarus, 'waarop ik hetzelfde denk. Geef mij de Steen. Omwille van uw wijze grootvader wil ik u geen kwaad doen.'
'In naam van zijn wijsheid geef ik de Verheven Steen aan u,' zei de Kapitein. Ze boog haar hoofd, liet haar zwaard zakken en stak haar hand naar voren.
De vier delen van de Verheven Steen waren in zijn bezit in het Portaal der Goden, onder de hemelkoepel. Dagnarus staarde ernaar, de kostbare buit waarnaar hij zijn hele leven had gestreefd; twee delen van de edelsteen fonkelden in zijn rechterhand, twee in zijn linkerhand.
Genietend van hun schoonheid en zijn overwinning bracht hij de vier stukken bij elkaar. Terwijl hij dat deed, dacht hij terug aan het moment waarop zijn vader de heilige Steen had gekloofd. Tamaros zag alleen de prachtige, stralende regenbogen. Dagnarus had in de kern gekeken en de duisternis gezien. Nu zag hij de duisternis niet. Hij zag alleen de regenbogen. Hij bracht de vier stukken bij elkaar.
Een voor een gleden ze uit zijn handen en vielen op de stoffige, met bloed bevlekte vloer.
Boos bukte Dagnarus zich om op te rapen wat hij had laten vallen.
'Neem me niet kwalijk,' zei Shadamehr beleefd. 'Die zijn van ons.'
Hij schopte Dagnarus in het gezicht.
De zwarte helm van de Leegte beschermde Dagnarus tegen verwondingen, maar door de kracht van de onverwachte klap wankelde hij naar achteren.
'De Leegte mag je halen!' riep hij, en olieachtige, zwarte tentakels kronkelden zich vanuit zijn vingers, kropen naar Shadamehr toe...

Naar twintig Shadamehrs toe. De magie van Damra vulde de gang met een menigte Shadamehrs. Dagnarus keek woest van de een naar de ander, terwijl zijn eigen dodelijke magie zich om hemzelf heen wond. Hij wees naar Damra.

Met een knal als van een zweep kronkelde een tentakel naar voren, greep Damra bij haar enkel en trok haar onderuit. Een tweede tentakel krulde zich om haar hals, werd strak, verstikte haar, en haar illusies vervlogen. Damra lag te kronkelen op de vloer; ze rukte aan de tentakel om zich te bevrijden, maar de tentakel was gemaakt van de Leegte. Ze greep naar niets, terwijl dat niets toch bezig was haar te vermoorden.

Shadamehr was met een sprong bij haar.

'Achteruit!' riep de Kapitein.

Ze zwaaide met haar zwaard, dat gesmeed was in de heilige vuren van de Sa'Gra-berg. Het gezegende wapen sneed de Leegte door en bevrijdde Damra. In dezelfde beweging hakte de Kapitein Dagnarus' uitgestoken hand af.

Dagnarus lachte, want hij ging ervan uit dat de Leegte hem zou beschermen. Maar de waarschuwing die de stervende Valura had uitgesproken, bleek waar. Het gezegende wapen had het vermogen hem kwaad te doen. Hij zag zijn hand op de vloer liggen, met de vingers omhooggebogen; het rode bloed vormde een plasje rondom het afgesneden lichaamsdeel.

Toen drong opeens de pijn tot hem door, en de woede. Hij kwam overeind. De Kapitein stak het gezegende zwaard in zijn borst. Het wapen drong door het zwarte borstschild, gleed door de Leegte, maar het kon niet zijn hart bereiken. Een van de vele levens die hij had geroofd, misschien dat van Valura of Shakur, misschien dat van de ongelukkige Jedash of een van de talloze andere, stierf voor hem.

Met zijn linkerhand trok Dagnarus het zwaard uit zijn lichaam, en hij kneep er met kracht in. Het metaal begon rood te gloeien, alsof het weer in het smidsvuur lag, en het zwaard vervloeide, liep weg als een zilverkleurig plasje aan de voeten van de Heer van de Leegte.

[illegible] delen van de Verheven Steen lagen bij elkaar in een plas [illegible]d. Zijn afgehakte hand kroop naar de stukken Verheven

Steen toe en liet een gruwelijk spoor achter.
De vingers van de afgehakte hand konden de delen van de Steen aanraken, maar dat was alles. De vier delen wilden niet bij elkaar komen.
'Er ontbreekt nog een deel,' zei Gareth.
'Welk deel dan?' wilde Dagnarus weten; de pijn maakte hem boos. Hij drukte zijn gewonde arm tegen zijn lichaam en keek kwaad naar de met bloed bevlekte kristallen. 'Er liggen hier vier stukken. Mijn vader heeft hem in vieren gekloofd.'
'Hij heeft hem in vijven gekloofd. Het vijfde deel heb ik aan u gegeven. Ik gaf het u uit liefde, hoewel het me mijn ziel heeft gekost.'
'Spreek duidelijk, Vlek,' zei Dagnarus. 'Geen raadsels meer. Daar heb ik genoeg van gekregen tijdens die verdomde proeven die ik heb afgelegd om Domeinheer te worden.' Hij zweeg om adem te halen. 'Dat is het antwoord! Jij wilde niet dat ik die proeven aflegde. Je probeerde me tegen te houden door een dolk te brengen.
K'let!' beval Dagnarus. 'Geef me de Dolk van de Vrykyls!'
Er kwam geen antwoord.
Dagnarus draaide zich om en keek in het donker dat zich aan de randen van de hemelkoepel ophoopte. K'let stond in de schaduwen, met de als een draak gevormde dolk stevig in zijn hand geklemd.
'K'let,' zei Dagnarus, 'ik vergeef je je verraad. Ik zal je tot koning maken. Breng me de dolk.'
Langzaam kwam de taan aanlopen. Hij droeg niet het harnas van de Vrykyls. Hij was nog steeds in de gedaante van de taan die hij was geweest, met rijen littekens over zijn bleke vel, de klauwtenen van zijn voeten schraapten over de vloer; zijn gezicht verried niets voor degenen die er alleen de dierlijke snuit, de slagtanden en de kleine, vreemde oogjes van zagen. Maar ze waren niet leeg, die oogjes. Niet zo leeg als de ogen van een Vrykyl hadden moeten zijn. Het leven was er niet helemaal uit weggezogen.
Eén persoon in de kamer zag de schaduw in de ogen van de taa
Raaf, die tegen de muur gedrukt stond; zijn ziel kromp ir

toen hij de geesten van de doden zag rondlopen, de zielen van de vermoorden zag spreken, de omhulsels van de doden zag sterven. Het donker was zo diep dat Raaf Dagnarus niet kon zien, het licht was zo sterk dat hij de Domeinheren niet kon zien. Maar K'let zag hij wel. Hij had K'let leren kennen tijdens hun lange reis samen. Raaf zag de schaduw, als rook die over een donker, stil water drijft.

K'let bleef voor Dagnarus staan. K'let hield de Dolk van de Vrykyls voor zich, in zijn handpalmen, zodanig dat het lemmet op zijn ene hand rustte en het heft op de andere.

'Jij was anders dan de anderen, K'let,' zei Dagnarus. 'Jij was de enige die me vrijwillig je leven gaf. Jij was de enige die de wilskracht had om tegen mij op te staan. Ik heb altijd gezegd dat wij broers waren.'

'Dat zei je inderdaad,' zei K'let. 'En je hebt je broer vermoord.'

De taan sloot zijn hand om het heft van de dolk en stootte hem met al zijn kracht in Dagnarus' borst.

De taan gaf een afgrijselijke schreeuw toen de Leegte hem verscheurde, hem aan stukken reet, zijn vlees en gebeente vermaalde tot niets. Het enige dat er van hem overbleef was zijn schedel, dierlijk, buitenaards. Een grijnzende schedel.

Dagnarus staarde naar de schedel en eerst leek het erop dat hij zou gaan lachen. Maar toen voelde hij de pijn. Het drong, snel en vreselijk, tot Dagnarus door wat er gebeurd was. K'let had de draakvormige dolk diep in hem gestoken. Het vervloekte lemmet, scherp als haat en bitter als jaloezie, was door het zwarte harnas heen gedrongen. De dolk sneed in één enkele haal door al zijn levens op zoek naar het laatste leven, het leven van Dagnarus zelf, dat op de bodem begraven was.

Dagnarus zakte neer op de vloer, zodat hij op handen en voeten boven de vier fragmenten van de Steen kwam te zitten.

Door een felle pijnscheut moest hij zijn kiezen op elkaar klemmen, maar hij gilde of schreeuwde niet. Met een vertrokken gezicht greep hij het heft van de dolk en wrikte hem hijgend los.

Bloed spoot uit de wond en stroomde over de vier delen van de verheven Steen. Met bevende hand legde Dagnarus de dolk in

het midden. Hij verzamelde een voor een de stukken van de Verheven Steen.
'Mijn zoon.' Tamaros kwam naast het sidderende lichaam van zijn stervende kind staan. 'De goden zijn genadig. Zij hebben hun kinderen lief, en ze begrijpen hun zwakheid.'
'Net als u, vader?' Dagnarus haalde uit naar de geestverschijning, probeerde hem te verjagen. 'Vlek!' hijgde hij, terwijl bloed van zijn lippen droop. 'Vlek, kom bij me!'
Gareth kwam naar hem toe, ging naast hem staan en keek op hem neer.
'Je hebt me het grootste geschenk van de goden beloofd,' zei Dagnarus beschuldigend.
'De goden reiken het u aan. U hoeft er alleen maar om te vragen, net als ik.'
Gareth knielde naast Dagnarus neer, en keek in de ogen van zijn prins. 'Het grootste geschenk van de goden is vergiffenis.'
Dagnarus richtte zijn blik omhoog naar de hemelkoepel. 'Nee,' zei hij uitdagend. 'Jullie moeten míj vergiffenis vragen. Want ik heb... de Verheven Steen.'
Hij greep de vier delen van de Verheven Steen in één hand en stootte de Dolk van de Vrykyls, nat van zijn levensbloed, in het hart van de steen.
De Verheven Steen begon te gloeien, eerst met een bleek en koud licht, toen sterker, helderder, stralender, blinkend van de schrijnende schittering die de geest van de goden was. Het zuivere vuur verlichtte Dagnarus, zodat hij gedurende een ogenblik een zilverkleurig licht uitstraalde. Toen slorpte de duisternis hem op.

Niemand sprak.
De Domeinheren waren te zeer onder de indruk om hun gevoelens te verwoorden.
Raaf was te erg geschokt.
Shakur was te druk bezig zijn situatie in te schatten.
De Vrykyl had het gesprek tussen Dagnarus en K'let gehoord. Shakur wist dat Dagnarus hem naar de Leegte wilde verbannen. Shakur had K'let ervan kunnen weerhouden Dagnarus te doden, maar hij had besloten dat niet te doen. Hij had verwacht tegelijk met zijn meester in de Leegte te vallen, en was dus verbaasd dat hij nog hier was.
Hij wist niet waarom, behalve dat de Leegte altijd onberekenbaar was.
Zijn verbazing maakte plaats voor tevredenheid. De Dolk van de Vrykyls was weg. Hij was er nog. Hij had het bloedmes, dat van zijn eigen bot was gemaakt. Hij kon het blijven gebruiken, doorgaan met het stelen van zielen en zijn bestaan voortzetten, een bestaan dat hij verfoeide, maar dat draaglijk zou kunnen worden.
'Op dit moment heb ik geen meester,' zei Shakur. 'Niemand om me te commanderen, niemand die zegt dat ik zo moet lopen of zus moet doen. Ik ben vrij om te gaan waar ik wil, te doen wat me aanstaat. Er zijn nog meer Vrykyls. Andere Vrykyls die net als ik nu geen meester meer hebben. Ze zullen een leider nodig hebben, en bij wie zullen ze anders aankloppen, nu hun heer weg is, dan bij mij?'

Shakur had al lang zijn eigen plannen gehad, plannen die hij nu kon uitvoeren. De Vrykyl was niet zo ambitieus als Dagnarus. Shakur had niet het verlangen om over de wereld te heersen. Hij had andere, bescheidener doelen. Shakur glipte de Leegte in, werd één met de duisternis, en ging weg voor de Domeinheren hem konden vinden.

De Domeinheren keken op naar de hemelkoepel, maar zagen alleen een zoldering van hout, bedekt met witkalk, een kleine kamer, gemeubileerd met een bed, een lessenaar en een stoel. Op de lessenaar stond één enkele kaars, die brandde zonder te flakkeren. Door de geopende deur was een gang te zien. De Kapitein haalde haar schouders op, draaide zich om en liep de deur uit, waarbij ze haar hoofd moest buigen.
Wolfram wilde haar al volgen, maar bleef toen staan en wachtte. Hij zocht Gilda. Hij zag haar niet en wist toen dat hij haar nooit zou zien, tot de tijd dat hij zich bij haar zou voegen om met de Wolf te draven. Maar ze zou altijd bij hem zijn. Met een zucht en een glimlach liep hij alleen naar buiten.
Raaf liep door de donkere gang terug; hij hoopte dat hij met niemand zou hoeven spreken. Hij kwam echter niet erg snel vooruit, want hij had geen licht, zijn lichaam was bont en blauw en deed overal pijn, en hij beefde als reactie op de overweldigende en niet te bevatten dingen die hij had gezien. Hij was daarom nog niet erg ver gekomen toen hij achter zich stampende voetstappen hoorde aankomen.
'Wacht, Raaf,' riep Wolfram.
Raaf bleef staan en draaide zich om.
De dwerg had een olielamp gevonden. Hij liet het licht in Raafs gezicht schijnen, en daarna op zijn eigen gezicht. 'Ik ben het, Raaf, Wolfram. Herkende je me niet?'
'Nee,' loog Raaf. 'Het spijt me.'
'Dat kwam waarschijnlijk door het harnas dat ik aan had,' zei Wolfram, met een gegeneerde uitdrukking op zijn gezicht. Het harnas was verdwenen, vervangen door zijn eigen prettig zittende reiskleding. Hij keek Raaf vragend aan. 'Wat doe jij trouwens hier?'

'Dat is een lang verhaal,' zei Raaf. 'En een verhaal waar ik nu geen tijd voor heb. Het is goed je weer te zien. Ik wens je een behouden reis.'
Raaf wilde verder lopen door de donkere gang.
'Hé, wacht!' zei Wolfram, die hem hardnekkig bleef volgen. 'Je bent alleen. Je hebt geen licht. Weet je de weg?'
'Nee,' zei Raaf. 'Maar ik kom er wel.'
Hij bleef doorlopen, en de dwerg liep mee.
'Waar ga je heen?' vroeg Wolfram.
'Terug naar mijn volk.'
'Terug naar het gebied van de Trevinici, hè?' bromde Wolfram. 'Nou, het beste dan maar.'
'Bedankt,' zei Raaf. Hij ging niet terug naar het gebied van de Trevinici, maar dat hoefde de dwerg niet te weten. 'En jij?'
Wolfram merkte wel dat de Trevinici van hem af probeerde te komen. Hij vertraagde zijn pas, stond stil.
'Ik ga terug naar mijn volk,' zei hij. Hij schrok er zelf van, te ontdekken dat dat zijn bestemming was. Hij had het niet geweten tot de woorden uit zijn mond kwamen. Hij voelde de noodzaak om het toe te lichten. 'Ik ben een Domeinheer. De enige die ze hebben.'
Raaf begreep het niet, maar hij knikte. 'Ik wens je het beste,' zei hij en hij ging op weg.

Damra wachtte op Shadamehr, die doelloos overal in porde en prikte, naar het bed keek, in de lessenaar en onder de stoel tuurde.
'Heer van het Zoeken,' zei ze. 'Dat past heel goed bij je. Wat zoek je nu?'
'Ik weet het niet. Een kruimeltje van de Steen misschien. Dat per ongeluk is blijven liggen.'
'Ik denk niet dat je er een zult vinden,' zei ze.
'Nee. Dat zal wel niet.' Hij zuchtte en ging staan. Hij keek haar aan, met een donkere uitdrukking op zijn gezicht. 'De Verheven Steen is weg. Daardoor ben ik de laatste Domeinheer.'
'Dan moet je een goede Domeinheer zijn,' zei Damra ernstig. 'En heel lang blijven leven.'

'Twee van de Vrykyls zijn weg, maar er is er een ontsnapt,' zei Shadamehr. 'Ik zag hem in de schaduwen verdwijnen, vlak voor het licht wegviel. Er lopen er nog meer rond, en wie moet ze bestrijden?'
'De macht van de Leegte is afgenomen, maar de Leegte zal nooit helemaal overwonnen zijn. En dat moet ook niet, zoals Tamaros zei. Dat is de les die we hebben geleerd.'
'Je hebt vermoedelijk gelijk,' zei Shadamehr. Hij keek nog eens rond. 'Ik vraag me af aan wie de Verheven Steen de volgende keer gegeven zal worden.'
'Laten we hopen dat het iemand is die verstandiger is dan wij zijn geweest,' zei Damra.
'Of dommer,' zei Shadamehr met een ondeugende grijns. 'Waar ga jij nu heen, Damra?'
'Ik ga Griffith zoeken. Wij moeten terug naar Tromek, de strijd tegen het Schild gaan voeren. En jij?'
'Ik zal Alise vinden. Of eigenlijk,' verbeterde Shadamehr opgewekt, 'zal zij mij vinden. Dat lijkt altijd te gebeuren, zie je. Dat we elkaar vinden. Het probleem is, te weten wat we met elkaar moeten doen.'
Hij keek uit de kamer in het donker, een lege ruimte die toch vol mogelijkheden was. Hij dacht dat hij het eindelijk begon te begrijpen, al was het maar een beetje.
'De troon in Vinnengael is vacant,' opperde Damra, half plagend, maar toch in volle ernst. 'Misschien word je nog eens koning?'
'De goden verhoeden het!' zei Shadamehr, die al schrok van de gedachte alleen. 'Baron zijn is al moeilijk genoeg. Misschien gaan Alise, Ulaf, die brave oude Rigiswald en ik de Kapitein helpen haar heilige berg terug te veroveren. Of misschien gaan we achter die Vrykyls aan. Of komen we jou en Griffith helpen tegen het Schild te vechten.'
'Dank je wel,' zei Damra beslist. 'Maar ik denk dat we het zelf wel afkunnen.'
'Tja, als je dat zeker weet...'
Hij keek nog één keer rond in het kamertje, het Portaal der Goden. Toen bukte hij zich om de kaars uit te blazen.

‘Nee,’ zei Damra en ze hield hem tegen. ‘Het is de bedoeling dat we hem meenemen.’
Shadamehr pakte de kaars op, nam hem mee de deur uit en sloot de deur achter zich. Toen hij zich omdraaide om te kijken, zag hij alleen duisternis.

Epiloog

De kroniekschrijver komt in de verleiding de lotgevallen van onze helden af te sluiten met deze gewichtige gebeurtenis, en te zeggen dat ze nog lang en gelukkig leefden. De waarheid is echter dat de reis van hun leven hier niet eindigde, maar doorging, zij het in richtingen die ze geen van allen hadden kunnen voorzien. Hun levens werden voorgoed veranderd door de Verheven Steen, en dat is het lot van de held.

Raaf ging terug naar de tanen; hij bracht het verhaal mee van K'let, die zich had opgeofferd om te bewijzen dat Dagnarus geen god was. De tanen geloofden het maar half, en waren sterk geneigd te denken dat Raaf loog. Ze wilden hem doden, maar Derl, de sjamaan, bevestigde dat Raafs verhaal waar was, evenals de taan-Vrykyl Nb'arsk, die via het bloedmes veel van wat er gebeurd was had gezien. In plaats van gemarteld en gedood te worden, werd Raaf formeel tot taan uitgeroepen en volledig in de stam geaccepteerd. Vanaf die dag werd hij door geen enkele taan meer uitgemaakt voor xkes.

Klendist meldde aan de autoriteiten dat een Trevinici een verrader was geworden en dat hij met de vijand samenleefde, met als gevolg dat zowel de Karnuanen als de Dunkarganen een prijs op Raafs hoofd uitloofden. Om vrede te vinden, zou Raaf uit-

eindelijk zijn stam tanen en halftanen door het Portaal terugvoeren naar het oude land van de tanen, een hard, woest en onherbergzaam rijk, waar de taangoden blij waren hun verloren kinderen weer thuis te verwelkomen.
Nu de tanen verslagen waren, richtten de Karnuanen – in krijgsstemming – hun staalgrijze ogen op het verzwakte Vinnengael, dat stuurloos was zonder koning. De officieren van de Koninklijke Cavalerieschool in Krammes, die door baron Shadamehr gewaarschuwd waren, traden snel op om de orde te herstellen in de stad Nieuw Vinnengael, de grens te versterken en het Portaal bij Delak 'Vir terug te veroveren. De teleurgestelde Karnuanen besloten in plaats daarvan het verzwakte Dunkarga aan te vallen, en dat deden ze.
Wolfram keerde terug naar het dwergengebied, waar hij zich aansloot bij Kolost, wiens roem en glorie en grote daden zich door de dwergennatie verspreidden als door blikseminslag veroorzaakt vuur, dat spoedig de wereld zou omspannen.
Damra en Griffith keerden terug naar Tromek om strijd te voeren tegen het Schild, een strijd die lang en verschrikkelijk was, want het Schild verbond zich met Shakur en andere overgebleven Vrykyls. Voor de strijd eindelijk afgelopen was, strekte hij zich zelfs uit tot het rijk van de elfendoden. Een van de eerste dingen die Damra deed nadat ze in haar land was teruggekeerd, was ervoor zorgen dat het Huis Kinnoth weer een ereplaats kreeg onder de elfengeslachten.
Bashae werd te ruste gelegd in de grafheuvel die ook het lichaam van heer Gustav bevatte. De pecwae voegde zich bij de gelederen van geëerde Trevinici-doden, en tot op de huidige dag neemt Bashae, wanneer de grote krijgers uit de geschiedenis opgeroepen worden om de levenden te hulp te komen, trots zijn plaats in naast grootheden als de Bierzuiper, de Schedelrammer en de Berenslachter.
Hoewel Jessan niet van steden hield, was het leven van een boer toch te saai naar zijn smaak, en hij liet zich overhalen om met een groep mede-Trevinici naar Nimorea te reizen, waar hij als huurling diende in het leger. Terwijl hij daar was, hernieuwde hij zijn vriendschap met Arim, de vliegermaker, en – zo gaat het

gerucht – voerde hij af en toe geheime opdrachten uit voor de Nimoreaanse koningin.

Ranessa liet Jessan geheimhouding beloven betreffende het feit dat zij een draak was, want het ging niet aan dat de Trevinici zouden weten dat ze zonder het te weten een drakenkind in hun midden hadden grootgebracht. (Anders zouden ze voorgoed argwaan koesteren jegens hun eigen kinderen.) Ranessa ging niet meer terug naar de Trevinici. Ze bleef op de Drakenberg en nam na de dood van haar moeder het wachterschap over de monniken op zich.

De Grootmoeder vond het leven ondraaglijk toen ze weer thuis was. De pecwaes waren zo blij haar te zien, en zo verdrietig om Bashae, dat ze het gejammer en gehuil niet kon verdragen. De Grootmoeder nam haar nieuwe stok met agaten ogen, zei iedereen gedag en vertrok om haar slaapstad te zoeken. Ze kwam nooit terug, en niemand is er ooit achter gekomen wat er van haar geworden is.

Wat Shadamehr en Alise betreft, het waar en hoe van het huwelijk dat ze wellicht sloten is nooit duidelijk geworden, want hij begon alleen hartelijk te lachen wanneer het ter sprake kwam, waarna Alise in woede ontstak en dagenlang weigerde tegen hem te spreken. Ze beminden elkaar blijkbaar even vurig als ze ruzie maakten, want weldra wemelde het in de baronie van de roodharige kinderen. Maar het bleef een raadsel voor hun vrienden hoe ze de tijd vonden om die kinderen te maken of om ze groot te brengen, want óf ze waren in Tromek om de elfen te steunen, óf ze kwamen bijna om het leven terwijl ze samen met de orken vochten om de Sa'Gra-berg te bevrijden, óf ze werkten met de Raad van Domeinheren om nieuwe regels op te stellen voor de voortzetting van het Domeinheerschap zonder dat er een Verheven Steen was. Daarbij vervulde de baron, als nieuwe voorzitter van de Raad, een geïnteresseerde en actieve rol.

Ten slotte is voor de kroniekschrijver van deze geschiedenis de verleiding groot om te schrijven dat de ondergang van Dagnarus ertoe leidde dat degenen die voor zijn nederlaag verantwoordelijk waren geweest, in heel Loerem als helden werden geëerd. De waarheid is dat de meeste mensen zo gericht waren op hun eigen leven dat ze de Heer van de Leegte en de helden die zoveel hadden opgeofferd om hem tegen te houden, algauw vergeten waren.

En dat is, zoals de Kapitein in haar wijsheid opmerkte, maar goed ook, want een held heeft maar één doel, en dat is het leven terug te geven aan de levenden.